LA CACHE DU DIABLE

DU MÊME AUTEUR
AUX ÉDITIONS ALBIN MICHEL

▲

Chasse à mort
Les Étrangers
Le Temps paralysé
Les Yeux foudroyés
Midnight
La Maison interdite
Fièvre de glace

Dean R. Koontz

LA CACHE DU DIABLE

ROMAN

traduit de l'américain par
Bernard Blanc

Albin Michel

Édition originale américaine

HIDEAWAY

© 1992 Nkui, Inc.
G.P. Putnam's Sons, New York

Traduction française :

Éditions Albin Michel, S.A., 1994
22, rue Huyghens, 75014 Paris

ISBN : 2-226-06917-8

Ô quel homme, en lui, peut être caché
Derrière ce visage d'ange !

William Shakespeare

Première partie

A QUELQUES SECONDES D'UNE ÉVASION

*La vie est un cadeau qu'il faut rendre,
et la joie devrait naître de sa possession.
Elle est sacrément trop courte, voilà la réalité.
Difficile à accepter, cette procession terrestre
jusqu'aux ténèbres finales est un voyage accompli,
un cercle complet, une œuvre d'art sublime,
une douce mélodie, une bataille gagnée.*

LE LIVRE DES DOULEURS DÉNOMBRÉES

CHAPITRE 1

1

Un monde tout entier bourdonnait d'activités par-delà les sombres remparts des montagnes, pourtant la nuit semblait déserte à Lindsey Harrison, aussi creuse que les ventricules flasques d'un cœur froid et mort. Elle frissonna et s'enfonça un peu plus dans le siège du passager de la Honda.

Des arbres centenaires au feuillage persistant escaladaient en rangs serrés les pentes bordant la route ; ils cédaient parfois la place à des peuplements clairsemés d'érables et de bouleaux dépouillés par l'hiver qui transperçaient le ciel de leurs branches noires et déchiquetées. Mais cette vaste forêt et les énormes formations rocheuses auxquelles elle s'accrochait ne diminuaient en rien le vide de cette nuit de mars glaciale. Tandis que la Honda descendait le ruban sinueux de bitume, les arbres et les rocs donnaient l'impression de flotter, comme de simples images oniriques, sans véritable substance.

Chassée par un vent furieux, la neige fondue tournoyait dans les faisceaux des phares. Mais la tourmente, elle non plus, ne pouvait combler le vide.

Car la vacuité qu'éprouvait Lindsey était intérieure. La nuit débordait, comme toujours, du chaos de la création. C'était seulement son âme qui ne contenait plus rien.

Elle observa Hatch un instant. Penché sur son volant, le dos un peu voûté, il scrutait la route devant lui, avec une expression qui aurait pu sembler à n'importe qui neutre et impénétrable ; mais après douze ans de mariage, Lindsey y lisait à livre ouvert. Excellent conducteur, il ne craignait pas les mauvaises conditions routières. Comme elle, il repensait sans doute au long week-end qu'ils venaient de passer à Big Bear Lake.

Une fois encore, ils avaient tenté de retrouver leur bonne entente de jadis. Et une fois encore, ils avaient échoué.

Ils étaient toujours prisonniers des chaînes du passé.

La mort de leur fils de cinq ans pesait sur eux d'un poids émotionnel incalculable. Elle écrasait leur esprit, stoppait très vite chaque regain d'optimisme, ruinait toute velléité de bonheur. Jimmy était mort depuis plus de quatre ans et demi — presque l'âge qu'il avait eu —, et pourtant sa disparition les accablait tout autant que le jour où ils l'avaient perdu, telle une lune colossale se dessinant au-dessus d'eux, menaçante, proche.

Regardant la route avec difficulté à travers le pare-brise barbouillé, entre les essuie-glaces qui peinaient sur la vitre, alourdis par la neige, Hatch soupira doucement. Il jeta un coup d'œil à Lindsey et lui sourit. C'était un pâle sourire, fatigué et sans joie, le fantôme d'un vrai sourire. Il parut vouloir dire quelque chose, se ravisa, s'intéressa de nouveau à la route.

Les trois voies de circulation — une qui descendait, et deux qui montaient — disparaissaient sous un linceul de neige. La pente céda la place à une courte ligne droite, puis à une longue courbe sans visibilité. Mais ils n'avaient pas encore quitté les San Bernardino Mountains. La descente allait recommencer.

Dans cette courbe, le paysage changeait : le flanc de la montagne, sur leur droite, formait un angle plus aigu, tandis que de l'autre côté de la route, le plus éloigné, s'ouvrait un sombre ravin. Des garde-fous de métal peints en blanc bordaient ce précipice, à peine visibles sous la neige.

Quelques secondes avant de sortir de la courbe, Lindsey eut le pressentiment d'un danger. Elle souffla :

— Hatch...

Peut-être Hatch devina-t-il quelque chose lui aussi ; comme Lindsey ouvrait la bouche, il freina doucement pour ralentir.

Dans la ligne droite qui suivait le virage, un camion de livraison de bière était immobilisé en travers de deux des voies de circulation, à une quinzaine de mètres devant eux.

Lindsey voulut dire *Oh, mon Dieu !* mais sa voix resta coincée dans sa gorge.

Alors qu'il montait à une station de ski de la région, le poids lourd avait été surpris par la tempête de neige qui venait de se lever — une demi-journée plus tôt que ce qu'avait annoncé la météo. Sans chaînes, ses énormes roues patinaient sur la chaussée verglacée, tandis que son chauffeur se battait désespérément pour le redresser et repartir.

Hatch jura à voix basse, mais il ne perdit rien de son sang-froid habituel ; il lâcha la pédale du frein, de peur d'entraîner la Honda dans un tête-à-queue dangereux.

Apercevant l'éclat des phares de la voiture, le camionneur regarda par la vitre de sa cabine. Le sombre rideau de la nuit et de la neige se referma si vite que Lindsey n'aperçut aucun détail du visage de l'homme, hormis un ovale blême, et deux trous noir de charbon là où auraient dû se trouver les yeux, comme si un fantôme, quelque esprit malfaisant, était au volant de ce semi-remorque. Ou la Mort en personne.

Hatch dirigea la Honda vers la plus extérieure des deux voies de circulation qui montaient — la seule partie de la route encore libre.

Lindsey pensa que d'autres véhicules arrivaient peut-être par là, dissimulés à leur vue par le poids lourd. Même sans rouler vite, Hatch et elle ne survivraient pas à une collision frontale.

En dépit des efforts de Hatch, la Honda commença à glisser. L'arrière partit vers la gauche, et Lindsey se vit en train de s'éloigner doucement du camion. Ce mouvement régulier, incontrôlable, ressemblait aux transitions entre les scènes d'un mauvais rêve. Un brusque haut-le-cœur lui tordit l'estomac ; elle avait sa ceinture de sécurité, mais instinctivement elle appuya sa main droite contre la porte et sa gauche contre le tableau de bord pour se retenir.

— Accroche-toi, dit Hatch, en faisant tourner le volant dans la direction où la voiture voulait aller, car c'était son seul espoir d'en reprendre le contrôle.

Mais le dérapage s'accéléra, à donner la nausée, et la Honda pivota sur trois cent soixante degrés comme un manège de chevaux de bois, mais sans musique — et encore et encore... Jusqu'à ce que le camion fût de nouveau dans leur champ de vision. Pendant une seconde, tandis qu'ils continuaient à glisser et à tourner dans le sens de la pente, Lindsey eut la certitude que leur voiture allait réussir à franchir l'obstacle sans problème. A présent, elle apercevait la route au-delà du poids lourd : aucun trafic en vue.

Et puis le pare-chocs avant, côté conducteur, percuta l'arrière du camion. Le bruit du métal torturé déchira l'air.

Au point d'impact, la Honda ébranlée dans sa structure sembla comme soufflée par une explosion, et elle alla s'écraser contre le rail de protection. Sous le choc, les dents de Lindsey claquèrent si fort que ses mâchoires lui firent mal jusqu'aux tempes ; sa main agrippée au tableau de bord se plia douloureusement au poignet. En même temps, la sangle de sa ceinture de sécurité, tendue, se bloqua sur sa poitrine avec une telle violence qu'elle lui coupa la respiration.

La voiture rebondit contre le garde-fou, pas assez vite pour retourner frapper le poids lourd, mais avec un mouvement de rotation qui la fit pivoter une nouvelle fois de trois cent soixante degrés. Comme elle dépassait le camion en continuant à glisser et à tournoyer sur elle-même, Hatch lutta pour en reprendre le contrôle, mais le volant tournait si vite vers la droite et vers la gauche, par à-coups, que la peau de la paume de ses mains fut arrachée. Il poussa un cri de douleur.

Et puis la pente douce plongea aussi brusquement que le déversoir d'un toboggan d'aquaparc. Lindsey aurait hurlé si elle avait pu reprendre son souffle. Sa ceinture s'était un peu desserrée, mais sa poitrine lui faisait encore si mal qu'elle ne pouvait pas respirer. Elle eut alors l'affreuse vision de la Honda qui dérapait longuement jusqu'au prochain virage, enfonçait la glissière de sécurité et basculait dans le vide — et c'était là une image si horrible que son impression d'étouffement s'accentua.

Alors que la voiture finissait sa seconde rotation, son côté droit vint se fracasser contre le garde-fou, le long duquel il glissa sur une quarantaine de mètres. Avec les grincements et les raclements du métal sur le métal, un déluge d'étincelles se mêla à la neige, telle une multitude de lucioles qui, franchissant un repli temporel, se seraient retrouvées dans une saison à laquelle elles n'appartenaient pas.

Il y eut une dernière secousse, et la voiture s'immobilisa, le coin avant gauche légèrement soulevé, sans doute accroché à un montant du garde-fou. Pendant une seconde, le silence fut si profond que Lindey en fut tout étourdie ; puis il fut brisé par la violente expiration qu'elle laissa échapper.

Lindsey n'avait jamais ressenti un si formidable soulagement.

La voiture recommença à glisser.

Elle s'inclina sur sa gauche. Le garde-fou était en train de se rompre, miné par la rouille, peut-être.

— Faut sortir ! hurla Hatch, en bataillant follement avec la fermeture de sa ceinture de sécurité.

Lindsey n'eut même pas le temps de détacher la sienne, ni de saisir la poignée de sa portière — le garde-fou céda, et la Honda bascula dans le ravin. Lindsey avait une totale impression d'irréalité. Son cerveau reconnaissait l'approche de la mort, mais son cœur affirmait obstinément son immortalité. Elle ne s'était jamais habituée au décès de Jimmy, en cinq ans, aussi acceptait-elle mal l'imminence de sa propre disparition.

Dans le vacarme que faisaient les montants et les rails du garde-fou qui dégringolaient, la Honda dérapa sur le versant glacé, puis se renversa lorsque la pente devint plus raide. Suffoquant, le cœur battant à grands coups, douloureusement serrée par sa ceinture de sécurité, Lindsey espéra que leur véhicule allait rencontrer un arbre, un affleurement rocheux, quelque chose, n'importe quoi, qui arrêterait leur chute, mais le flanc de la colline semblait nu. Elle perdit le compte du nombre de tonneaux de la Honda — peut-être n'y en eut-il que deux ? — parce que le haut et le bas, la droite et la gauche n'avaient plus aucune signification. A chaque fois, sa tête venait frapper violemment le toit et elle était presque assommée. Elle ne savait pas si elle était soulevée ou si c'était le toit qui s'enfonçait, alors elle essaya de se recroqueviller davantage dans son siège, de peur qu'au tonneau suivant le plafond ne lui écrasât le crâne. Les faisceaux des phares tailladaient la nuit, et la neige giclait des blessures qu'ils ouvraient dans l'obscurité. Le pare-brise explosa et inonda Lindsey de fragments de verre ; elle fut brusquement plongée dans le noir. Les phares étaient morts, ainsi que les lumières du tableau de bord qui, jusqu'alors, s'étaient reflétées dans le visage en sueur de Hatch. La voiture se retourna une nouvelle fois sur le toit, et dans cette position, elle continua à s'enfoncer dans le ravin qui paraissait sans fin, avec le vacarme d'un millier de tonnes de charbon se déversant dans une glissière métallique.

Les ténèbres étaient totales, sans la moindre faille, comme s'ils étaient dans un train fantôme hermétiquement clos filant sur des montagnes russes à la vitesse de l'éclair. Même la neige, qui avait d'habitude une phosphorescence naturelle, était soudain invisible. Un vent glacial précipitait à travers le pare-brise des flocons qui piquaient le visage de Lindsey, mais elle ne les voyait pas, même s'ils lui gelaient les cils. Luttant pour contrôler la panique qu'elle sentait monter en elle, elle se demanda si les éclats du pare-brise qui avait explosé ne l'avaient pas aveuglée.

La cécité.

C'était là la pire de ses angoisses. Lindsey était artiste. Son talent tirait son inspiration de ce que voyaient ses yeux, puis ses mains habiles traduisaient cette inspiration dans son art, avec, pour la guider, le jugement critique de ces mêmes yeux. Que pourrait-elle encore espérer créer si elle était soudain privée du sens sur lequel elle comptait le plus ?

Juste au moment où Lindsey allait hurler, la voiture s'écrasa au fond du ravin et retomba sur ses roues ; l'impact fut moins violent que ce que la jeune femme avait craint. La Honda s'immobilisa presque doucement, comme atterrissant sur un gigantesque oreiller.

— Hatch ?

Sa voix était rauque.

Après la monstrueuse cacophonie de leur plongeon, elle avait l'impression d'être à moitié sourde, et elle n'aurait su dire si elle imaginait le silence surnaturel qui l'entourait ou s'il était réel.

— Hatch ?

Elle regarda à sa gauche, où il aurait dû se trouver, mais elle ne le vit pas — elle ne voyait absolument rien.

Elle était aveugle.

— Oh, mon Dieu, non ! Je vous en supplie.

Elle avait le vertige, aussi. La voiture continuait à tourner et elle semblait flotter comme un milan porté par les courants d'un ciel d'été.

— Hatch !

Pas de réponse.

Son vertige augmenta. A chaque seconde, la voiture était balancée et ballottée plus fort. Lindsey craignait de s'évanouir. Si Hatch était blessé, il risquait de perdre tout son sang pendant qu'elle était inconsciente et incapable de l'aider.

Elle avança la main dans le noir et le trouva recroquevillé dans son siège. Sa tête reposait sur son épaule droite. Elle toucha son visage, mais il ne bougea pas. Il y avait quelque chose de chaud et de poisseux sur sa tempe et sa joue. *Du sang.* Du sang qui lui coulait d'une blessure à la tête. Elle posa ses doigts tremblants sur sa bouche et laissa échapper un sanglot de soulagement lorsqu'elle sentit sa respiration tiède entre ses lèvres légèrement entrouvertes.

Il était évanoui, mais il vivait encore.

Tandis qu'elle tripotait avec maladresse et fébrilité le mécanisme de sa ceinture de sécurité, elle entendit de nouveaux sons qu'elle fut incapable d'identifier. Un faible clapotement. Une succion affamée. Un sinistre gloussement liquide. Elle se figea un instant, s'efforçant de découvrir l'origine de ces bruits effrayants.

Soudain, la Honda bascula en avant, et un flot d'eau froide se déversa par l'ouverture du pare-brise sur les jambes de Lindsey. La surprise lui coupa la respiration, et ce bain glacial la paralysa ; elle comprit alors que ce n'était pas son vertige qui expliquait ces balancements et tous ces bruits... En réalité, la voiture continuait à avancer. Elle flottait ! Ils étaient tombés dans un lac ou une rivière. Probablement une rivière. Ils ne se seraient pas déplacés aussi vite dans un lac.

L'eau froide la fit suffoquer une seconde et grimacer de douleur, mais lorsqu'elle rouvrit les yeux, elle découvrit qu'elle y voyait toujours. Si les phares de la Honda étaient définitivement morts, les cadrans et les jauges du tableau de bord s'étaient rallumés. Le choc émotionnel avait dû la rendre aveugle un instant.

Elle n'y voyait pas grand-chose, mais il n'y avait pas grand-chose à voir au fond du ravin plongé dans la nuit. Des éclats de verre brillants étaient encore attachés au cadre du pare-brise. A l'extérieur, une phosphorescence argentée et ondoyante trahissait la surface murmurante de l'eau et peignait d'un éclat d'obsidienne les colliers entrelacés des gemmes de glace qui y flottaient. Les berges de la rivière auraient été d'une absolue noirceur sans la fantomatique couverture de neige qui recouvrait les rochers nus, la terre, les buissons. La Honda continuait à se déplacer : l'eau formait un V inversé à l'avant du capot, filait des deux côtés de la carrosserie, comme à la proue d'un navire, et venait lécher les rebords des fenêtres. Ils étaient entraînés toujours plus loin vers l'aval, où un courant certainement plus violent les pousserait vers des rapides, ou contre des rochers ou pis encore... Lindsey comprit qu'ils étaient vraiment en danger, mais elle était tellement soulagée de ne plus être aveugle que ce qu'elle découvrait maintenant était presque bienvenu.

Elle détacha sa ceinture en frissonnant et toucha Hatch à nouveau. Dans les reflets bizarres de l'éclairage du tableau de bord, son mari avait un visage effrayant : les yeux creux, la peau cireuse, les lèvres incolores, une entaille sur le côté droit de la tête — mais, Dieu merci, pas d'hémorragie. Elle le secoua doucement, puis un peu plus fort, et l'appela par son nom.

Ils allaient avoir du mal à sortir de la voiture — s'ils y parvenaient —, tant qu'elle serait entraînée par le courant, surtout qu'elle se déplaçait plus vite, maintenant. Ils devaient être prêts à s'échapper si elle heurtait un rocher ou restait accrochée un moment à la rive. Ils auraient très peu de temps.

Hatch ne reprenait pas conscience.

Brusquement, l'avant de la Honda s'enfonça. De l'eau s'engouffra de nouveau à l'intérieur, par le pare-brise, si glacée qu'elle fit à Lindsey l'effet d'une décharge électrique, arrêtant son cœur l'espace d'un ou deux battements et bloquant sa respiration.

Cette fois, l'avant de la voiture ne se redressa pas dans le courant, l'eau continua à pénétrer dans l'habitacle et dépassa vite les chevilles de Lindsey, lui montant bientôt à mi-mollets. Ils étaient en train de couler.

— Hatch !

Elle hurlait, maintenant, et le secouait durement, sans se soucier de ses blessures.

L'eau arriva au niveau du siège ; la lumière orangée du tableau de bord qui se reflétait dans son bouillonnement faisait penser à des guirlandes de Noël.

Lindsey sortit ses pieds de l'eau, s'agenouilla sur son siège, et gifla Hatch, pour le faire revenir à lui. Mais il n'avait pas l'air de souffrir d'une simple commotion cérébrale — c'était peut-être un coma aussi insondable qu'une fosse océanique.

Les tourbillons de l'eau atteignirent le volant.

Lindsey essaya frénétiquement d'ôter la ceinture de Hatch ; lorsqu'elle se tordit les ongles, elle ressentit à peine la douleur.

— Hatch, merde !

La rivière avait avalé la moitié du volant et la Honda, désormais trop lourde pour être déplacée par le courant, s'était immobilisée.

Hatch était d'une taille moyenne, un mètre quatre-vingts pour soixante-treize kilos, mais il aurait pu, tout aussi bien, être un géant : car maintenant, c'était un poids mort qui résistait à tous les efforts de Lindsey. Elle tira, poussa, tordit, agrippa, lutta pour le libérer, et lorsqu'elle parvint enfin à le sortir de ses sangles, l'eau lui arrivait déjà à la poitrine et effleurait le menton de Hatch, tassé sur son siège.

La rivière était affreusement glacée. Lindsey avait l'impression que toute sa chaleur était pompée hors de son corps, comme du sang jaillissant d'une artère sectionnée. Sa chaleur s'écoulait d'elle, cédait la place au froid, et ses muscles commençaient à lui faire mal.

Pourtant, d'une certaine façon, elle accueillit avec plaisir ce flot qui enflait parce qu'il allait rendre Hatch plus léger, plus facile à libérer de sous le volant et à faire passer par le pare-brise défoncé. C'était du moins ce qu'elle s'imaginait — mais lorsqu'elle le tira, il lui sembla plus lourd que jamais, et il avait maintenant de l'eau jusqu'à la bouche.

— Allez, viens, viens..., dit-elle avec fureur. Tu vas te noyer, merde !

2

Finalement, Bill Cooper réussit à déplacer son camion de bière et à dégager la route ; il lança alors un appel de détresse par sa C.B. Un autre routier lui répondit et comme celui-ci possédait aussi un téléphone cellulaire, il put prévenir immédiatement les autorités à Big Bear, qui n'était pas très loin.

Bill raccrocha le micro de sa radio, prit sous son siège une grosse torche électrique à long manche et sortit dans la tempête. Le vent froid parvenait à traverser sa veste en jean doublée de mouton, mais cette nuit d'hiver était pourtant moins affreuse que l'état de son estomac, qui semblait le dévorer de l'intérieur depuis qu'il avait vu la Honda tournoyer sur la route avec ses malheureux occupants, puis disparaître dans le précipice.

Il avança aussi vite que possible sur la chaussée glissante, puis sur le bas-côté jusqu'à l'endroit où le garde-fou avait été enfoncé. Il espérait apercevoir la Honda pas trop loin, en dessous de lui, arrêtée par le tronc d'un arbre. Mais il n'y avait pas d'arbre, sur cette pente — c'était un terrain nu, couvert d'une épaisse couche de neige, et comme déchiré par la trace laissée par la voiture, qui se perdait au-delà du rayon d'action de sa lampe électrique.

La culpabilité le frappa comme un coup de poignard et le fit chanceler. Il avait recommencé à boire! Pas beaucoup. Quelques gorgées de sa flasque. Il croyait être sobre, au moment où il avait attaqué cette route de montagne. Mais maintenant, il n'en était plus aussi sûr. Il se sentait... bizarre. Et soudain, il lui parut vraiment stupide d'avoir voulu faire sa livraison malgré ce temps qui se gâtait si vite.

En contrebas, l'abîme était d'une profondeur surnaturelle, et ce trou apparemment sans fond lui fit penser à l'Enfer où il se retrouverait lorsque sa vie s'arrêterait. Il était paralysé par ce sentiment de futilité qui submerge parfois les meilleurs des hommes — le plus souvent lorsqu'ils sont seuls dans leur lit, à contempler les motifs sans signification dessinés par les ombres sur le plafond, à trois heures du matin.

Puis le rideau de la neige s'ouvrit un instant, et il aperçut le fond du ravin, une quarantaine de mètres plus bas, pas aussi loin qu'il le craignait. Il sauta dans la brèche du garde-fou pour descendre le long de cette pente traîtresse et secourir les survivants, s'il y en avait. Au lieu de cela, il hésita sur l'étroite bande de terrain plat, au bord du précipice, car il ressentait les effets du whisky et, en outre, il ne parvenait pas à repérer l'endroit où la voiture avait terminé sa course.

Là-bas, au fond, une ligne noire, comme un ruban de satin, serpentait dans la neige et venait couper les traces laissées par la Honda. Bill la regarda en clignant des yeux, sans comprendre, comme devant une peinture abstraite, et puis il se souvint qu'il y avait une rivière, là.

La voiture avait disparu dans ce ruban d'ébène.

Après un hiver où il était tombé une quantité phénoménale de neige, la température s'était réchauffée et avait entraîné un dégel de printemps prématuré. Et puis le froid de l'hiver était revenu, mais trop récemment pour que la rivière fût reprise dans la glace, si bien que l'eau continuait à couler. Mais sa température ne devait pas être loin de zéro. Un occupant de la voiture qui aurait survécu à la fois à ses blessures et à la noyade ne tarderait pas à mourir de froid.

Si j'avais pas picolé, pensa Bill, *j'aurais fait demi-tour, avec ce temps. J' suis qu'un pauvre con, un livreur de bière alcoolo même pas assez honnête avec son employeur pour se soûler avec ce qu'il transporte! Bon Dieu!*

Un pauvre con, peut-être, mais des gens étaient en train de

mourir à cause de lui. Il réussit à ravaler l'envie de vomir qui lui monta dans la gorge.

Les yeux fous, il étudia le ravin obscur et repéra enfin une luminosité fantastique, comme une présence d'outre-monde, glissant sur la rivière à la manière d'un fantôme, plus loin à sa droite. Orange clair, elle apparaissait et disparaissait à travers la neige. Il comprit que ce devaient être les lumières de la Honda emportée par le courant.

Courbé pour se protéger du vent mordant, se retenant au garde-fou pour éviter de glisser et de tomber dans le ravin, Bill suivit le plus vite possible le bord de la pente, dans la direction de la voiture, en essayant de ne pas la perdre de vue. Au début, la Honda dériva rapidement, puis de plus en plus lentement, avant de s'immobiliser enfin, stoppée peut-être par les rochers de la rivière ou par une avancée de la rive.

La lumière diminuait peu à peu, comme si la batterie de la voiture se déchargeait.

3

Hatch n'était plus retenu par sa ceinture de sécurité, mais Lindsey ne pouvait pas le faire bouger, peut-être parce que les vêtements de son mari étaient accrochés à quelque chose qu'elle ne voyait pas, ou que son pied était coincé sous la pédale du frein ou bloqué sous son siège.

L'eau, maintenant, dépassait son nez. Lindsey ne pouvait pas lui relever la tête plus haut. Il respirait la rivière, à présent.

Elle le lâcha, dans l'espoir que l'absence d'oxygène finirait par le faire revenir à lui, en toussant et crachant, et qu'il se dégagerait de son siège en se débattant, dans un grand éclaboussement. Mais elle le lâcha aussi parce qu'elle n'avait plus la force de lutter avec lui. L'eau glacée l'épuisait. Ses extrémités s'engourdissaient à une vitesse effrayante. L'air qu'elle rejetait lui semblait aussi froid que celui qu'elle inhalait, comme si son corps n'avait plus assez de chaleur pour en communiquer à ce qu'il respirait.

La voiture ne bougeait plus. Elle était posée au fond de la rivière, pleine d'eau, hormis une bulle sous le léger dôme formé par le toit. Lindsey colla son visage dans cet espace ; elle suffoquait.

Elle émettait d'horribles petits bruits de terreur qui ressemblaient aux gémissements d'un animal. Elle essaya de se taire — en vain.

L'étrange lumière du tableau de bord, filtrée par l'eau, diminuait, passant de l'orange au jaune sale.

La part morbide de Lindsey voulait renoncer, quitter ce monde, rejoindre un endroit meilleur ; sa petite voix douce lui disait : ... *Ne lutte plus, tu n'as plus de raison de vivre de toute façon, Jimmy est mort depuis longtemps, si longtemps, et maintenant Hatch est mort, ou en train de mourir, laisse-toi aller, abandonne, peut-être que tu vas te réveiller au Paradis, à côté d'eux...* La voix avait un charme apaisant, hypnotique.

Il n'y avait plus que quelques minutes d'air, peut-être moins ; elle allait mourir dans la voiture si elle ne s'en échappait pas immédiatement.

... Hatch est mort, les poumons pleins d'eau, il est tout juste bon pour nourrir les poissons, alors laisse-toi aller, abandonne, quelle importance, Hatch est mort...

Elle aspira l'air qui avait une odeur acide et métallique. Elle ne pouvait plus respirer que par petites bouffées, comme si ses poumons étaient desséchés.

Si son corps avait encore la moindre chaleur, elle n'en avait pas conscience. A cause du froid, la nausée lui tordait l'estomac, et même les vomissures qui ne cessaient de remonter dans sa gorge étaient glacées ; chaque fois qu'elle les ravalait, elle avait l'impression d'ingurgiter une ignoble gadoue de neige sale.

... Hatch est mort, Hatch est mort...

— Non ! dit-elle dans un chuchotement rauque et coléreux. Non. Non.

Le refus explosa en elle avec une violence d'orage : Hatch ne pouvait pas être mort. Impensable. Pas Hatch, qui n'oubliait jamais une date de naissance ni un anniversaire, qui lui offrait des fleurs sans raison particulière, qui ne se mettait jamais en colère, qui élevait rarement la voix. Pas Hatch, qui avait toujours le temps de prêter une oreille aux problèmes des autres et de leur témoigner de la sympathie, qui ne manquait jamais d'ouvrir son portefeuille pour un ami dans le besoin. Pas Hatch dont le plus grand défaut était de se laisser trop facilement emprunter de l'argent... Il ne pouvait pas, ne devait pas, n'était pas mort ! Il courait huit kilomètres par jour, son régime alimentaire comptait très peu de matières grasses et beaucoup de fruits et de légumes, il évitait la caféine et le café décaféiné. Est-ce que ça ne comptait pas, merde? L'été, il se tartinait de crème solaire; il ne fumait pas, il ne buvait jamais plus de deux bières ou deux verres de vin dans une soirée, et il était trop calme pour risquer une maladie cardiaque à cause du stress. Est-ce que la maîtrise de soi et l'abnégation ne comptaient pas? Est-ce que la création était un tel fiasco qu'il n'y avait absolument *aucune* justice? Okay, d'accord, on dit que les bons meurent jeunes, ce qui avait été particulièrement vrai pour Jimmy, et Hatch n'avait pas encore quarante ans, et il était jeune à tous les points de vue, okay, d'accord, mais on dit aussi que la vertu trouve sa récompense en elle-même, et de la vertu, il en avait à revendre, merde, un plein foutu chargement de vertu, qui devait compter pour quelque chose, sauf si Dieu n'écoutait pas, sauf s'il s'en foutait, sauf si le monde était un endroit encore plus cruel que ce qu'elle avait cru...

Elle refusait d'accepter tout ça.

Hatch. N'était. Pas. Mort.

Elle respira le plus profondément possible. Juste au moment où la dernière lampe s'éteignait, la replongeant de nouveau dans la cécité, elle se glissa dans l'eau, prit appui sur le tableau de bord et sortit sur le capot de la voiture par le trou du pare-brise.

Maintenant, elle était non seulement aveugle, mais presque privée de ses cinq sens. Elle n'entendait rien, hormis les battements sauvages de son cœur, car l'eau amortissait les sons. Elle ne pouvait sentir et parler qu'au prix de la mort par noyade. L'effet anesthésiant de la rivière glacée ne lui laissait plus qu'une infime partie de son sens du toucher, si bien qu'elle avait l'impression d'être un esprit désincarné en suspension dans quelque tranquille purgatoire intermédiaire, attendant le jugement final.

Elle supposa que la profondeur de la rivière correspondait à peu près à la hauteur de la voiture, et qu'elle n'aurait donc pas besoin de retenir longtemps sa respiration pour atteindre l'air libre; elle essaya donc une dernière fois de libérer Hatch. Allongée sur le capot de la Honda, se retenant solidement d'une main engourdie au rebord du pare-brise cassé, luttant contre la tendance naturelle de son corps à remonter à la surface, elle avança la tête et le buste à l'intérieur de la voiture, tâtonna dans l'obscurité jusqu'au moment où elle localisa le volant, puis son mari.

Elle recommençait à avoir chaud, mais ce n'était pas une chaleur qui lui donnait de l'énergie. C'était le manque d'oxygène qui lui brûlait les poumons.

Réussissant à saisir la veste de Hatch, elle tira de toutes ses forces — et constata avec surprise qu'il n'était plus prisonnier, que, tout à coup, il était léger et libre, et qu'il se dégageait doucement de son siège en flottant... Il se coinça brièvement contre le volant et il sortit tant bien que mal par l'ouverture du pare-brise, tandis que Lindsey glissait sur le capot pour lui laisser le passage.

Sa poitrine était en feu. Lindsey avait besoin de respirer, et pourtant elle tint bon.

Quand Hatch fut à l'extérieur de la voiture, elle le prit dans ses bras et, d'un coup de pied, gagna la surface. Il s'était certainement noyé et elle remontait un cadavre avec elle, mais cette idée macabre ne la rebutait pas. Si elle parvenait à le tirer jusqu'à la berge, elle pourrait pratiquer sur lui la respiration artificielle. Si les chances de le ramener à la vie étaient minces, au moins restait-il un espoir. Et il n'était pas vraiment mort, il n'était pas vraiment un cadavre tant que tous les espoirs n'étaient pas épuisés...

A l'air libre, le vent furieux qui soufflait lui donna l'impression que l'eau glacée était presque chaude, en comparaison. Lorsque l'air pénétra de nouveau dans ses poumons brûlants, son cœur s'arrêta presque, et la douleur contracta sa poitrine ; et la seconde inspiration fut encore plus difficile que la première.

Nageant en chien, avec Hatch serré contre elle, elle avalait sans cesse l'eau de la rivière qui lui éclaboussait le visage. Elle la recrachait en jurant. La nature semblait vivante, comme une énorme bête hostile, et Lindsey sentit la colère qui montait en elle, d'une façon parfaitement irrationnelle, une colère contre la rivière et la tempête, comme si c'étaient des entités conscientes volontairement liguées contre elle.

Elle essaya de s'orienter, mais ce n'était pas facile dans l'obscurité, dans le vent qui hurlait, et sans un sol solide sous elle. Elle aperçut la rive, vaguement lumineuse sous son manteau de neige, et tenta de la rejoindre en nageant à l'indienne, Hatch en remorque, mais le courant était trop puissant pour elle, et même avec ses deux bras elle n'aurait pas résisté.

Ils furent emportés vers l'aval, alternativement aspirés sous la surface et repoussés à l'air libre par les remous, bousculés par des branches d'arbres et de gros morceaux de glace charriés par le courant, entraînés sans espoir vers une cascade ou une succession mortelle de rapides qui coupaient forcément quelque part, devant eux, le lit de ce torrent de montagne...

4

Il s'était mis à boire quand Myra l'avait quitté. Il n'avait jamais pu supporter de vivre sans femme. Ouais, et est-ce que le Dieu Tout-Puissant n'allait pas rigoler de cette excuse lorsque viendrait le temps du jugement ?

Sans lâcher le garde-fou, Bill Cooper s'accroupit au bord du ravin, se demandant quoi faire, et il examina la rivière avec beaucoup d'attention. Le rideau de la neige s'était refermé sur les lumières de la Honda.

Il n'osait pas quitter la scène des yeux pour guetter l'apparition de l'ambulance sur la route. Il craignait de ne pas retrouver la zone exacte où la lumière avait disparu dans le ravin ; il ne voulait pas risquer d'envoyer les sauveteurs à un mauvais endroit. L'univers noir et blanc presque indistinct, au fond du précipice, offrait peu de points de repère.

— Allez, grouillez-vous ! murmura-t-il.

Le vent — qui lui piquait le visage, lui faisait pleurer les yeux, collait des flocons dans sa moustache — se lamentait avec une telle violence qu'il couvrit le bruit des sirènes des véhicules de secours jusqu'au moment où ils franchirent le dernier virage, avec leurs gyrophares qui illuminaient la nuit. Bill se redressa et agita les bras pour attirer leur attention, sans cesser de surveiller la rivière.

Derrière lui, les arrivants se garaient sur le bord de la route. Il devina qu'il y avait deux véhicules, probablement une ambulance et une voiture de police, parce que leurs sirènes ne se turent pas en même temps.

Ils allaient sentir l'odeur de whisky de son haleine. Non, peut-être pas avec ce vent et ce froid. Il savait qu'il méritait la mort pour ce qu'il avait fait — mais s'il ne mourait pas, alors il estimait qu'il devait conserver son travail. Les temps étaient difficiles. La récession. Les bons boulots étaient durs à trouver.

Les reflets des gyrophares donnaient une apparence stroboscopique à la nuit. La réalité n'était plus qu'une animation image par image hachée et techniquement absurde, avec la neige écarlate qui tombait par à-coups du ciel blessé, comme une mousse sanglante.

5

Plus rapidement que Lindsey ne l'aurait espéré, la rivière les envoya contre des rochers polis par l'eau qui se dressaient au milieu de son lit, comme une série de dents usées, et les coinça dans l'ouverture étroite du courant. L'eau bouillonnait et gargouillait autour d'eux, mais grâce aux rochers, Lindsey put cesser de lutter contre les remous mortels. Elle se sentait toute molle, ses muscles brisés ne répondaient plus. Elle n'était plus obligée de se battre contre le courant, pourtant elle avait du mal à empêcher la tête de Hatch de basculer dans l'eau.

Elle ne pouvait pas le lâcher, et cependant lui tenir la tête hors de l'eau était inutile : il s'était noyé. Impossible, désormais, d'essayer de se persuader qu'il vivait toujours. Et à chaque minute qui s'écoulait, elle était de moins en moins sûre que la respiration artificielle le rappellerait à la vie. Mais elle ne voulait pas renoncer. Non, elle ne voulait pas. Ce refus d'abandonner tout espoir l'étonnait, car juste avant leur accident, elle pensait au contraire n'avoir plus d'espoir du tout.

Le froid glacial de l'eau s'était emparé d'elle, engourdissant son esprit tout autant que sa chair. Il lui était impossible de se concentrer pour mettre au point un plan qui lui permettrait de rejoindre la rive depuis le milieu de la rivière. Elle avait l'impression d'être droguée. Elle savait que cette somnolence accompagnait l'hypothermie et que son assoupissement entraînerait une inconscience plus profonde et, finalement, la mort. Elle était décidée à rester éveillée à n'importe quel prix — et soudain elle se rendit compte qu'elle avait fermé les yeux, qu'elle avait cédé un instant à la tentation du sommeil...

La panique la submergea. Ses muscles retrouvèrent de nouvelles forces.

Clignant follement des yeux, les cils gelés par la neige que son corps n'avait plus assez de chaleur pour faire fondre, elle regarda autour d'elle et étudia les rochers. La rive et le salut n'étaient qu'à cinq mètres d'elle. Si les rochers étaient suffisamment proches les uns des autres, elle pourrait peut-être tirer Hatch jusqu'à la terre ferme sans risquer d'être entraînée avec lui dans une brèche et de nouveau dans le courant.

Quand sa vision fut suffisamment adaptée à l'obscurité, elle découvrit que des siècles de travail patients de l'eau avaient creusé un trou d'un mètre cinquante de largeur dans le mur de granit contre lequel elle s'appuyait, à mi-chemin entre eux et la berge. Luisant faiblement sous les dentelles de la glace, l'eau noire prenait de la vitesse au fur et à mesure qu'elle était canalisée vers ce trou ; sans aucun doute se déversait-elle de l'autre côté avec une force terrible.

Lindsey se savait trop faible pour franchir ce puissant canal qui les emporterait, Hatch et elle, vers une mort certaine.

Juste comme l'abandon à un sommeil éternel recommençait à lui sembler préférable à une longue lutte inutile contre la nature hostile, elle aperçut d'étranges lueurs au sommet du ravin, à deux cents mètres en amont. Elle était si perdue, et son esprit si anesthésié par le froid que, l'espace d'un instant, ces lumières pourpres qui palpitaient là-bas lui semblèrent surnaturelles : elle pensa contempler le merveilleux rayonnement d'une présence divine qui flottait dans la nuit.

Puis elle comprit qu'elle voyait les lumières des gyrophares d'une voiture de police ou d'une ambulance, sur la route, loin au-dessus d'elle, et elle repéra les rayons de torches électriques qui approchaient, telles des épées d'argent découpant de grands pans de ténèbres. Des sauveteurs étaient descendus dans le ravin. Ils devaient être à peu près à une centaine de mètres en amont, là où la voiture avait coulé.

Elle les appela. Elle ne réussit qu'à émettre un murmure. Elle essaya de nouveau, avec davantage de succès, mais ils ne l'entendirent certainement pas, avec ce vent qui gémissait, car les faisceaux de leurs lampes continuèrent à se déplacer sur la même section de la rive.

Brusquement, elle se rendit compte que Hatch lui échappait encore. Son visage était sous l'eau.

La terreur de Lindsey céda d'un coup la place à la colère. Elle était furieuse contre le chauffeur qui s'était laissé surprendre par une tempête de neige dans la montagne ; furieuse contre

elle-même parce qu'elle se sentait si faible, furieuse contre
Hatch pour des raisons qu'elle comprenait mal, furieuse contre
la rivière glacée et dangereuse, et enragée contre Dieu pour la
violence et l'injustice de Son univers.

Elle trouva davantage de force dans la colère que dans la
terreur. En bougeant ses mains presque gelées, elle chercha une
meilleure prise pour retenir Hatch, réussit à lui ressortir la tête
de l'eau, et laissa échapper un cri qui fut, cette fois, plus
puissant que la voix surnaturelle du vent. Là-bas, les rayons
des torches se tournèrent tous ensemble dans sa direction.

6

Le couple semblait déjà mort. Dans la lumière des lampes,
leurs deux visages surnageaient sur l'eau sombre, aussi pâles
que des apparitions — translucides, irréels, perdus.

Lee Reedman, shérif adjoint du comté de San Bernardino,
avait un diplôme de sauveteur; il s'avança dans l'eau avec
difficulté pour ramener les victimes sur la rive, s'appuyant
contre le mur de rochers qui s'étendait jusqu'au milieu du
courant. Il était retenu par un fil de nylon d'un centimètre et
demi de diamètre, avec une limite de résistance de deux tonnes,
attaché au tronc d'un gros pin.

Il avait ôté son parka, mais pas son uniforme, ni ses bottes.
De toute façon, il était impossible de nager dans ce courant, si
bien qu'il n'avait pas à s'inquiéter d'être gêné par ses vêtements. Et, même trempés, ceux-ci le protégeraient un peu de la
morsure de l'eau glacée. Mais, à peine était-il entré dans l'eau,
qu'il eut l'impression que son sang se glaçait dans ses veines. Il
pensa qu'il n'aurait pas eu plus froid s'il s'était plongé nu dans
ces flots glacés.

Il aurait préféré attendre l'Équipe de Secours en Montagne,
des hommes habitués à retrouver les skieurs pris dans les
avalanches et les patineurs imprudents passés à travers une
glace trop fine. Ils auraient des combinaisons de plongée et tout
l'équipement nécessaire. Mais la situation était trop désepérée;
il n'avait pas une seconde à perdre; ces gens, dans la rivière, ne
survivraient pas jusqu'à l'arrivée des spécialistes.

Il parvint à un trou dans les rochers, large d'un mètre
cinquante, où l'eau se précipitait comme aspirée par une

énorme pompe. Il fut renversé, mais ses deux ajoints qui l'assuraient sur la rive gardaient le câble tendu et le laissaient filer à la vitesse exacte à laquelle il avançait, si bien qu'il ne fut pas entraîné dans la brèche. Il tomba en avant dans le torrent et avala une gorgée d'eau glacée qui lui fit mal aux dents, mais il réussit à attraper le rocher de l'autre côté du trou et à traverser.

Une minute plus tard, suffoquant et frissonnant, Lee Reedman atteignit le couple. L'homme était inconscient, mais pas la femme. Leurs visages entraient et sortaient des faisceaux des torches qui se chevauchaient, depuis la berge, et ils étaient vraiment affreux à voir tous les deux. La chair de la femme semblait avoir rétréci et perdu toute couleur, au point que la phosphorescence naturelle de l'os faisait comme une lumière par en dedans, révélant la structure du crâne sous la peau. Ses lèvres étaient aussi blanches que ses dents ; hormis ses cheveux détrempés, seuls ses yeux étaient noirs, aussi creux que ceux d'un cadavre, et lugubres car la souffrance de la mort y flottait. Vu les circonstances, il ne put deviner son âge à dix ans près, ni dire si elle était laide ou attirante, mais il vit immédiatement qu'elle était à la limite de ses forces, qu'elle ne restait en vie que par un formidable effort de volonté.

— Emportez d'abord mon mari, dit-elle, en poussant l'homme inconscient dans les bras de Lee. (Sa voix stridente se brisait sans cesse.) Il est blessé à la tête, il a besoin d'aide, dépêchez-vous, allez, allez, merde !

Lee ne fut pas offensé par sa colère. Il savait bien qu'elle n'était pas dirigée contre lui, vraiment, et que c'était elle qui maintenait cette femme en vie.

— Cramponnez-vous, et on va y aller tous ensemble... (Il dut élever la voix pour se faire entendre par-dessus le rugissement du vent et le bouillonnement de la rivière.) Ne résistez pas, n'essayez ni d'attraper les rochers, ni de rester debout dans le courant. Ce sera plus facile pour eux de nous tirer si nous laissons l'eau nous porter.

Elle parut comprendre.

Lee se retourna pour regarder vers la rive. Une lumière vint se poser sur son visage, et il cria :

— Prêt ! Maintenant !

Et son équipe, de l'autre côté, commença à le haler, ainsi que l'homme évanoui et la femme épuisée qu'il ramenait avec lui.

7

Une fois Lindsey sortie de l'eau, elle dériva entre la conscience et l'inconscience. Pendant un moment, la vie ressembla à une vidéo défilant en accéléré, avec diverses scènes, choisies au hasard et séparées par de la neige électronique.

Alors qu'elle gisait, haletante, sur la rive un jeune ambulancier à la barbe constellée de flocons, s'agenouilla à côté d'elle, pointa une lampe stylo sur ses yeux et vérifia la dilatation de ses pupilles. Il demanda :

— Est-ce que vous m'entendez ?

— Évidemment. Où est Hatch ?

— Est-ce que vous vous souvenez de votre nom ?

— Où est mon mari ? Il a besoin d'une réanimation cardiaque.

— Nous prenons soin de lui. Bon, vous vous souvenez de votre nom ?

— Lindsey.

— Bien. Vous avez froid ?

Cela sonnait comme une question stupide, et puis elle se rendit compte qu'elle n'avait plus froid, en effet. Elle ressentait même une chaleur assez désagréable dans ses extrémités. Ce n'était pas le feu cuisant et douloureux d'une flamme. Non, elle avait plutôt l'impression que ses pieds et ses mains étaient plongés dans un liquide caustique qui rongeait doucement sa peau et laissait à vif l'extrémité de ses nerfs. Elle devinait aussi que son incapacité à sentir la morsure de l'air était la preuve de sa déchéance physique.

Avance rapide...

On la transportait. Ils longeaient la berge de la rivière. Allongée sur le dos, elle voyait au-dessus d'elle l'homme qui tenait les poignées arrière de la civière. Les rayons des torches se reflétaient sur le sol enneigé, mais cette faible lumière surnaturelle ne révélait que les contours du visage de l'inconnu et ajoutait une lueur inquiétante à ses yeux durs.

Aussi incolores qu'un dessin à la craie, étrangement silencieux, traversés de mouvements et aussi mystérieux qu'un rêve, cet endroit et ce moment étaient comme un cauchemar. Elle sentait son cœur s'affoler, tandis qu'elle cherchait à apercevoir au-dessus d'elle l'homme sans visage. L'absence de logique de son rêve donnait une forme à sa peur, et soudain elle fut certaine qu'elle était morte et que les hommes aux silhouettes indistinctes n'étaient pas des hommes, mais des porteurs de charogne et qu'ils l'amenaient à la barque sur laquelle elle traverserait le Styx jusqu'au pays des morts et des damnés.

Avance rapide...

Attachée au brancard, maintenant, presque relevée à la verticale, elle était remontée le long de la pente enneigée du ravin par des hommes invisibles qui progressaient avec difficulté entre deux cordes attachées au sommet. Deux autres hommes l'accompagnaient, un de chaque côté de la civière, se hissant péniblement à travers les congères dans lesquelles ils s'enfonçaient jusqu'aux genoux, et s'assurant qu'elle ne tombait pas.

Elle pénétra dans l'incandescence des gyrophares. Alors qu'elle était au cœur de cette lueur écarlate, elle commença à entendre les voix pressantes des sauveteurs, au-dessus d'elle, et la friture des fréquences radio de la police. Lorsqu'elle sentit les gaz d'échappement qui lui piquaient le nez, elle sut qu'elle survivrait.

A quelques secondes d'une évasion parfaite, pensa-t-elle.

En proie à un délire né de l'épuisement, désorientée et comme ivre, Lindsey était pourtant encore assez vivante pour se sentir démoralisée par cette idée et les regrets qu'elle impliquait. *A quelques secondes d'une évasion parfaite?* Elle ne s'était trouvée à quelques secondes que d'une seule chose : de la mort. Était-elle encore si déprimée par la disparition de Jimmy que, même après cinq ans, sa propre mort était un moyen bienvenu de se libérer du poids de son chagrin ?

Mais alors pourquoi ne me suis-je pas abandonnée à la rivière? se demanda-t-elle. *Pourquoi ne me suis-je pas simplement laissé aller?*

Hatch, bien sûr. Hatch avait besoin d'elle. Elle s'était sentie prête à quitter ce monde pour un autre, meilleur. Mais elle n'avait pas pu prendre cette décision à la place de Hatch, et renoncer à sa propre existence en ces circonstances aurait signifié confisquer du même coup celle de son mari.

Un ultime cliquetis, une dernière secousse, et la civière fut sortie du ravin et posée sur le bas-côté de la route, près d'une ambulance. De la neige aux reflets rouges se collait en tourbillonnant sur le visage de Lindsey.

Un ambulancier bronzé, aux beaux yeux bleus, se pencha sur elle :

— Tout va bien se passer...

— Je ne veux pas mourir, répondit-elle.

Elle ne s'adressait pas vraiment à cet homme. Elle argumentait avec elle-même, essayant de nier que son désespoir, causé par la perte de son fils, était devenu un tel cancer émotionnel qu'elle avait secrètement espéré le rejoindre dans la mort. Son image de soi n'incluait pas le terme « suicide », et elle fut choquée et rebutée de découvrir, à un moment de stress extrême, qu'il y avait place en elle pour une telle impulsion.

A quelques secondes d'une évasion parfaite...

Elle ajouta :

— Est-ce que j'ai voulu mourir ?

— Vous n'allez pas mourir, lui assura l'ambulancier.

Aidé par un autre homme, il détacha les cordes passées dans les poignées de la civière, et il chargea celle-ci dans l'ambulance.

— Le pire est derrière vous, maintenant, dit-il encore. Le pire est derrière vous.

CHAPITRE 2

1

Une demi-douzaine de voitures de police et de véhicules de secours étaient garés sur deux des trois voies de circulation. Le trafic était canalisé sur la troisième, dans les deux sens, par des shérifs adjoints en uniforme. Lindsey se rendit compte que des gens, dans une Jeep Wagoneer, l'observaient bouche bée, mais la neige qui tombait à gros flocons et l'épaisse condensation des gaz d'échappement glacés les dissimulèrent bientôt à sa vue.

L'ambulance pouvait transporter deux blessés. Ils chargèrent Lindsey sur un chariot fixé sur le côté gauche par deux pinces à ressort qui l'empêcheraient de glisser quand le véhicule roulerait. Ils placèrent Hatch sur un chariot identique, de l'autre côté.

Deux ambulanciers montèrent à l'arrière et refermèrent la large porte. Quand ils bougeaient, leurs pantalons et leurs vestes de nylon blanc isolant faisaient de petits bruits de frottement et de sifflements qui donnaient l'impression d'être électroniquement amplifiés dans cet espace clos.

Un bref coup de sirène, et l'ambulance démarra. Les infirmiers continuèrent à se déplacer, en se balançant, sans la moindre difficulté en dépit du mouvement de la voiture. L'habitude leur avait donné le pied sûr.

Côte à côte dans l'étroite allée centrale entre les chariots, les deux hommes se tournèrent vers Lindsey. Leurs noms étaient cousus sur la poche de poitrine de leur veste : David O'Malley et Jerry Epstein. Avec un curieux mélange de détachement professionnel et d'attention soucieuse, ils commencèrent à s'occuper d'elle, échangeant des informations médicales d'une voix rapide et impassible, mais s'adressant à elle sur un ton gentil et compatissant.

Ce double comportement alarma Lindsey au lieu de la tranquilliser, mais elle était trop faible et trop désorientée pour exprimer ses craintes. Elle se sentait d'une détestable fragilité. Elle tremblait. Elle se souvint tout à coup d'une peinture surréaliste, intitulée *This Word and the Next* qu'elle avait vue l'année précédente : le personnage central de cette toile, un acrobate de cirque, marchait sur un fil, en proie à l'incertitude... Et là aussi, en ce moment, sa propre conscience était un fil tendu à une très grande hauteur, sur lequel elle était perchée... Tout effort pour parler à ces hommes risquait de lui faire perdre l'équilibre et de l'entraîner dans une longue et terrible chute.

Même si son esprit était trop embrouillé pour trouver un quelconque sens aux paroles des ambulanciers, elle comprit qu'elle souffrait d'hypothermie, peut-être de gelures, et qu'ils s'inquiétaient à son sujet. Pression artérielle trop basse. Battements cardiaques lents et irréguliers. Respiration faible et superficielle.

Peut-être cette *évasion parfaite* était-elle encore possible ?

Si elle le désirait vraiment...

Elle était en proie à des sentiments contradictoires. Si, inconsciemment, elle avait voulu mourir depuis les funérailles de Jimmy, elle n'en avait plus envie aujourd'hui — bien qu'elle ne trouvât pas non plus l'idée si affreuse que cela. Ce qui lui arriverait lui arriverait, et dans son état présent, avec ses émotions aussi engourdies que ses cinq sens, elle ne se souciait guère de son avenir. L'hypothermie avait un effet narcotique aussi efficace que l'alcool sur l'instinct de conservation.

Et puis, entre les deux ambulanciers qui murmuraient, elle aperçut Hatch, immobile sur l'autre chariot, et son inquiétude à son sujet la tira soudain de sa semi-hypnose. Il était si pâle... Il n'était pas simplement blanc. C'était une pâleur plus maladive, grisâtre. Son visage — tourné vers elle, les yeux fermés, les lèvres entrouvertes — donnait l'impression qu'une langue de feu l'avait balayé, ne laissant entre la peau et les os que les cendres de la chair calcinée.

— Je vous en prie..., dit-elle. Mon mari...

Elle constata avec surprise que sa voix était un croassement rauque, à peine audible.

— Vous d'abord, dit O'Malley.

— Non. Hatch... a besoin... d'aide.

— Vous d'abord, répéta O'Malley.

L'insistance de l'homme, d'une certaine façon, la rassura. Même si Hatch était si affreux à regarder, il devait aller bien, il devait avoir correctement réagi à la réanimation cardiaque, il devait être en meilleur état qu'elle, sinon ils se seraient occupés de lui en premier. N'est-ce pas ?

Ses pensées redevinrent confuses. Le sentiment d'urgence qui l'avait saisie se calma. Elle ferma les yeux.

2

Plus tard...

... Dans la torpeur de l'hypothermie, les voix qui murmuraient au-dessus de Lindsey étaient aussi rythmées, sinon mélodieuses, qu'une berceuse. Mais elle ne pouvait pas s'endormir vraiment à cause de la sensation de brûlure de plus en plus douloureuse de ses extrémités, et des manipulations brusques des ambulanciers qui installaient le long de son corps des espèces d'oreillers. Elle ne savait pas ce que c'était — des coussinets chauffants, électriques ou chimiques, supposa-t-elle —, mais ils dégageaient une douce chaleur, différente du feu qui consumait ses mains et ses pieds.

— Hatch a besoin d'être réchauffé, lui aussi... murmura-t-elle d'une voix sourde.

— Il va bien, ne vous en faites pas pour lui, répondit Epstein, dont l'haleine dessinait de petits nuages blancs quand il parlait.

— Mais il est glacé.

— C'est comme ça qu'il doit être. C'est exactement comme ça que nous le voulons.

— Mais pas trop froid, Jerry, intervint O'Malley. Nyebern ne veut pas un ice-cream. Des cristaux de glace se forment dans les tissus et il y aura des dommages cérébraux...

Epstein se tourna vers la petite fenêtre entrouverte qui faisait communiquer l'arrière de l'ambulance et la cabine du conducteur. Il lança à celui-ci, d'une voix forte :

— Mike, mets donc un peu de chauffage !

Lindsey se demanda qui pouvait bien être Nyebern, et l'expression « dommages cérébraux » l'inquiéta. Mais elle était bien trop épuisée pour se concentrer et trouver un sens à ce qu'ils racontaient.

Son esprit s'enfuit vers des souvenirs d'enfance — si déformés et si bizarres, pourtant, qu'elle devait avoir dépassé la frontière de la conscience pour plonger dans un demi-sommeil où son inconscient pouvait jouer des tours cauchemardesques à sa mémoire...

... elle se voyait, à cinq ans, en train de jouer dans un pré, derrière la maison. Le champ en pente avait une apparence familière, mais le mal s'était glissé dans son esprit et s'était mêlé à la scène : il avait repeint l'herbe d'une abominable couleur noire comme le ventre d'une araignée. Les pétales des fleurs étaient encore plus noirs, et leurs étamines écarlates brillaient comme de grosses gouttes de sang...

... elle se voyait, à sept ans, dans la cour de récréation de l'école, au crépuscule, mais seule comme elle ne l'avait jamais été dans la réalité. Autour d'elle se dressaient les alignements habituels de balançoires et de bascules, de cages aux écureuils et de toboggans, qui découpaient des ombres vives dans la lumière orange si particulière de la nuit tombante. Ces équipements faits pour s'amuser semblaient étrangement menaçants, à présent. Ils s'élevaient, malveillants, dans le jour déclinant, comme si, d'une seconde à l'autre, ils allaient se mettre à fonctionner seuls, et ils craquaient et ils cliquetaient, et ils rougeoyaient de feux Saint-Elme bleutés, et ils réclamaient du sang pour lubrifiant, ces vampires robots d'aluminium et de métal...

3

De temps en temps, Lindsey percevait un drôle de cri lointain, la plainte sinistre de quelque grande bête mystérieuse. Et finalement, dans son quasi-délire, elle se rendit compte que cela ne venait pas de son imagination, mais d'un endroit tout proche — juste au-dessus de sa tête. Ce n'était pas un monstre, non, simplement la sirène de l'ambulance qui hurlait par à-coups, suivant la circulation — peu importante — sur ces routes enneigées.

L'ambulance s'arrêta plus tôt que Lindsey ne s'y attendait, mais sa perception du temps était peut-être tout aussi détraquée que ses autres sens. Epstein ouvrit la porte arrière, tandis que O'Malley détachait les pinces à ressort qui maintenaient en place le chariot de Lindsey.

Lorsqu'ils la sortirent du véhicule, elle découvrit avec surprise qu'ils ne se trouvaient pas dans un hôpital de San Bernardino, mais sur le parking d'un petit centre commercial. A cette heure tardive, l'endroit était désert, il n'y avait que l'ambulance et, chose étonnante, un gros hélicoptère avec une croix rouge dans un cercle blanc, et les mots AIR AMBULANCE SERVICE peints sur ses flancs.

La nuit était glacée et le vent balayait en hurlant le goudron du parking. Ils avaient quitté la zone enneigée, même s'ils étaient juste au pied des montagnes et encore loin de San Bernardino. Le sol était sec, et les roues du chariot grincèrent lorsque Epstein et O'Malley poussèrent Lindsey vers les deux hommes qui attendaient près de l'hélico.

Les rotors de l'ambulance aérienne tournaient au ralenti.

A la vue de cet appareil — et l'idée d'urgence absolue qu'il impliquait —, le brouillard épais qui recouvrait l'esprit de Lindsey sembla se déchirer. Elle comprit que Hatch — ou elle-même — était en plus mauvais état qu'elle ne l'avait imaginé, car seule une situation critique pouvait justifier un moyen de transport si inhabituel et si coûteux. Et, à l'évidence, ils allaient plus loin qu'un hôpital de San Bernardino, peut-être dans un centre de soins spécialisés en traumatologie. Elle souhaita désespérément oublier cette découverte et retrouver le soulagement de son brouillard mental.

Tandis que les infirmiers de l'hélico la hissaient dans l'appareil, l'un d'eux cria, par-dessus le bruit du moteur :

— Mais elle est vivante !

— Elle est mal en point, répondit Epstein.

— Ouais, c'est vrai qu'elle a l'air dans la merde, répondit l'infirmier de l'hélico, mais elle est *vivante*. Nyebern attend un macchab.

— C'est l'autre, dit O'Malley.

— Le mari, ajouta Epstein.

— On arrive avec, fit O'Malley.

Lindsey devina que ces quelques répliques rapides contenaient une information essentielle, mais elle n'avait pas l'esprit assez clair pour la comprendre.

Ou peut-être qu'elle ne voulait pas, tout simplement.

Tandis qu'ils l'installaient dans le grand compartiment arrière de l'hélicoptère, qu'ils la transféraient sur une de leurs civières et l'attachaient sur un matelas recouvert de plastique, elle retourna à ses souvenirs d'enfance horriblement altérés.

... elle avait neuf ans, elle jouait à lancer la balle rouge à Boo, son labrador tout fou, mais lorsqu'il la lui ramena et la laissa tomber à ses pieds, ce n'était plus une balle... C'était un cœur qui battait, avec ses artères et ses veines déchirées. Il palpitait, non parce qu'il vivait encore, mais parce qu'une masse de vers grouillaient dans sa chair pourrissante...

4

L'hélicoptère avait décollé. Ses mouvements, peut-être à cause du vent, faisaient davantage penser à un bateau bousculé par une mer mauvaise qu'à un appareil de transport aérien. La nausée tordit l'estomac de Lindsey.

Un infirmier dont le visage resta dans l'ombre se pencha au-dessus d'elle et appliqua un stéthoscope sur sa poitrine.

Un autre, qui s'occupait de Hatch, hurla quelque chose dans le micro de son casque ; il ne s'adressait pas au pilote, à l'avant, mais sans doute à un médecin qui les attendait dans un hôpital, quelque part. Ce qu'il disait était découpé en séquences sonores presque inaudibles par les rotors qui tailladaient l'air au-dessus de leurs têtes, et sa voix tremblait comme celle d'un adolescent nerveux.

— ... petite blessure... à la tête... aucune lésion mortelle... cause apparente du décès... s'être... noyé...

Près de la civière de Hatch, la porte de l'hélicoptère était entrouverte de quelques centimètres. Lindsey vit que l'autre porte, de son côté à elle, n'était pas complètement fermée non plus... Cela faisait un courant d'air et expliquait pourquoi les rugissements du vent et le vacarme des rotors étaient si assourdissants.

Pourquoi avaient-ils besoin d'un tel froid ?

L'infirmier qui s'occupait de Hatch criait toujours dans son micro :

— ... bouche à bouche... réanimation mécanique... ... aucun résultat avec l'O_2 ni le CO_2... ... adrénaline sans effet...

Le monde réel était trop *réel*, même à travers son délire. Elle n'aimait pas ça. Ses rêves tordus, dans toute leur horreur mutante, étaient encore préférables à ce qui se passait dans cette ambulance aérienne, peut-être parce qu'inconsciemment elle était capable d'exercer au moins un *certain* contrôle sur ses cauchemars, mais aucun sur la réalité.

... elle était au bal de l'université, et elle dansait avec Joey Delvecchio, le garçon qu'elle fréquentait à cette époque. Ils se trouvaient sous une immense voûte de serpentins en papier crépon, toute pailletée de lumières bleues, blanches et jaunes projetées par les petits miroirs de la boule tango qui pivotait au-dessus de la piste de danse. C'était la musique de la bonne époque, quand le rock'n'roll n'avait pas encore commencé à perdre son âme, avant la disco, le New Age et le hip-hop, quand Elton John et The Eagles triomphaient, quand The Isley Brothers enregistraient toujours, quand The Doobies Brothers, Stevie Wonder et Neil Sedaka faisaient leur grand retour; c'était une musique si vivante, oui, les gens et les choses étaient si vivants, et le monde débordait tellement d'espoirs et de promesses — aujourd'hui depuis longtemps oubliés. Ils dansaient un slow sur une chanson de Freddy Fender, pas trop mal interprétée par l'orchestre local, et Lindsey sentait le bonheur et le bien-être l'inonder — et puis elle leva la tête, qu'elle avait posée sur l'épaule de Joey, et elle découvrit qu'il ne s'agissait pas du visage de Joey, non, mais de celui d'un cadavre pourrissant, avec ses dents jaunes proéminentes entre des lèvres noires desséchées, avec sa chair pustuleuse et boursouflée et suintante, et ses yeux protubérants injectés de sang qui pleuraient des fluides infâmes de leurs lésions putréfiées. Elle voulut hurler et s'éloigner de lui, mais elle était forcée de continuer à danser, sur les accords romantiques et sirupeux de Before the New Teardrop Falls, *et elle savait qu'elle voyait Joey tel qu'il serait dans quelques années, lorsqu'il mourrait dans l'attentat contre la caserne des marines, au Liban. Elle sentait la mort se coller à elle comme une sangsue, passer de la chair glacée de Joey à la sienne. Elle savait qu'elle devait échapper à son étreinte avant d'être submergée par cette marée mortelle. Mais lorsqu'elle regarda autour d'elle, désespérément, à la recherche de quelqu'un qui l'aiderait, elle découvrit que Joey n'était pas le seul cadavre de la piste de danse. Sally Ontkeen, qui allait succomber huit ans plus tard à une overdose de cocaïne, tournait, dans un état avancé de décomposition, dans les bras de son petit ami, qui lui souriait comme s'il ne voyait pas sa putréfaction. Jack Winslow, la vedette de l'équipe de foot de la fac, qui serait tué quelques mois plus tard dans un accident de la route parce qu'il conduisait en état d'ivresse, dansait avec sa petite amie à côté d'eux; son visage violet et verdâtre était gonflé, et le côté gauche de son crâne était écrasé comme il le serait après la collision. Jack parla à Lindsey et Joey — et cette voix rauque n'appartenait pas à Jack*

*Winslow, mais à quelque créature échappée de la tombe, un monstre aux
cordes vocales desséchées : « Quelle nuit ! Les mecs, quelle nuit ! »*

Lindsey tremblait, et pas seulement à cause du vent glacé qui
s'engouffrait par les portes entrouvertes de l'hélicoptère.

L'infirmier, le visage toujours dans l'ombre, prenait sa
tension. Elle avait sorti son bras gauche de sous la couverture.
On avait coupé les manches de son pull-over et de son
chemisier, et sa peau était nue. Le brassard du sphygmomano-
mètre, très serré autour de son biceps, était fixé par des bandes
Velcro.

Elle frissonnait si fort que l'infirmier pensa à des convulsions
accompagnées de spasmes musculaires. Il prit un petit morceau
de caoutchouc sur un plateau d'instruments, à côté de lui, et
voulut le lui mettre dans la bouche pour l'empêcher de mordre
sa langue.

Elle repoussa sa main.

— Je vais mourir...

Constatant avec soulagement qu'elle n'avait pas de convulsions, il répondit :

— Mais non, vous n'êtes pas aussi mal en point que ça, vous
êtes okay, vous allez vous en tirer.

Il n'avait pas compris ce qu'elle voulait dire. Elle reprit, avec
impatience :

— On va *tous* mourir.

C'était le sens de ses souvenirs déformés par ses cauchemars.
La mort l'accompagnait depuis le jour de sa naissance, elle était
toujours à ses côtés, c'était une fidèle compagne, qu'elle n'avait
pas comprise jusqu'au décès de Jimmy, cinq ans auparavant, ni
acceptée jusqu'à ce soir où elle venait de lui enlever Hatch.

Son cœur était comme un poing serré dans sa poitrine. Une
nouvelle douleur naquit en elle, différente des autres, plus
violente. Malgré la terreur et le délire et l'épuisement, qui
l'avaient aidée à résister à la terrible pression de la réalité, la
vérité se fit jour en elle, finalement, elle n'avait pas d'autre
solution que de l'accepter.

Hatch s'était noyé.

Hatch était mort. Leur réanimation cardiaque avait échoué.

Hatch était parti pour toujours...

*... elle a vingt-cinq ans, elle est appuyée sur ses oreillers dans la salle de
la maternité du Saint-Joseph Hospital. L'infirmière lui donne un petit
paquet enveloppé dans une couverture, son bébé, son fils, James Eugene*

Harrison, qu'elle vient de porter pendant neuf mois et qu'elle aime de tout son cœur, sans l'avoir jamais vu. Quand l'infirmière souriante dépose doucement l'enfant dans ses bras, elle soulève avec tendresse le bord de satin de la couverture de coton bleue. Alors, elle découvre qu'elle berce un petit squelette aux grandes orbites creuses et aux doigts aux os minuscules repliés comme ceux de tous les nourrissons... Jimmy vient de naître avec la mort en lui, comme tout le monde, et dans moins de cinq ans, le cancer l'enlèverait. La petite bouche osseuse de l'enfant-squelette s'ouvre sur un long cri, ralenti, silencieux...

5

Lindsey entendait les pales de l'hélicoptère battre dans la nuit, mais elle n'était plus à l'intérieur de l'appareil. On roulait son chariot sur un parking en direction d'un grand immeuble aux nombreuses fenêtres éclairées. Elle aurait dû savoir quel était ce bâtiment, mais elle n'était pas capable de réfléchir clairement et, en fait, elle se moquait de l'endroit où on la transportait...

Devant elle, une double porte s'ouvrit sur un espace baigné d'une lumière jaune où se trouvaient plusieurs personnes des deux sexes. Et puis elle fut propulsée dans cette lumière, parmi ces inconnus... un long couloir... une pièce qui sentait l'alcool et le désinfectant... les visages de tous ces gens qui se précisaient, et d'autres qui apparaissaient... des voix douces mais pressantes... des mains qui la saisissaient, qui la soulevaient... qui la sortaient du chariot et l'installaient dans un lit... la tête un peu au-dessus du niveau du corps... les bips et les cliquetis réguliers de l'équipement électronique...

Elle espéra qu'ils allaient s'en aller et la laisser seule, en paix. S'en aller, oui. Et éteindre les lumières en sortant. La laisser dans l'obscurité, oui. Elle avait besoin de silence, de calme, de paix.

Une odeur désagréable d'ammoniaque l'agressa, brûla ses fosses nasales, l'obligea à écarquiller les yeux et la fit pleurer.

Un homme en veste blanche tenait quelque chose sous son nez et il étudiait ses yeux avec beaucoup d'attention. Lorsque cette odeur infecte la fit suffoquer et lui donna des haut-le-cœur, il éloigna cette chose et la passa à une fille brune dans un uniforme blanc. L'odeur piquante disparut.

Lindsey avait conscience de mouvements, autour d'elle, de

visages qui approchaient et qui s'éloignaient. Elle savait qu'elle était un centre d'intérêt, un objet d'investigation prioritaire, mais elle ne s'en moquait — cela ne la concernait pas. C'était un rêve encore plus puissant que ses rêves personnels. Des voix douces s'élevaient et puis se taisaient autour d'elle, comme des vagues qui murmuraient doucement et venaient mourir sur une plage de sable...

— ... pâleur marquée de la peau... cyanose des lèvres, des ongles, du bout des doigts, du lobe des oreilles...

— ... pouls faible, très rapide... respiration accélérée et superficielle...

— ... pression artérielle si foutrement basse que j' peux même pas la lire...

— Est-ce que ces idiots l'ont traitée pour une commotion ?

— Évidemment. Pendant tout le voyage.

— Oxygène, mélange de CO_2. Vite !

— Adrénaline ?

— Ouais, prépare.

— Adrénaline ? Et si elle a des blessures internes ? Tu peux pas savoir si elle a une hémorragie.

— Bon sang, je tente le coup !

Quelqu'un lui mit une main sur le visage, comme pour l'étouffer. Elle sentit quelque chose lui boucher les narines, et pendant un instant elle fut incapable de respirer. Ce qui était bizarre, c'était qu'elle s'en fichait. Puis de l'air frais entra dans son nez et obligea ses poumons à se dilater.

Une jeune femme blonde, tout de blanc vêtue, se pencha sur elle, ajusta l'inhalateur et lui sourit d'un air engageant.

— On y va, chérie. Tu prends ça ?

Cette femme était belle, éthérée et éclairée à contre-jour par une lueur dorée ; elle avait une voix particulièrement musicale.

Une apparition céleste. Un ange.

Respirant avec peine, Lindsey répondit :

— Mon mari est mort.

— Ça va aller, chérie. Détends-toi simplement, respire aussi profondément que tu peux, tout ira bien.

— Non, il est mort, dit Lindsey. Il est mort. Parti à jamais. Ne me mentez pas. Les anges n'ont pas le droit de mentir.

De l'autre côté du lit, un homme en blanc frotta une compresse imbibée d'alcool dans le creux du coude de Lindsey. C'était glacé.

A l'ange, Lindsey répéta :

— Mort et parti à jamais.

L'ange hocha la tête tristement. Ses yeux bleus étaient pleins d'amour, comme devaient l'être ceux d'un ange.

— Il est parti, chérie. Mais peut-être que cette fois, ce n'est pas la fin.

La mort, c'était *toujours* la fin. Comment la mort aurait-elle pu être autre chose que la fin ?

Une aiguille se planta dans le bras gauche de Lindsey.

— Cette fois, répondit l'ange doucement, il y a encore une chance. Nous avons un programme spécial ici... un véritable...

Une autre femme entra en coup de vent dans la pièce et l'interrompit d'une voix excitée :

— Nyebern est arrivé à l'hôpital !

Tous ceux qui se trouvaient dans la salle poussèrent un soupir de soulagement, presque une exclamation.

— Il dînait à Marina Del Rey quand ils ont réussi à le joindre. Il a dû rouler comme un dingue pour être là aussi vite.

— Tu vois, chérie ? dit l'ange à Lindsey. Il reste une chance. Il y a toujours une chance. On va prier.

Et alors ? pensa Lindsey amèrement. *La prière, ça n'a jamais marché, pour moi. Je ne crois pas aux miracles. Les morts restent morts et les vivants attendent seulement de les rejoindre.*

CHAPITRE 3

1

Suivant des procédures définies par le Dr Jonas Nyebern et détaillées dans les dossiers du Projet médical de réanimation, l'équipe du service des urgences du General Hospital du comté d'Orange avait préparé une salle d'opération pour accueillir le corps d'Hatchford Benjamin Harrison. Elle s'était mise au travail dès que les ambulanciers présents sur le terrain, dans les San Bernardino Mountains, avaient annoncé, par radio, sur la fréquence de la police, que la victime s'était noyée dans une eau presque à son point de glaciation, mais qu'elle ne souffrait que de blessures mineures dues à l'accident lui-même, ce qui en faisait un sujet parfait pour Nyebern. Au moment où l'ambulance aérienne se posa sur le parking de l'hôpital, un appareil d'exsanguino-transfusion et divers autres équipements demandés par les collaborateurs de Nyebern avaient été ajoutés au matériel habituel de la salle d'opération.

L'intervention n'aurait pas lieu dans la zone normalement réservée aux urgences. Ces installations n'offraient pas assez d'espace pour prendre en charge Harrison en plus du flux habituel des patients. Jonas Nyebern était spécialisé en chirurgie cardiovasculaire et son équipe comptait d'autres chirurgiens de talent, cependant les procédures de réanimation demandaient rarement de la chirurgie. Seule la découverte d'une grave blessure interne les aurait obligés à opérer Harrison ; leur utilisation d'une salle d'opération était donc davantage une question de commodité que de nécessité.

Lorsque Jonas arriva du sas aseptique, après s'être désinfecté aux bacs d'eau stérile, son équipe était à pied d'œuvre. Parce que la destinée lui avait enlevé sa femme, sa fille et son fils, le laissant sans aucune famille, et aussi parce qu'une timidité innée l'avait toujours empêché de se faire des amis ailleurs que dans sa profession, les gens qui travaillaient avec lui n'étaient pas seulement ses collègues, mais aussi les seules personnes au monde avec lesquelles il se sentait tout à fait à l'aise, les seules qu'il aimait profondément.

Helga Dorner se tenait à côté des chariots à instruments, à la gauche de Jonas, un peu en retrait de la lumière de la rangée de lampes à halogène qui éclairaient la table d'opération. C'était une superbe infirmière instrumentiste ; elle avait un large visage et un grand corps qui rappelait ces étoiles soviétiques de l'athlétisme, gorgées de stéroïdes, mais les yeux et les mains de la plus douce des madones raphaéliques. Au début, les patients avaient peur d'elle, mais ils ne tardaient pas à la respecter, et finalement ils l'adoraient.

Avec la solennité qui caractérisait de tels moments, Helga ne sourit pas à Jonas, mais l'accueillit en levant les pouces.

Gina Delilo l'attendait près de l'appareil d'exsanguino-transfusion ; cette infirmière diplômée et technicienne opératoire de trente-quatre ans avait choisi, pour une raison quelconque, de dissimuler son sens des responsabilités et sa compétence extraordinaires sous un extérieur provocateur, et d'arborer une queue-de-cheval qui donnait l'impression qu'elle venait de s'échapper d'un vieux feuilleton avec Gidget[1], ou d'un de ces films de vacances-à-la-plage populaires des dizaines d'années auparavant. Comme ses collègues, Gina était vêtue de la tenue verte de l'hôpital et elle était coiffée de la charlotte de coton réglementaire qui cachait ses cheveux blonds, mais des socquettes rose vif débordaient de ses sur-chaussures à élastiques protégeant ses souliers.

Ken Nakamura et Kari Dovell se tenaient à côté de la table d'opération ; ces deux médecins hospitaliers étaient propriétaires de cabinets médicaux privés qui marchaient bien. Ken avait une double spécialisation — un diplôme important en médecine organique et un autre en neurologie —, ce qui était rare. L'expérience quotidienne de la fragilité de la physiologie humaine conduisait certains praticiens à l'alcoolisme ; d'autres,

---

1. Célèbre personnage d'une série TV américaine des années 60 (*N.d.T.*).

pour les mêmes raisons, se protégeaient derrière une carapace et se coupaient de leurs patients ; Ken, lui, avait un moyen de défense plus sain — un sens de l'humour parfois un peu tortueux, mais toujours psychologiquement salvateur. Kari, spécialiste en pédiatrie, dépassait de douze centimètres le mètre soixante-seize de Ken, et elle était aussi fine qu'un roseau, quand il était, lui, un peu rondelet, mais elle riait aussi facilement que lui. Quelquefois, pourtant, passait dans son regard une terrible tristesse qui troublait Jonas et lui laissait penser que le kyste de la solitude se développait en elle, si profondément que l'amitié ne trouverait jamais un scalpel assez long ni assez coupant pour l'inciser.

Jonas observa chacun des quatre membres de son équipe, l'un après l'autre, mais personne ne prononça un mot. La salle sans fenêtre était d'un calme surnaturel.

Ses collègues avaient l'air curieusement passifs, comme s'ils ne s'intéressaient pas à ce qui allait arriver. Mais leurs yeux les trahissaient — les yeux d'astronautes dans le sas d'une navette en orbite, juste avant une sortie dans l'espace : un regard où brûlaient la fièvre, l'émerveillement, le sentiment d'aventure, et aussi une certaine peur.

D'autres hôpitaux possédaient des équipes d'urgence suffisamment douées en médecine de réanimation pour offrir à un patient de bonnes chances de s'en tirer, mais le General Hospital du comté d'Orange était l'un des trois centres de tout le sud de la Californie à pouvoir se vanter d'avoir développé un projet de pointe au financement indépendant visant à maximiser le succès des procédures de réanimation. Harrison était le quarante-cinquième patient du projet depuis ses quatorze mois d'existence, mais la façon dont il était mort faisait de lui le plus intéressant de tous. Noyade. Avec hypothermie rapide. La mort par noyade signifiait relativement peu de dommages physiques ; quant au refroidissement, il avait ralenti de façon spectaculaire la vitesse de la détérioration *post mortem* des cellules cérébrales.

Jonas et son équipe traitaient généralement des victimes de traumatismes, d'arrêt cardiaque, d'asphyxie consécutive à une obstruction de la trachée, d'overdose. Ces patients, la plupart du temps, avaient souffert antérieurement à leur décès — ou au moment de celui-ci — de certains dommages cérébraux irréversibles, avant d'être pris en charge par le Projet de réanimation, ce qui compromettait leurs chances d'être ramenés à la vie en parfaite condition. Et parmi les victimes d'un violent traumatisme, certaines étaient trop grièvement blessées pour être sauvées, même après leur réanimation. D'autres étaient réanimées et stabilisées, et puis elles succombaient à des infections secondaires qui prenaient rapidement la forme d'un choc toxique. Trois autres étaient morts depuis trop longtemps, si bien qu'une fois réanimés leurs dommages cérébraux avaient été trop graves pour leur permettre de reprendre conscience, ou, du moins, une existence normale.

Avec une soudaine angoisse et une pointe de culpabilité, Jonas repensa à ses échecs, aux vies incomplètement restaurées, à ces patients dans les yeux desquels il avait lu la conscience torturée de leur condition pathétique...

— Cette fois, ce sera différent...

La voix de Kari Dovell était douce, juste un murmure, mais elle interrompit la rêverie de Jonas.

Il acquiesça d'un signe de tête. Il ressentait une extraordinaire affection pour ses compagnons. Dans leur intérêt plus encore que dans le sien, il souhaitait un succès majeur, sans réserve.

— Allons-y, dit-il.

A l'instant même où il prononçait ces mots, les doubles portes de la salle s'ouvrirent brusquement, et deux aides-infirmiers entrèrent, poussant l'homme mort sur un chariot. Rapides et efficaces, ils le transférèrent sur la table d'opération légèrement surélevée, avec plus de soins et de respect qu'ils n'en auraient montré pour un cadavre en d'autres circonstances, et puis ils repartirent.

Les membres de l'équipe de Nyebern se mirent aussitôt au travail. Ils s'empressèrent, en économisant leurs mouvements, de découper ce qui restait des vêtements du mort, et ils le laissèrent nu, sur le dos, puis ils fixèrent sur lui les électrodes d'un électrocardiographe et d'un électroencéphalographe, ainsi qu'un thermomètre cutané à lecture digitale.

Chaque seconde valait de l'or. Et les minutes n'avaient pas de prix. Plus durait la mort de leur homme, moins ils avaient de chances de le ramener à la vie avec quelque succès.

Kari Dovell régla les boutons de contrôle de l'électrocardiogramme, accentua le contraste. Pour l'enregistrement audio de la totalité de la procédure, elle décrivit ce qu'ils voyaient tous :

— Ligne plate... Aucun battement cardiaque...

— Ni alpha. Ni bêta, ajouta Ken Nakamura, confirmant l'absence de toute activité électrique du cerveau du patient.

Ayant fixé au bras droit du mort le brassard d'un tensio-mètre, Helga fit à haute voix la lecture à laquelle ils s'atten-daient :

— Pas de pression artérielle mesurable.

Gina, à côté de Jonas, surveillait le thermomètre digital :

— Température du corps, sept degrés huit.

— Si bas ! s'exclama Kari. (Surprise, elle observa le cada-vre.) Et en plus sa température a dû monter d'au moins deux degrés depuis qu'ils l'ont sorti de cette rivière. La pièce est fraîche, ici, mais quand même pas à ce point !

Le thermostat était réglé sur dix-sept degrés, ce qui empê-chait la victime de se réchauffer trop vite, et ne gênait pas trop l'équipe de réanimation.

Kari quitta un instant le mort des yeux et, se tournant vers Jonas, elle ajouta :

— Le froid, c'est bien, d'accord, on a besoin qu'il soit froid, mais pas tant que ça, bon sang ! Qu'est-ce qui va se passer si ses tissus gèlent, s'il subit un dommage massif des cellules céré-brales ?

Examinant les orteils de l'homme, puis ses doigts, Jonas fut presque gêné de s'entendre répondre :

— Aucun signe de vésicules...

— Ça ne prouve rien, répliqua Kari.

Jonas savait qu'elle avait raison. Ils le savaient tous. Les vésicules n'avaient pas eu le temps de se former dans la chair morte de doigts et d'orteils gelés avant le décès de l'homme. Mais, bon Dieu, Jonas ne voulait pas renoncer avant même d'avoir commencé !

Il reprit :

— Et puis il n'y a aucun signe de tissu nécrosé...

— Parce que c'est le patient tout entier qui est nécrosé, dit Kari, qui ne voulait pas lâcher.

Parfois, elle semblait aussi gauche qu'un oiseau aux pattes maigrichonnes qui, bien que maître des airs, n'était pas dans son élément sur la terre. Mais à d'autres moments, comme maintenant, se servant de l'avantage de sa taille, elle projetait une ombre intimidante, considérait d'en haut un adversaire, avec un regard dur qui semblait dire vaut-mieux-m'écouter-

sinon-je-vais-te-crever-les-yeux-à-coups-de-bec-mon-vieux !
Jonas mesurait six centimètres de plus que Kari, qui ne pouvait
donc pas vraiment l'observer de *haut,* mais peu de femmes étaient
si près de le regarder en face, dans les yeux, et l'effet était le même
que s'il avait mesuré un mètre cinquante.

Jonas se tourna vers Ken, à la recherche d'un soutien.

Le neurologiste ne pouvait lui en offrir ; il dit :

— En fait, la température du corps est peut-être tombée en
dessous de zéro *après* la mort, puis remontée pendant le voyage
jusqu'ici... Il nous est impossible de le dire. Tu sais cela, Jonas.
La seule chose que nous pouvons affirmer avec certitude au sujet
de ce gars, c'est qu'il est plus mort qu'Elvis ne l'a jamais été.

— Si sa température n'est *maintenant* que de sept degrés
sept..., dit Kari.

Les cellules du corps humain sont composées essentiellement
d'eau. Le pourcentage d'eau est différent dans les cellules
sanguines et les cellules osseuses, dans celles de la peau et celles
du foie, mais l'eau est toujours la plus importante. Et lorsqu'elle
gèle, elle augmente de volume. On met une bouteille de soda
dans le freezer pour la refroidir plus vite, on la laisse trop
longtemps, et on ne retrouve plus que son contenu solide hérissé
d'éclats de verre. L'eau gelée fait exploser de la même façon les
membranes des cellules cérébrales — de toutes les cellules du
corps.

Personne, dans l'équipe, ne désirait rappeler Harrison du
monde des morts, sans la certitude de le ramener dans son
intégralité. Aucun bon médecin, indépendamment de sa passion
de guérir, ne voulait se battre contre la mort et la vaincre pour se
retrouver finalement avec un patient conscient, mais souffrant
d'un dommage cérébral important, ou avec quelqu'un qui ne
pourrait être gardé « en vie » que dans un coma profond, assisté
par des machines.

Jonas savait que son principal point faible, en tant que
médecin, c'était le degré extrême de sa haine pour la mort. Cette
colère, il la portait constamment en lui. Et en des moments tels
que celui-ci, la colère pouvait se transformer en une fureur froide
qui affectait son jugement. Il considérait la mort d'un patient
comme un affront personnel. Du coup, il avait tendance à pécher
par optimisme, à entreprendre une réanimation risquant d'avoir
des conséquences plus tragiques si elle réussissait que si elle
échouait.

Les quatre autres membres de l'équipe connaissaient aussi son point faible. Ils l'observaient et attendaient.

Si, jusqu'alors, la salle d'opération avait été calme comme une tombe, elle était à présent aussi silencieuse qu'une zone perdue du vide intersidéral où Dieu, s'Il existait, jugeait Ses créations désemparées.

Jonas était affreusement conscient des précieuses secondes qui s'écoulaient.

Le patient était là depuis moins de deux minutes. Mais deux minutes suffisaient à faire toute la différence.

Sur la table d'opération, Harrison n'aurait pas pu être plus mort. Sa peau était d'un gris maladif, ses lèvres et les ongles de ses mains et de ses pieds étaient d'un bleu cyanotique, sa bouche entrouverte sur une expiration définitive. Sa chair était totalement dépourvue de l'élasticité de la vie.

Cependant, excepté l'entaille superficielle longue de six centimètres sur le côté droit du front, les éraflures sur la mâchoire, côté gauche, et sur les paumes des mains, il n'était apparemment pas blessé. Il avait été en excellente condition physique, pour un homme de trente-huit ans, dépassant le poids idéal d'à peine deux kilos et demi, avec des os droits et une musculature bien dessinée. On ne savait pas ce qui avait pu arriver à ses cellules cérébrales, mais il *avait l'air* d'un parfait candidat à la réanimation.

Dix ans plus tôt, un médecin dans la situation de Jonas aurait été guidé par la « limite des cinq minutes », considérée à l'époque comme le temps maximum pendant lequel un cerveau humain pouvait tenir sans l'apport de l'oxygène du sang, avant de connaître les premiers dommages. Pourtant, au cours de la décennie passée, la médecine de réanimation était devenue un nouveau et passionnant champ de recherches, et la limite des cinq minutes avait été si souvent dépassée qu'on avait fini par l'abandonner. Avec les nouveaux médicaments qui « balayaient » les radicaux libres, avec des appareils capables de refroidir ou de réchauffer le sang, avec des doses massives d'adrénaline, et diverses autres méthodes, les médecins pouvaient continuer largement au-delà de cette limite des cinq minutes, et ramener quelques-uns de leurs patients de plus lointaines régions de la mort. Et l'hypothermie — un refroidissement extrême du cerveau qui bloquait dans les cellules, après la mort, les modifications chimiques rapides et destructrices —

pouvait encore allonger ce délai entre la mort et la réanimation. Vingt minutes était une durée habituelle. A trente minutes, il y avait encore de l'espoir. On rapportait des cas de réanimation réussie au bout de quarante-cinq minutes. En 1988, une fillette de deux ans, dans l'Utah, tirée d'une rivière glacée, fut ramenée à la vie, sans dommages cérébraux apparents, après au moins soixante-six minutes de mort clinique, et en Pennsylvanie, pas plus tard que l'année dernière, une femme de vingt ans avait revécu, avec toutes ses facultés intactes, au bout de soixante-dix minutes.

Ses collègues observaient toujours Jonas.

La mort, pensa-t-il, *n'est qu'un état pathologique supplémentaire.*

Et la plupart des états pathologiques pouvaient être inversés avec un traitement.

La mort, c'était une chose. Mais le *froid* et la mort, c'en était une autre.

A Gina, il demanda :

— Ça fait combien de temps qu'il est mort ?

Une partie du travail de Gina consistait à rester en liaison radio avec les ambulanciers présents sur les lieux et à noter les informations essentielles dont l'équipe de réanimation avait besoin au moment de la décision. Elle jeta un coup d'œil à sa montre — une Rolex au bracelet rose incongru assorti à ses socquettes — et n'eut même pas besoin de calculer :

— Soixante minutes, mais ils ont simplement *supposé* le temps qu'il a passé dans l'eau avant le sauvetage. Peut-être plus longtemps.

— Ou moins, répliqua Jonas.

Tandis que Jonas prenait sa décision, Helga contourna la table d'opération et rejoignit Gina et, ensemble, les deux femmes se mirent à étudier la chair du bras gauche du cadavre, à la recherche de la veine principale, juste pour le cas où Jonas lancerait la réanimation. Localiser les vaisseaux sanguins dans la chair molle d'un cadavre n'était pas toujours facile : l'utilisation d'un garrot de caoutchouc n'augmentait pas la pression générale, puisqu'il n'y avait *plus* de pression dans le système.

— D'accord, dit Jonas, je le ramène.

Il regarda Ken, Kari, Helga et Gina, leur offrant ainsi une dernière chance de contester son choix. Puis il vérifia sa Timex et ajouta :

— Il est vingt et une heures douze, nuit du lundi 4 mars. Le patient, Hatchford Benjamin Harrison est mort... mais récupérable.

A leur crédit, même s'ils avaient des doutes, aucun membre de l'équipe ne marqua la moindre hésitation une fois la décision prise. Ils avaient le droit — et le devoir — de conseiller Jonas tandis qu'il réfléchissait à la conduite à tenir, mais quand il avait fait son choix, ils utilisaient la totalité de leurs connaissances, de leur habileté et de leur entraînement pour s'assurer que la décision de « récupération » était juste.

Mon Dieu, pensa Jonas, *j'espère que j'ai fait le choix qui convient.*

Gina avait déjà piqué un cathéter dans la veine qu'elle avait trouvée avec Helga. Elles allumèrent et réglèrent la machine d'exsanguino-transfusion, qui allait pomper le sang d'Harrison et le réchauffer graduellement jusqu'à trente-sept degrés sept ; après avoir été réchauffé, le sang serait renvoyé dans le corps du patient par un autre tuyau dont le cathéter était piqué dans une veine de la cuisse.

Une fois le processus engagé, on avait davantage de tâches urgentes que de temps pour les effectuer. Les signes vitaux d'Harrison, actuellement inexistants, devaient être contrôlés pour repérer les premières indications de réponse au traitement. Les soins précédents des ambulanciers devaient être analysés pour déterminer l'importance de la dose d'adrénaline — une hormone de stimulation cardiaque — déjà administrée, et pour savoir si l'on pouvait ou non lui en donner encore. Pendant ce temps, Jonas approcha un chariot de médicaments, préparé par Helga avant l'arrivée du corps, et commença à calculer la variété et la quantité des ingrédients à utiliser dans un cocktail chimique de balayeurs de radicaux libres qui retarderaient les dommages tissulaires.

— Soixante et une minutes, annonça Gina, se basant sur le temps estimé de la mort du patient. Waouh ! Ça fait un long moment à discuter avec les anges ! Ramener celui-là ne va pas être de la tarte, messieurs-dames !

— Neuf degrés, rapporta Helga avec solennité, notant la température du cadavre qui remontait doucement jusqu'à rattraper la température de la pièce.

La mort n'est qu'un état pathologique comme un autre, se rappela Jonas. *Et les états pathologiques peuvent, en général, être inversés.*

De ses mains étonnamment effilées, Helga plia une serviette

chirurgicale en coton sur les parties génitales du patient, et Jonas admit que ce n'était pas là une simple concession à la pudeur, mais un acte de gentillesse traduisant un important changement d'attitude vis-à-vis de Harrison. Un homme mort n'a que faire de gentillesse. La considération d'Helga était une façon de montrer qu'elle croyait que cet homme allait, une fois encore, faire partie des vivants, être accueilli de nouveau chez ses frères et sœurs humains, et qu'il devait donc être traité avec tendresse et compassion, et pas uniquement comme une perspective prometteuse et stimulante de réanimation.

2

L'herbe lui arrivait aux genoux, luxuriante en raison d'un hiver inhabituellement pluvieux. Un vent froid soufflait à travers le champ. De temps en temps, des chauves-souris et des oiseaux nocturnes passaient au-dessus de lui, ou descendaient très bas, en piqué, attirés par lui comme s'ils le prenaient pour un prédateur de leur espèce, mais s'enfuyant dès qu'ils sentaient la terrible différence entre eux et lui.

Il se tenait debout, avec un air de défi, et il regardait les étoiles, entre les nuages qui grossissaient et se déplaçaient vers l'est à travers ce ciel de fin d'hiver. Pour lui, l'univers était un royaume de la mort où la vie était si rare qu'elle en devenait un phénomène monstrueux, l'univers était un endroit où tournaient d'innombrables planètes stériles, un testament célébrant non les pouvoirs créatifs de Dieu, mais plutôt la stérilité de Son imagination et le triomphe des forces des ténèbres liguées contre Lui. Des deux réalités coexistant dans cet univers — la vie et la mort — c'était la vie qui était la plus faible, la plus dérisoire. Comme citoyen du pays des vivants, votre existence se limitait à un certain nombre d'années, de mois, de semaines, de jours, d'heures. Mais comme citoyen du royaume de la mort, vous étiez immortel.

Lui, il vivait sur la frontière.

Il haïssait le monde des vivants, dans lequel il était né. Il exécrait la prétention du savoir, et les mœurs et la morale et la vertu que les vivants défendaient. L'hypocrisie des entreprises humaines, où l'on vantait publiquement l'altruisme tandis que l'on pratiquait l'égoïsme en secret, l'amusait et le dégoûtait tout à la fois. Chaque gentillesse lui semblait faite dans l'idée du remboursement possible exigé un jour ou l'autre de son bénéficiaire.

Son principal mépris — et parfois même sa fureur — étaient réservés à ceux qui parlaient de l'amour et prétendaient en ressentir. L'amour, il le savait, était comme toutes ces autres nobles vertus sur lesquelles la famille, les professeurs et les prêtres racontaient leurs stupidités. Il n'existait pas. C'était un moyen de contrôler autrui, c'était une honte, une escroquerie.

Il chérissait, en revanche, l'antivie et l'obscurité du monde de la mort auquel il appartenait, mais où il ne pouvait pas encore retourner. Sa place légitime était avec des damnés. Il se sentait à l'aise avec ceux qui méprisaient l'amour, qui savaient que la poursuite de la satisfaction personnelle était le seul but de l'existence. Le moi passait avant tout. Des choses comme « le mal » et « le péché » n'existaient pas.

Plus il contemplait les étoiles entre les nuages, plus elles lui paraissaient brillantes — jusqu'à ce que chaque petit point de lumière dans le vide de l'espace semblât lui brûler les yeux. Cela commença à lui faire mal, et des larmes brouillèrent sa vision ; alors, il baissa la tête et regarda le sol. Même la nuit, le monde des vivants était trop lumineux pour des gens comme lui. Il n'avait pas besoin de lumière pour y voir clair. Sa vision était adaptée à la parfaite noirceur de la mort et des catacombes de l'Enfer. La lumière n'était pas seulement inutile pour des yeux comme les siens ; c'était une gêne et parfois même une abomination.

Oubliant le ciel, il sortit du champ, reprit pied sur la chaussée lézardée. En ces lieux qui, jadis, étaient pleins des voix et des rires de la foule, l'écho de ses pas sonnait bizarrement, mais s'il l'avait voulu, il se serait déplacé aussi silencieusement qu'un chat parti en chasse.

Les nuages se déchirèrent et la grosse lampe lunaire inonda le paysage ; il tressaillit de douleur. Tout autour de lui, les structures délabrées de sa cachette projetaient des ombres rigides et déchiquetées dans cette lumière qui aurait paru bien faible à n'importe qui, mais qui, pour lui, faisait miroiter la chaussée comme une peinture phosphorescente.

Il sortit des lunettes de soleil de la poche intérieure de son blouson de cuir et les mit sur son nez. Oui, c'était mieux.

Il hésita un instant, pas très sûr de ce qu'il voulait faire du restant de la nuit. Il n'avait vraiment que deux possibilités : passer les quelques heures précédant l'aube avec les vivants ou en compagnie des morts. Cette fois, la décision fut plus facile que d'habitude, car dans son état d'esprit actuel, il préférait les morts — et de loin.

Il sortit d'une zone d'ombre qui ressemblait à une roue géante, brisée et inclinée, et il se dirigea vers l'immeuble tombant en ruine où il gardait les morts. Sa collection.

3

— Soixante-quatre minutes, annonça Gina, en consultant sa Rolex au bracelet rose. Celui-là risque d'avoir des problèmes.

Jonas était surpris par la vitesse éclair à laquelle filait le temps, certainement plus vite que d'habitude, comme si une bizarre accélération du continuum venait de se produire. Mais c'était toujours ainsi dans les situations de ce genre, lorsque l'on mesurait en minutes et en secondes ce qui faisait la différence entre la vie et la mort.

Il regarda le sang, plus bleu que rouge, disparaître, par le tube de plastique transparent, dans la machine d'exsanguino-transfusion qui ronronnait. Le corps humain contenait en moyenne cinq litres de sang. Avant que l'équipe de réanimation n'en eût terminé avec Harrison, ses cinq litres de sang auraient été plusieurs fois remis en circulation, réchauffés et filtrés.

Ken Nakamura se tenait devant un tableau lumineux, étudiant les radios et les échographies de la tête et de la poitrine de Harrison prises dans l'ambulance aérienne pendant le vol, à trois cents kilomètres à l'heure, entre les Mountains San Bernardino et l'hôpital de Newport Beach. Kari, penchée au-dessus du visage du patient, examinait ses yeux avec un ophthalmoscope, attentive au moindre signe de pression crânienne causée par une accumulation de fluides dans le cerveau.

Jonas et Helga avaient rempli une série de seringues avec de fortes doses de divers neutralisants de radicaux libres. Les vitamines E et C étaient des balayeurs efficaces, et elles avaient l'avantage d'être des substances naturelles, mais Jonas avait aussi l'intention d'administrer un lazéroïde — du tirilazade mésylate — et des phényl-nitrones butyliques tertiaires.

Les radicaux libres étaient des molécules instables qui se

déplaçaient rapidement et ricochaient à travers le corps, déclenchant sur leur passage des réactions chimiques qui endommageaient la plupart des cellules avec lesquelles ils entraient en contact. Selon une théorie courante, ils étaient la principale cause du vieillissement, ce qui expliquait pourquoi des balayeurs naturels, tels que les vitamines E et C, renforçaient le système immunitaire et, chez ceux qui les utilisaient longtemps, favorisaient une apparence plus juvénile et des niveaux énergétiques plus élevés. Les radicaux libres, sous-produits de processus métaboliques ordinaires, étaient toujours présents dans l'organisme. Mais lorsque le corps était privé de sang oxygéné pendant une longue période, même protégé par l'hypothermie, d'énormes quantités de radicaux libres étaient fabriquées, au-delà des doses qu'il affrontait en temps normal. Et quand le cœur redémarrait, la circulation qui reprenait charriait ces dangereuses molécules dans le cerveau, où leur impact était dévastateur.

Les balayeurs vitaminiques et chimiques allaient s'occuper des radicaux libres sans leur laisser le temps de causer des dommages irréversibles au patient. Du moins l'espérait-on.

Jonas vissa les trois seringues dans les différents ports de la rampe intraveineuse principale, dans la cuisse du patient, mais il ne les lui injecta pas encore.

— Soixante-cinq minutes, annonça Gina.

On était très près du record d'une réanimation réussie.

Malgré l'air froid, Jonas sentait son crâne transpirer, sous ses cheveux qui s'éclaircissaient. Il s'impliquait toujours trop, il était toujours trop émotif. Certains de ses collègues désapprouvaient cette empathie excessive ; ils estimaient que le maintien de la distance professionnelle entre le médecin et ses patients permettait de garder le sens des proportions. Sauf qu'aucun patient n'était *seulement* un patient. Chacun d'eux était aimé par quelqu'un, nécessaire à quelqu'un. Jonas était très conscient du fait que s'il ne sauvait pas un malade, cet échec ne concernait pas seulement *une* personne, mais entraînait douleur et souffrance pour un vaste réseau de parents et d'amis. Même lorsqu'il s'occupait d'un Harrison, dont il ne savait pratiquement rien, il commençait à *imaginer* les personnes liées à son patient, et il se sentait responsable vis-à-vis d'elles comme s'il les avait connues personnellement.

— Ce gars semble aller, dit Ken, abandonnant les radios et les échographies. Pas de fractures. Pas de blessures internes.

— Mais ces échographies ont été prises après sa mort, nota Jonas. Elles ne montrent pas les *organes en fonctionnement.*

— D'accord. Nous reprendrons quelques photos supplémentaires quand il sera réanimé, pour nous assurer que rien n'est cassé, mais pour l'instant il a l'air O.K.

Kari Dovell cessa d'étudier les yeux du mort et se redressa :

— Peut y avoir une commotion cérébrale. Difficile à dire à partir de ce que je vois.

— Soixante-six minutes.

— Chaque seconde compte. Soyez prêts, mes amis, dit Jonas — même s'il savait qu'ils l'étaient.

L'air froid n'atteignait pas son crâne, sous sa charlotte, et pourtant sa transpiration était glacée. Il frissonnait.

Le sang, réchauffé à trente-sept degrés sept, commença à circuler dans le tube de plastique transparent de la rampe intraveineuse et à retourner dans le corps du patient par une veine de la cuisse, en vagues successives artificiellement créées par la machine d'exsanguino-transfusion.

Jonas appuya à moitié sur les pistons des trois seringues, introduisant des doses massives des trois balayeurs de radicaux libres dans le sang. Il attendit moins d'une minute, puis il enfonça les pistons jusqu'au bout.

Helga avait déjà préparé trois nouvelles seringues, conformément à ses instructions. Jonas ôta les trois précédentes des ports de la rampe intraveineuse et vissa les seringues pleines sans en injecter le contenu.

Ken, lui, avait approché le défibrillateur. Après la réanimation, si le cœur d'Harrison se mettait à battre irrégulièrement — fibrillation — on pourrait l'obliger par un choc électrique à reprendre un rythme normal. C'était une stratégie de la dernière chance, cependant, car une défibrillation brutale pouvait avoir aussi un effet négatif sur un patient qui, ramené depuis peu de la mort, était particulièrement fragile.

Kari jeta un coup d'œil au thermomètre digital et dit :

— La température de son corps n'est que de treize degrés.

— Soixante-sept minutes, annonça Gina.

— Trop lent, fit Jonas.

— Température externe ?

Jonas hésita.

— Allons-y, conseilla Ken.

— Treize degrés cinq, dit Kari.

— A ce rythme, intervint Helga, inquiète, il va falloir attendre plus de quatre-vingts minutes avant qu'il soit assez chaud pour que le cœur redémarre.

Des coussins chauffants avaient été placés sous le drap de la table d'opération avant l'arrivée du patient. Ils étaient installés le long de sa colonne vertébrale.

— D'accord, dit Jonas.

Kari les alluma.

— Mais doucement, ajouta Jonas.

Kari régla la température.

Ils avaient besoin de réchauffer le corps, mais un réchauffement trop rapide pouvait poser des problèmes. A chaque réanimation on marchait sur une corde raide.

Jonas administra de nouvelles doses de vitamines E et C, de tirilazade mésylate et de phényl-nitrones butyliques tertiaires.

Le patient était immobile et blême. Il rappelait à Jonas une sculpture qu'il avait vue dans une cathédrale, le corps d'un Christ en marbre blanc, allongé sur le dos, rendu par l'artiste dans la position de la mise au tombeau comme Il se serait trouvé juste avant la réanimation la plus réussie de tous les temps...

Kari Dovell avait soulevé les paupières d'Harrison pour l'examen ophtalmoscopique, si bien que les yeux du mort, ouverts, regardaient le plafond sans le voir ; Gina y versa des larmes artificielles avec un compte-gouttes pour éviter l'assèchement des cristallins. Elle fredonnait *Little Surfer Girl* tout en travaillant. C'était une fan des Beach Boys.

Aucune horreur, aucune peur n'étaient visibles dans les yeux du cadavre, contrairement à toute attente. On y lisait en fait une expression presque paisible, comme émerveillée. Harrison semblait avoir vu quelque chose, au moment de sa mort, qui l'avait enthousiasmé...

Gina termina d'humidifier les yeux d'Harrison et regarda sa montre.

— Soixante-huit minutes.

Jonas ressentit le désir fou de lui crier de se taire, comme si le temps pouvait rester bloqué tant qu'elle ne disait rien.

La machine d'exsanguino-transfusion pompait et recrachait le sang d'Harrison.

— Dix-sept degrés.

Helga avait parlé d'une voix dure comme si elle en voulait au mort de la lenteur avec laquelle il se réchauffait.

Electrocardiogramme plat.

Electro-encéphalogramme plat.

— Allez, insista Jonas. Allez... Allez...

4

Il pénétra dans son musée des morts non par l'une des portes supérieures mais par la lagune asséchée. Dans cette dépression peu profonde, trois gondoles étaient échouées sur le béton craquelé. Ces embarcations pour dix personnes ne flottaient plus depuis longtemps dans le canal où elles transportaient jadis leurs joyeux passagers, tirées par un système de chaînes. Même dans la nuit, avec des lunettes noires, il voyait qu'au lieu des proues en cou de cygne des véritables gondoles vénitiennes, elles exhibaient des gargouilles au regard mauvais en bois sculpté, peintes de couleurs criardes, peut-être effrayantes jadis, mais aujourd'hui lézardées, usées et écaillées par les intempéries. Les deux battants des portes de la lagune qui, en des jours meilleurs, livraient passage aux gondoles, ne fonctionnaient plus. L'un était grand ouvert et l'autre était fermé, mais ne tenait que sur deux de ses quatre gonds rouillés. Il franchit le battant ouvert et pénétra dans un couloir bien plus noir que la nuit qu'il laissait derrière lui.

Il ôta ses lunettes de soleil : elles lui étaient inutiles dans cette obscurité.

Il n'avait pas besoin non plus de lampe électrique. Là où un homme normal aurait avancé en aveugle, il y voyait parfaitement.

Le canal de béton que les gondoles suivaient jadis mesurait un mètre de profondeur et deux mètres cinquante de large ; une tranchée beaucoup plus étroite au fond de ce canal contenait le mécanisme de transmission rouillé — une longue série de crochets recourbés, à bouts ronds, de vingt centimètres de hauteur, qui tiraient les embarcations grâce aux boucles d'acier fixées sous leur coque. Lorsque ce circuit de promenade fonctionnait, les crochets étaient dissimulés sous l'eau, ce qui donnait vraiment l'illusion que les gondoles flottaient. A présent, tombant peu à peu en poussière dans ce sombre royaume, ils ressemblaient à de grosses épines sur le dos d'un immense reptile préhistorique.

L'univers des vivants, pensa-t-il, *est toujours plein de simulacres. Sous la surface tranquille du monde, des mécanismes minables se livrent à leurs tâches secrètes...*

Il s'enfonça davantage dans le bâtiment. La pente descendante du canal était à peine perceptible, mais il en avait conscience parce qu'il avait souvent emprunté ce chemin.

Au-dessus de lui, des deux côtés, il y avait des passages de service, d'environ un mètre de large, en béton. Et puis venaient les murs du tunnel, peints en noir pour servir de toile de fond sans reflet aux spectacles débiles jadis joués en ces lieux.

Les passages s'élargissaient par endroits, pour former des niches et parfois même de véritables petites salles. Quand le circuit était en activité, ces niches abritaient des saynètes censées amuser les spectateurs ou les effrayer, ou les deux : fantômes, gobelins, goules et monstres, tueurs fous à la hache, debout parmi les cadavres de leurs victimes décapitées. Dans l'un de ces espaces, on voyait la reconstitution très soignée d'un cimetière, où les zombies partaient en chasse ; dans un autre, une énorme soucoupe volante, plutôt convaincante, avait déversé ses *aliens* assoiffés de sang, aux têtes énormes et aux innombrables dents de requins. Jadis, toutes ces silhouettes bougeaient, grimaçaient, bondissaient, et menaçaient les passagers, avec des voix enregistrées, répétant pour l'éternité les mêmes brèves gestes programmés, les mêmes mots, les mêmes grognements.

Non, pas pour l'éternité. Car ils avaient disparu, maintenant, emportés par des récupérateurs officiels, des agents des créanciers, des pilleurs.

Rien n'était éternel.

Sauf la mort.

A une trentaine de mètres de l'entrée, il atteignit la fin de la première section du mécanisme de transmission par chaînes. A cet endroit, le sol du tunnel, qui jusque-là descendait imperceptiblement, plongeait brusquement selon un angle d'à peu près trente-cinq degrés dans une obscurité totale. Là, les gondoles se libéraient de leurs crochets et, dans une chute à retourner l'estomac, dégringolaient le long d'une pente de cinquante mètres et venaient s'écraser dans la piscine, en dessous, dans un éclaboussement colossal qui inondait les passagers de l'avant, pour le plus grand plaisir de ceux qui avaient été assez chanceux — ou malins — pour s'asseoir à l'arrière.

Parce qu'il ne faisait pas partie des hommes ordinaires et qu'il possédait certains pouvoirs, il apercevait un morceau de cette pente dans cet environnement d'une absolue noirceur, mais il ne distinguait pas le fond. Sa vision nocturne, pareille à celle du chat, était tout de même limitée : dans un rayon de trois à cinq mètres, il y voyait aussi clairement qu'en plein jour ; ensuite, les objets devenaient de plus en plus flous, jusqu'à ce que l'obscurité avalât tout, à environ quinze mètres.

Se tenant légèrement en arrière pour conserver son équilibre, il s'avança dans le ventre du Palais des Merveilles abandonné. Il n'avait pas peur de ce qui l'attendait au fond. Car rien ne pouvait l'effrayer, désormais. Après tout, rien dans l'univers des vivants ne pouvait être plus implacable et plus sauvage que lui...

Il n'était même pas à mi-distance du fond de la chambre la plus basse qu'il sentait déjà l'odeur de la mort. Les courants d'air secs et glacés la faisaient monter jusqu'à lui. Cette puanteur l'excita. Aucun parfum, le plus exquis fût-il, même celui de la douce gorge d'une belle femme, n'aurait pu l'exciter autant que la fragrance singulière et douce de la chair pourrissante.

5

Sous les lampes à halogène, les surfaces en inox et en émail de la salle d'opération faisaient mal aux yeux, comme un paysage arctique illuminé par un soleil hivernal. La température de la pièce semblait être descendue ; on aurait dit que la chaleur qui reprenait possession du mort chassait le froid hors de son corps. Jonas Nyebern frissonna.

Helga vérifia le thermomètre digital fixé par un patch sur la peau d'Harrison :

— Vingt et un degrés, dit-elle.

— Soixante-douze minutes, ajouta Gina.

— On est bons pour la médaille, maintenant, s'exclama

Ken. L'histoire de la médecine, le *Guinness Book of World Records,*
les émissions TV, les livres, les films, les T-shirts avec nos
gueules dessus, les chapeaux fantaisie, et les ornements en
plastique à nos effigies pour les pelouses...

— Des chiens ont été ramenés au bout de quatre-vingt-dix
minutes, lui rappela Kari.

— Ouais, dit Ken, mais c'étaient des *chiens*. En plus ils
étaient si paumés qu'ils poursuivaient les os et enterraient les
voitures.

Gina et Kari rirent doucement, et la blague détendit tout le
monde, sauf Jonas. Il n'était pas capable de se décontracter lors
d'une réanimation, même s'il savait que la compétence d'un
médecin trop stressé diminuait. Ken possédait une capacité
admirable d'évacuer son trop-plein d'énergie nerveuse, et cela
servait ses patients. Jonas, lui, en pleine bataille, ne pouvait
pas.

— Vingt-deux degrés... Vingt-deux degrés cinq...

Car il s'agissait vraiment d'une *bataille*. L'adversaire, c'était
la mort : intelligente, puissante et implacable.

Et pour Jonas, la mort n'était *pas seulement* un état pathologique, pas simplement l'inévitable destin de tous les êtres vivants,
mais bien une entité *réelle* qui parcourait le monde, peut-être
pas toujours cette célèbre silhouette en robe longue, avec son
visage de squelette dissimulé dans l'ombre de son capuchon,
mais néanmoins une véritable présence. Oui, la Mort, avec un
M majuscule.

— Vingt-trois degrés, dit Helga.

Et Gina précisa :

— Soixante-treize minutes.

Jonas introduisit davantage de balayeurs de radicaux libres
dans le sang, par la rampe intraveineuse.

Sa croyance que la Mort était une puissance surnaturelle
avec une conscience et une volonté propres, sa certitude qu'elle
parcourait parfois la terre sous une forme incarnée et qu'elle
était présente, en ce moment même, dans cette salle, sous un
voile d'invisibilité, tout cela, il le supposait, aurait été considéré
comme des superstitions stupides par ses collègues. Et même
comme un symptôme de déséquilibre psychique, voire de folie
naissante. Mais Jonas ne doutait pas de sa santé mentale.
Après tout, cette croyance en la Mort reposait sur une certitude
empirique. A l'âge de sept ans, il avait *vu* cet ennemi haï, il

l'avait entendu parler, il l'avait regardé dans les yeux, avait respiré son haleine fétide et avait senti ses doigts glacés se promener sur son visage...

— Vingt-trois degrés cinq.

— Tenez-vous prêts, dit Jonas.

La température du corps du patient était presque parvenue à un seuil au-delà duquel la réanimation pouvait être effective à tout instant. Kari termina de remplir une seringue avec de l'adrénaline, et Ken alluma le défibrillateur pour le charger. Gina ouvrit la valve d'une bouteille contenant un mélange d'oxygène et de gaz carbonique spécialement calculé pour les procédures de réanimation et s'assura une nouvelle fois que le masque du respirateur fonctionnait.

— Vingt-quatre degrés, dit Helga. Vingt-quatre degrés cinq.

Gina jeta un autre coup d'œil à sa montre :

— Ça vient... Soixante-quatorze minutes !

6

Au pied de la longue pente, il pénétra dans une salle qui ressemblait à une caverne, aussi vaste qu'un hangar d'aviation. Ici, les visions sans imagination d'un concepteur de parcs de loisirs avaient servi à recréer l'Enfer ; des brûleurs à gaz entretenaient les flammes qui venaient lécher les rochers de béton entourant l'endroit.

Le gaz était coupé depuis longtemps. L'Enfer était aussi noir que du goudron, maintenant. Mais pas pour lui, bien sûr.

Il se déplaçait lentement sur le sol de béton traversé par un chenal sinueux qui dissimulait un autre système de transmission par chaînes. Là, les gondoles avaient vogué sur un pseudo-lac de feu grâce à un astucieux système d'éclairage et de tuyaux crachant des bulles d'air pour donner l'impression qu'il s'agissait de pétrole bouillonnant.

Tout en marchant, il savourait la puanteur de la pourriture, plus âcre à chaque pas.

Une douzaine de démons mécaniques s'étaient jadis dressés sur des formations de béton surélevées ; de là, ils étendaient leurs immenses ailes de chauves-souris et observaient la scène de leurs yeux de braise qui, à intervalles réguliers, lançaient d'inoffensifs rayons laser rougeoyants sur les gondoles qui passaient. Onze démons avaient été revendus à un parc de loisirs concurrent et à un ferrailleur. Pour une raison inconnue, le douzième était resté là — assemblage silencieux et immobile de métal rouillé, de tissus pourrissants, de plastique tordu, de mécanismes hydrauliques couverts de graisse desséchée. Il était toujours perché sur son aiguille de pseudo-rocher, presque contre la voûte, moins effrayant que pathétique.

Comme il passait sous ce triste personnage du Palais des Merveilles, il pensa : *Je suis le seul vrai démon que cet endroit connaîtra jamais* — et cette idée le ravit.

Des mois plus tôt, il avait cessé de penser à lui-même sous son prénom chrétien. Il avait adopté le nom d'un démon qu'il avait trouvé dans un ouvrage de satanisme. Vassago. L'un des trois plus puissants princes de l'Enfer, qui ne devait obéissance qu'à Satan en personne. Vassago. Il aimait la sonorité de ce nom. Lorsqu'il le prononçait à haute voix, il roulait sur sa langue avec une telle facilité qu'on aurait dit qu'il n'avait jamais répondu à un autre patronyme.

— Vassago...

Dans l'épais silence souterrain, les rochers de béton lui renvoyèrent l'écho de ce nouveau nom :

— *Vassago*...

7

— Vingt-six degrés.

— Ça ne devrait pas tarder, fit Ken.

Un œil sur les moniteurs de contrôle, Kari dit :

— Lignes plates... Juste des lignes plates...

Son long cou de cygne était si mince que Jonas voyait son sang gonfler sa carotide.

Il examina alors celui du mort. Sur celui-là, aucun sang ne battait.

— Soixante-quinze minutes, annonça Gina.

— S'il reprend connaissance, c'est le record officiel, maintenant, dit Ken. On va être obligés de célébrer la chose, de picoler, de gerber sur nos chaussures, de se donner en spectacle.

— Vingt-six degrés cinq.

Jonas se sentait si frustré qu'il n'osait plus parler, de peur de laisser échapper une obscénité ou un grognement de colère, sourd et sauvage. Ils avaient fait tout ce qu'il fallait, et ils étaient en train de perdre la partie. Il détestait perdre. Il détestait la Mort. Il détestait les limitations de la médecine moderne, toutes les failles des connaissances humaines — et aussi ses propres insuffisances.

— Vingt-huit degrés.

Soudain, le mort eut un hoquet.

Jonas sursauta et regarda les moniteurs de contrôle.

L'électrocardiogramme montrait les mouvements spasmodiques du cœur du patient.

— Nous y voilà, dit Kari.

8

Les damnés mécaniques, plus d'une centaine aux beaux jours de l'Enfer, étaient partis en même temps que les onze démons ; terminés, les râles d'agonie et les lamentations que laissaient échapper les haut-parleurs dissimulés dans leurs bouches. Aujourd'hui, la salle dévastée n'était pourtant pas vide d'âmes perdues : elle contenait désormais quelque chose de plus approprié que des robots, quelque chose plus proche la réalité.

La collection de Vassago.

Au centre, se dressait Satan dans toute sa majesté, féroce et colossal. Dans un trou circulaire du sol de plus de cinq mètres de diamètre, s'élevait la statue massive du Prince des Ténèbres en personne. Il disparaissait à la vue à partir de la taille ; mais du nombril à la pointe de ses cornes segmentées, il mesurait neuf mètres de haut. Lorsque le Palais des Merveilles fonctionnait, cette monstrueuse sculpture était dissimulée sous le lac, dans un puits de dix mètres, et elle surgissait régulièrement de sa cachette, au milieu de gerbes d'eau, avec ses immenses yeux de flammes, ses horribles mâchoires qui s'ouvraient et se fermaient, ses dents tranchantes qui grinçaient, sa langue fourchue qui s'agitait, et elle proférait d'une voix tonitruante un avertissement : « Toi qui entres ici, laisse toute espérance ! » avant d'éclater d'un rire méchant.

Dans son enfance, Vassago était monté plusieurs fois dans ces gondoles, quand il appartenait encore au monde des vivants, avant d'être devenu un citoyen de la frontière, et à cette époque il avait été terrorisé par l'apparition de ce démon artificiel, et tout particulièrement par son rire hideux. Mais si la machinerie avait survécu à des années de corrosion et avait soudain ramené à la vie le monstre qui se fendillait, Vassago n'aurait plus été impressionné, parce qu'il était désormais assez âgé et surtout assez expérimenté pour savoir que Satan était *incapable de rire*.

Il s'immobilisa aux pieds de l'imposant Lucifer et l'étudia avec un mélange de mépris et d'admiration. C'était du chiqué, bien sûr, une imposture de fête foraine, faite pour torturer les vessies des petits enfants et donner aux jeunes filles une raison de hurler et de chercher protection dans les bras de leurs fiancés qui souriaient, mal à l'aise. Mais il devait admettre que c'était une création inspirée, parce que son auteur n'avait pas choisi l'image traditionnelle de Satan — ce don Juan pour âmes inquiètes, au visage maigre, au nez pointu et aux lèvres épaisses, avec ses cheveux coiffés en arrière à partir d'un V sur le front, et ce bouc absurde sur son menton pointu. Non, c'était une Bête qui méritait bien son nom : reptile, insecte, et humanoïde tout à la fois, suffisamment repoussante pour commander le respect, juste assez familière pour paraître réelle, juste assez étrangère pour être terrifiante. Des années de poussière, d'humidité et de moisissures lui avaient donné une patine qui adoucissait ses couleurs criardes et lui conférait l'autorité de ces gigantesques statues de pierre des dieux égyptiens retrouvées dans les vieux temples enfouis dans les sables, loin sous les dunes du désert.

Vassago ne savait pas à quoi Lucifer ressemblait vraiment et il supposait que le Prince des Mensonges était bien plus effrayant et formidable que cette créature du Palais des Merveilles, mais il avait trouvé ce Béhémoth en plastique et en polystyrène suffisamment impressionnant pour en faire le centre de l'existence secrète qu'il menait dans sa cachette. A la base de cette statue, dans le sol de béton du lac asséché, il avait arrangé sa collection pour son plaisir et son amusement personnels — mais aussi en offrande au dieu de la terreur et des douleurs.

Les corps nus et pourrissants de sept femmes et de trois hommes étaient disposés au mieux, dix sculptures exquises, œuvres de quelque Michel-Ange pervers dans un musée de la mort.

9

Un petit hoquet, une rapide contraction des muscles cardiaques et une réaction nerveuse involontaire qui fit sursauter son
bras droit et s'ouvrir et se fermer ses doigts comme se
recroquevillent les pattes d'une araignée mourante — ce furent
les seuls signes de vie que montra le patient avant de revenir à
l'immobilité et au silence de la mort.

— Vingt-huit degrés cinq, dit Helga.

Ken Nakamura demanda :

— Défibrillation ?

Jonas secoua la tête.

— Son cœur n'est pas en fibrillation. Il ne bat pas du tout. Il
faut patienter.

Kari tenait une seringue.

— Encore de l'adrénaline ?

Jonas examina les moniteurs avec beaucoup d'attention.

— On attend. On ne veut pas le ramener à la vie juste pour
le plaisir de le sur-médicaliser et de provoquer une crise
cardiaque...

— Soixante-seize minutes, dit Gina, d'une voix aussi juvénile, joyeuse et excitée que si elle annonçait le score d'une partie
de volley-ball sur la plage.

— Vingt-neuf degrés.

Harrison eut un autre hoquet. Son cœur repartit par à-coups,
dessina une série de pics sur l'écran de l'électrocardiogramme.
Tout son corps frissonna. Et puis la ligne redevint plate.

Tenant à la main les poignées des deux électrodes, positive et
négative, de la machine de défibrillation, Ken fixait Jonas et
attendait.

— Vingt-neuf degrés cinq, annonça Helga. Il est dans la
zone thermique correcte, et il veut revenir.

Jonas sentit une perle de sueur glisser avec une lenteur
exaspérante le long de sa tempe droite puis de sa mâchoire. Le
pire était encore devant eux, et pour l'instant le patient avait
toujours la possibilité de redémarrer de lui-même avant de se
voir infliger des techniques plus dangereuses de réanimation
forcée.

Un troisième accès d'activité cardiaque se manifesta par une
série de pics plus courts que les précédents, et ne fut accom-

pagné cette fois ni par une réponse pulmonaire ni par des contractions musculaires. Harrison gisait là, mou et froid.

— Il n'est pas capable de faire le saut, dit Kari Dovell.

Ken acquiesça.

— On va le perdre.

— Soixante-dix-sept minutes, annonça Gina.

Pas quatre jours dans la tombe, comme Lazare rappelé par Jésus, mais c'est quand même une longue mort, pensa Jonas.

— Adrénaline, dit-il.

Kari lui passa la seringue et il administra rapidement le produit par les ports de la rampe intraveineuse qu'il avait utilisés un peu plus tôt pour injecter les balayeurs de radicaux libres dans le sang de son patient.

Ken leva les électrodes de la machine à défibrillation et se plaça au-dessus du mort, prêt à lui donner un choc électrique si cela s'avérait nécessaire.

Puis la dose massive d'adrénaline, une puissante hormone extraite des glandes surrénales des moutons et des bœufs, que certains spécialistes surnommaient « jus de réanimation », frappa Harrison aussi violemment que l'aurait fait l'électricité que Ken Nakamura se préparait à lui envoyer. Il cracha une haleine viciée par le tombeau, il suffoqua comme s'il était encore en train de se noyer dans cette rivière glacée, il eut un frisson violent, et son cœur se remit à battre comme celui du lapin serré de près par le renard.

10

Vassago avait disposé avec beaucoup de précision chaque pièce de sa macabre collection. Ce n'étaient pas simplement dix cadavres jetés au hasard sur le béton. Vassago ne se contentait pas de respecter la mort : il l'adorait avec la même passion que Beethoven pour la musique, la même dévotion que Rembrandt pour la peinture. Après tout, la mort était le don de Satan aux habitants du Jardin, un don déguisé en quelque chose de plus précieux ; Satan était le Dispensateur de Mort, et le royaume de la mort éternelle lui appartenait. Toute chair que la mort avait touchée devait être considérée avec la vénération que les fervents catholiques réservaient à l'Eucharistie. De même que l'on prétendait que leur Dieu était vivant à l'intérieur de cette mince hostie de pain azyme, de même le visage de l'implacable dieu de Vassago était visible dans toutes les formes de pourrissement et de liquéfaction.

Le premier corps, au pied du Satan de neuf mètres, était celui de Jenny Purcell, une serveuse de vingt-deux ans qui participait, dans un bar, à la reconstitution d'une soirée des années 50, quand le juke-box jouait Elvis Presley et Chuck Berry, Lloyd Price et The Platters, Buddy Holly, Connie Francis et The Everly Brothers. Lorsque Vassago était entré pour prendre un hamburger et une bière, Jenny l'avait trouvé super, avec ses vêtements noirs et ses lunettes de soleil — la nuit était tombée et il n'avait pas l'air de vouloir les ôter ! Il avait un beau visage rond, que, par contraste, ses mâchoires fermes, la grimace légèrement cruelle de sa bouche et ses épais cheveux noirs qui lui cachaient le front rendaient plus intéressant encore : il avait quelque chose d'Elvis jeune.

Comment vous vous appelez ? avait-elle demandé, alors il avait répondu : *Vassago,* mais elle avait ajouté : *Votre prénom ?* si bien qu'il avait dû préciser : *Vassago tout court,* ce qui avait sans doute intrigué la fille et titillé son imagination, parce qu'elle avait alors murmuré : *Comment, vous voulez dire comme Cher, ou Madonna, ou Sting qui n'ont qu'un nom ?* Il l'avait dévisagée de derrière ses verres très sombres : *Ouais, ça vous pose un problème ?* Ça ne lui posait pas de problème, non. En fait, elle se sentait attirée par lui. Elle pensa qu'il était « différent », mais ce ne fut que plus tard qu'elle découvrit à *quel point* il l'était, en effet.

Tout dans l'apparence de Jenny en faisait, pour lui, une pute, si bien qu'après l'avoir tuée avec un stylet de vingt centimètres, qu'il lui avait enfoncé dans la cage thoracique jusqu'au cœur, il l'avait disposée dans une position convenant à une femme sexuellement débauchée. Il l'avait déshabillée puis il l'avait assise les jambes écartées, les genoux relevés. Il avait attaché ses poignets minces à ses mollets pour la faire se tenir droite. Puis, avec de grosses cordes, il avait tiré sa tête vers l'avant, au maximum des possibilités de ses muscles, en compressant son diaphragme ; et il avait enroulé les cordes autour de ses cuisses, de façon à lui faire éternellement regarder sa fente, entre ses jambes, à lui faire contempler ses péchés.

Jenny fut la première pièce de sa collection. Morte depuis à peu près neuf mois, attachée comme un jambon dans un séchoir. Elle était ratatinée, désormais, ce n'était plus qu'une enveloppe momifiée, elle n'intéressait plus les asticots, ni les multiples agents de décomposition des chairs. Et elle ne puait plus comme elle avait pué quelque temps plus tôt.

Dans la position particulière où elle se trouvait, séchant et se ratatinant jusqu'à former une boule, elle avait l'air d'une humaine si minuscule qu'il était difficile de penser qu'elle avait pu être vivante un jour, et donc tout aussi difficile de croire qu'elle était morte aujourd'hui. Si bien que la mort ne semblait plus habiter ses restes. Oui, pour Vassago, elle avait cessé d'être un cadavre, elle n'était plus qu'un objet étrange, une chose impersonnelle qui aurait pu, tout aussi bien, être inanimée depuis toujours. Du coup, même si c'était la première pièce de sa collection, elle n'avait plus grand intérêt pour lui.

Seuls la mort et les morts le fascinaient. Les vivants ne retenaient son attention que parce qu'ils transportaient en eux l'évidente promesse de la mort.

11

Le patient souffrait d'une tachycardie parfois peu importante, parfois grave — de cent vingt à deux cent trente coups minute. Il s'agissait d'un état transitoire causé par l'adrénaline et l'hypothermie.

Sauf que cela n'avait rien à voir avec un état transitoire.

Chaque fois que la fréquence du pouls diminuait, c'était moins longtemps que la fois précédente, et à l'accélération suivante, l'électrocardiogramme indiquait une arythmie qui montait en flèche et allait forcément se terminer par un arrêt cardiaque...

Jonas ne transpirait plus et il avait retrouvé son calme, maintenant qu'avait été prise et mise en œuvre la décision de combattre la Mort. Il dit :

— Vaudrait mieux lui en donner un petit coup.

Tous, ils savaient à qui il s'adressait, et Ken Nakamura appuya aussitôt les électrodes glacées du défibrillateur sur la poitrine d'Harrison, de chaque côté du cœur. La décharge électrique souleva littéralement le patient sur la table d'opération, et un son qui ressemblait à l'impact d'un maillet de fer s'écrasant sur un canapé de cuir — *wham !* — claqua à travers la pièce.

Jonas regarda l'électrocardiographe, tandis que Kari décrivait les pics lumineux qui se déplaçaient sur l'écran.

— Encore deux cents coups minute, mais le rythme est là, maintenant... Oui, il se maintient... Il se maintient.

L'électroencéphalographe montrait des ondes cérébrales alpha et bêta situées dans les paramètres normaux d'un homme inconscient.

— Activité pulmonaire autonome, annonça Ken.

— D'accord, décida Jonas, faisons-le respirer et assurons-nous que ses cellules cérébrales ont assez d'oxygène.

Gina plaça immédiatement le masque à oxygène sur le visage d'Harrisson.

— Température du corps, trente-deux degrés, dit Helga.

Les lèvres du patient étaient toujours bleues, mais cette teinte mortelle avait disparu de ses ongles.

De même, l'élasticité musculaire était partiellement restaurée. Sa chair n'avait plus la flaccidité de la mort. Tandis que les sensations revenaient aux extrémités glacées d'Harrison, ses terminaisons nerveuses malmenées donnèrent naissance à une série de tics et de contractions.

Ses yeux roulaient et sautillaient sous ses paupières closes, signe d'un sommeil paradoxal.

Harrison rêvait.

— Cent vingt coups minute, dit Kari, et ça descend... Le rythme est parfait, maintenant... Très régulier.

Gina consulta sa montre et laissa échapper un *whoo!* de stupéfaction.

— Quatre-vingts minutes!

— La vache! s'exclama Ken, stupéfait. On a battu le record de dix minutes!

Jonas n'hésita qu'un instant — il jeta un coup d'œil à la pendule murale et fit l'annonce officielle pour le magnétophone :

— Patient réanimé avec succès à vingt et une heures trente-deux, dans la nuit du lundi 4 mars.

Il y eut des sourires de soulagement et un murmure de congratulations mutuelles qui pouvaient ressembler, mais de loin, à la joie triomphante que l'on aurait entendue sur un véritable champ de bataille. Ce n'était pas la modestie qui les retenait, mais la conscience aiguë de la fragilité de la condition actuelle d'Harrison. Ils avaient gagné leur combat contre la

Mort, mais leur patient n'avait pas encore repris conscience. Tant qu'il ne se réveillait pas, et que l'on ne pouvait évaluer ses performances mentales, il restait une possibilité qu'il n'eût été réanimé que pour vivre une existence d'angoisse et de frustration, avec un potentiel intellectuel tragiquement limité par des dégâts cérébraux irréparables.

12

Enivré par la senteur épicée de la mort, et parfaitement à l'aise dans cette désolation souterraine, Vassago, admiratif, passait en revue sa collection. Elle encerclait un tiers du Lucifer colossal.

L'un de ses spécimens mâles avait été pris alors qu'il changeait un pneu crevé, la nuit, sur une section déserte de l'Ortega Highway. Un autre dormait dans sa voiture sur le parking d'une plage publique. Le troisième avait essayé de draguer Vassago dans un bar de Diana Point. L'endroit n'était même pas un lieu de rendez-vous de pédés ; le type était seulement bourré, désespéré, solitaire — et imprudent.

Rien ne mettait Vassago plus en rage que l'excitation et les désirs sexuels d'autrui. Lui, il ne s'intéressait plus au sexe ; il ne violait jamais les filles qu'il assassinait. Mais s'il éprouvait du dégoût et de la colère à la simple perception de la sexualité chez les autres, ce n'était ni parce qu'il était jaloux, ni parce qu'il ressentait son impuissance comme une malédiction, voire même un injuste fardeau. Non, il était heureux d'être libéré de la concupiscence et de l'envie. Depuis qu'il était devenu citoyen de la frontière et qu'il avait accepté la promesse de la tombe, il ne regrettait pas la disparition de ses désirs. Il ne savait pas vraiment pourquoi l'idée même de sexe le mettait parfois en rage, pourquoi un clin d'œil de flirt, ou une jupe courte, ou un pull tendu sur une grosse poitrine lui donnaient envie de torturer et de tuer, mais il avait sa petite idée là-dessus : cela venait sans doute de ce que le sexe et la vie étaient inextricablement liés. Très proche de l'instinct de conservation, la pulsion sexuelle était, disait-on, le plus puissant des moteurs humains. La vie était créée grâce au sexe. Et parce qu'il haïssait la vie dans toute sa variété tapageuse, parce qu'il la haïssait avec tant de violence, il était naturel qu'il détestât le sexe de la même façon.

Il préférait tuer les femmes, parce que la société les poussait, plus que les hommes, à afficher leur sexualité, ce dont elles ne se privaient pas, avec leur maquillage, leur rouge à lèvres, leurs parfums attirants, leurs décolletés, leur coquetterie. En plus, c'était du ventre de la femme que sortaient les nouvelles vies, et Vassago avait juré de détruire la vie partout où il le pourrait. Ce qu'il détestait le plus venait des femmes : cette étincelle de vie qui crépitait encore en lui et l'empêchait de retourner dans le monde des morts, auquel il appartenait.

Sur les six autres spécimens féminins de sa collection, il y avait deux mères de famille, une jeune avocate, une secré-taire médicale, et deux étudiantes. Même s'il avait disposé chaque corps de la manière qui convenait le mieux à la personnalité, à l'esprit et aux faiblesses de caractère de la personne qui habitait jadis cette enveloppe charnelle, et même s'il possédait énormément de talent pour l'art d'arran-ger les cadavres, avec un usage particulièrement intelligent des supports les plus divers, l'effet obtenu avec l'une des deux étudiantes le satisfaisait davantage que tout le reste.

Il s'immobilisa en arrivant à sa hauteur.

Il l'examina dans l'obscurité, ravi de son œuvre...

Margaret...

Il la vit pour la première fois, au cours de ses errances nocturnes, dans un bar aux lumières tamisées près du cam-pus, où elle buvait un Coca sans sucre, soit parce qu'elle n'avait pas l'âge de consommer de la bière avec ses amis, soit, plus vraisemblablement, parce qu'elle n'aimait pas l'alcool.

Elle paraissait singulièrement saine et mal à son aise au milieu de la fumée et du vacarme de l'endroit. A en juger par ses réactions vis-à-vis de ses amis et la façon dont elle se tenait, Vassago, même depuis l'autre bout de la salle, voyait bien qu'elle était timide et qu'elle faisait de terribles efforts pour s'intégrer à la foule tout en sachant en son for intérieur qu'elle n'y parviendrait jamais vraiment. Les clameurs des conversations, amplifiées par l'alcool, les tintements et les cliquetis des verres qui s'entrechoquaient, la musique étour-dissante de Madonna, Michael Jackson et Michael Bolton, l'odeur désagréable des cigarettes et de la bière éventée, la chaleur moite de tous ces étudiants dragueurs — rien de cela ne semblait la toucher. Elle était assise dans ce bar, mais elle était ailleurs, cet endroit ne la souillait pas, et elle possédait davantage d'énergie intérieure que l'ensemble des jeunes clients réunis ici.

Elle était si vivante qu'elle donnait l'impression de rayonner. Vassago eut du mal à croire que le sang ordinaire et paresseux de l'humanité coulait dans ses veines : son cœur charriait l'essence même de la vie.

Sa vitalité l'attira. Ce serait extrêmement satisfaisant d'éteindre une flamme si brillante.

Pour savoir où elle habitait, il la suivit jusque chez elle quand elle quitta le bar. Ensuite, pendant deux jours, il parcourut le campus pour rassembler des informations sur elle avec autant d'application qu'un étudiant pour sa dissertation trimestrielle.

Elle se nommait Margaret Ann Campion. Elle était en licence, elle avait vingt ans et elle s'était spécialisée en musique. Elle savait jouer du piano, de la flûte, de la clarinette, de la guitare et de tous les autres instruments, ou presque, qu'elle avait eu la fantaisie d'apprendre. C'était peut-être l'étudiante la plus connue et la plus admirée du département de musique, et la plupart des gens estimaient aussi qu'elle possédait un talent exceptionnel pour la composition. Elle était fondamentalement timide, mais elle se forçait à sortir de sa coquille, si bien qu'elle ne s'intéressait pas qu'à la musique. Elle faisait de l'athlétisme et c'était l'une des deux coureuses à pied les plus rapides de l'université, une concurrente pleine de fougue ; elle donnait des articles sur la musique et le cinéma au journal des étudiants ; et elle participait activement à l'église baptiste.

Son incroyable vitalité n'était pas seulement évidente dans cette joie avec laquelle elle écrivait et jouait de la musique, et dans l'espèce d'aura spirituelle que Vassago avait repérée au bar — son apparence physique la révélait aussi. Elle était d'une beauté incomparable, avec le corps d'un *sex-symbol* du grand écran, et un visage de sainte. Peau d'albâtre. Pommettes parfaites. Des lèvres pleines, une bouche généreuse et un sourire angélique. Des yeux d'un bleu limpide. Elle portait des habits très simples pour cacher les formes merveilleuses de ses seins, la finesse de sa taille, la fermeté de ses fesses et les lignes souples de ses longues jambes. Mais Vassago était sûr que lorsqu'il lui arracherait ses vêtements, elle se révélerait être ce qu'il avait deviné la première fois qu'il l'avait aperçue : une reproductrice prodigieuse, un haut fourneau de vie dans lequel, finalement, des existences d'une brillance incomparable seraient conçues et modelées.

Il voulait sa mort.

Il voulait arrêter son cœur et puis la tenir dans ses bras des heures durant et sentir sa chaleur vitale s'échapper peu à peu, jusqu'au moment où son cadavre serait parfaitement froid.

Ce meurtre-là, lui semblait-il, pourrait enfin lui valoir de quitter la frontière où il errait et d'entrer dans le monde des morts et des damnés, auquel il appartenait et où il souhaitait retourner.

Margaret fit l'erreur de se rendre seule à la laverie de sa résidence à onze heures du soir. Beaucoup d'appartements étaient loués à des étudiants en licence plutôt aisés, et en raison de la proximité de l'université de Californie, à Irvine, à des groupes de deux ou trois étudiants qui partageaient les loyers. Ce système de colocataires, le voisinage sûr et amical, et le grand nombre de voies piétonnes et de jardins éclairés — tout cela contribua sans doute à lui donner un faux sentiment de sécurité.

Lorsque Vassago pénétra dans la laverie, Margaret commençait tout juste à enfourner son linge sale dans l'une des machines. Elle le regarda avec un petit sourire de surprise, mais sans inquiétude apparente, bien qu'il fût tout de noir vêtu et qu'il portât des lunettes de soleil en pleine nuit.

Sans doute pensa-t-elle qu'il s'agissait de l'un de ces étudiants dont l'apparence excentrique servait à afficher la rébellion et la supériorité intellectuelle. Chaque campus comptait beaucoup d'individus de ce genre, vu qu'il était plus facile de s'habiller comme un intellectuel rebelle que d'en être un.

— Oh, excusez-moi, mademoiselle, dit-il. Je n'ai pas pensé qu'il y avait quelqu'un.

— Ce n'est pas grave. Je n'utilise qu'une machine. Y en a deux autres.

— Non, non, j'ai déjà fait ma lessive, et puis quand je suis rentré chez moi et que j'ai sorti le linge de mon panier, je me suis rendu compte qu'il me manquait une chaussette, alors j'ai pensé que j'avais dû la laisser dans une machine ou dans un séchoir, mais je n'avais pas l'intention de vous déranger. Excusez-moi.

Le sourire de la jeune femme s'élargit, sans doute parce

qu'elle trouvait que c'était drôle de rencontrer un pseudo-James Dean, un rebelle sans cause habillé de noir, qui était si poli... et qui faisait lui-même sa lessive et courait après une chaussette perdue.

A ce moment-là, il était arrivée près d'elle. Il la frappa au visage — deux coups violents qui l'assommèrent. Elle s'écroula comme une pile de linge sur le sol couvert de vinyle.

Plus tard, dans l'Enfer démantelé sous le Palais des Merveilles en ruine, quand elle reprit conscience, qu'elle se retrouva nue sur le béton et aveugle dans cet endroit absolument obscur, les mains et les pieds attachés, elle ne chercha pas à marchander pour avoir la vie sauve, comme l'avaient fait d'autres avant elle. Elle ne lui offrit pas son corps, ne fit pas semblant d'être excitée par sa sauvagerie ou le pouvoir qu'il exerçait sur elle. Elle ne lui proposa pas d'argent, elle ne prétendit pas le comprendre ni sympathiser avec lui en une tentative pathétique de transformer sa haine en amitié. Et elle ne hurla pas non plus, ne pleura pas, ne se lamenta pas, ne l'insulta pas. Elle était différente des autres, elle trouva espoir et réconfort dans une suite ininterrompue, digne, et calme, de prières murmurées. Et pas une seule fois elle ne demanda d'être délivrée de son tourmenteur pour retourner dans le monde dont elle venait d'être arrachée — comme si elle savait que la mort était inévitable. Non, elle préféra prier pour que sa famille trouvât la force de supporter sa disparition, pour que Dieu prît soin de ses deux jeunes sœurs et même pour que son meurtrier bénéficiât de la grâce et du pardon divin...

Vassago, très vite, se mit à la haïr. Il savait que l'amour et la pitié n'existaient pas, que c'étaient des mots vides de sens. Lui-même, il n'avait jamais ressenti d'amour, ni depuis qu'il errait à la frontière, ni même quand il appartenait encore à l'univers des vivants. Souvent, en revanche, il avait fait semblant d'aimer quelqu'un — un père, une mère, une fille — pour avoir ce qu'il voulait, et tous avaient toujours été dupes. Se laisser convaincre que l'on trouvait de l'amour chez les autres, alors qu'il n'y en avait pas en vous-même, était le signe d'une faiblesse fatale. Les rapports humains n'étaient qu'un jeu, après tout, et ne pas se laisser duper, c'était cela qui faisait la différence entre les bons joueurs et les joueurs stupides.

Pour lui prouver qu'elle ne l'abusait pas et que son Dieu était sans pouvoir, Vassago récompensa ses prières tranquilles par une mort longue et douloureuse. Et finalement, elle hurla. Mais ses cris ne procurèrent à son tourmenteur aucune satisfaction, car ils n'étaient que l'expression sonore d'une agonie physique ; en eux ne résonnaient ni terreur, ni colère, ni désespoir.

Il pensa qu'il l'aimerait davantage lorsqu'elle serait morte, mais même alors il continua à la haïr. Il tint quelques minutes son corps serré contre lui, et sentit la chaleur s'en échapper. Mais la froide avancée de la mort ne fut pas aussi palpitante que prévu. Parce que cette fille avait quitté ce monde avec une foi intacte en la vie éternelle, elle avait privé Vassago du plaisir de voir s'inscrire dans ses yeux la conscience de sa mort. Dégoûté, il avait repoussé son corps mou.

Cela faisait deux semaines aujourd'hui qu'il avait fini de la préparer : Margaret Campion était agenouillée pour une prière éternelle sur le sol de l'Enfer en ruine. C'était la dernière pièce de la collection de Vassago. Elle restait bien droite parce qu'elle était attachée à une tige d'acier fixée dans un trou qu'il avait creusé dans le sol de béton. Nue, elle tournait le dos au diable géant du Palais des Merveilles. Bien qu'elle eût été baptiste, il avait placé un crucifix entre ses mains mortes, parce qu'il préférait l'image du crucifix à celle d'une simple croix ; mais celui-là était à l'envers : le Christ couronné d'épines regardait le sol. Il avait tranché la tête de Margaret, puis l'avait recousue dans l'autre sens avec un soin maniaque. Même si son corps n'était pas tourné vers Satan, son visage lui faisait face, niant ainsi le crucifix qu'elle tenait irrévérencieusement dans ses mains. Sa position symbolisait l'hypocrisie et ridiculisait sa prétention à la foi, à l'amour et à la vie éternelle.

Tuer Margaret avait procuré moins de plaisir à Vassago que la façon dont il l'avait utilisée après sa mort, et cependant il ne regrettait pas de l'avoir rencontrée. Son entêtement, sa stupidité et son aveuglement avaient rendu sa mort moins satisfaisante qu'il l'avait imaginé, mais en tout cas, il avait éteint cette aura qui l'illuminait, cette première fois, dans ce bar. Il avait mis un terme à son exaspérante vitalité. La seule énergie que son corps contenait désormais, c'était l'énergie des innombrables mangeurs de cadavre qui grouillaient en elle, dévorant sa chair, résolus à la réduire à une enveloppe vide, comme ils l'avaient fait de Jenny, la serveuse, qui reposait à l'autre bout de la collection.

Alors qu'il observait Margaret, il sentit monter en lui un besoin familier, auquel il fut finalement incapable de résister. Abandonnant ses victimes, il retraversa l'immense salle par laquelle il était arrivé et se dirigea vers la rampe qui menait au tunnel d'entrée. En temps normal, choisir une nouvelle pièce, la tuer et l'arranger le plus esthétiquement possible, tout cela l'aurait assouvi pour plus d'un mois. Et voilà qu'après moins de deux semaines, il *devait* trouver un autre spécimen intéressant.

A regret, il remonta la rampe, laissant derrière lui la senteur purifiante de la mort pour pénétrer dans un air pollué par les odeurs de la vie — tel un vampire obligé de chasser les vivants alors qu'il préfère la compagnie des morts.

13

A vingt-deux heures trente, presque une heure après sa réanimation, Harrison n'avait toujours pas repris conscience. Sa température corporelle était normale. Ses signes vitaux étaient bons. Et si les ondes cérébrales alpha et bêta étaient celles d'un homme plongé dans un profond sommeil, rien n'indiquait qu'il pouvait s'agir d'un coma.

Lorsque Jonas annonça que le patient était hors de danger, et qu'il le fit transporter dans une chambre du cinquième étage, Ken Nakamura et Kari Dovell décidèrent de rentrer chez eux. Laissant Helga et Gina avec Harrison, Jonas accompagna le neurologue et la pédiatre jusqu'au sas aseptique, puis, finalement, jusqu'à l'entrée du parking. Ils parlèrent encore un peu d'Harrison et des soins qu'il faudrait lui donner le lendemain matin, mais ils échangèrent surtout des propos anodins sur les problèmes de l'hôpital, et ils discutèrent de gens qu'ils connaissaient. Rien n'indiquait qu'ils venaient de participer à un miracle qui aurait dû rendre de telles banalités impossibles.

Au-delà de la porte vitrée, la nuit semblait froide et inhospitalière. Il s'était mis à pleuvoir. Il y avait des flaques d'eau dans le moindre trou de la chaussée ; sous la lumière des lampadaires du parking, on aurait dit des miroirs brisés, des morceaux de verre argentés et tranchants.

Kari se pencha vers Jonas, l'embrassa sur les deux joues, resta un instant contre lui. Elle parut vouloir dire quelque chose, mais ne trouva pas les mots qui convenaient. Alors elle se détacha de lui, remonta le col de son manteau et sortit dans la pluie et le vent.

S'attardant un moment après le départ de Kari, Ken Nakamura murmura à Jonas :

— J'espère que tu te rends compte que vous êtes parfaitement assortis, tous les deux.

A travers la porte vitrée, Jonas regarda la jeune femme qui se dépêchait de rejoindre sa voiture. Il aurait menti, s'il avait prétendu n'avoir jamais pensé à Kari comme une femme. Car même si elle était grande et maigre, même si elle avait une formidable présence, elle était aussi très féminine. Il s'étonnait parfois de la délicatesse de ses poignets, de son cou de cygne trop fin et trop gracieux pour soutenir sa tête. Intellectuellement et émotionnellement, elle était plus forte qu'elle ne paraissait. Dans le cas contraire, elle n'aurait pas pu franchir avec succès les obstacles ni relever les défis qui avaient sûrement ralenti son ascension dans cette profession, toujours dominée par les hommes pour lesquels — dans certains cas — le chauvinisme était moins un trait de caractère qu'un article de foi.

Ken ajouta :

— Tout ce que tu as à faire, c'est de le lui demander, Jonas.

— Je ne suis pas libre pour ça, répondit Jonas.

— Tu ne peux pas pleurer Marion éternellement.

— Il n'y a que deux ans.

— Ouais, mais il faudra bien que tu reprennes pied dans la vie à un moment ou à un autre.

— Pas encore.

— Un jour ?

— Je ne sais pas.

Dehors, au milieu du parking, Kari Dovell était montée dans sa voiture.

— Elle n'attendra pas toujours, dit Ken.

— Bonne nuit, Ken.

— Ça va, j'ai compris.

— Bien, dit Jonas.

Lorsque Ken ouvrit la porte avec un petit sourire triste, il laissa entrer une bourrasque de vent qui piqueta le carrelage gris de gouttes transparentes comme du diamant. Il s'éloigna d'un bon pas dans la nuit.

Jonas, tournant le dos à l'entrée, suivit une série de couloirs jusqu'aux ascenseurs. Il monta au cinquième étage.

Il n'avait pas eu besoin de préciser à ses deux collègues qu'il passerait la nuit à l'hôpital. Ils savaient qu'il y restait toujours après une réanimation à priori réussie. Pour eux, la médecine de réanimation représentait un nouveau champ de recherches fascinant, une activité secondaire intéressante, un moyen d'augmenter leurs connaissances professionnelles et de garder leur ouverture d'esprit ; chacun de leurs succès leur procurait une profonde satisfaction et leur rappelait la raison première pour laquelle ils étaient devenus médecins — pour guérir. Mais pour Jonas, c'était bien davantage. Chaque réanimation était une bataille gagnée dans la guerre sans fin qu'il menait contre la Mort ; il ne s'agissait pas seulement d'une guérison, mais d'un défi — un poing coléreux dressé à la face du destin. La médecine de réanimation était son amour, sa passion, la définition de lui-même, sa seule raison de se lever, le matin, et de recommencer à vivre dans un monde qui, pour le reste, était devenu trop terne et trop vain.

Il avait soumis des dossiers techniques à une demi-douzaine d'universités, souhaitant enseigner dans leurs départements de médecine en échange de la création d'une unité de recherches en réanimation placée sous sa responsabilité, et pour laquelle il se sentait capable de trouver une part de financement assez importante. Très connu et très respecté à la fois comme chirurgien cardiovasculaire et comme spécialiste de réanimation, il avait bon espoir d'atteindre bientôt la position qu'il souhaitait. Mais il était impatient. Il ne lui suffisait plus de superviser des réanimations. Il voulait étudier les effets d'une mort de courte durée sur les cellules humaines, explorer les mécanismes des radicaux libres et de leurs balayeurs, tester ses propres théories, et découvrir de nouveaux moyens de chasser la Mort de là où elle s'était déjà installée.

Au bureau des infirmières du cinquième étage, on lui indiqua qu'Harrison était installé au 518. C'était une chambre à plusieurs lits, mais comme il y avait un grand nombre de lits vides dans l'hôpital, on l'utiliserait comme chambre particulière aussi longtemps qu'Harrison aurait besoin d'être seul.

Lorsque Jonas pénétra au 518, Helga et Gina finissaient de s'occuper de leur patient, qui se trouvait dans le lit le plus éloigné de la porte, près de la fenêtre éclaboussée par la pluie. Elles lui avaient enfilé un pyjama de l'hôpital et l'avait branché à un autre électrocardiographe, dont une fonction télémétrique permettait de renvoyer les signaux sur un moniteur du bureau des infirmières. Une bouteille de sérum pendait à une potence à côté du lit, alimentant une rampe intraveineuse au bras gauche du patient qui bleuissait déjà à cause des précédentes injections des ambulanciers, en début de soirée ; le sérum était composé de glucose et d'un antibiotique, pour prévenir la déshydratation et les infections qui auraient pu réduire à néant ce que l'on avait réussi en salle d'opération. Helga venait de coiffer les cheveux d'Harrison, et elle rangeait le peigne dans le tiroir de la table de nuit. Gina appliquait une pommade ophtalmique sous ses paupières pour les empêcher de coller, un risque encouru par les patients dans le coma qui restaient longtemps sans ouvrir les yeux ni même ciller et qui souffraient parfois d'une diminution des sécrétions des glandes lacrymales.

— Son cœur est toujours aussi régulier qu'un métronome, dit Gina, lorsqu'elle aperçut Jonas. J'ai comme le pressentiment qu'avant la fin de la semaine ce gars-là jouera au golf, dansera, fera tout ce qu'il voudra. (Elle arrangea sa frange, trop longue de trois centimètres, qui lui tombait sur les yeux.) C'est un petit verni.

Jonas la mit en garde ; il savait trop bien que la Mort aimait se moquer d'eux ; elle faisait semblant de céder le terrain, puis elle revenait brusquement pour leur arracher leur victoire.

— Une chose à la fois..., murmura-t-il.

Lorsque Gina et Helga s'en allèrent pour la nuit, Jonas éteignit toutes les lumières. Baignée seulement par la faible fluorescence venue du couloir et par la lueur verdâtre du moniteur cardiaque, la chambre 518 fut livrée aux ombres.

Et au silence. Le signal audio de l'électrocardiographe était coupé, et seule une ondulation lumineuse régulière traversait indéfiniment l'écran. On n'entendait que les plaintes sourdes du vent de l'autre côté de la fenêtre et, à l'occasion, les coups légers de la pluie contre la vitre.

Jonas s'avança au pied du lit et observa un moment Harrison. Il avait sauvé la vie de cet homme, et cependant il ne savait pratiquement rien de lui. Trente-huit ans. Un mètre quatre-vingts, soixante-treize kilos. Cheveux châtains, yeux marron. Excellente condition physique.

Mais qui était-il vraiment ? Hatchford Benjamin Harrison était-il quelqu'un de bien ? Un homme honnête ? Digne de confiance ? Fidèle à sa femme ? Était-il raisonnablement libéré de la jalousie et de la cupidité, était-il capable de pitié, connaissait-il la différence entre le bien et le mal?

Avait-il bon cœur?

Aimait-il?

Dans la bousculade d'une procédure de réanimation, lorsque chaque seconde comptait et que l'on avait trop de choses à faire en un temps trop court, Jonas n'osait jamais réfléchir au dilemme éthique que devait affronter tout médecin réanimateur assumant son rôle, car y penser l'aurait freiné et ce, au détriment de son patient. Il était temps, ensuite, de douter, de se poser des questions... Un médecin était moralement et professionnellement obligé de sauver une vie chaque fois que c'était possible, mais toute vie valait-elle la peine de l'être? Lorsque la Mort prenait un homme méchant, n'était-il pas plus sage — et plus correct d'un point de vue éthique — de le laisser dans la tombe?

Si Harrison était mauvais, le mal qu'il commettrait lorsqu'il recommencerait à vivre après avoir quitté l'hôpital relèverait en partie de la responsabilité de Jonas Nyebern. De même, la souffrance qu'Harrison causerait à autrui serait d'une certaine façon une tache sur l'âme de Jonas.

Heureusement, cette fois-ci, il n'y avait aucun dilemme, semblait-il. Harrison avait l'air d'un citoyen au-dessus de tout soupçon — un antiquaire respecté, lui avait-on dit — et il était marié à une artiste d'une certaine réputation, dont Jonas avait déjà entendu le nom. Un artiste doué devait être sensible, perspicace, capable de porter sur le monde un regard plus clair que le commun des mortels. Est-ce que ce n'était pas son cas? Si elle avait épousé un homme mauvais, elle s'en serait rendu compte et ne serait pas restée avec lui. Cette fois, on avait toutes les raisons de penser que l'on avait sauvé une vie qui *méritait* de l'être.

Jonas espérait seulement que ses actes en ce domaine avaient toujours été aussi corrects.

S'éloignant du lit, il alla vers la fenêtre. Cinq étages plus bas, les lampadaires éclairaient le parking presque désert. La pluie frappait si violemment les flaques d'eau qu'elles semblaient bouillir, comme si un feu souterrain consumait le goudron par en dessous.

Il revit l'endroit où Kari Dovell avait garé sa voiture, et ses yeux s'y attardèrent un moment. Il admirait énormément Kari.

Et il la trouvait attirante, aussi. Parfois, il rêvait qu'il vivait avec elle, et c'était un rêve étonnamment rassurant. Il admettait qu'il lui arrivait d'avoir envie d'elle, et qu'il était flatté par l'idée qu'elle pouvait, elle aussi, le désirer. Mais il n'avait pas *besoin* d'elle. Il n'avait besoin que de son travail, de la satisfaction de vaincre parfois la Mort, de...

— *Il y a... quelque chose... dehors...*

Ces quelques mots avaient interrompu les pensées de Jonas, mais la voix était si faible, si douce, qu'il ne sut pas immédiatement d'où elle venait. Il se retourna, regarda la porte restée ouverte, pensant qu'il y avait quelqu'un dans le couloir, et puis il comprit enfin que c'était Harrison qui avait parlé.

La tête du patient était tournée vers lui, mais ses yeux fixaient la fenêtre.

Jonas se précipita vers le lit et examina l'électrocardiographe ; le cœur d'Harrison battait vite, mais Dieu merci, suivant un rythme régulier.

— Il y a... quelque chose... dehors..., répéta Harrison.

En fait, ses yeux ne regardaient pas la fenêtre, ni rien d'aussi proche — ils contemplaient un point invisible, loin, dans la nuit d'orage.

— Juste la pluie, affirma Jonas.

— Non.

— Juste une petite pluie d'hiver.

— Quelque chose... de mauvais..., souffla Harrison.

On entendit des pas précipités dans le couloir, et une jeune infirmière pénétra en coup de vent dans la pièce presque obscure. Elle se nommait Ramona Perez et Jonas savait qu'elle était compétente et qu'elle prenait son travail au sérieux.

— Oh, docteur Nyebern, c'est bien, vous êtes là. La télémétrie... Ses battements cardiaques...

— Ils se sont accélérés, oui, je sais. Il vient juste de se réveiller.

Ramona s'approcha et alluma la lampe au-dessus du lit ; leur patient fut mieux visible.

Harrison regardait toujours au-delà de la fenêtre maculée par la pluie, comme s'il avait oublié Jonas et l'infirmière. D'une voix encore plus douce, et épuisée, il répéta :

— Il y a quelque chose dehors...

Puis il battit des paupières, les yeux pleins de sommeil, et se tut.

— Monsieur Harrison, est-ce que vous m'entendez ?
demanda Jonas.

Le patient ne répondit pas.

L'électrocardiogramme indiquait une rapide diminution du
rythme cardiaque : cent quarante, cent vingt puis cent battements à la minute.

— Monsieur Harrison ?

Quatre-vingt-dix battements à la minute, quatre-vingts.

— Il s'est rendormi, dit Ramona.

— On dirait bien.

— Il dort, simplement, ajouta-t-elle. Ça n'a rien à voir avec
un coma, maintenant.

— Pas un coma, convint Jonas.

— Et il a parlé. Ça avait un sens ?

— En quelque sorte. Mais c'est difficile à dire, répondit
Jonas en se penchant au-dessus de la barrière de protection du
lit, pour étudier ses paupières que les mouvements rapides de
ses yeux faisaient trembler.

Sommeil paradoxal. Harrison rêvait de nouveau.

Dehors, la pluie augmenta soudain. Le vent aussi avait repris
et il gémissait derrière la fenêtre.

— Les mots que j'ai entendus étaient distincts, bien articulés, remarqua Ramona.

— Bien articulés, en effet. Et les phrases étaient complètes.

— Il n'est pas aphasique, murmura-t-elle. C'est formidable !

L'aphasie, l'incapacité totale de parler ou de comprendre le
langage parlé ou écrit, était l'une des formes les plus dévasta-
trices des dommages cérébraux consécutifs à une maladie ou
une blessure. Un malade en était réduit à communiquer par
gestes, et l'insuffisance de ce mode d'expression le plongeait
bientôt dans une profonde dépression, parfois incurable.

A l'évidence, Harrison ne souffrait pas de cette malédiction.
Il n'était pas non plus paralysé, et s'il n'avait *pas trop* de trous
de mémoire, il avait de bonnes chances de quitter son lit et,
finalement, de reprendre une vie normale.

— Pas de conclusions hâtives, dit Jonas. Attention aux faux
espoirs. Il a encore un sacré bout de chemin à faire. Mais vous
pouvez noter dans son dossier qu'il a repris conscience pour la
première fois à vingt-trois heures trente, deux heures après la
réanimation.

Harrison murmurait dans son sommeil.

Jonas se pencha et approcha son oreille de ses lèvres qui bougeaient à peine. Les mots étaient indistincts, emportés par sa respiration superficielle. On aurait dit une voix spectrale entendue à la radio, venue d'une station située de l'autre côté de la planète, une voix renvoyée par une couche d'inversion anormale de la haute atmosphère et filtrée par tant d'espace et de mauvais temps qu'elle paraissait mystérieuse et prophétique quoique pratiquement inintelligible...

— Qu'est-ce qu'il raconte ? demanda Ramona.

Avec le rugissement de la tempête qui se levait, Jonas ne comprenait pas suffisamment ce que disait Harrison, mais il eut l'impression qu'il répétait toujours la même phrase :

— Il y a... quelque chose... dehors...

Tout à coup, le vent se mit à hurler et la pluie frappa la fenêtre avec une telle violence qu'on aurait dit qu'elle allait briser les vitres.

14

Vassago aimait la pluie. Les nuages d'orage avaient pris possession du ciel sans laisser la moindre faille par laquelle la lune aurait pu briller. Le déluge voilait aussi les lumières des lampadaires et des phares des voitures, diminuait l'éclat des enseignes et, d'une manière générale, atténuait la nuit du comté d'Orange, si bien qu'il était plus à l'aise pour conduire que s'il avait dû compter seulement sur ses lunettes noires.

Il avait quitté sa cachette et il avait filé d'abord vers l'ouest, puis vers le nord le long de la côte, à la recherche d'un bar avec des lumières tamisées et une ou deux femmes intéressantes pour sa collection. Beaucoup d'établissements étaient fermés le lundi et d'autres ne semblaient pas très vivants à cette heure-ci, entre onze heures trente et minuit — l'heure du crime.

En fin de compte, il trouva un bar à Newport Beach, au bord de la Pacific Coast Highway. C'était une boîte chic, avec une marquise sur la rue, des guirlandes de petites lumières blanches soulignant la ligne du toit, et une enseigne annonçant DANCING MER. À SAM./JOHNNY WILTON'S BIG BAND. Newport était la ville la plus riche du comté, et possédait le plus vaste port privé du monde, si bien que tout établissement qui voulait avoir une clientèle aisée l'avait presque à coup sûr. Dès le milieu de la semaine, il y aurait sans doute eu un responsable du parking, ce qui aurait gêné Vassago, car ç'aurait été un témoin potentiel, mais en ce lundi de pluie, personne n'était en vue.

Il se gara à côté du club et juste au moment où il coupait son moteur, il eut une espèce d'attaque : comme une décharge électrique, pas très violente mais prolongée. Ses yeux se révulsèrent et l'espace d'un instant il crut qu'il avait des convulsions, car il fut incapable de respirer ou de déglutir. Une plainte involontaire lui échappa. Cette crise ne dura que dix ou quinze secondes, et se termina par six mots qui semblaient avoir été prononcés *à l'intérieur* de son crâne :

— *Il y a... quelque chose... dehors...*

Ce n'était pas simplement une pensée sans queue ni tête produite par quelque synapse court-circuitée dans son cerveau : non, c'était une voix distincte, le timbre et les inflexions d'une phrase parlée... Rien à voir avec une pensée. Et ce n'était pas non plus sa propre voix — mais celle d'un étranger. Il avait le sentiment oppressant d'une autre présence dans la voiture, comme si un esprit avait franchi une frontière entre les mondes pour lui rendre visite, une présence étrangère réelle, bien qu'invisible.

Et soudain, tout cessa, aussi brusquement que cela avait commencé.

Il resta assis un moment, attendant le retour du phénomène.

La pluie martelait le toit.

La voiture faisait entendre divers petits cliquetis métalliques tandis que le moteur se refroidissait.

Il ne savait pas ce qui s'était passé, mais de toute façon cela semblait terminé, maintenant.

Il essaya de comprendre. Est-ce que ces mots — *Il y a... quelque chose... dehors...* — étaient un avertissement, une prémonition ? Ou même une menace ? Qu'est-ce qu'ils signifiaient ?

Autour de la voiture, *dehors*, la nuit paraissait... normale. Juste la pluie. Une obscurité bénie. Les reflets déformés des lampadaires et des enseignes scintillaient sur la chaussée mouillée, dans les flaques et dans les torrents des caniveaux qui débordaient. Un trafic clairsemé passait sur la Pacific Coast Highway, mais il n'aperçut aucun être vivant.

Au bout d'un moment, il décida qu'il comprendrait cet épisode quand il serait *censé* le comprendre. Inutile de ruminer cette histoire. Si c'était une menace — de quiconque —, elle ne l'inquiétait pas. Car il ne connaissait pas la peur. C'était ce qu'il y avait de mieux dans le fait d'avoir quitté le monde des vivants, même s'il était temporairement coincé à la frontière de la Mort : rien ne pouvait plus l'effrayer.

Néanmoins, cette voix intérieure était l'une des plus étranges choses qu'il eût jamais connues. Et pourtant il ne manquait pas d'expériences extraordinaires auxquelles la comparer...

Il sortit de sa Camaro argent, claqua la portière, et se dirigea vers l'entrée du club. La pluie était glacée. Dans les rafales de vent, les feuilles des palmiers s'entrechoquaient comme les os d'un squelette.

15

Lindsey Harrison se trouvait, elle aussi, au cinquième étage, à l'extrémité du couloir principal la plus éloignée de la chambre de son mari. La pièce était presque totalement obscure lorsque Jonas y pénétra et s'approcha du lit ; on n'y voyait même pas la lueur verte d'un moniteur cardiaque. La femme était pratiquement invisible.

Il se demanda s'il devait la réveiller, et il fut surpris de l'entendre demander :

— Qui êtes-vous ?

— Je pensais que vous dormiez, répondit-il.

— J'y arrive pas.

— On ne vous a pas donné quelque chose ?

— Ça ne sert à rien.

Comme dans la chambre d'Harrison, la pluie fouettait la fenêtre avec une fureur lourde de menaces. Jonas entendit les torrents d'eau qui se précipitaient dans une gouttière, pas très loin.

— Comment vous sentez-vous ? s'enquit-il.

— Bon Dieu, comment croyez-vous que je me sente ?

Elle avait essayé de mettre de la colère dans sa réponse, mais elle était trop fatiguée et trop déprimée pour cela.

Il abaissa la barre de protection du lit, s'assit au bord du matelas et lui tendit la main, certain que Lindsey la verrait, car ses yeux étaient mieux habitués à l'obscurité.

— Donnez-moi votre main.

— Pourquoi ?

— Je m'appelle Jonas Nyebern. Je suis médecin. Je veux vous parler de votre mari et je crois que ce serait mieux si vous me laissiez vous tenir la main.

Elle resta silencieuse.

— Faites-moi plaisir.

La femme croyait son mari mort, et Jonas ne voulait pas la laisser à son tourment en différant davantage le récit de sa réanimation. Mais son expérience lui avait enseigné que les bonnes nouvelles de ce genre pouvaient être aussi dangereuses que les mauvaises ; il fallait les communiquer avec prudence et sensibilité. Elle délirait un peu à son arrivée ici, à cause du froid et du choc, mais on l'avait rapidement remise sur pied avec de la chaleur et des médicaments. Elle avait retrouvé toutes ses facultés depuis plusieurs heures, maintenant, assez longtemps pour se faire à l'idée de la mort de son mari. Elle devait ressentir un terrible chagrin et elle était certainement loin d'accepter cette perte, mais elle avait à présent trouvé une saillie à laquelle se retenir, une corniche étroite, une stabilité précaire, le long de la paroi du gouffre émotionnel où elle était tombée — et voilà qu'il allait la pousser de nouveau dans le vide.

De plus, il aurait peut-être été plus direct avec elle s'il lui avait apporté de véritables bonnes nouvelles. Hélas, il était incapable de lui promettre que son mari serait totalement comme *avant*, qu'il ne garderait pas de séquelles de son expérience et reprendrait comme si de rien n'était son ancienne existence. Il faudrait des heures, peut-être des jours pour examiner Harrison avant de pouvoir hasarder une prévision sur ses chances d'un total rétablissement. Et il lui faudrait peut-être aussi des semaines, voire des mois, de soins physiques et d'ergothérapie — et encore sans la moindre garantie de réussite.

Jonas attendait toujours qu'elle lui donnât la main. Finalement, elle la lui tendit avec hésitation.

Le plus gentiment possible, il commença à lui expliquer les grandes lignes de la médecine de réanimation. Lorsqu'elle comprit pourquoi elle avait besoin, selon lui, de posséder quelques notions sur une question si ésotérique, ses doigts serrèrent plus fort ceux du médecin.

16

Dans la chambre 518, Hatch flottait sur un océan de mauvais rêves, de simples images sans suite qui s'entremêlaient, sans même ce courant narratif illogique qui donne généralement leur forme aux cauchemars. De la neige charriée par le vent. Une grande roue immense, parfois décorée de lumières de fête, parfois sombre, brisée et sinistre dans une nuit brouillée par la pluie. Des arbres, tels des épouvantails, noueux et noirs, dépouillés de leurs feuilles par l'hiver. Un camion transportant de la bière arrêté en travers d'une route balayée par le blizzard. Un tunnel au sol bétonné descendant vers des ténèbres absolues, vers un endroit inconnu qui faisait naître en lui une telle terreur que son cœur, croyait-il, allait exploser. Jimmy, le fils qu'il avait perdu, couché, la peau cireuse, sur son lit d'hôpital, en train de mourir d'un cancer. De l'eau, glacée et profonde, d'une noirceur d'encre, s'étendant de tous côtés, sans aucun moyen de s'échapper. Une femme nue, la tête à l'envers, les mains serrées autour d'un crucifix...

Il sentait souvent la présence d'un mystérieux personnage sans visage, posté à la périphérie de ses rêves, tout de noir vêtu comme la sinistre Faucheuse, se déplaçant parmi les ombres et tellement en harmonie avec elles qu'il aurait pu en faire partie. Parfois, la Faucheuse n'apparaissait pas dans la scène, mais semblait être plutôt le point de vue à partir duquel on observait celle-ci comme s'il voyait par les yeux de quelqu'un d'autre — des yeux qui contemplaient le monde avec toute la pratique sans pitié, affamée et calculatrice d'un rat de cimetière.

Puis, pendant un moment, ses rêves furent plus compréhensibles — il courait sur le quai d'une gare et essayait de monter dans un wagon qui s'éloignait lentement. Par l'une des vitres du train, il apercevait Jimmy, émacié et les yeux creux, vêtu seulement d'un pyjama de l'hôpital, Jimmy qui le regardait tristement et lui disait au revoir en agitant sa petite main... au revoir... au revoir. Hatch essaya désespérément de saisir la rampe verticale de l'escalier, à l'extrémité de la voiture de Jimmy, mais le train prit de la vitesse ; Hatch fut distancé et l'escalier s'éloigna peu à peu. Le petit visage tout pâle de Jimmy fut de moins en moins visible et, finalement, il disparut lorsque le wagon s'évanouit dans un néant affreux, au-delà du quai de la gare, un vide obscur dont Hatch ne prit conscience qu'à ce moment-là. Et puis un autre wagon passa devant lui *(clack-clack... clack-clack...)* et cette fois il découvrit Lindsey qui, l'air perdue, regardait le quai par la fenêtre de son compartiment. Il l'appela — « Lindsey ! » — mais elle ne l'entendit pas, ou ne le vit pas, elle paraissait en transe, alors il recommença à courir et il essaya de nouveau de grimper dans son wagon *(clack-clack... clack-clack...)*, qui s'éloignait comme celui de Jimmy. « Lindsey ! » Ses doigts étaient à quelques centimètres de la rampe de l'escalier... Et soudain, cette rampe et cet escalier disparurent, et le train ne fut plus exactement un train... Avec cette facilité surnaturelle de métamorphose particulière aux rêves, c'était devenu quelques wagons de montagnes russes dans une fête foraine, prêts à partir pour un grand tour palpitant *(clack-clack...)*. Hatch parvint à l'extrémité de la plate-forme d'embarquement, sans réussir à grimper dans la voiture de Lindsey, qui s'éloigna à toute vitesse, vers le premier sommet de ce long circuit ondulant. Puis le dernier wagon du convoi, juste après celui où était assise Lindsey, passa devant lui. Il ne transportait qu'un seul passager. La silhouette en noir — autour de laquelle se rassemblaient les ombres, comme les corbeaux sur la clôture d'un cimetière — était installée à l'avant, la tête baissée et le visage dissimulé sous une épaisse chevelure qui tombait devant lui comme le capuchon d'un moine. *(Clack-clack !)*. Hatch hurla à Lindsey de se retourner et de surveiller *celui* qui voyageait dans la voiture suivante, il la supplia d'être prudente et de tenir bon, pour l'amour de Dieu, *de tenir bon !* La chenille formée par les voitures attachées les unes aux autres arriva au sommet de la première côte, y resta suspendue l'espace d'un instant, comme si le temps s'était arrêté, et puis elle disparut de l'autre côté, tombant comme une pierre, au milieu des hurlements.

Ramona Perez, l'infirmière de nuit chargée du cinquième étage, et donc de la chambre 518, se tenait à côté du lit et observait son patient. Elle s'inquiétait à son sujet, mais n'était pas encore sûre qu'il fallait réveiller le docteur Nyebern.

L'électrocardiographe montrait que les battements cardiaques d'Harrison étaient très irréguliers. En général, ils se maintenaient à un rythme rassurant, soixante-dix à quatre-vingts coups par minute. Mais par moments, ils montaient à cent quarante coups minute. Ramona n'observa cependant aucune indication d'une grave arythmie, ce qui était plutôt encourageant.

L'accélération du cœur d'Harrison affectait sa pression sanguine, mais à l'évidence le patient ne risquait ni une attaque, ni une hémorragie cérébrale due à une poussée d'hypertension, car ses pics systoliques n'étaient jamais dangereusement élevés.

Il transpirait énormément, et les cernes de ses yeux étaient si noirs qu'ils donnaient l'impression d'avoir été dessinés avec un crayon gras de maquillage. Il frissonnait malgré ses couvertures. Parfois, les doigts de sa main gauche — découverte pour l'alimentation par intraveineuse — s'ouvraient et se fermaient par à-coups, mais pas assez violemment pour déranger l'aiguille, juste au-dessous du creux de son coude.

Dans un murmure, il répétait le nom de sa femme, avec une urgence dans la voix :

— Lindsey... Lindsey... *Lindsey... Non !*

Harrison rêvait, et les images d'un cauchemar pouvaient provoquer autant de réponses physiologiques que les expériences en état d'éveil.

Ramona décida que l'accélération de ses battements cardiaques n'étaient que la conséquence de ses mauvais rêves, et non l'indication d'un véritable désordre cardio-vasculaire. Il n'était pas en danger · Néanmoins, elle préféra rester à son chevet et le surveiller.

17

Vassago s'assit à une table près d'une fenêtre donnant sur le port. Il n'était pas depuis cinq minutes dans ce bar que déjà il avait compris que ce n'était pas un bon terrain de chasse. L'ambiance était mauvaise. Il regretta d'avoir commandé à boire.

Le lundi soir, on n'avait pas droit à de la musique de danse, mais il y avait un pianiste dans un coin de la salle. Il ne jouait ni des interprétations mollassonnes de chansons des années 30 et 40, ni ces arrangements volontairement mielleux de ce rock'n'roll facile qui pourrissaient les cervelles des clients de

bar normaux. Il préférait délayer des mélodies répétitives New
Age, tout aussi nocives, composées pour tous ceux qui trouvaient la musique pour ascenseur trop complexe et trop
intellectuellement éprouvante.

Vassago préférait les rythmes plus brutaux, les airs rapides et
nerveux qui lui agaçaient les dents. Mais depuis qu'il était
citoyen de la frontière, peu de musiques avaient grâce à ses
yeux, car la régularité des structures mélodiques l'ennuyait. Il
ne tolérait que les constructions atonales, discordantes,
criardes. Il vibrait aux brusques changements de ton, aux
accords fracassants et étourdissants et aux riffs suraigus de
guitares qui écorchaient les nerfs. Il prenait plaisir aux
structures rythmiques irrégulières et brisées. Il était excité par
la musique qui faisait naître en lui des images sanglantes et
violentes.

La beauté du panorama qu'il apercevait par la baie vitrée lui
déplaisait tout autant que le fond sonore de ce bar. Les voiliers
et les yachts étaient amarrés le long de quais privés, leurs voiles
serrées, leurs moteurs silencieux ; ils se balançaient doucement
parce que le port était bien protégé et la tempête pas vraiment
féroce. Rares étaient leurs riches propriétaires qui vivaient à
leur bord, même si les bateaux étaient de bonne taille et bien
équipés, si bien qu'il y avait peu de hublots éclairés. La pluie,
qui prenait ici et là une couleur de mercure sous les lumières
des quais, martelait les bateaux, faisait briller leurs cuivres,
coulait goutte à goutte comme du métal en fusion le long de
leurs mâts et sur leurs ponts, et s'échappait par leurs dalots.
Vassago ne supportait pas la beauté, ni les harmonies de carte
postale, car pour lui tout cela n'avait rien à voir avec la réalité
du monde. Il était attiré, en revanche, par les dissonances de
couleurs, les lignes irrégulières, les formes malsaines et pourrissantes.

Avec ses sièges rembourrés et sa douce lumière ambrée, le
bar était trop calme pour un chasseur tel que lui. Il anesthésiait
ses instincts de tueur.

Il passa en revue les clients, dans l'espoir de repérer un objet
de qualité qui ne déparerait pas sa collection. S'il découvrait
quelque chose de vraiment superbe, capable d'enflammer ses
désirs d'acquisition, l'ambiance débilitante de l'endroit ne
saperait plus son énergie.

Quelques hommes étaient installés au bar, mais ils étaient

sans intérêt pour lui. Les trois mâles de sa collection avaient été, respectivement, le second, le quatrième et le cinquième de ses prélèvements ; il les avait pris parce qu'ils étaient vulnérables et qu'ils étaient seuls, ce qui lui avait permis de les maîtriser et de les emporter discrètement. Il n'avait rien contre le fait de tuer des hommes, mais il préférait les femmes. Les femmes jeunes. Il aimait s'en emparer alors qu'elles ne s'étaient pas encore reproduites.

Assises près des fenêtres, à trois tables de là, quatre filles, qui devaient avoir une vingtaine d'années, étaient les seuls clients vraiment jeunes de l'endroit. Elles avaient l'air un peu soûles ; penchées au-dessus de leurs consommations comme si elles partageaient des secrets, elles parlaient avec animation et laissaient échapper de grands éclats de rire.

L'une d'elles était assez jolie pour réveiller, chez Vassago, sa haine de la beauté. Elle avait d'immenses yeux chocolat et une grâce animale qui lui fit penser à une biche. Il la surnomma « Bambi ». Ses cheveux aile de corbeau étaient coupés court et laissaient voir le lobe de ses oreilles.

C'étaient des oreilles exceptionnelles : grandes, mais d'une forme très délicate. Il se dit qu'il pourrait peut-être faire quelque chose d'intéressant avec ces oreilles-là, et il continua à la surveiller, se demandant si elle était digne des normes de sa collection.

Bambi était la plus bavarde et la plus bruyante du groupe, et c'était elle aussi qui riait le plus fort — on aurait dit le braiment d'un âne. Elle était exceptionnellement attirante, mais sa logorrhée et son rire vulgaire gâchaient l'ensemble. Surtout qu'elle semblait adorer le son de sa propre voix.

Il se dit qu'elle aurait été nettement mieux si elle avait été sourde et muette.

Pris d'une soudaine inspiration, il se redressa sur son siège. En lui coupant les oreilles, en les lui mettant dans la bouche, et en lui cousant les lèvres, il pourrait symboliser la fatale imperfection de sa beauté. C'était là une vision d'une telle simplicité, d'une telle puissance, qu'il...

— Un rhum-Coca, annonça la serveuse, en posant sur la table, devant Vassago, un verre et une petite serviette en papier. Vous payez par carte ?

Il la regarda en clignant des yeux, troublé. C'était une femme corpulente, entre deux âges, aux cheveux auburn. Il la voyait assez bien, malgré ses lunettes noires, mais dans la fièvre créative qui s'était emparé de lui, il ne comprit pas immédiatement ce qu'elle voulait.

Finalement, il répondit :

— Par carte ? Euh, non. Merci, m'dame, en liquide.

Lorsqu'il sortit son portefeuille, ce n'était pas un portefeuille qu'il tenait à la main, mais l'une des oreilles de Bambi. Il fit glisser son pouce sur le cuir lisse, et ce n'était pas le cuir qu'il sentait — il imaginait déjà ce qu'il allait bientôt caresser, les lignes délicates du cartilage formant l'auricule et le pavillon, les courbes gracieuses du conduit auditif charriant les vagues sonores vers la membrane du tympan...

Il se rendit compte que la serveuse lui parlait de nouveau, lui indiquait le prix de sa consommation, et que c'était même la seconde fois qu'elle le faisait. Il tripotait son portefeuille depuis de longues — et délicieuses — secondes, et rêvait, tout éveillé, de meurtre et de mutilation.

Il sortit un billet craquant sans le regarder et le lui tendit.

— C'est un billet de cent, dit-elle. Vous n'avez rien de plus petit ?

— Non, m'dame, désolé, répondit-il, pressé maintenant de se débarrasser d'elle. C'est comme ça.

— Faut que j'aille vous chercher la monnaie.

— Ouais, d'accord. Pas de problème. Merci, m'dame.

Tandis qu'elle s'éloignait, il s'intéressa à nouveau aux quatre jeunes femmes. Elles partaient. Elles étaient déjà près de la porte, et elles enfilaient leurs manteaux en marchant.

Il allait se lever pour les suivre, et puis il se figea quand il s'entendit dire :

— *Lindsey*...

Il avait prononcé ce prénom à voix basse. Personne, dans le bar, ne l'avait entendu. Il fut le seul à réagir, et sa première réaction fut la surprise.

L'espace d'un instant, il hésita, une main posée sur la table, l'autre sur le bras de son siège, à moitié dressé. Alors qu'il était comme paralysé par son indécision, les quatre filles quittèrent le bar. Bambi l'intéressait moins, maintenant, que ce prénom mystérieux — *Lindsey* —, si bien qu'il se rassit.

Il ne connaissait aucune Lindsey.

Et il n'avait *jamais* connu personne de ce nom.

Le prononcer tout haut n'avait aucun sens.

Il regarda le port, par la fenêtre. Des millions de dollars dépensés pour la satisfaction de l'ego de leurs propriétaires montaient et descendaient et se balançaient côte à côte sur les vagues. Le ciel noir formait un second océan, au-dessus d'eux, aussi glacé et impitoyable que l'autre. Les gouttes de pluie étaient des millions de fils gris et argentés, comme si la nature essayait de coudre l'océan et les cieux, éliminant ainsi l'espace étroit qui les séparait, le seul endroit où la vie était possible. Ayant appartenu aux vivants puis aux morts, et comptant maintenant parmi les morts-vivants, Vassago se considérait comme la sophistication ultime, possesseur d'une expérience dont aucun homme né d'une femme n'aurait jamais osé rêver. Il était sûr que le monde ne contenait plus rien de nouveau, qu'il n'avait plus rien à lui apprendre. Et maintenant, ça. D'abord, l'espèce de crise dans la voiture : *Il y a quelque chose dehors !* Et ensuite : *Lindsey !* Ces deux événements étaient différents, car il n'avait entendu aucune voix parler dans sa tête la seconde fois, et lorsqu'il avait prononcé ce prénom, c'était de sa voix habituelle, et non de celle d'un étranger. Mais ces deux incidents étaient si étranges qu'ils étaient liés, il en était sûr. Tandis qu'il regardait les bateaux amarrés, le port et, au-delà, le monde obscur, toute cette histoire commença à lui sembler vraiment très mystérieuse. Il y avait longtemps qu'il n'avait pas connu quelque chose de pareil.

Il avala une longue gorgée de son rhum-Coca.

Au moment où il le reposait, il dit :

— Lindsey.

Son verre frappa contre la table, et il faillit le renverser de surprise. Il n'avait pas prononcé ce prénom à haute voix pour réfléchir à sa signification, non : de nouveau, ce nom était sorti de lui tout seul, mais un petit peu plus fort cette fois.

Intéressant...

On aurait dit que ce bar était un lieu magique.

Il décida de rester un moment et d'attendre la suite, si suite il y avait.

La serveuse revint avec la monnaie.

— Je voudrais un autre verre, m'dame. (Il lui tendit un billet de vingt et il ajouta :) Voilà pour ça. Et je vous en prie, gardez tout.

Ravie du pourboire, elle se précipita vers le bar.

Il se tourna de nouveau vers la fenêtre ; cette fois, il ne

regarda pas le port, préférant contempler son propre reflet dans la vitre. L'éclairage du bar était trop faible pour lui renvoyer une image détaillée de lui-même. Dans ce sombre miroir, on ne voyait pas bien ses lunettes. Son visage semblait troué de deux orbites béantes, comme une tête de mort. Il apprécia l'illusion.

Dans un murmure rauque, pas assez fort pour attirer l'attention de quelqu'un, mais avec plus d'urgence que les fois précédentes, il laissa échapper :

— *Lindsey, non !*

Il n'avait pas davantage prévu cette exclamation que les deux autres, mais elle ne l'étonna pas. Il s'était déjà adapté aux mystérieux événements de cette soirée, et il essayait de comprendre. Rien ne pouvait le surprendre bien longtemps. Après tout, il était allé en Enfer et en était revenu, à la fois dans le véritable Enfer et dans celui du Palais des Merveilles, si bien que l'intrusion du fantastique dans le réel ne l'effrayait ni ne le gênait.

Il but un troisième rhum-Coca. Lorsque plus d'une heure se fut écoulée sans autre manifestation et que le patron annonça la dernière commande avant la fermeture, Vassago s'en alla.

Son besoin ne l'avait pas quitté, le besoin de tuer et de créer.

Il sentait une chaleur brûlante dans son ventre, une chaleur qui n'avait rien à voir avec le rhum, et dans sa poitrine une telle tension, de la dureté de l'acier, que son cœur aurait pu être un réveil mécanique au ressort remonté jusqu'au point de rupture. Il regretta de n'avoir par suivi la jeune femme aux yeux de biche qu'il avait surnommée Bambi.

Lui aurait-il sectionné les oreilles après sa mort ou quand elle était encore vivante ?

Aurait-elle été capable de comprendre sa position artistique lorsqu'il lui aurait cousu les lèvres après lui avoir enfoncé les oreilles dans la bouche ? Sans doute que non. Aucune de ses victimes n'avait eu assez d'esprit ni de perspicacité pour apprécier son talent singulier.

Sur le parking presque désert, il resta un moment sous la pluie pour calmer le feu de son obsession. Il était presque deux heures du matin. Il ne lui restait plus assez de temps, d'ici l'aube, pour repartir en chasse. Il allait devoir retourner à sa cachette sans nouveau spécimen pour sa collection. S'il voulait dormir un peu pendant la journée pour pouvoir se remettre en chasse au prochain crépuscule, il lui fallait refroidir son brûlant appétit créatif.

Il frissonna soudain. La chaleur qui l'habitait céda la place à un froid implacable. Il leva la main, toucha sa joue. Son visage était glacé, mais ses doigts l'étaient encore plus, comme la main de marbre d'une statue de David qu'il avait admirée au cimetière de Forest Lawn, lorsqu'il appartenait encore au monde des vivants.

Voilà qui était mieux.

Au moment où il ouvrit la porte de sa voiture, il jeta un dernier coup d'œil à la nuit déchirée par la pluie. Il répéta alors, et cette fois de sa propre volonté :

— Lindsey ?

Pas de réponse.

Il ne savait pas qui elle était, mais en tout cas elle n'était pas encore destinée à croiser son chemin.

Il devrait être patient. Il était perplexe — mais fasciné et curieux, aussi. Il connaîtrait la suite au moment voulu. L'une des vertus des morts, c'était la patience, et même s'il était encore à moitié vivant, il savait trouver en lui la force d'égaler la persévérance des morts.

18

Le mardi, Lindsey se réveilla à l'aube et ne put se rendormir. Tous ses muscles et ses articulations lui faisaient mal ; ses brèves périodes de sommeil n'étaient pas du tout venues à bout de sa fatigue. Elle avait refusé les somnifères. Incapable d'attendre une seconde de plus, elle désirait absolument être conduite à la chambre de Hatch. L'infirmière de garde demanda l'autorisation à Jonas Nyebern, qui se trouvait toujours dans l'hôpital, puis roula Lindsey jusqu'à la 518.

Nyebern était là, les yeux rougis, les vêtements en désordre. Les draps du lit près de la porte n'étaient pas défaits, mais ils étaient tout froissés, comme si le médecin s'y était étendu un moment pour prendre un peu de repos pendant la nuit.

Lindsey en avait désormais appris assez sur Nyebern — un peu par lui, et beaucoup par les infirmières — pour savoir que c'était une légende locale. Il avait été un chirurgien cardio-vasculaire réputé, mais ces deux dernières années, après avoir perdu sa femme et ses deux enfants dans un horrible accident, il avait consacré de moins en moins de temps à la chirurgie et davantage à la médecine de réanimation. Il était trop impliqué dans son travail pour que l'on parlât de simple dévouement : c'était une obsession. Dans une société qui luttait pour se sortir de trente ans de sybarisme et d'égoïsme, on ne pouvait manquer d'être impressionné par un homme aussi désintéressé que Nyebern, et tout le monde semblait, en effet, le porter aux nues.

Lindsey, quant à elle, l'admirait beaucoup. Après tout, il avait sauvé la vie de Hatch.

Seuls ses yeux injectés de sang et l'état de ses vêtements trahissaient l'épuisement du médecin. Il s'empressa d'ouvrir les rideaux qui entouraient le lit. Il prit les poignées de la chaise roulante de Lindsey et la poussa près de son mari.

L'orage avait cessé au cours de la nuit. Le soleil matinal passait à travers les stores, rayait les draps et les couvertures de bandes d'ombre et de lumière.

Hatch était allongé sous cette fausse peau de tigre ; seuls son visage et l'un de ses bras étaient visibles. Quoique sa peau disparût sous le même camouflage félin que le lit, son extrême pâleur était évidente. Assise dans sa chaise roulante, observant son mari suivant un angle bizarre à travers la barre de protection, Lindsey se sentit nauséeuse à la vue de l'horrible bleu qui s'étendait sur son front à partir de l'entaille suturée. Sans le moniteur cardiaque, sans le mouvement imperceptible de la poitrine de Hatch quand il respirait, elle aurait pensé qu'il était mort.

Mais il était vivant, *vivant,* et le poids qui pesa sur elle à cette idée annonçait les larmes aussi sûrement que l'éclair précédait le tonnerre. La perspective de ces pleurs la surprit, la fit respirer plus vite.

Pendant le supplice physique et émotionnel qu'elle venait de subir, depuis que leur Honda avait plongé dans le ravin, Lindsey n'avait pas pleuré une seule fois. Ce n'était pas une question de stoïcisme ; elle était simplement comme ça.

Non, oubliez ça.

Elle avait simplement été forcée de réagir *comme ça* pendant le cancer de Jimmy. Du jour où l'on avait diagnostiqué la maladie et jusqu'à la fin, son fils avait mis neuf mois à mourir, le temps qu'il avait fallu à sa mère à le fabriquer avec amour dans son ventre. Chaque jour de cette agonie, Lindsey n'avait rien désiré d'autre que de se rouler en boule dans son lit, sous ses couvertures, et de pleurer, oui, simplement laisser couler les larmes jusqu'au moment où toute l'eau de son corps serait tarie, où elle-même serait desséchée, et qu'elle tomberait en poussière et cesserait d'exister... Elle avait pleuré, au début, mais ses larmes effrayaient Jimmy, et elle compris que toute manifestation de son tourment intérieur était un apitoiement déraisonnable sur elle-même. Même lorsqu'elle pleurait en cachette, Jimmy le devinait ; il avait toujours possédé une finesse et une sensibilité qui n'étaient pas de son âge, et sa maladie semblait l'avoir rendu encore plus profondément conscient de son environnement. Une théorie courante en immunologie disait qu'une attitude positive, le rire, la confiance, étaient des armes essentielles dans la bataille contre une maladie mortelle. Elle avait donc appris à supprimer sa terreur de le perdre. Elle lui avait donné des rires, de l'amour, de la confiance, du courage — pas une seule raison de douter de sa certitude qu'il vaincrait la maladie.

Et quand Jimmy était mort, Lindsey avait tellement bien appris à réprimer ses larmes qu'elle ne put tout simplement plus pleurer. Sans le soulagement des larmes, elle se laissa aller au désespoir. Elle perdit du poids — cinq, sept, dix kilos — à en être décharnée. Elle n'avait plus envie de se laver les cheveux, de s'occuper de sa peau, de repasser ses vêtements. Convaincue qu'elle avait trompé Jimmy, qu'elle l'avait encouragé à lui faire confiance, et puis qu'elle n'avait pas été capable de l'aider à vaincre la maladie, elle croyait ne plus mériter de prendre plaisir à manger ou à être belle, d'apprécier un livre, un film, une musique, ou autre chose... Finalement, avec beaucoup de patience et de gentillesse, Hatch lui fit comprendre que son insistance à se sentir responsable d'un acte aveugle du destin était à sa façon une maladie, tout autant que le cancer de Jimmy.

Elle n'avait pas retrouvé la faculté de pleurer, mais elle était sortie du grand trou psychologique qu'elle s'était creusé. Depuis, cependant, elle avait toujours vécu au bord de ce trou, en équilibre instable.

Et maintenant, ses premières larmes depuis très longtemps la surprenaient, la dérangeaient. Ses yeux la piquèrent, devinrent brûlants. Sa vision se troubla. Étonnée, elle leva une main tremblante pour toucher les deux lignes chaudes et humides sur ses joues.

Nyebern prit un Kleenex dans une boîte posée sur la table de nuit et le lui tendit.

Cette petite attention la toucha énormément, alors que ce n'était qu'un geste normal de considération, et elle laissa échapper un léger sanglot.

— Lindsey...

Parce que sa gorge était à vif après ce qu'il venait de subir, la voix de Hatch était rauque, à peine un soupir. Mais Lindsey sut immédiatement que c'était lui qui venait de parler, pas Nyebern.

Elle essuya ses yeux à la hâte avec le mouchoir en papier et se pencha sur sa chaise roulante, jusqu'au moment où son front toucha la barre de protection. Le métal était glacé. Hatch avait tourné sa tête vers elle. Son regard était clair et vif.

— Lindsey...

Il trouva la force de sortir sa main droite de sous ses couvertures, et il la lui tendit.

Elle avança les siennes sous la barre du lit, et la prit.

Il avait la peau sèche. Un fin bandage protégeait sa paume blessée. Il était si épuisé qu'il ne donna qu'une faible pression à la main de sa femme, mais il était chaud, Dieu merci, il était chaud et vivant...

— Tu pleures, murmura Hatch.

C'était un vrai déluge, maintenant, mais elle souriait aussi. Sa douleur n'avait pas réussi à lui tirer une seule larme depuis ces cinq terribles années, et finalement c'était la joie qui la libérait. Elle pleurait de joie, et cela lui semblait normal, apaisant. Elle sentait, en son cœur, de très anciennes tensions se relâcher, comme si les nœuds des vieilles blessures se dissolvaient, et tout cela parce que Hatch était vivant, qu'il avait été mort et qu'il était vivant de nouveau...

Si un miracle ne pouvait pas vous dilater le cœur, quoi d'autre l'aurait pu ?

Hatch murmura :

— Je t'aime.

La tempête de larmes se transforma en inondation, oh mon Dieu, en océan, et Lindsey s'entendit lui répondre : « Je t'aime » au milieu de ses pleurs, et puis elle sentit Nyebern poser sa main sur son épaule pour la réconforter, une autre petite attention qui lui parut immense et la fit pleurer encore davantage. Mais elle riait en même temps, et elle s'aperçut que Hatch souriait, lui aussi.

— Tout va bien, dit-il de sa voix rauque. Le pire... est passé. Le pire est... derrière nous, maintenant...

19

Pendant la journée, lorsqu'il se tenait hors de portée des rayons du soleil, Vassago garait la Camaro dans un garage souterrain jadis encombré de tramways électriques, de fourgons et de camions utilisés par l'équipe de maintenance du parc de loisirs. Tous ces véhicules avaient été récupérés depuis longtemps par les créanciers. La Camaro était seule dans cet espace humide et sans la moindre ouverture.

Depuis le garage, Vassago empruntait de larges escaliers — les ascenseurs ne fonctionnaient plus depuis des années — pour descendre encore plus bas. Le parc tout entier avait été construit sur un sous-sol qui abritait les bureaux de la sécurité, avec des vingtaines de moniteurs vidéo capables de surveiller chaque mètre carré de la surface, un centre de contrôle des installations qui, en fait, faisait partie d'une ruche high-tech encore plus complexe, avec ses ordinateurs et ses écrans, ses ateliers de menuiserie et d'électricité, sa cafétéria pour le personnel, ses vestiaires pour les centaines d'employés en costume travaillant par roulement, son infirmerie pour les urgences, ses bureaux et tout le reste.

Vassago franchit sans hésiter la porte donnant sur ce niveau et continua à descendre. Même dans le sous-sol sec et sableux du sud de la Californie, les murs de béton sentaient l'humidité, à une telle profondeur.

Aucun rat ne s'enfuyait devant lui, contrairement à ce qu'il avait pensé, lorsqu'il avait pénétré ici pour la première fois, des mois plus tôt. Il n'avait vu nulle part le moindre rat pendant toutes ces semaines où il avait erré dans les couloirs ténébreux et les pièces silencieuses de cette vaste structure. Pourtant, cela ne l'aurait pas dérangé de partager les lieux avec ces animaux. Il aimait les rats. C'étaient des charognards, ils festoyaient dans la pourriture, ces gardiens pressés qui nettoyaient tout dans le sillage de la mort. Ils n'avaient peut-être jamais envahi les caves du parc parce qu'après sa fermeture, celui-ci avait été complètement vidé. Désormais, il était tout de béton, de plastique et de métal ; on n'y trouvait rien de biodégradable dont les rats auraient pu se nourrir ; il était un peu poussiéreux, d'accord, avec ici et là quelques détritus, mais pour le reste il était aussi stérile qu'une station orbitale et sans intérêt pour les rongeurs.

Un jour, en fin de compte, les rats trouveraient sans doute sa collection, dans son Enfer au fond du Palais des Merveilles, et ils la dévoreraient, et leur colonie se développerait. Alors, il aurait une compagnie qui lui conviendrait, pendant les heures du jour, lorsqu'il lui était difficile de s'aventurer à l'extérieur.

Au pied de la quatrième et dernière volée de marches, à deux niveaux sous le garage souterrain, Vassago franchit l'embrasure d'une porte. La porte manquait, bien sûr ; comme toutes les autres, ou presque, elle avait été emportée par les récupérateurs et revendue quelques dollars.

Ensuite venait un tunnel de six mètres de large, au sol plat, avec une bande jaune peinte au milieu, comme sur une route — c'était d'ailleurs ce que ce tunnel avait été, une route. Ses murs de béton s'incurvaient et se rencontraient pour former le plafond.

Ce niveau inférieur était pour une bonne part composé de réserves, où d'énormes quantités de fournitures avaient été stockées. Des tasses et des emballages de hamburgers en polystyrène, des boîtes et des barquettes en carton pour le pop-corn et les frites, des serviettes en papier et de petites doses en aluminium de ketchup et de moutarde pour les nombreux snacks éparpillés dans le parc. Des formulaires administratifs. Des paquets d'engrais et des boîtes d'insecticide pour les équipes de jardiniers. Tout cela — et tout ce dont pouvait avoir besoin une petite ville — avait été déménagé depuis longtemps. Les réserves étaient parfaitement vides.

Un réseau de tunnels reliait les stocks à des ascenseurs qui donnaient dans les bâtiments des principales attractions et dans les restaurants. Ainsi, ces marchandises pouvaient être transportées à travers le parc — au même titre que le personnel des services d'entretien — sans déranger les clients, ni gâcher les rêves pour lesquels ils avaient payé. Des chiffres étaient peints sur les murs, tous les trois mètres, pour baliser les itinéraires, et aux intersections on trouvait même des panneaux fléchés indiquant les directions.

◄ HANTÉE
◄ CHALET RESTAURANT
GRANDE ROUE COSMIQUE ►
MONTAGNE DU BIG FOOT ►

Vassago tourna à droite à la première intersection, à gauche à la suivante, et puis encore une fois à droite. Même si son extraordinaire capacité visuelle ne lui avait pas permis de voir dans ces passages obscurs, il aurait pu suivre sans problème le chemin qu'il voulait, car il connaissait désormais les artères du parc désert aussi bien que les contours de son propre corps.

Finalement, il parvint à un panneau — MACHINERIES DU PALAIS DES MERVEILLES — à côté d'un ascenseur, dont les portes avaient disparu, ainsi que sa cabine et son mécanisme — le tout avait été vendu et réutilisé ailleurs, ou recyclé par un ferrailleur. Mais le puits restait : il descendait à environ un mètre vingt sous le sol du tunnel et, vers le haut, il conduisait, à travers cinq étages d'obscurité, au niveau où se trouvaient jadis les bureaux de la sécurité, le centre de contrôle des installations et l'administration du parc, et puis aux trois niveaux du Palais des Merveilles, au rez-de-chaussée duquel Vassago conservait sa collection.

Il se laissa glisser au fond du puits de l'ascenseur. Là, il s'assit sur le vieux matelas qu'il avait amené pour rendre sa cachette plus confortable.

Lorsqu'il penchait la tête en arrière, il ne voyait au-dessus de lui, dans le puits de ténèbres, que les ouvertures des deux niveaux inférieurs. Les barreaux d'acier rouillés d'une échelle de service disparaissaient dans l'obscurité.

Grâce à celle-ci, il arrivait au rez-de-chaussée du Palais des Merveilles, dans une pièce de service contiguë à l'Enfer, depuis laquelle on pouvait, jadis, atteindre et réparer la machinerie des gondoles, avant son déménagement définitif.

Au fond de cette salle, une porte camouflée derrière un gros bloc de béton ouvrait sur le lac d'Hadès, désormais à sec, où s'élevait la statue de Lucifer.

Pour l'instant, Vassago se trouvait au point le plus bas de sa cachette — soit deux étages et un mètre vingt sous l'Enfer. Ici, il se sentait chez lui, pour autant qu'il lui était possible de se sentir chez lui quelque part. Loin du monde des vivants, il se déplaçait avec la confiance d'un maître secret de l'univers, même s'il n'avait jamais eu l'impression d'appartenir vraiment à ces lieux. Désormais, plus rien ne l'effrayait, pourtant il ressentait une espèce de malaise chaque fois qu'il devait quitter les couloirs sombres et déserts et les chambres sépulcrales de sa cachette.

Il souleva le couvercle d'une grosse glacière en plastique doublée de polystyrène où il gardait des boîtes de *root beer*[1]. Il avait toujours aimé la *root beer*. Comme c'était trop compliqué de se procurer de la glace, il la buvait tiède. Il s'en fichait.

Dans sa glacière, il conservait aussi de la nourriture de snack. Des Mars, du beurre de cacahuètes Reese, des Clark Bars, des pommes chips, des paquets de crackers au beurre de cacahuète et au fromage, des Mallomars, et des gâteaux Oreo. Lorsqu'il était entré dans la zone frontière, son métabolisme s'était transformé ; il pouvait désormais manger ce qu'il voulait sans grossir ni maigrir d'un gramme. Et ce qu'il voulait manger, pour une raison qu'il ne comprenait pas bien, c'était ce qu'il aimait dans son enfance.

Il ouvrit une *root beer* et but une longue gorgée du liquide tiède.

Puis il prit un biscuit dans le paquet d'Oreo. Il sépara délicatement les deux gaufrettes de chocolat sans les casser. Le cercle de sucre glacé resta entièrement sur celle qu'il tenait dans sa main gauche. Cela signifiait qu'il serait riche et célèbre quand il serait grand. Si le sucre était resté collé à la gaufrette de droite, cela aurait voulu dire qu'il allait être célèbre, mais pas forcément riche, c'est-à-dire à peu près n'importe quoi entre star de rock'n'roll et assassin du Président des États-Unis. Si le sucre glacé restait collé aux *deux* gaufrettes, il fallait manger un autre biscuit, ou prendre le risque de n'avoir pas d'avenir du tout.

Tout en léchant le sucre glacé et en le laissant fondre lentement sur sa langue, il observait le puits de l'ascenseur, en se disant que c'était vraiment une bonne idée d'avoir choisi le parc de loisirs abandonné pour s'y cacher, quand le monde offrait tant d'endroits sombres et déserts. Il était venu ici un

1. Une limonade sans alcool à base de plantes (*N.d.T.*).

certain nombre de fois, lorsqu'il était enfant et que le parc fonctionnait encore, et la dernière fois huit ans plus tôt, il avait douze ans, un peu plus d'un an avant la fermeture de l'endroit. Au cours de cette soirée très spéciale de son enfance, il avait commis ici son premier meurtre, début de sa longue histoire d'amour avec la Mort. Et désormais il était de retour en ces lieux.

Il lécha ce qui restait du sucre glacé.

Il mangea la première gaufrette au chocolat. Puis la seconde.

Il prit un autre gâteau dans le paquet.

Il but une nouvelle gorgée de *root beer* tiède.

Il aurait aimé être mort. Complètement mort. C'était la seule façon de commencer son existence de l'Autre Côté.

— Si les vœux étaient des bœufs, murmura-t-il, on mange- rait du steak tous les jours, pas vrai ?

Il termina le second gâteau, puis la *root beer*, et il s'allongea pour dormir.

Il rêva. C'étaient des rêves sur des gens qu'il ne connaissait pas, des endroits où il n'était jamais allé, des événements dont il n'avait pas été témoin... De l'eau l'entourait, de gros morceaux de glace flottante, une neige épaisse et un vent violent... Une femme dans une chaise roulante, pleurant et riant en même temps... Un lit d'hôpital où se dessinaient des bandes d'ombre et de lumière... La femme dans la chaise roulante qui riait et qui pleurait... La femme dans la chaise roulante, qui riait... La femme dans la chaise roulante... La femme.

Seconde partie

VIVANT, DE NOUVEAU

*Dans les champs de la vie, une moisson
vient parfois bien hors saison,
quand nous pensions la terre fatiguée
et n'avions pas la moindre raison
de nous remettre au travail au point du jour,
ni de tester la force de nos muscles.
Avec le départ de l'automne et l'arrivée de l'hiver,
le mieux est de se reposer, semble-t-il, se reposer.
Mais sous les champs de l'hiver si glacés
attendent les semences endormies des saisons
à venir, et ainsi le cœur garde-t-il
l'espoir qui guérit les blessures les plus graves.
Dans les champs de la vie, une moisson.*

LE LIVRE DES DOULEURS DÉNOMBRÉES

CHAPITRE 4

1

Hatch avait l'impression d'être remonté dans le temps, jusqu'au XIVe siècle, et de se retrouver devant l'Inquisition dans un procès pour incroyance où il risquait sa vie.

Il y avait deux prêtres dans le bureau de l'avocat. Bien que d'une taille moyenne, le père Jiminez était aussi imposant que s'il avait eu trente centimètres de plus, dans son costume ecclésiastique noir à col romain, avec ses cheveux noirs de jais et ses yeux encore plus noirs. Il se tenait debout, le dos tourné aux fenêtres. Les palmiers qui se balançaient doucement et le ciel bleu de Newport Beach, derrière lui, ne rendaient pas l'ambiance plus sereine dans le bureau, lambrissé d'acajou et décoré d'objets anciens, où ils étaient réunis ; et la silhouette du père Jiminez qui se découpait sur la lumière était vaguement inquiétante. Le père Duran, qui avait une vingtaine d'années, soit peut-être vingt-cinq ans de moins que le père Jiminez, était maigre ; il avait des traits ascétiques et le teint pâle. Le jeune prêtre examinait une collection de vases, d'encensoirs et de bols Satsuma de l'époque Meiji, exposés dans une large vitrine, à l'extrémité du bureau, mais Hatch ne pouvait s'empêcher de penser que Duran faisait seulement semblant de s'intéresser à ces porcelaines japonaises et qu'en réalité il les observait à la dérobée, Lindsey et lui, assis côte à côte sur un divan Louis XVI.

Il y avait deux religieuses, aussi, qui paraissaient à Hatch plus menaçantes encore que les prêtres. Elles appartenaient à un ordre resté fidèle aux vêtements amples, à l'ancienne mode, que l'on ne rencontrait plus très souvent. Elles portaient des guimpes amidonnées, et l'ovale de leurs visages était délimité par un lin blanc qui leur donnait un air particulièrement sévère. Sœur Immaculata, responsable de la maison d'enfants de Saint-Thomas, ressemblait à un grand oiseau de proie noir perché sur le bras droit du canapé, et Hatch n'aurait pas été surpris de la voir tout à coup s'envoler, avec un cri perçant, dans un grand battement de robe, et planer à travers la pièce pour l'attaquer en piqué et lui arracher le nez. Sa directrice adjointe, un peu plus jeune, bougeait continuellement et avait une expression exaltée et un regard plus pénétrant qu'un laser à découper l'acier. Hatch avait oublié son nom, et elle devint donc pour lui la Religieuse Sans Nom, parce qu'elle lui rappelait Clint Eastwood jouant l'Homme Sans Nom dans ces vieux westerns spaghettis.

Mais il était injuste, plus qu'injuste, et même un peu irrationnel, à cause d'une terrible nervosité. Tout le monde, dans le bureau de cet avocat, était là pour les aider, Lindsey et lui. Le père Jiminez, le recteur de l'église de Saint-Thomas qui rassemblait une bonne partie du budget annuel de l'orphelinat dirigé par sœur Immaculata, n'était en réalité pas plus inquiétant que le prêtre de *Going my Way*[1], un Bing Crosby latino, et le père Duran semblait timide et bienveillant. En fait, sœur Immaculata ne ressemblait pas plus à un oiseau de proie qu'à une stripteaseuse, et la Religieuse Sans Nom affichait un sourire franc qui compensait largement les émotions négatives que l'on pouvait choisir de lire dans son regard perçant. Les prêtres et les religieuses essayaient d'entretenir un minimum de conversation ; en fin de compte, seuls Hatch et Lindsey étaient trop tendus pour être aussi sociables que l'exigeait la situation.

Tant de choses étaient en jeu ! C'était cela qui mettait Hatch sur les nerfs — ce qui ne lui ressemblait pas, car il était d'ordinaire le plus calme de tous les hommes, hormis les participants d'un concours de buveurs de bières après trois heures de compétition... Il souhaitait que cette réunion se déroulât correctement parce que leur bonheur, à Lindsey et à lui, et leur avenir et le succès de leur nouvelle vie en dépendaient.

Bon, cela non plus n'était pas vrai. Là aussi il exagérait.

---

1. *La Route semée d'étoiles*, de McCarey, 1944 (*N.d.T.*).

Il ne pouvait pas s'en empêcher.

Depuis sa réanimation, presque deux mois auparavant, Lindsey et lui avaient subi une profonde mutation émotionnelle. Le désespoir qui les avait noyés à la mort de Jimmy avait brusquement reflué. Ils s'étaient rendu compte qu'ils n'étaient encore ensemble que grâce à un miracle de la médecine. Ne pas être reconnaissants de ce sursis que l'on venait de leur accorder, ç'aurait été se montrer ingrats tout à la fois vis-à-vis de Dieu et de leurs médecins. Pire : ç'aurait été faire preuve de stupidité. Ils avaient eu raison de pleurer Jimmy, mais à un certain moment ils avaient laissé leur chagrin dégénérer en un apitoiement sur eux-mêmes, en une dépression chronique, et cela, ce n'était pas normal du tout.

Ils avaient eu besoin de la mort et de la réanimation de Hatch et du flirt avec la mort de Lindsey pour les tirer brusquement de leur déplorable tristesse — et, du coup, Hatch avait compris qu'ils étaient plus tenaces qu'il ne l'avait cru. L'important, c'était de s'en être sorti et d'être finalement décidé à continuer à vivre.

Et pour chacun d'eux, continuer à vivre signifiait avoir un autre enfant dans leur maison. Ce désir d'enfant n'était pas une tentative sentimentale de retrouver l'ambiance du passé, ce n'était pas non plus un besoin névrotique de remplacer Jimmy pour finir de surmonter sa disparition. Simplement, ils étaient bien avec les enfants ; ils les aimaient ; et s'y consacrer les satisfaisait énormément.

Ils devaient en adopter un. C'était le problème. Lindsey avait eu une grossesse difficile ; pendant l'accouchement, le travail avait été anormalement long et douloureux et il s'en était fallu d'un cheveu, avec la naissance de Jimmy. Ensuite, les médecins avaient annoncé à Lindsey qu'elle ne pourrait plus être mère.

La Religieuse Sans Nom cessa de faire les cent pas, souleva la manche épaisse de son vêtement, regarda sa montre.

— Peut-être que je pourrais aller voir ce qui la retarde.

— Laissons-lui un peu plus de temps, à cette gamine, dit doucement sœur Immaculata. (D'une main blanche et potelée, elle arrangea les plis de son habit). Si tu vas vérifier ce qu'elle fait, elle aura l'impression que tu ne la crois pas capable de se débrouiller seule. Il n'y a rien dans les toilettes des dames qui puisse lui poser problème. Je ne pense pas qu'elle avait besoin d'y aller, d'ailleurs. Elle a probablement juste voulu être seule quelques minutes avant cette rencontre, pour se calmer...

Le père Jiminez se tourna vers Lindsey et Hatch :

— Désolé pour ce contretemps, dit-il.

— C'est bon, répondit Hatch, en s'agitant sur le canapé. Nous comprenons. Nous aussi nous sommes un peu nerveux.

Quand ils avaient commencé à se renseigner, ils avaient découvert que beaucoup de couples — une véritable *armée !* — cherchaient à adopter un enfant. Certains d'entre eux attendaient depuis deux ans. Lindsey et Hatch n'avaient pas eu la patience de s'inscrire au bas d'une liste d'attente, eux qui étaient seuls depuis cinq ans.

Il ne leur restait donc que deux possibilités. La première était de prendre un enfant d'une autre race, un Noir, un Asiatique ou un Hispanique. La plupart des parents adoptifs en puissance étaient des Blancs et ils voulaient un bébé blanc qui pourrait raisonnablement passer pour le leur, alors que d'innombrables orphelins de divers groupes minoritaires étaient destinés aux institutions et aux rêves familiaux à jamais insatisfaits. Pour Lindsey et Hatch, la couleur de la peau n'avait aucune importance. N'importe quel enfant les aurait rendus heureux, indépendamment de son origine. Mais depuis quelques années, de bonnes âmes malavisées avaient fait voter, au nom des droits civiques, un certain nombre de lois et de réglementations pour gêner l'adoption interraciale, une législation que de puissantes bureaucraties gouvernementales avaient renforcée avec une précision ahurissante. La théorie était qu'aucun enfant ne pouvait être vraiment heureux s'il était élevé en dehors de son groupe ethnique, ce qui était le genre d'idiotie élitiste — et de racisme à l'envers — que les sociologues et les universitaires formulaient sans demander leur avis aux gosses abandonnés dont ils prétendaient défendre les intérêts.

L'autre option était d'adopter un enfant handicapé : ceux-là étaient bien moins nombreux que les orphelins des minorités — même en comptant les quasi-orphelins volontairement abandonnés par leurs parents aux soins de l'Église ou de l'État à cause de leur différence. Pourtant, ils étaient encore moins demandés que les enfants des minorités. Ils bénéficiaient de l'énorme avantage de ne pas intéresser pour l'instant un quelconque groupe de pression désireux d'appliquer des normes « politiquement correctes » à leur prise en charge. Tôt ou tard, sans aucun doute, une armée de crétins veillerait à faire voter des lois interdisant l'adoption d'un enfant sourd et blond aux yeux verts par des parents qui ne seraient ni sourds, ni blonds aux yeux verts, mais Hatch et Lindsey avaient eu la chance de déposer un dossier avant l'offensive des forces du chaos.

Parfois, lorsqu'il repensait aux bureaucrates insupportables avec lesquels ils avaient été en contact six semaines plus tôt, quand Lindsey et lui avaient décidé d'adopter un enfant, il avait envie de retourner dans ces bureaux voir les travailleurs sociaux qui leur avaient mis tant de bâtons dans les roues, et de leur serrer le cou pour leur enfoncer de force dans la gorge un peu de bon sens. Mais que l'expression de ce désir n'empêchât surtout pas les gentilles religieuses et les gentils prêtres du foyer Saint-Thomas de leur confier un enfant de leur institution !

— Vous vous sentez toujours bien, pas de conséquences de votre terrible épreuve, vous mangez bien, vous dormez bien ? s'enquit le père Jiminez, à l'évidence juste pour passer le temps en attendant l'arrivée du personnage central et sujet de leur réunion, et non pour mettre en doute ce que Hatch avait dit de sa guérison et de son état de santé.

Lindsey — par nature plus nerveuse que Hatch, et plus que lui prédisposée à réagir avec une certaine véhémence — se pencha en avant sur le canapé, et répondit un peu trop sèchement :

— Hatch est au mieux de sa forme pour quelqu'un qui a été réanimé. Le Dr Nyebern s'extasie sur son cas, et il l'a trouvé en parfaite santé, vraiment parfaite. C'était indiqué dans notre dossier de candidature.

Désireux d'atténuer la réaction de Lindsey de peur de voir ses interlocuteurs se poser des questions si elle protestait trop violemment, Hatch intervint :

— Je me sens super bien, vraiment ! Je recommande à tout le monde de mourir un moment. Ça vous calme, ça vous donne une vision plus sereine de l'existence.

On rit poliment.

Et c'était vrai que Hatch était en excellente santé. Au cours des quatre jours qui avaient suivi sa réanimation, il avait souffert de fatigue, d'étourdissements, de nausées, de torpeur et de quelques trous de mémoire. Mais ensuite, il avait retrouvé ses forces, sa mémoire et ses capacités intellectuelles à cent pour cent. Cela faisait presque sept semaines qu'il était redevenu « normal ».

L'allusion — fortuite — de Jiminez à son sommeil l'avait un peu ébranlé, et c'était probablement cela aussi qui avait augmenté la nervosité de Lindsey. Hatch, en effet, n'avait pas été totalement honnête en affirmant qu'il dormait bien. Mais ses rêves étranges et leurs conséquences émotionnelles dérangeantes n'étaient pas sérieux, ils méritaient à peine d'être mentionnés, si bien qu'il n'avait pas vraiment eu l'impression de mentir au prêtre.

Ils étaient si près de recommencer une nouvelle existence qu'il ne voulait pas risquer de dire des choses qui auraient pu entraîner d'autres délais. Les services catholiques d'adoption prenaient des précautions considérables pour leurs placements d'enfants, même s'ils n'étaient pas aussi lents et obstructionnistes que les fonctionnaires, en particulier lorsque les familles d'adoption étaient bien intégrées dans la communauté, comme c'était le cas pour Lindsey et Hatch, et lorsque l'adopté était un enfant handicapé qui n'avait d'autre souvenir que l'institution où il se trouvait. Leur nouvelle vie pouvait commencer cette semaine, tant qu'ils ne donnaient pas aux gens de Saint-Thomas, qui étaient déjà de leur côté, de raison de revenir sur leur décision.

Hatch était un peu surpris par la force de son désir d'être père de nouveau. Il avait l'impression de n'avoir vécu qu'à moitié au cours de ces cinq dernières années. Et voilà que maintenant toutes les énergies qu'il n'avait pas utilisées durant cette demi-décennie le submergeaient, le bousculaient, rendaient les couleurs plus claires, les sons plus mélodieux, les sentiments plus intenses, et le remplissaient de la passion d'avancer, de faire, de voir, de *vivre*. D'être de nouveau le papa de quelqu'un.

— Je me demandais si je pouvais vous poser une question, dit le père Duran à Hatch, en se tournant vers lui, oubliant un instant la collection Satsuma. (Agrandis par ses lunettes aux verres épais, ses énormes yeux intelligents et chaleureux donnaient une note de gaieté à son teint pâle et ses traits anguleux.) C'est un peu personnel, c'est pourquoi j'hésite.

— Oh, bien sûr, ce que vous voulez, fit Hatch.

Le jeune prêtre poursuivit donc :

— Des gens cliniquement morts pendant un certain temps, une minute ou deux, racontent... eh bien... des expériences assez semblables...

— Le sentiment d'avancer à toute vitesse dans un tunnel avec une lumière extraordinaire à l'autre extrémité, dit Hatch, une sensation de grande paix, l'impression de rentrer enfin chez soi ?

— Oui, fit Duran, son visage s'illuminant. C'est exactement ce que j'allais dire.

Le père Jiminez et les deux religieuses observaient Hatch avec un nouvel intérêt, et celui-ci aurait aimé leur répondre ce qu'ils voulaient entendre. Il jeta un coup d'œil à Lindsey, à côté de lui sur le canapé, puis aux autres :

— Désolé, mais je n'ai pas fait l'expérience que tant de gens ont rapportée.

Les épaules maigres de père Duran s'affaissèrent un peu.

— Et la vôtre, c'était quoi, alors ?

Hatch secoua la tête.

— Rien du tout. J'aurais aimé, pourtant. Ç'aurait été... réconfortant, n'est-ce pas ? Mais, de ce point de vue, je crois que j'ai eu une mort... sans intérêt. Je ne me souviens absolument plus de rien entre le moment où j'ai été assommé lorsque la voiture s'est retournée et celui où je me suis réveillé dans un lit d'hôpital et que j'ai vu la pluie frapper contre les vitres de ma chambre...

Il fut interrompu par l'entrée de Salvatore Gujilio, dans le bureau duquel ils étaient réunis. Gujilio était un homme immense, gros et grand ; il ouvrit la porte et entra comme à son habitude, avec de longues enjambées et non des pas normaux, et il referma derrière lui en un geste très large du bras. Avec la détermination imparable d'une force de la nature — ou plutôt à la façon d'une tornade disciplinée —, il fit le tour de la pièce et salua chacun des présents. Hatch n'aurait pas été surpris de voir les meubles s'envoler et les tableaux se décrocher des murs sur le passage de l'avocat qui semblait dégager assez d'énergie pour soulever tout ce qui se trouvait dans sa sphère d'influence immédiate.

Gujilio écrasa Jiminez dans ses bras, secoua vigoureusement la main de Duran et s'inclina devant les deux religieuses avec la sincérité d'un monarchiste passionné saluant des membres de la famille royale. Gujilio s'attachait aux gens comme deux morceaux de poterie avec de la colle forte, et dès leur seconde rencontre il avait dit au revoir à Lindsey en la serrant contre lui. Elle appréciait cet homme et ne fut pas gênée par son étreinte, mais comme elle l'avait expliqué à Hatch par la suite, elle avait eu l'impression d'être un tout petit enfant recevant l'accolade d'un lutteur de sumo.

— Il m'a soulevée, nom d'un chien! lui avait-elle dit.

Aujourd'hui, elle préféra rester assise sur le canapé, et échanger une simple poignée de main avec l'avocat.

Hatch, lui, se leva et lui tendit la main, prêt à la voir engloutie comme un brin de nourriture dans une coupelle de laboratoire débordant d'amibes affamées — et ce fut exactement ce qui se produisit. Gujilio, comme de coutume, serra la main de Hatch entre les siennes et comme chacune mesurait à peu près le double d'une main ordinaire, il était moins question, en la matière, de serrer que d'être serré.

— Quel jour merveilleux! s'exclama Gujilio. Un jour spécial. J'espère pour tout le monde qu'il passera comme une lettre à la poste.

L'avocat offrait chaque semaine un certain nombre d'heures à l'église et à l'orphelinat de Saint-Thomas. Il semblait tirer beaucoup de satisfaction de servir de contact entre des parents adoptifs et des enfants handicapés.

— Regina arrive des toilettes, expliqua-t-il. Elle s'est arrêtée pour discuter un instant avec ma secrétaire, rien d'autre. Elle est un peu fébrile, je crois, et elle essaie de gagner du temps, jusqu'à ce qu'elle ait assez de courage. Elle sera ici dans une minute.

Hatch jeta un coup d'œil à Lindsey. Elle lui fit un sourire nerveux et lui prit la main.

— A présent, vous comprenez, poursuivit Salvatore Gujilio, en se dressant au-dessus d'eux comme le ballon géant de la grande parade de Thanksgiving organisée par Macy's[1] que la raison de cette réunion c'est, pour vous, de faire la connaissance de Regina, et pour elle de faire votre connaissance. Rien ne se décidera ici, aujourd'hui. Vous allez repartir, y réfléchir et nous faire savoir demain ou après demain si c'est elle que vous voulez. Et c'est pareil pour Regina. Elle a vingt-quatre heures pour penser à tout ça.

---

1. L'un des plus célèbres magasins de New York (*N.d.T.*).

— C'est un grand pas à faire, dit le père Jiminez.

— Énorme, surenchérit sœur Immaculata.

Tout en écrasant les doigts de Hatch, Lindsey répondit :

— Nous comprenons.

La Religieuse Sans Nom alla jeter un coup d'œil dans le couloir. Regina, évidemment, n'était pas en vue.

Gujilio passa derrière son bureau et dit :

— Elle va arriver, sûr.

Il cala son énorme masse dans le fauteuil directorial, mais comme il mesurait deux mètres il paraissait presque aussi grand assis que debout. La pièce ne contenait que des meubles anciens et le bureau était, en fait, une très belle table Napoléon III — Hatch aurait bien voulu avoir quelque chose de ressemblant dans la vitrine de sa boutique. Sur les bois exotiques du dessus en marqueterie, cintrés d'or moulu, on voyait un cartouche central avec un trophée musical très fin sur une frise de feuillages stylisés qui en épousait la forme. Le tout était monté sur des pieds ronds terminés par des boules, décorés de feuilles d'acanthe d'or moulu et reliés par des traverses en X en volute avec, au milieu, un épi lui aussi d'or moulu. La première impression passée, la pièce et l'homme semblaient finalement en parfaite harmonie et l'on avait l'étrange impression qu'il avait recréé autour de lui le décor dans lequel il avait vécu au cours d'une autre vie — où il était plus maigre.

Un bruit sourd, faible et distant, mais très particulier, détourna l'attention de Hatch, qui oublia un instant l'avocat et son bureau.

La Religieuse Sans Nom s'éloigna de la porte et, comme si elle ne voulait pas donner à penser à Regina qu'elle avait surveillé son arrivée, elle revint précipitamment vers le centre de la pièce en annonçant :

— La voilà...

Le bruit recommença. Et encore. Et encore.

Il augmentait d'intensité.

Boouuum. Boouuum.

Lindsey pressa la main de son mari.

Boouuum. Boouuum.

Quelqu'un semblait battre la mesure d'une mélodie que l'on n'entendait pas, en frappant d'un tuyau de plomb contre le parquet du couloir.

Surpris, Hatch regarda le père Jiminez, qui contemplait ses pieds en secouant la tête — il était difficile de savoir ce qu'il pensait en cet instant. Comme le son devenait plus fort et se rapprochait, le père Duran se tourna, étonné, vers la porte entrebâillée, et la Religieuse Sans Nom l'imita. Salvatore Gujilio se leva, l'air inquiet. Les joues roses de sœur Immaculata étaient devenues aussi blanches que le linge qui entourait son visage.

Hatch s'aperçut qu'il y avait aussi un grattement plus faible entre chacun des coups sourds.

Boouuum ! Sccccuuurrr... Boouuum ! Sccccuuurrr...

Ces bruits se rapprochaient, de plus en plus impressionnants — le cerveau de Hatch fut envahi d'images de vieux films d'horreur : le-monstre-du-lagon avançant par saccades, comme un crabe, vers sa proie ; la-créature-de-la-crypte traînant les pieds sur le chemin d'un cimetière sous une lune gibbeuse ; la-chose-d'un-autre-monde se déplaçant sur Dieu seul savait quelles pattes cornues d'araignée et de reptile.

BOOUUMM !

La fenêtre trembla.

Ou était-ce son imagination ?

Sccccuuurrr...

Un frisson remonta le long de sa colonne vertébrale.

BOOUUMM !

Il jeta un regard à l'avocat inquiet, au prêtre qui secouait la tête, à son compagnon plus jeune qui écarquillait les yeux, aux deux religieuses blafardes, puis il s'intéressa de nouveau à la porte et se demanda avec quelle infirmité exactement cette enfant était née ; il s'attendait à voir apparaître une silhouette grande et tordue, ressemblant à Charles Laughton dans *Quasimodo*, avec des crocs inquiétants, tandis que sœur Immaculata se tournerait vers lui et dirait :

— *Vous comprenez, monsieur Harrison, Regina n'a pas été confiée à la garde des bonnes sœurs de Saint-Thomas par des parents ordinaires, mais par un laboratoire où les savants mènent des recherches génétiques...*

Une ombre franchit le seuil.

Hatch se rendit compte, tout à coup, que Lindsey lui serrait la main à lui faire mal.

Les bruits bizarres cessèrent. Le silence de l'attente pesait sur la pièce.

La porte s'ouvrit lentement.

Regina fit un seul pas à l'intérieur. Elle tira sa jambe droite comme si c'était un poids mort : *Sccccuuurrr...* Puis la laissa retomber sur le sol : *BOOUUMM !*

Elle s'immobilisa et son regard se posa alternativement sur chacun des présents. Avec un air de défi.

Hatch avait du mal à croire qu'elle avait été à l'origine de ces sons inquiétants. Elle était petite, pour ses dix ans, et d'une apparence plus menue que la moyenne des enfants de cet âge. Ses taches de rousseur, son nez mutin, et ses beaux cheveux auburn foncé la disqualifiaient tout à fait pour le rôle du monstre-du-lagon ou de toute autre créature effrayante, encore qu'il y eût quelque chose dans ses yeux gris solennels que Hatch ne s'attendait pas à trouver dans ceux d'une enfant. Une conscience d'adulte. Une grande lucidité. Mais à part ces yeux et une aura déterminée, la fillette semblait fragile, terriblement délicate et vulnérable.

Hatch se souvint d'un magnifique bol de porcelaine chinoise du XVIIIe siècle, à motif de mandarin, qu'il proposait actuellement dans sa boutique de Laguna Beach. Il sonnait comme une cloche lorsqu'on le frappait doucement du bout du doigt et on sentait qu'il éclaterait en mille morceaux si on le frappait trop fort. Mais lorsqu'on l'étudiait de plus près, posé sur son socle d'exposition en résine, le temple et les scènes de jardin, peints à la main sur ses flancs, les motifs floraux sur son bord intérieur étaient d'une telle qualité et d'une telle puissance que l'on avait soudain conscience de l'âge de cette pièce ainsi que du poids de son histoire. Et l'on ne tardait pas à être convaincu, malgré son apparence, qu'il rebondirait s'il tombait, qu'il fendrait toute surface qu'il toucherait et que lui-même n'aurait pas la moindre ébréchure...

Sachant que ce moment lui appartenait — à elle et à elle seule —, Regina se dirigea par saccades vers le canapé où Lindsey et Hatch étaient assis ; le bruit qu'elle faisait diminua quand elle quitta le plancher en bois et passa sur le tapis persan. Elle portait un chemisier blanc et une jupe vert-jaune qui lui descendait à six centimètres au-dessus des genoux, des chaussettes vertes, des chaussures noires — et sur la jambe droite, un appareil orthopédique en métal, qui allait de la cheville jusqu'au-dessus du genou et ressemblait à un appareil de torture du Moyen Age. Sa claudication était si prononcée que ses hanches se balançaient à chaque pas comme si elle allait perdre l'équilibre.

Sœur Immaculata se leva et demanda à Regina, avec un regard mauvais marquant sa désapprobation :

— Quelle est la raison exacte de cette attitude mélodramatique, mademoiselle ?

Ignorant la question de la religieuse, la fillette répondit :

— Je suis désolée d'être si en retard, ma sœur. Mais certains jours sont plus difficiles que d'autres.

Et sans laisser à la religieuse le temps de répondre, elle se tourna vers Hatch et Lindsey, qui avait lâché les mains de son mari et s'était levée.

— Salut. C'est moi, Regina. J' suis infirme.

Elle tendit la main pour leur dire bonjour, et Hatch fit de même, avant de s'apercevoir que sa main et son bras droits étaient mal formés. Son bras était presque normal, juste un tout petit peu plus maigre que le gauche, mais les os du poignet avaient un angle bizarre. Au lieu d'une main complète, elle n'avait que deux doigts et un moignon de pouce à la motricité limitée. Lui serrer la main était une étrange sensation, vraiment étrange, mais pas désagréable.

Ses yeux gris fixaient intensément ceux de Hatch. Essayaient de lire sa réaction. Il comprit immédiatement qu'il serait impossible de lui dissimuler ses véritables sentiments, et fut rassuré de n'avoir pas été gêné par sa difformité.

— Je suis très heureux de faire ta connaissance, Regina, dit-il. Je m'appelle Hatch Harrison et voici ma femme, Lindsey.

La fillette se tourna vers Lindsey et annonça en lui serrant la main :

— Bon, je sais que je vous déçois... Vous, les femmes sans enfant, vous préférez en général les bébés assez jeunes pour les bercer...

La Religieuse Sans Nom laissa échapper, le souffle coupé :

— Regina, vraiment !

Sœur Immaculata était trop proche de l'apoplexie pour parler — comme un pingouin gelé sur pied, bouche bée et yeux exorbités en signe de protestation, en proie à un froid trop intense même pour les oiseaux de l'Antarctique.

S'approchant des fenêtres, le père Jiminez dit :

— Monsieur et madame Harrison, je vous prie de m'excuser pour...

— Inutile de vous excusez, s'empressa de répondre Lindsey, comprenant, comme l'avait compris son mari, que la fillette les mettait à l'épreuve, et que pour passer le test, ils ne devaient pas se laisser embarquer dans une solidarité du genre adultes contre enfant.

Regina s'installa en sautant-se-tortillant-se-contorsionnant dans le second fauteuil, et Hatch eut l'impression qu'elle faisait exprès de paraître plus maladroite qu'elle ne l'était en réalité.

La Religieuse Sans Nom toucha doucement l'épaule de sœur Immaculata et celle-ci se laissa aller dans son fauteuil — mais toujours avec son air de pingouin congelé. Les deux prêtres s'installèrent sur les sièges des clients, devant le bureau de l'avocat, et la jeune religieuse prit une chaise dans le coin de la pièce et rejoignit leur petit groupe. S'apercevant qu'il était le seul à être encore debout, Hatch se rassit à côté de Lindsey sur le canapé.

Maintenant que tout le monde était là, Gujilio insista pour servir quelque chose à boire — Pepsi, *ginger ale*, Perrier —, et il le fit sans l'aide de sa secrétaire, allant tout chercher lui-même dans le petit bar dissimulé dans un angle lambrissé d'acajou de son élégant bureau. Tandis que l'avocat s'affairait, calme et rapide en dépit de sa stature, sans jamais heurter un meuble ni renverser un vase, sans faire d'ombre à l'une de ses deux lampes Tiffany aux abat-jour en verre soufflé en forme de calice, Hatch comprit que le gros homme n'était plus le personnage imposant, ni l'inévitable centre d'attention : il était incapable de rivaliser avec la fillette qui était pourtant au moins quatre fois plus petite que lui.

— Bon, dit Regina à Hatch et à Lindsey, en prenant — de sa main gauche, la bonne — le verre de Pepsi que lui tendait Gujilio, vous êtes là pour vous renseigner sur moi, alors j'espère pouvoir vous satisfaire à mon sujet. La première chose, bien sûr, c'est que je suis une estropiée... (Elle pencha la tête et les observa d'un air narquois.) Vous le saviez, que j'étais une estropiée ?

— Maintenant, nous sommes au courant, répondit Lindsey.

— Avant de venir, je veux dire.

— Nous savions que tu avais... un problème de ce genre, intervint Hatch.

— Des gènes mutants, dit Regina.

Le père Jiminez laissa échapper un profond soupir.

Sœur Immaculata sembla sur le point de dire quelque chose, jeta un coup d'œil à Hatch et à Lindsey, puis décida de garder le silence.

— Mes parents prenaient de la drogue..., ajouta la fillette.

— Regina ! protesta la Religieuse Sans Nom. Tu n'en es pas sûre ! Tu n'en sais rien.

— Bon, mais je le suppose, parce que ça fait au moins vingt ans maintenant que les drogues sont responsables de la plupart des naissances anormales. Est-ce que vous le saviez ? Je l'ai lu dans un bouquin. Je lis beaucoup. J' suis folle des livres. J' veux pas dire que je suis un rat de bibliothèque. Ça fait guimauve — vous trouvez pas ? Mais si j'étais un rat, j' serais planquée dans les livres plutôt que dans un garde-manger... C'est une bonne chose pour un enfant handicapé d'aimer les livres, parce que comme on ne vous laisse pas faire ce que font les gens normaux, même si vous êtes absolument certain d'en être capable, alors les livres c'est comme avoir une autre vie complètement différente. J'aime les récits d'aventures, quand ils vont au pôle Nord, ou sur Mars, ou à New York ou ailleurs. J'aime les bons romans policiers, aussi, et presque tous ceux d'Agatha Christie, mais j'aime surtout les histoires d'animaux et particulièrement les histoires d'animaux qui parlent, comme dans *The Wind in the Willows*[1]. J'ai eu un animal qui parlait, un jour. C'était juste un poisson rouge, et bien sûr en fait c'était moi qui parlais et pas le poisson, parce que j'avais lu ce livre sur les ventriloques et j'avais appris à faire ça et c'était sensas. Alors je m'asseyais de l'autre côté de la pièce et je projetais ma voix dans le bocal... (Elle commença à s'exprimer sans remuer les lèvres, d'une voix perçante qui semblait venir de la Religieuse Sans Nom :) *Salut, j' m'appelle Binky-le-Poisson et si vous essayez de me mettre dans un sandwich et de me bouffer, je ferais caca sur la mayonnaise.* (Elle reprit sa voix normale et haussa le ton pour couvrir les réactions des ecclésiastiques qui l'entouraient :) Là, z'avez un autre problème avec les infirmes comme moi. Ils ont parfois tendance à la ramener parce qu'ils savent que personne n'aura le cran de leur botter les fesses...

Sœur Immaculata donna l'impression qu'elle allait en être capable, *elle*, mais elle se contenta pourtant de grommeler

---

1. *Le Vent dans les saules,* de Kenneth Graham (*N.d.T.*).

quelque chose à propos d'une privation de télévision pendant une semaine.

Hatch, qui avait trouvé la religieuse aussi effrayante qu'un ptérodactyle à leur première rencontre n'était plus impressionné, maintenant, par son regard noir, pourtant intense. En fait, il ne pouvait pas détacher ses yeux de la fillette.

Regina poursuivit gaiement sans s'interrompre :

— ... En plus d'avoir quelquefois une grande gueule, ce qu'il faut que vous sachiez à mon sujet, c'est que je suis si maladroite, à me déplacer comme ça par à-coups comme Long John Silver — ça, c'était un bon livre — que je vais probablement casser tout ce qui a un peu de valeur dans votre maison. Je ne le fais jamais exprès, bien sûr. Mais ça va être un parcours de destruction régulier. Avez-vous assez de patience pour supporter ça ? Vu que je détesterais être assommée et bouclée au grenier juste parce que je suis une pauvre fille handicapée qui ne peut pas toujours se contrôler. Cette jambe ne semble pas si mauvaise que ça, j' vous assure, et si je continue à l'entraîner, je crois qu'elle sera assez belle, mais je n'ai pas vraiment beaucoup de force dedans, et en plus je sens vachement pas grand-chose. (Elle referma sa main droite déformée et s'en servit pour frapper si violemment la cuisse de sa jambe droite que Gujilio sursauta alors qu'il essayait de tendre un verre de *ginger ale* au jeune prêtre qui fixait, comme hypnotisé, la fillette. Elle se donna un second coup, si fort, que Hatch tressaillit, et elle reprit :) Vous voyez ? De la viande morte. A propos de viande, j' suis aussi une mangeuse difficile. J' digère absolument pas la viande morte. Oh, j' veux pas dire par là que je mange des animaux vivants. C' que je suis ? J' suis végétarienne, voilà, ce qui vous complique les choses, même en supposant que vous vous en fichiez qu' je ne sois pas un bébé tout doux qu' vous pourrez déguiser d'une façon charmante. Ma seule vertu, c'est que je suis très brillante, pratiquement géniale. Mais même ça, c'est un désavantage, pour certaines personnes. Je suis plus mûre que mon âge, et donc je n'agis pas beaucoup comme une enfant...

— Là pourtant, tu es certainement en train de te comporter comme un gosse, intervint sœur Immaculata, qui ne sembla pas mécontente de sa réplique.

Mais Regina l'ignora :

— ... alors que ce que vous désirez, après tout, c'est une

enfant, une petite chose précieuse et ignorante, pour lui faire découvrir le monde, pour avoir le plaisir de l'aimer à apprendre et à s'épanouir, tandis que ma floraison à moi est déjà bien avancée. Floraison intellectuelle, j'entends. J'ai pas encore de nénés. La télé me fatigue, aussi, ce qui signifie que je ne pourrai pas rejoindre la gentille famille chaque soir devant le poste, et je suis allergique aux chats, pour le cas où vous en auriez, et j'ai des opinions bien arrêtées, ce que certaines personnes trouvent exaspérant chez une fille de dix ans. (Elle s'interrompit un instant, but une gorgée de son Pepsi et leur sourit.) Voilà. Je pense que c'est bien plus clair comme ça.

— Elle n'est jamais ainsi, marmonna le père Jiminez, davantage à lui-même ou à Dieu, qu'à Hatch et à Lindsey.

Il avala la moitié de son Perrier comme si c'était un alcool fort.

Hatch se tourna vers Lindsey. Les yeux de sa femme étaient un peu perdus. Comme elle ne semblait pas savoir quoi répondre, il s'intéressa de nouveau à la fillette :

— Je suppose que ce n'est que justice, si maintenant c'est moi qui te raconte des choses sur nous.

Sœur Immaculata posa son verre et fit mine de se lever :

— Vraiment, monsieur Harrison, dit-elle, vous n'êtes pas obligé de répondre à...

Renvoyant poliment d'un geste de la main la religieuse à son siège, Hatch répliqua :

— Non, non. Ça va. Regina est un peu nerveuse...

— Pas particulièrement, dit Regina.

— Bien sûr, que tu l'es, fit Hatch.

— Non, j' le suis pas.

— Mais si, un peu, insista Hatch. Exactement comme Lindsey et moi. Tout va bien. (Il lui sourit d'un air aussi engageant que possible.) Bon, voyons voir... Depuis toujours je suis intéressé par les antiquités, un amour pour les choses qui durent, et j'ai mon magasin avec deux employés. C'est comme ça que je gagne ma vie. Moi non plus je n'aime pas beaucoup la télévision, et...

— C'est quoi, Hatch, comme prénom ? l'interrompit la fillette.

Et elle gloussa, comme pour signifier que c'était trop drôle pour être le nom de quelqu'un, sauf peut-être d'un poisson rouge capable de parler.

— Mon prénom complet, c'est Hatchford.

— C'est marrant quand même.

— C'est ma mère qu'il faut blâmer, répliqua Hatch. Elle a toujours cru que mon papa allait gagner beaucoup d'argent et nous faire grimper socialement et elle pensait que Hatchford sonnait vraiment comme un nom de la haute : Hatchford Benjamin Harrison. Il n'y aurait eu qu'un seul nom plus beau, pour elle : Hatchford Benjamin Rockefeller.

— Il l'a fait ? demanda la fillette.

— Qui a fait quoi ?

— Est-ce que ton père a fait beaucoup d'argent ?

Hatch adressa un clin d'œil prononcé à Lindsey et s'exclama :

— On dirait bien qu'on est tombés sur une vraie aventurière !

— Si vous étiez riches, poursuivit Regina, ce serait à prendre en considération, bien sûr.

Sœur Immaculata laissa échapper un peu d'air entre ses dents, et la Religieuse Sans Nom s'appuya contre le dossier de son fauteuil, et ferma les yeux avec une mimique résignée. Le père Jiminez se leva et, faisant signe à Gujilio de ne pas s'occuper de lui, il fila au bar se servir quelque chose de plus fort que le Perrier, le *ginger ale* ou le Pepsi. Comme ni Hatch ni Lindsey ne semblaient vraiment offensés par le comportement de Regina, personne ne se sentit autorisé à mettre fin à l'entretien ou même à réprimander la fillette.

— J'ai bien peur que nous ne soyons pas riches, répondit Hatch. A l'aise, ça oui ! Nous ne manquons de rien. Mais nous ne roulons pas au volant d'une Rolls Royce et nous ne portons pas de pyjamas couleur caviar.

Une lueur de vrai amusement passa sur le visage de Regina — qui se ferma aussitôt, se tourna vers Lindsey, et lui demanda :

— Et toi ?

Lindsey cligna des yeux. Elle s'éclaircit la gorge.

— Euh, eh bien, je suis une artiste. Un peintre.

— Comme Picasso ?

— Pas dans ce style-là, non, mais une artiste comme lui.

— J'ai vu une peinture, une fois, des chiens qui jouaient au poker, dit la fillette. Est-ce que tu peins des trucs comme ça ?

— Non, je crains que non, dit Lindsey.

— Parfait. C'était stupide. J'ai vu aussi un tableau d'un taureau et d'un toréador. C'était en velours, avec des couleurs très brillantes. Est-ce que tu peins avec des couleurs très brillantes sur du velours ?

— Non, répondit Lindsey. Mais si tu aimes ce genre de chose, je peindrai tout ce que tu voudras sur du velours, pour ta chambre.

Regina grimaça.

— Siooouplaît... J' préférerais mettre un chat mort sur le mur.

Rien ne pouvait plus étonner les gens de Saint-Thomas. En fait, le jeune prêtre ébaucha un sourire et sœur Immaculata murmura « un chat mort » non pas avec exaspération, mais comme si elle estimait qu'une décoration si macabre était préférable, en effet, à une peinture sur velours.

— Mon style, précisa Lindsey, pour défendre sa réputation après avoir proposé de peindre quelque chose de si laid, est généralement décrit comme un mélange de néo-classicisme et de surréalisme. Je sais que ce sont de bien grands mots...

— Ben, c'est pas le genre de choses que je préfère, l'interrompit Regina, comme si elle pouvait avoir la moindre idée de ce à quoi ressemblaient ces styles et ce que pouvait donner un mélange des deux... Si je venais vivre avec vous et que j'avais une chambre à moi, tu ne m'accrocherais pas beaucoup de *tes* peintures sur mes murs, n'est-ce pas ?

Elle avait appuyé sur le « tes » de façon à lui faire comprendre qu'elle préférait encore un chat mort, même sans velours.

— Pas une seule, lui promit Lindsey.

— Parfait.

— Tu penses que ça te plairait de vivre avec nous ? interrogea alors Lindsey, et Hatch se demanda si cette perspective faisait envie à sa femme ou la terrifiait.

Brusquement, la fillette se débattit pour s'extraire de son fauteuil, et se remit sur ses pieds en chancelant, comme si elle allait s'écrouler la tête la première sur la table basse. Hatch se leva, prêt à la retenir, même s'il avait dans l'idée que cela aussi faisait partie de la représentation.

Lorsqu'elle retrouva son équilibre, elle reposa son verre de Pepsi, qu'elle avait vidé, et annonça :

— Faut que j' file faire pipi, j'ai une faiblesse de la vessie. A cause de mes gènes mutants. J'arrive jamais à me retenir. La plupart du temps, j'ai l'impression que je vais tout lâcher dans les endroits les plus gênants, comme maintenant, ici, dans le bureau de monsieur Gujilio — ce qui est quelque chose à quoi vous devriez probablement réfléchir avant de me prendre chez vous. Vous avez sans doute tout un tas de belles choses, puisque vous êtes dans les antiquités et dans l'art, des belles choses que vous n'avez pas envie de salir, et puis voilà que moi je m'écroule sur tout, et que je casse tout, ou pire que j'ai un problème d'incontinence sur un truc hors de prix. Alors, vous me ramènerez à l'orphelinat, et moi je prendrai ça tellement à cœur que je grimperai tant bien que mal sur le toit et que je me jetterai de là, un suicide vraiment tragique, qu'aucun d'entre nous n'a envie de voir se produire. Ravie d'avoir fait votre connaissance.

A ces mots, elle leur tourna le dos et, en se contorsionnant, elle traversa le tapis persan et puis franchit la porte de sa démarche invraisemblable — *scccuuuurrr... BOOUUUM!* — qu'elle devait, sans doute, à ce même talent qui lui permettait de faire parler son poisson rouge. Ses cheveux auburn foncé se balançaient et brillaient comme des flammes.

Ils restèrent tous silencieux, à écouter la fillette qui s'éloignait bruyamment. A un moment, elle alla taper contre le mur avec un violent *Braoum!*, qui dut lui faire mal, mais elle reprit courageusement sa marche.

— Elle n'a pas de problème de vessie, bien sûr, dit le père Jiminez, en buvant une gorgée de son grand verre de liquide ambré. (Il semblait être passé au bourbon, maintenant.) Ça ne fait pas partie de son infirmité.

— Elle n'est pas vraiment comme ça, ajouta le père Duran en clignant des yeux comme si de la fumée les piquait. C'est une enfant délicieuse. Je sais que ça doit être difficile à croire, là, sur le moment...

— Et elle marche bien mieux que ça, infiniment mieux, précisa la Religieuse Sans Nom. Je ne sais pas ce qui lui a pris.

— Moi je comprends, intervint sœur Immaculata. (Elle passa sa main sur son visage, avec lassitude. Ses yeux étaient tristes.) Il y a deux ans, elle avait huit ans, nous l'avons confiée à des parents adoptifs. Un couple dans la trentaine à qui on avait dit qu'il ne pourrait pas avoir d'enfants. Ils étaient persuadés que prendre une gamine handicapée serait une bonne action. Regina vivait chez eux depuis deux semaines, et ils étaient dans la phase d'essai de l'adoption lorsque la jeune femme s'est retrouvée enceinte. Ces gens, tout à coup, allaient avoir leur propre enfant, et l'adoption ne leur parut plus une aussi bonne idée.

— Et ils ont rendu Regina ? demanda Lindsey. Ils s'en sont juste débarrassée en la ramenant à l'orphelinat ? Que c'est affreux !

— Je ne les juge pas, répondit sœur Immaculata. Ils ont peut-être senti qu'ils n'avaient pas en eux assez d'amour pour leur enfant et pour cette pauvre Regina, et dans ce cas-là, ils ont fait ce qui convenait. Regina ne mérite pas d'être élevée dans un foyer où à chaque minute de chaque jour elle aurait conscience d'être la seconde, la seconde en amour, quelque chose comme une étrangère. Cela dit, ce rejet l'a brisée. Il lui a fallu longtemps pour retrouver sa confiance en elle. Et maintenant, je crois qu'elle n'a pas envie de courir le risque de nouveau.

Ils se levèrent en silence.

Dehors, le soleil brillait. Les palmiers se balançaient doucement. Entre les arbres, on apercevait Fashion Island, le centre commercial de Newport Beach et le complexe d'affaires, à la périphérie duquel se trouvait le bureau de Gujilio.

— Parfois, avec les enfants sensibles, une seule mauvaise expérience suffit à ruiner toutes leurs chances. Ils refusent un autre essai. J'ai peur que notre Regina soit de ceux-là. Elle est venue ici décidée à susciter votre hostilité et à saboter l'entretien, et elle y a réussi d'une façon singulière.

— C'est comme quelqu'un qui a été en prison toute sa vie, intervint le père Jiminez. Lorsqu'il se retrouve en liberté conditionnelle, il est d'abord tout excité, et puis il découvre qu'il ne s'habitue pas à l'extérieur. Alors il commet un crime juste pour retourner en prison. L'institution est peut-être contraignante et peu satisfaisante, mais on la connaît, on y est en sécurité.

Salvatore Gujilio s'agitait, débarrassait les gens de leurs verres vides. C'était toujours un homme énorme à tous les points de vue, mais il ne dominait plus la pièce comme avant l'apparition de Regina. Il venait d'être diminué pour toujours par cette seule comparaison avec cette enfant délicate, son petit nez mutin et ses yeux gris.

— Je suis si désolée, dit sœur Immaculata, en posant une

main consolante sur l'épaule de Lindsey. Nous essaierons encore, ma chère. Nous vous trouverons un autre enfant qui vous ira, l'enfant parfait ce coup-ci.

2

Lindsey et Hatch quittèrent le bureau de Salvatore Gujilio à quinze heures dix, ce jeudi-là. Ils s'étaient entendus pour ne pas évoquer cet entretien jusqu'au dîner, et se donner du temps pour réfléchir à cette rencontre et à leurs propres réactions. Ils ne voulaient ni l'un ni l'autre prendre une décision basée sur l'émotion, ni s'influencer mutuellement et agir sous le coup de leurs premières impressions — et puis passer leur vie à le regretter.

Bien sûr, ils n'avaient pas imaginé un instant que la rencontre prendrait cette tournure. Lindsey avait très envie d'en discuter. Elle supposait que leur décision était déjà arrêtée, que c'était la fillette qui avait choisi pour eux, et qu'il était inutile d'y penser plus longtemps. Mais ils étaient tombés d'accord pour attendre, et Hatch ne semblait pas d'humeur à violer cet accord, si bien qu'elle n'ouvrit pas la bouche.

Elle était au volant de leur nouvelle Mitsubishi rouge cerise. Hatch était assis à côté d'elle, ses lunettes de soleil sur le nez ; le bras droit sorti par la vitre ouverte, il écoutait à la radio un vieux tube de l'âge d'or du rock'n'roll — *Please, Mister Postman,* des Marvelettes —, et il battait la mesure avec ses doigts contre la carrosserie.

Lindsey dépassa le dernier palmier géant du Newport Center Drive, et prit à gauche sur la Pacific Coast Highway, longea des murs couverts de vigne vierge et se dirigea vers le sud. Cette journée de la fin avril était tiède mais pas encore chaude, avec un ciel d'un bleu profond qui, vers le soir, prendrait une luminescence électrique rappelant ceux du peintre Maxfield Parrish. Le trafic était fluide, et l'océan brillait comme un grand morceau de tissu pailleté d'or et d'argent.

Depuis presque deux mois, une douce gaieté berçait Lindsey, l'allégresse d'être simplement vivante, que chaque enfant ressentait mais que la plupart des adultes oubliaient en grandissant. Elle l'avait oubliée, elle aussi, sans s'en rendre compte. Mais frôler la mort de très près était exactement ce qui pouvait vous redonner la *joie de vivre* de l'extrême jeunesse.

A plus de deux étages sous l'Enfer, nu sous une couverture jetée sur son matelas taché et affaissé, Vassago passa la journée à dormir. Son sommeil débordait généralement de chairs violées et d'os brisés, de sang et de bile, de vastes étendues de crânes humains. Parfois, il rêvait de multitudes mourant dans des souffrances affreuses sur un sol désertique surplombé par un ciel noir, tandis que lui, il marchait parmi elles tel un prince de l'Enfer au milieu de la vulgaire foule des damnés...

Les rêves qui s'emparèrent de lui ce jour-là, cependant, étaient d'une étrange et remarquable banalité. Une femme aux cheveux et aux yeux noirs, au volant d'une voiture rouge cerise, vue par les yeux d'un homme qu'il n'apercevait pas, assis à côté d'elle. Des palmiers. Des bougainvilliers écarlates. L'océan pailleté de lumière.

Harrison's Antiques était situé à l'extrémité sud de Laguna Beach, sur la Pacific Coast Highway. C'était un élégant immeuble Arts-Déco d'un étage, qui faisait un contraste intéressant avec la marchandise des XVIIIe et XIXe siècles exposée dans ses grandes vitrines.

Glenda Dockridge, l'assistante de Hatch et gérante du magasin, aidait Lew Booner, leur homme à tout faire, à donner un coup de chiffon. Dans un magasin d'antiquités, épousseter, c'était comme repeindre le Golden Gate : quand on avait atteint l'extrémité, il était temps de tout recommencer. Glenda était de très bonne humeur parce qu'elle venait de vendre un meuble à tiroirs Napoléon III, en laque noire, serti d'or moulu, avec des panneaux japonais, et au même client une table italienne polygonale du XIXe, dont le plateau décoré d'une marqueterie raffinée se rabattait. C'étaient là deux excellentes ventes — d'autant qu'elle touchait une commission, en plus de son salaire.

Tandis que Hatch parcourait le courrier et s'arrêtait sur certaines lettres tout en examinant deux guéridons de palais du xviiie siècle en bois de rose, marquetés de dragons de jade, qu'un correspondant de Hong Kong venait d'envoyer, Lindsey aidait Glenda et Lew à faire la poussière. Dans son état d'esprit actuel, même ces simples travaux de ménage étaient un plaisir. Ils lui donnaient la possibilité d'apprécier les détails des antiquités — la spire d'un épi sur une lampe de bronze, la sculpture d'un pied de table, les bords délicatement épinglés et terminés à la main d'une service de porcelaines anglaises du xviiie siècle... Tandis qu'elle méditait sur l'histoire et la signification culturelle de chacune de ces pièces, tout en les nettoyant avec entrain, elle se dit que sa nouvelle attitude avait quelque chose de zen.

Au crépuscule, sentant l'approche de la nuit, Vassago se réveilla et s'assit dans cette espèce de tombe qu'était son foyer. Il était affamé de mort. Il avait besoin de tuer.

La dernière image onirique dont il se souvenait, c'était la femme à la voiture rouge. Elle ne se trouvait plus dans son véhicule, mais dans une pièce qu'il ne voyait pas distinctement. Elle essuyait avec un chiffon blanc un paravent chinois. Elle se retournait soudain, comme s'il venait de lui parler, et souriait.

Ce sourire était si radieux, si plein de vie, que Vassago eut envie d'écraser son visage à coups de marteau, de lui casser toutes les dents, de lui briser les mâchoires, de l'empêcher de rire de nouveau...

Ces dernières semaines, il avait rêvé d'elle à deux ou trois reprises. La première fois, elle était dans un fauteuil roulant, et elle riait et pleurait en même temps.

De nouveau, il fit travailler sa mémoire, mais son visage ne correspondait à aucun de ceux qu'il avait vus dans la réalité. Il se demanda qui était cette femme et pourquoi elle lui rendait visite dans son sommeil.

A l'extérieur, la nuit tombait. Il la *sentait* descendre. Un immense drap noir qui donnait au monde un avant-goût de mort à la fin de chaque journée ensoleillée.

Il s'habilla et quitta sa cachette.

A dix-neuf heures, en cette nuit du début du printemps, Lindsey et Hatch étaient chez Zov, un restaurant de Tustin, petit mais très fréquenté. Le décor était presque entièrement en noir et blanc, avec de grandes fenêtres et des miroirs. Le personnel, d'une gentillesse et d'une efficacité jamais démenties, était habillé de noir et de blanc, des vêtements assortis au design de la longue salle. Quant à la nourriture que l'on servait ici, c'était une expérience des sens si parfaite que cet établissement monochrome semblait resplendir de couleurs.

Le bruit était plus convivial que désagréable. Ils n'avaient nul besoin d'élever la voix pour s'entendre et le bourdonnement des conversations en fond sonore leur offrait, croyaient-ils, un écran qui les protégeait des tables voisines.

Tout en savourant leurs entrées — calamars et soupe de haricots noirs —, ils discutèrent de choses et d'autres. Mais lorsqu'on leur apporta le plat principal — de l'espadon pour tous les deux — Lindsey ne put se retenir plus longtemps. Elle dit :

— D'accord, c'est bon, on a eu toute la journée pour ruminer là-dessus. On ne s'est pas mutuellement influencés. Alors, qu'est-ce que tu penses de Regina ?

— Qu'est-ce que *toi*, tu penses de Regina ?

— Toi d'abord.

— Pourquoi moi ?

— Et pourquoi pas ? fit Lindsey.

Il prit une profonde inspiration, hésita, répondit :

— Je suis fou de cette gosse.

Lindsey eut l'impression de sauter en l'air et d'ébaucher quelques pas de danse, à la façon dont un personnage de dessin animé aurait exprimé une joie irrépressible, parce que le plaisir et l'émotion qu'elle éprouvait en cet instant étaient plus brillants et plus puissants qu'ils étaient censés l'être dans la vie réelle. Elle avait espéré cette réaction-là de sa part, mais elle ne savait pas ce qu'il allait répondre, non, vraiment elle n'en avait pas la moindre idée, parce que la rencontre avait été... eh bien, le mot qui convenait aurait pu être : « décourageante ».

— Oh, mon Dieu, je l'aime, dit Lindsey. Elle est si mignonne.

— C'est une dure à cuire.

— Elle joue la comédie.

— D'accord, elle nous a fait du cinéma, mais c'est quand

même une dure à cuire. Elle est obligée de l'être. La vie ne lui en a pas laissé le choix.

— Mais c'est une *gentille* dure à cuire.

— C'est une dure super, reconnut-il. Et je ne dis pas que ça me gêne. J'admire ce truc-là et j'aime cette petite.

— Elle est si éveillée !

— Elle faisait un tel effort pour être désagréable ! dit Hatch. Ça la rendait encore plus attendrissante.

— La pauvre gosse. Pour ne pas être rejetée de nouveau, elle a pris l'offensive.

— Quand je l'ai entendue arriver dans le couloir, j'ai pensé que c'était...

— ... Godzilla ! s'exclama Lindsey.

— Au moins. Et comment aimes-tu Binky le poisson qui parle ?

— Quand il fait caca dans la mayonnaise ! s'exclama Lindsey.

Ils éclatèrent de rire et les clients, aux tables voisines, se retournèrent pour les regarder, à cause de leurs rires, ou parce qu'ils avaient entendu ce que Lindsey venait de dire — ce qui les fit rire encore plus fort.

— Elle ne va pas nous laisser une minute de répit, dit Hatch.

— Ça va être un rêve.

— Rien n'est aussi facile.

— *Elle*, oui, elle le sera, dit Lindsey fermement.

— Y'a quand même un problème.

— Lequel ?

Il hésita.

— Qu'est-ce qu'on fait si elle ne veut pas de nous ?

Le sourire de Lindsey se figea sur ses lèvres.

— Elle acceptera. Elle viendra.

— Peut-être que non.

— Ne sois pas négatif.

— Je dis simplement qu'on doit se préparer à être déçus.

Lindsey secoua la tête, inflexible.

— Non. Ça va marcher. Il le faut. On a eu plus que notre lot de malchance. On mérite mieux. La roue a tourné. On va être de nouveau une vraie famille. La vie va être bonne et belle. Le plus dur est derrière nous, maintenant...

3

Cette même nuit de jeudi, Vassago apprécia la salle de bains d'une chambre de motel.

Généralement, il utilisait un terrain vague, derrière le parc de loisirs abandonné. Il se lavait aussi, tous les soirs, avec de l'eau en bouteille et du savon liquide. Il se rasait avec un rasoir à manche, une bombe de mousse et un bout de miroir cassé ramassé dans un coin du parc.

Lorsque la pluie tombait, certains soirs, il aimait se laver en plein air et laisser l'eau ruisseler sur son corps. Si c'était un orage avec de la foudre, il allait à l'endroit le plus élevé du parc, dans l'espoir de bénéficier des faveurs de Satan et d'être rappelé au pays des morts par un éclair scintillant. Mais la saison pluvieuse de la Californie du Sud était terminée, maintenant, et on ne verrait sans doute plus d'orages avant décembre prochain. S'il gagnait son retour chez les morts et les damnés avant cette date, ce ne serait pas la foudre qui le délivrerait de ce monde détesté.

Une fois par semaine, parfois deux, il louait une chambre de motel pour utiliser la douche et faire une meilleure toilette que ce que lui permettaient les conditions primitives de sa cachette — encore que l'hygiène fût sans importance pour lui. La crasse, aussi, était attirante. L'air et l'eau de l'Enfer, où il désirait retourner, étaient pleins d'une infinie variété de vermines. Mais s'il devait se déplacer parmi les vivants et y prélever ses proies pour augmenter sa collection qui lui vaudrait d'être réadmis dans le royaume des damnés, il se devait de respecter quelques règles pour ne pas trop attirer l'attention. Entre autres, conserver un certain degré de propreté.

Il utilisait toujours le même motel, le Blue Skies, un trou miteux à l'extrémité sud de Santa Ana, où le réceptionniste pas rasé n'acceptait que du liquide, ne demandait pas de pièce d'identité, et ne regardait jamais ses clients dans les yeux, comme s'il avait peur de ce qu'il pourrait y voir, ou de ce que *ceux-ci* risquaient de découvrir dans les siens. Le quartier était une vraie zone, envahie de dealers et de prostituées. Vassago était l'un des rares hommes qui ne venaient pas dans ce motel avec une pute. Il n'y restait qu'une heure ou deux, cependant, ce qui correspondait à la durée de l'utilisation moyenne des chambres par les clients, et il bénéficiait du même anonymat que ceux qui, grognant et suant, faisaient claquer bruyamment les têtes de leur lit contre les murs des chambres contiguës à la sienne.

Il n'aurait pas pu vivre ici à temps plein, ne serait-ce que parce que la conscience qu'il avait des accouplements frénétiques de ces salopes et de leurs michetons, et des besoins urgents et des rythmes fous des vivants, l'emplissait de colère et d'angoisse et lui donnait la nausée. L'ambiance de l'endroit l'empêchait de penser clairement et de se reposer, même si la perversion et la démence régnant en ces lieux étaient les seules choses auxquelles il avait pris plaisir lorsqu'il faisait encore partie des vivants.

Aucun autre motel, aucune autre pension n'auraient été des endroits sûrs. On lui aurait demandé son identité. En outre, il pouvait faire croire qu'il appartenait aux vivants tant qu'il n'avait que des contacts épisodiques avec eux. N'importe quel réceptionniste de motel, n'importe quel propriétaire qui se serait intéressé à lui et l'aurait rencontré régulièrement n'aurait pas tardé à se rendre compte qu'il était différent — d'une façon indéfinissable et pourtant très troublante.

En tout cas, pour éviter d'attirer l'attention, il préférait habiter le parc de loisirs. C'était dans un endroit de ce genre que les autorités lancées à sa recherche avaient le moins de chances de le retrouver. Et, surtout, le parc lui offrait la solitude, le calme des cimetières, et des zones de parfaite obscurité où se réfugier pendant la journée, lorsque ses yeux hypersensibles devaient éviter la violente intensité du soleil.

Les motels n'étaient valables qu'entre le crépuscule et l'aube.

En cette nuit de jeudi, d'une température agréable, alors qu'il sortait du bureau du Blue Skies Motel la clé de sa chambre à la main, il remarqua une Pontiac qui lui était familière, garée dans l'ombre au fond du parking, l'avant tourné non pas vers le motel mais vers le bureau. La voiture était là aussi le dimanche précédent, la dernière fois qu'il avait utilisé le Blue Skies. Un homme était penché sur son volant, comme s'il dormait ou simplement attendait quelqu'un. Ce même homme était là, aussi, dans la nuit de l'autre dimanche, dissimulé par l'obscurité et les reflets des lumières sur son pare-brise.

Vassago amena sa Camaro jusqu'à la chambre Six, à peu

près au milieu de la branche la plus longue de la structure en forme de L du motel, se gara devant, et entra. Il n'avait pour tout bagage que des vêtements de rechange — noirs, comme ceux qu'il portait.

Une fois à l'intérieur, il n'alluma pas. Il ne le faisait jamais.

Il resta debout un instant, le dos appuyé contre la porte, à penser à la Pontiac et à l'homme penché sur son volant. Ce n'était peut-être qu'un dealer qui travaillait dans sa voiture. Les trafiquants grouillaient dans les environs, plus nombreux encore que les cafards qui pullulaient dans ce motel délabré. Mais alors où étaient ses clients avec leurs yeux nerveux et leurs liasses de billets crasseux ?

Vassago jeta ses vêtements sur le lit, rangea ses lunettes noires dans la poche de sa veste et pénétra dans la petite salle de bains. Elle sentait le désinfectant qui avait été répandu à la va-vite, mais ne pouvait dissimuler un mélange d'odeurs corporelles infectes.

Une fenêtre, en haut du mur du fond de la douche, dessinait un rectangle de lumière pâle. Vassago tira la porte vitrée qui grinça comme si elle se déplaçait le long d'un rail rouillé, et il entra dans la cabine. La fenêtre s'ouvrait vers l'extérieur, sur des gonds rouillés. Il attrapa le rebord, au-dessus de sa tête, se glissa dans l'ouverture et se retrouva dans l'allée de service, derrière le motel.

Il s'immobilisa une seconde pour remettre ses lunettes noires. Tout proche, un lampadaire à vapeur de sodium donnait une lumière jaunâtre qui lui irritait les yeux comme du sable charrié par le vent. Les lunettes adoucirent la luminosité qui l'entourait et éclaircirent sa vision.

Il prit à droite, alla jusqu'au bout des bâtiments, tourna de nouveau à droite dans la rue adjacente, puis encore à droite au coin suivant, faisant ainsi le tour du motel. Il se faufila à l'extrémité de la branche la plus courte de l'immeuble en L, et longea le passage couvert des dernières chambres jusqu'au moment où il se retrouva derrière la Pontiac.

A ce moment-là, cette partie du motel était calme. Personne n'entrait ni ne sortait des chambres.

L'homme, au volant, laissait pendre son bras gauche par la vitre ouverte de la portière. S'il avait jeté un coup d'œil à son rétroviseur, il aurait pu voir Vassago approcher, mais toute son attention était concentrée sur la chambre Six de l'autre branche du L.

Vassago tira brusquement la portière vers lui, et comme le type commençait à tomber, il lui donna un coup violent au visage, utilisant son coude comme un bélier, ce qui était plus efficace qu'un poing, sauf qu'il ne le frappa pas assez directement. L'homme fut sonné, mais pas assommé, il réussit à sortir de la Pontiac et essaya de se défendre. Mais il était lourd et lent. Un coup de genou dans les testicules le ralentit encore plus. Il se cassa en deux avec des haut-le-cœur, et Vassago se recula et lui envoya un coup de pied. L'inconnu s'écroula sur le côté et quand il fut par terre Vassago lui administra un second coup de pied — dans la tête, cette fois. Le type perdit connaissance.

Vassago entendit un cri de surprise ; il se retourna et découvrit une prostituée en mini-jupe, aux cheveux blonds frisés, accompagnée d'un homme d'âge moyen, presque chauve, vêtu d'un costume bon marché. Ils sortaient de la chambre d'à côté. Ils considérèrent bouche bée l'homme étendu par terre. Puis Vassago. Ce dernier soutint leur regard jusqu'au moment où ils se réfugièrent dans leur chambre et refermèrent la porte derrière eux.

L'homme évanoui était lourd, il devait peser dans les cent kilos, mais Vassago était bien assez fort pour le soulever. Il l'installa dans sa propre voiture, sur le siège du passager. Puis il se glissa derrière le volant, démarra et s'éloigna du Blue Skies.

Il dépassa plusieurs pâtés de maisons et tourna dans une rue bordée de pavillons construits trente ans plus tôt qui vieillissaient mal. Des lauriers et des flamboyants bordaient les trottoirs et mettaient la seule note de gaieté dans ce quartier à la dérive. Il gara la Pontiac contre le trottoir. Il coupa le moteur et éteignit toutes les lumières.

Comme il n'y avait pas de lampadaires dans les environs, il ôta ses lunettes noires pour fouiller l'homme toujours inconscient. Il découvrit un revolver chargé dans un holster, sous sa veste, et le récupéra.

L'inconnu avait deux portefeuilles. Le premier, et le plus épais, contenait trois cents dollars en liquide, que prit Vassago, ainsi que des cartes de crédit et des photos de gens qui ne lui disaient rien, un reçu pour un nettoyage à sec, une carte perforée « Dix achats — un gratuit » d'une boutique de surgelés, un permis de conduire indiquant que l'homme se nommait Morton Redlow et qu'il était d'Anaheim, et d'autres papiers sans importance. Le second portefeuille était très mince, ce n'était en fait qu'un porte-cartes en cuir, avec une licence de détective privé et un permis de port d'arme.

Dans la boîte à gants, Vassago ne trouva que des barres de chocolat fourré et un roman policier. Dans le vide-poches entre les deux sièges, il y avait des chewing-gums, des pastilles à la menthe pour l'haleine, une autre barre de chocolat, et une carte routière du comté d'Orange.

Il étudia la carte un instant, puis redémarra. Il se dirigea vers Anaheim et l'adresse indiquée sur le permis de conduire de Redlow.

Il avait déjà parcouru un peu plus de la moitié du chemin lorsque Redlow commença à grogner et à s'agiter, comme s'il allait reprendre conscience. Tout en conduisant d'une seule main, Vassago sortit le revolver trouvé sur l'homme et lui en administra un coup sur le côté de la tête.

Redlow redevint calme.

4

L'un des cinq enfants qui partageaient la table de Regina, au réfectoire, se nommait Carl Cavanaugh ; il avait huit ans et se conduisait vraiment, à chaque seconde de son existence, comme le gosse de huit ans qu'il était. Il était paraplégique, condamné à la chaise roulante, ce qu'on aurait pu considérer comme un handicap suffisant, mais son sort était encore bien pire parce que c'était un vrai crétin. Leurs assiettes n'étaient pas plus tôt sur la table que Carl déclara :

— J'adore les vendredis après-midi et vous savez pourquoi ? (Il ne laissa à personne la moindre chance d'exprimer un manque d'intérêt pour le sujet.) Parce que le jeudi soir, on nous file toujours des haricots *et* de la soupe de pois cassés, et donc le vendredi après-midi on peut lâcher des pets bien mouillés...

Les autres enfants grognèrent de dégoût. Regina se contenta de l'ignorer.

Idiot ou pas, Carl avait raison : le jeudi soir, à la maison d'enfants de Saint-Thomas, il y avait toujours, au dîner, de la soupe de pois cassés, du jambon, des haricots verts, des pommes de terre au beurre et aux herbes et, comme dessert, une portion de Jell-O aux fruits avec une goutte de fausse crème fouettée. Parfois, les religieuses forçaient sur le xérès, ou simplement elles devenaient folles à force de rester trop longtemps dans des habits qui les étouffaient, et si c'était un jeudi qu'elles perdaient le contrôle d'elles-mêmes, on avait du maïs au lieu des haricots verts, ou si elles forçaient vraiment la dose, peut-être deux biscuits à la vanille avec la Jell-O.

Ce jeudi-là, le menu ne leur réservait aucune surprise, mais Regina n'aurait même pas remarqué s'il y avait eu du filet mignon, ou du pâté de vache. Enfin, bon, d'accord, elle aurait sans doute repéré un pâté de vache sur son assiette, mais cela ne l'aurait pas gênée de le voir remplacer les haricots verts, parce que de toute façon elle n'aimait pas les haricots verts. C'était le jambon qu'elle aimait. Elle avait menti aux Harrison quand elle leur avait dit qu'elle était végétarienne, s'imaginant que ces problèmes diététiques seraient une raison supplémentaire de la rejeter dès le début, sans attendre plus longtemps, quand cela lui aurait fait bien plus mal. Mais tout en mangeant, elle n'accordait aucune attention à sa nourriture, ni à la conversation des autres enfants, à sa table : elle repensait à la réunion dans le bureau de M. Gujilio, cet après-midi-là.

Elle avait tout bousillé.

On allait être obligé de construire un musée des Plus Grands Bousilleurs de l'Histoire, juste pour pouvoir y exposer sa statue, que les gens viendraient voir du monde entier, de France et du Japon et du Chili... Les écoliers visiteraient aussi ce musée, des classes entières accompagnées de leurs institutrices, pour étudier son cas et apprendre comment éviter de lui ressembler. Des parents montreraient sa statue du doigt et avertiraient leurs enfants d'un ton menaçant :

— Chaque fois que tu te crois malin, souviens-toi d'elle et pense que tu pourrais bien finir comme elle, une pauvre fille pitoyable et ridicule, qui ne mérite que des insultes et des moqueries.

Aux deux tiers de l'entretien, elle s'était rendu compte que les Harrison étaient spéciaux. Ils ne l'auraient sans doute jamais traitée aussi mal que les Infâmes Dotterfield, ces gens qui l'avaient acceptée, l'avait emmenée chez eux et puis l'avaient chassée deux semaines plus tard quand ils avaient découvert qu'ils allaient avoir un enfant à eux, l'enfant de

Satan, très certainement, qui détruirait le monde, un jour, et se retournerait contre eux et les brûlerait vivants d'un coup d'éclair de feu jailli de ses petits yeux de cochon démoniaques. (Oh oh. Souhaiter du mal à quelqu'un. La pensée est aussi mauvaise que l'action. Souviens-toi de ça en confession, Reg.) Bon, en tout cas, les Harrison étaient différents, et l'idée ne lui en était venue que peu à peu — quel fiasco ! —, et puis elle en avait été certaine quand Mr. Harrison avait plaisanté à propos de ses pyjamas couleur caviar. Il avait le sens de l'humour, cet homme-là. Mais à ce moment, elle s'était déjà tellement prise à son jeu que, d'une façon ou d'une autre, elle ne pouvait plus s'empêcher d'être odieuse — elle était paumée, voilà —, elle était incapable de faire machine arrière, de recommencer à zéro. Maintenant, les Harrison étaient probablement en train de se soûler pour célébrer le fait qu'ils l'avaient échappé belle, ou peut-être qu'agenouillés dans une église, ils pleuraient de soulagement et disaient le rosaire avec ferveur, remerciant la sainte Vierge d'avoir intercédé en leur faveur pour leur éviter l'erreur d'adopter sur catalogue cette fille horrible. Merde. (Oouh ! Grossièreté. Mais pas aussi grave que de blasphémer le nom de Dieu. Est-ce que ça vaudrait même la peine de mentionner la chose dans le confessionnal ?)

Malgré son absence d'appétit et malgré Carl Cavanaugh et son humour grossier, elle avala tout son dîner, mais seulement parce que les policiers de Dieu, les religieuses, ne la laisseraient pas sortir de table tant qu'elle n'aurait pas terminé son assiette. Les fruits, dans la Jell-O au citron vert, c'était des pêches, ce qui faisait du dessert un véritable supplice : elle n'arrivait pas à comprendre comment quelqu'un était capable de penser que les citrons verts et les pêches pouvaient aller ensemble. D'accord, d'accord, les bonnes sœurs n'étaient pas très attachées aux choses de ce monde, mais elle ne leur demandait pas d'apprendre quel vin fin on devait servir avec un filet rôti d'ornithorynque, pour l'amour de Dieu ! (Désolée, Dieu.) De l'ananas et de la Jell-O au citron vert, certainement. Des poires et de la Jell-O au citron vert, okay. Même des bananes et de la Jell-O au citron vert. Mais mettre des pêches dans de la Jell-O au citron vert, ça revenait à son avis à ôter les raisins d'un gâteau de riz pour les remplacer par des bouts de pastèque, pour l'amour de Dieu ! (Désolée, Dieu.) Elle réussit à avaler le dessert en se disant qu'il aurait pu être pire ; les religieuses auraient pu servir des souris mortes enrobées de chocolat — même si elle ne savait pourquoi les bonnes sœurs, entre toutes, auraient fait une chose pareille. Cependant, imaginer quelque chose de pire que ce qu'elle affrontait était un stratagème efficace, une technique d'autopersuasion qu'elle avait déjà souvent utilisée. Bientôt la Jell-O détestée n'était qu'un souvenir, et elle, elle avait le droit de quitter le réfectoire.

Après le dîner, la plupart des enfants se rendirent à la salle de jeux pour une partie de Monopoly ou des trucs du même genre, ou à la salle télé pour regarder n'importe quelle soupe défilant sur l'écran ; Regina, elle, retourna dans sa chambre comme d'habitude. Elle passait presque toutes ses soirées à lire. Pas aujourd'hui, pourtant. Elle décida, ce soir, de s'apitoyer sur elle-même et de réfléchir à son statut de Bousilleuse de première division (Une bonne chose que l'imbécillité ne soit pas un péché !), de façon à ne jamais oublier à quel point elle avait été une andouille et à se souvenir de ne plus jamais l'être autant.

Tandis qu'elle avançait dans les couloirs au sol carrelé presque aussi vite qu'un enfant avec deux bonnes jambes, elle se rappela la façon dont elle était entrée en boitant dans le bureau de l'avocat, et elle se sentit rougir. Dans sa chambre, qu'elle partageait avec un aveugle nommée Winnie, elle sauta dans son lit et s'affala sur le dos, et elle se souvint de la maladresse calculée avec laquelle elle s'était assise sur le fauteuil devant les Harrison. Elle s'empourpra encore davantage et cacha son visage dans ses mains.

— Reg, dit-elle doucement à ses paumes, tu es le plus grand trou-du-cul de la terre. (Encore un article à ajouter à la liste de sa prochaine confession, outre le fait de mentir et de blasphémer le nom de Dieu : usage répété de la vulgarité.) Merde ! Merde ! Merde ! (Ça allait être une longue confession.)

5

Lorsque Redlow revint à lui, les douleurs qu'il ressentait étaient si violentes qu'elles l'empêchèrent de penser à autre chose. Il avait un terrible mal de tête, dont il aurait pu témoigner dans une publicité télévisée avec une telle persuasion qu'il aurait fallu ouvrir de nouvelles usines d'aspirine pour pouvoir répondre à la demande des consommateurs. L'un de ses yeux était gonflé et à demi fermé. Ses lèvres étaient fendues et enflées, comme engourdies, et il avait l'impression qu'elles étaient devenues énormes. Son cou et son estomac le faisaient souffrir, et ses testicules l'élançaient si fort que la simple idée de se lever et de marcher faisait naître en lui une formidable nausée.

Peu à peu, il se souvint de ce qui lui était arrivé, que ce salaud l'avait attaqué par surprise. Et puis il se rendit compte qu'il n'était plus sur le parking du motel, mais dans un fauteuil, et pour la première fois, il eut peur.

Il n'était pas simplement assis sur ce fauteuil. Il était attaché. Des cordes étaient passées autour de sa poitrine et de sa taille, et d'autres autour de ses cuisses, qui le coinçaient sur le siège. Ses bras étaient fixés à ceux du fauteuil, juste au-dessous de ses coudes, et encore aux poignets.

La douleur avait obscurci ses processus de pensée. Et maintenant, la peur les éclaircissait.

En regardant du coin de l'œil droit qui était encore bon, et en essayant simultanément d'ouvrir l'œil gauche gonflé, il étudia l'obscurité. Pendant un instant, il pensa qu'il se trouvait dans une chambre du Blue Skies Motel, devant lequel il avait pris une planque pour repérer le gosse. Et puis il se rendit compte qu'il s'agissait de son propre living. Il n'y voyait pas grand-chose. Toutes les lumières étaient éteintes. Mais comme cela faisait dix-huit ans qu'il vivait dans cette maison, il était capable de reconnaître la lueur nocturne du monde extérieur qui se dessinait aux fenêtres, les lignes floues des meubles, certaines ombres parmi d'autres ombres d'une intensité différente, et l'odeur subtile — mais très particulière — de son foyer, aussi spéciale et immédiatement identifiable pour lui que devait l'être, pour un loup, celle de son repaire.

Sauf qu'il n'avait rien du loup, cette nuit. Il ressemblait plutôt à un lapin tremblant d'être une proie.

Pendant quelques secondes, il pensa qu'il était seul et il commença à tirer sur ses cordes. Et puis une ombre se détacha de l'obscurité et s'approcha.

Il ne voyait de l'inconnu que sa silhouette — et encore semblait-elle se confondre avec celles des objets inanimés de la pièce, ou se modifier comme si c'était une créature polymorphe capable de prendre diverses apparences. Mais il savait que c'était le *gosse,* parce qu'il sentait cette différence, cette *étrangeté* qu'il avait perçue chez lui la première fois qu'il avait posé les yeux sur ce salopard, le dimanche précédent, au Blue Skies, à peine quatre nuits plus tôt.

— Vous êtes à l'aise, monsieur Redlow ?

Depuis trois mois qu'il était à la recherche de ce saligaud, la curiosité de Redlow à son sujet n'avait fait que croître ; il avait essayé de deviner ce qu'il désirait, ce dont il avait besoin, ce qu'il pensait. Après avoir montré à un nombre incalculable de gens les diverses photos du gosse et avoir lui-même passé beaucoup de temps à les étudier, il s'était tout spécialement demandé à quoi pourrait bien ressembler la voix qui correspondrait à ce beau visage — pourtant si inquiétant. Elle ne sonnait pas du tout comme il l'avait imaginé : elle n'était ni froide et dure comme celle d'une machine fabriquée pour ressembler à un homme, et ce n'était pas non plus le grognement sauvage et guttural d'une bête. Elle était douce, au contraire, c'était une voix de miel au timbre attachant.

— Monsieur Redlow, cher monsieur, est-ce que vous m'entendez ?

Plus que tout le reste, la politesse du gamin et le formalisme de son langage déconcertèrent Redlow.

— Je vous prie de m'excuser d'avoir été si violent avec vous, monsieur, mais vous ne m'en avez guère laissé le choix, vraiment.

Rien dans sa voix n'indiquait qu'il était sarcastique ou moqueur. C'était juste un petit gars qui avait appris à s'adresser à ses aînés avec considération et respect, une habitude dont il ne pouvait se défaire, même dans des circonstances comme celles-ci. Le détective fut soudain en proie au sentiment primitif, superstitieux, d'être en présence d'une entité capable d'imiter l'humanité, mais sans rien de commun, absolument rien, avec elle.

Articulant avec difficulté à cause de ses lèvres déchirées, Morton Redlow répondit :

— Qui es-tu, et qu'est-ce que tu veux, bordel ?

— Vous savez qui je suis.

— J'en ai foutrement pas la moindre idée. Tu m'as attaqué par surprise. J'ai pas vu ton visage. Qui tu es, une chauve-souris ou quoi ? Pourquoi t'allumes pas la lumière ?

Le gosse, qui n'était toujours qu'une forme noire, se rapprocha à moins d'un mètre du fauteuil.

— On vous a payé pour me trouver.

— J'ai été engagé pour surveiller un type nommé Kirkaby. Leonard Kirkaby. Sa femme pense qu'il la trompe. Et c'est le cas. Il ramène sa secrétaire au Blue Skies tous les jeudis pour lui offrir un petit va-et-vient.

— Eh bien, monsieur, ça m'est un peu difficile de le croire, vous savez? Le Blue Skies, c'est fait pour les michetons minables et les putes bas de gamme, pas pour les hommes d'affaires et leurs secrétaires.

— P't'être qu'il prend son pied avec le côté crade du truc, qu'il traite la fille comme une pute... Qui peut savoir, merde! De toute façon, t'es certainement pas Kirkaby. Je connais sa voix. Elle sonne pas du tout comme la tienne. Il n'est pas non plus aussi jeune que toi. En plus, c'est une chiffe molle. Il aurait pas pu me malmener comme tu l'as fait.

Le gosse se contenta d'observer Redlow en silence un instant. Puis il se déplaça. Dans le noir. Sans la moindre hésitation. Sans jamais heurter un seul meuble. Comme un chat toujours en mouvement, sauf que ses yeux ne brillaient pas.

Finalement, il dit :

— Et alors, qu'est-ce que vous me racontez, cher monsieur? Que tout ceci n'est juste qu'une grave erreur?

Redlow était *certain* que sa seule chance de rester vivant c'était de convaincre ce gosse de ce mensonge — qu'un gars nommé Kirkaby en pinçait pour sa secrétaire et que sa femme le prenait mal et qu'elle réunissait des preuves pour demander le divorce. Mais il ne savait pas de quelle manière raconter son histoire. Avec la plupart des gens, Redlow avait un sens infaillible de la meilleure approche pour les duper et leur faire prendre pour argent comptant les propositions les plus folles. Mais ce gosse était différent. Il ne pensait pas, il ne réagissait pas comme les gens ordinaires.

Il décida de jouer la partie à la dure :

— Écoute, connard, j'espère que je vais vite savoir qui tu es ou au moins voir la gueule que t'as, parce quand tout ça sera terminé, j'vais te coller aux fesses et défoncer ton foutu crâne!

Le gamin se tut un moment, réfléchissant à la chose.

Puis il répondit :

— D'accord, je vous crois.

Redlow se détendit, soulagé, mais le fait de se laisser aller accentua toutes ses douleurs, si bien qu'il banda ses muscles de nouveau et se redressa.

— C'est dommage, mais vous n'êtes pas bon pour ma collection, dit le gosse.

— Ta collection ?

— Y a pas assez de vie, en vous.

— Qu'est-ce que tu racontes là ? demanda Redlow.

— Usé.

La conversation prenait une tournure que Redlow ne comprenait pas, ce qui accentua son malaise.

— Excusez-moi, cher monsieur, ne vous vexez pas, mais vous êtes trop vieux pour ce genre de boulot.

Comme si je ne le savais pas, pensa Redlow. Il se rendit compte soudain qu'il n'avait pas vraiment testé les cordes qui le retenaient. Quelques années plus tôt, il aurait tiré dessus, sans hâte, mais longuement, pour desserrer les nœuds peu à peu. Aujourd'hui, il restait passif.

— Vous êtes un homme musclé, mais vous vous êtes ramolli, vous avez pris du ventre et êtes devenu lent. J'ai vu sur votre permis de conduire que vous aviez cinquante-quatre ans, vous commencez à vieillir. Pourquoi continuez-vous à faire ça, pourquoi vous vous accrochez ?

— C'est tout ce que j'ai, répondit Redlow.

Il avait encore l'esprit assez vif pour être surpris par sa réponse. Il avait voulu dire : *C'est tout ce que je sais faire.*

— Ben, oui monsieur, je vois ça, dit le gosse en se penchant au-dessus de lui dans l'obscurité. Vous avez divorcé deux fois, vous n'avez pas d'enfant, et en ce moment vous ne vivez pas avec une femme. Sans doute que vous n'êtes avec personne depuis des années. Désolé, mais j'ai un peu fureté dans la maison pendant que vous étiez dans les pommes, même si je savais que ce n'était pas bien de ma part. Pardonnez-moi. Mais je voulais en connaître un peu plus sur vous, essayer de comprendre ce que c'était, votre but.

Redlow ne répondit rien, parce qu'il ne voyait pas où les menait cette histoire. Il avait peur de dire ce qu'il ne fallait pas et de faire exploser le gosse comme un pétard de feu d'artifice. Parce que ce fils de pute était dingue. On ne pouvait pas savoir ce qui risquait d'allumer la mèche, chez un cinglé dans son genre. Le gamin avait suivi une analyse, ces dernières années,

et maintenant c'était lui qui avait l'air de vouloir le psychanaly-
ser pour des raisons que ce fou n'aurait sans doute pas été
capable de comprendre lui-même. Peut-être qu'il était préférable de le laisser parler sans arrêt et se libérer de ce truc-là.

— Est-ce que c'est l'argent, monsieur Redlow?

— Tu veux dire, est-ce que j'en gagne?

— Oui, c'est ce que je veux dire, cher monsieur.

— Oui, j'en gagne. C'est okay.

— Vous ne conduisez pas une super-voiture et vous ne
portez pas des vêtements de luxe.

— J'aime pas le tape-à-l'œil.

— Ne le prenez pas mal, monsieur, mais cette maison n'est
pas terrible non plus.

— Peut-être, mais au moins je n'ai pas d'emprunt.

Le gosse était au-dessus de lui, et à chacune de ses questions
il se penchait un peu plus en avant, lentement, comme s'il était
capable de voir Redlow dans la pièce sans lumière et qu'il
étudiait avec beaucoup d'attention les tics et les mouvements
de son visage tout en l'interrogeant. Bizarre. Même dans
l'obscurité, Redlow le sentait qui se rapprochait de lui de plus
en plus, de plus en plus...

— *Pas d'emprunt*, répéta le gosse d'un air pensif. Est-ce que
c'est ça votre raison de travailler, votre raison de vivre?
Pouvoir dire que vous avez remboursé votre emprunt-logement
pour une baraque pareille?

Redlow eut envie de lui dire d'aller se faire foutre, mais
soudain il n'était plus sûr du tout, finalement, que c'était une
bonne idée de jouer les durs.

— Est-ce que c'est ça, la vie, cher monsieur? poursuivait
l'autre. Est-ce que c'est de ça qu'il s'agit? Est-ce que c'est pour
ça que vous la trouvez si précieuse, pour ça que vous y tenez
tant? Est-ce que c'est pour ça que vous, les amoureux de la vie,
vous luttez pour continuer à vivre? Juste pour acquérir un petit
tas pitoyable d'objets matériels de façon à gagner à ce jeu? Je
suis désolé, cher monsieur, mais je ne comprends tout simplement pas une chose pareille. Non, je ne la comprends pas du
tout.

Le cœur du détective privé battait trop fort dans sa poitrine.
Il donnait des coups douloureux contre ses côtes meurtries.
Redlow maltraitait ce pauvre cœur depuis des années, trop de
hamburgers, trop de cigarettes, trop de bière et trop de

bourbon. Qu'essayait donc de faire cette espèce de dingue ? Lui parler jusqu'à le faire mourir de peur ?

— J'ai pensé que vous aviez certains clients qui ne veulent pas voir figurer leur nom dans vos dossiers et qui vous paient en liquide. Est-ce que cela pourrait être une hypothèse valable, monsieur ?

Redlow s'éclaircit la gorge et espéra que sa voix ne paraissait pas trop effrayée lorsqu'il répondit :

— Ouais. C'est sûr, pour certains...

— Et un moyen de gagner à votre grand jeu de la vie, c'est de garder pour vous le maximum de cet argent, et d'éviter de payer des impôts dessus, ce qui signifie ne pas le mettre à la banque...

Le gosse était si proche, maintenant, que le détective sentait son haleine. Pour une raison ou pour une autre, il avait pensé qu'elle serait aigre et infecte. Mais non : elle sentait le sucré, une odeur de chocolat, comme s'il avait mangé des friandises dans l'obscurité.

— Et donc je me suis imaginé que vous aviez un joli petit magot caché ici dans la maison, quelque part. Est-ce exact, monsieur ?

La douceur de l'espoir vint atténuer les frissons glacés qui l'agitaient depuis quelques minutes. Si c'était une histoire d'argent, il pouvait régler le problème. Cela avait du sens. Il était capable de comprendre la motivation du gosse et il voyait un moyen de se sortir vivant de cette nuit.

— Ouais, répondit-il. Y'a de l'argent. Prends-le. Prends-le et va-t'en. Dans la cuisine, y'a une poubelle avec un sac en plastique dedans. Soulève-le, ce sac d'ordures, et dessous, dans le fond, tu en trouveras un autre, en papier marron, plein de fric.

Quelque chose de froid et de rêche toucha la joue droite du détective, qui tressaillit.

— Tenailles, dit le gamin.

Et le détective sentit les mâchoires de l'outil se refermer sur sa chair.

— Qu'est-ce que tu fabriques ?

L'autre fit tourner doucement les tenailles.

Redlow hurla de douleur.

— Attends ! Attends ! Arrête ça, merde, s'il te plaît, arrête ça ! Non !

Le gosse arrêta. Il éloigna les tenailles. Il dit :

— Je suis désolé, monsieur, mais je voulais juste que vous compreniez que s'il n'y a pas d'argent dans cette poubelle, je ne serai pas content. Et que je penserai que si vous m'avez menti pour ça, vous m'avez menti pour tout le reste.

— Il y est, lui assura Redlow à la hâte.

— Parce que ce n'est pas gentil de mentir, monsieur. Ce n'est pas bien. Les gens bien ne mentent pas. C'est ce qu'on vous enseigne, n'est-ce pas, monsieur ?

— Va vérifier, et tu verras s'il y est, dit Redlow avec désespoir.

Le gosse quitta le salon par le porche de la salle à manger. Redlow entendit l'écho de ses pas sur les carreaux de la cuisine. Un claquement et puis un froissement, quand le sac plastique fut sorti de la poubelle.

La sueur inonda Redlow lorsqu'il entendit le gamin revenir à travers la maison noire comme un four. Le garçon réapparut dans le salon, et sa silhouette se détacha sur le rectangle gris pâle d'une fenêtre.

— Comment peux-tu y voir ? demanda le détective, consterné de déceler une légère note d'hystérie dans sa voix, alors qu'il faisait tant d'efforts pour conserver le contrôle de lui-même. (C'était donc vrai qu'il devenait vieux.) Qu'est-ce que tu... Tu portes des lunettes de vision nocturne ou un truc de ce genre, un appareil de l'armée ? Merde, comment t'as fait pour te procurer ce machin ?

Ignorant ses questions, le gamin dit :

— Je n'ai pas beaucoup de besoins — juste la nourriture et des vêtements de rechange. Le seul argent que j'ai, c'est quand j'ajoute une pièce à ma collection, je prends ce qu'elle a à ce moment-là. Des fois, c'est pas énorme, juste quelques dollars. Votre argent, ici, m'aidera vraiment. Vraiment. Ça devrait me durer jusqu'au moment où je pourrai retourner à l'endroit auquel j'appartiens. Vous connaissez l'endroit auquel j'appartiens, monsieur Redlow ?

Le détective ne répondit pas. Le gosse s'était accroupi sous les fenêtres et il était de nouveau invisible. Redlow essaya de percer l'obscurité pour repérer un mouvement et deviner sa position.

— Vous connaissez l'endroit auquel j'appartiens, monsieur Redlow ? répéta l'adolescent.

Redlow l'entendit déplacer un meuble. Peut-être une table basse près du canapé.

— J'appartiens à l'Enfer, poursuivit le gosse. Je m'y suis trouvé pendant un moment. Et je veux y retourner. Quel genre d'existence avez-vous menée, monsieur Redlow ? Croyez-vous qu'en regagnant l'Enfer j'aurais des chances de vous y rencontrer ?

— Qu'est-ce que tu fabriques ? demanda Redlow.

— Je cherche une prise électrique, répondit le gamin en poussant un autre meuble. Ah, voilà...

— Une prise électrique ? répéta Redlow, alarmé. Pour quoi faire ?

Un bruit effrayant déchira l'obscurité : *Zzzzrrrrrrrrrrrrr.*

— Qu'est-ce que c'est ? murmura Redlow.

— Juste un essai, monsieur.

— Un essai de quoi ?

— Vous avez toutes sortes de casseroles et d'ustensiles de gastronome dans votre cuisine, monsieur. J'ai l'impression que vous vous intéressez vraiment aux petits plats, n'est-ce pas ? (Quand l'adolescent se releva, sa silhouette se dessina contre la toile de fond gris cendre de la fenêtre.) Faire de la cuisine — est-ce que ça vous plaisait avant votre second divorce, ou est-ce que c'est plus récent ?

— Un essai de quoi ? répéta Redlow.

Le gosse s'approcha du fauteuil.

— Il y a encore plus d'argent..., dit Redlow, affolé. (De grosses gouttes de sueur, à présent, dégoulinaient sur lui.) Dans la chambre.

La silhouette menaçante du gosse se pencha vers lui, mystérieuse et inhumaine. Il paraissait plus sombre que tout ce qui l'entourait, comme un trou noir de la forme d'un homme, encore plus noir que noir.

— Dans les-es... W-WC. Il y a un p-ar-arquet de bois... (Soudain, sa vessie se trouva pleine, gonflée comme un ballon, prête à éclater, oui.) Enlève les chaussures et tou-touttes les saloperies. Soulève la plan-planche du b-bout... (Il n'allait pas tarder à se pisser dessus !) Y'a une b-boîte avec du liquide. Trente mille dollars. Prends-les. Je t'en prie. Prends-les et va-t'en.

— Merci, monsieur, mais je n'en ai vraiment pas besoin. J'en ai suffisamment. Plus qu'il ne m'en faut.

— Oh, Jésus, aide-moi..., dit Redlow, et il était désespérément conscient que c'était la première fois qu'il s'adressait à Dieu — ou même simplement qu'il pensait à lui — depuis des décennies.

— Parlons un peu de la personne pour qui vous travaillez *en réalité*, monsieur.

— Je t'ai expliqué...

— Mais j'ai menti quand j'ai dit que je vous croyais.

Zzzzrrrrrrrrrrr.

— Qu'est-ce que c'est? demanda Redlow.

— Un essai.

— Qu'est-ce que tu essaies, merde!

— Ça marche tout à fait bien.

— *Qu'est-ce que... C'est quoi? Qu'est-ce que tu as, là?*

— Un couteau électrique, répondit le gosse.

6

Hatch et Lindsey revinrent du restaurant sans prendre l'autoroute et sans se presser. Ils rentrèrent par la route côtière au sud de Newport Beach, en écoutant K-Earth 101.1 FM et en fredonnant de vieux tubes, *New Orleans, Whispering Bells, California Dreamin'*. Lindsey ne savait plus à quand remontait la dernière fois où ils avaient chanté avec la radio, alors qu'avant, ils le faisaient tout le temps. A l'âge de trois ans, Jimmy connaissait par cœur les paroles de *Pretty Woman*. A quatre, il était capable de chanter *Fifty Ways to Leave Your Lover* sans oublier un seul vers.

Pour la première fois depuis cinq ans Lindsey pouvait penser à Jimmy et continuer à fredonner.

Ils vivaient à Laguna Niguel, au sud de Laguna Beach, sur le flanc oriental de la chaîne côtière; ils ne voyaient pas l'océan mais ils bénéficiaient des brises maritimes qui tempéraient la chaleur de l'été et le froid de l'hiver. Leur ville, comme la plupart de celles du sud du comté, avait été si méticuleusement dessinée que l'on avait parfois l'impression que les architectes sortaient d'une école militaire. Mais les rues qui s'incurvaient avec élégance, les lampadaires de fer couverts d'une fausse patine verte, la disposition régulière des palmiers, des jacarandas et des lauriers, et les plates-bandes bien entretenues, avec leurs parterres de fleurs multicolores, tout cela reposait si bien les yeux et l'esprit que la sensation subliminale d'embrigadement dégagée par le décor n'était pas trop étouffante.

En tant qu'artiste, Lindsey pensait que les êtres humains étaient tout aussi capables que la nature de donner naissance, avec leurs mains, à de grandes beautés, et que la discipline était essentielle à la création d'un art véritable parce que l'art avait pour but de trouver du sens dans le chaos de la vie. Elle comprenait donc le désir irrésistible des urbanistes qui avaient travaillé un nombre incalculable d'heures pour dessiner la ville dans ses moindres détails, jusqu'à la forme des grilles d'acier des bouches d'égout, dans les caniveaux.

Leur maison à un étage, où ils avaient emménagé depuis la mort de Jimmy, était de style italien — toute la communauté, ici, était italienne —, avec quatre chambres et un petit bureau, des murs en stuc couleur crème, et un toit en tuiles mexicaines. Deux gros figuiers flanquaient l'allée principale. Les lampes de jardin Malibu révélaient les massifs d'impatiens et de pétunias devant des buissons d'azalées rouges. Lorsqu'ils se rangèrent dans le garage, ils finissaient de chanter avec la radio les dernières mesures de *You Send Me*.

Avant de passer à la salle de bains, Hatch alluma le radiateur à gaz en forme de bûche dans la cheminée de la salle de séjour, et Lindsey servit deux verres de Baileys Irish Cream avec des glaçons. Ils s'installèrent sur le canapé, en face du feu, les pieds posés sur une grande ottomane assortie.

Toutes les literies et les sièges de la maison étaient modernes, avec des lignes douces et des tons clairs naturels. Cela faisait un contraste agréable avec les tableaux de Lindsey et le grand nombre d'objets anciens de Hatch.

Le canapé était très confortable, pratique pour la conversation et, comme Lindsey le découvrit, très intéressant pour se pelotonner contre l'homme de sa vie. A sa grande surprise, cela entraîna des câlineries qui se transformèrent en un sérieux pelotage, mon Dieu, comme s'ils étaient redevenus des teenagers! La passion la submergea comme jamais depuis des années.

Ils ôtèrent leurs habits lentement, en une série de fondus enchaînés comme au cinéma, et finalement ils furent nus sans très bien savoir comment ils en étaient arrivés là. Et puis, tout aussi mystérieusement, ils se retrouvèrent à faire l'amour, se mouvant ensemble en un rythme harmonieux, baignés dans la lumière dansante des flammes de la cheminée.

Le naturel joyeux de tout cela, le passage d'un mouvement langoureux à un sentiment d'urgence et d'essoufflement, étaient radicalement différents des accouplements consciencieux et tendus qu'ils connaissaient depuis cinq ans, et Lindsey avait presque l'impression de vivre un rêve d'érotisme hollywoodien. Mais tandis qu'elle faisait glisser ses mains sur les muscles des bras et des épaules et du dos de son mari, tandis qu'elle se soulevait pour venir à la rencontre de chacun de ses coups de rein, tandis qu'elle jouissait, une fois, et puis une autre, et qu'elle le sentait jouir en elle à son tour, et passer de la dureté du fer au métal en fusion, elle avait parfaitement conscience, et c'était merveilleux, qu'il ne s'agissait en aucune façon d'un rêve. En fait, elle sentait qu'elle venait enfin de sortir d'un long sommeil nébuleux et qu'elle était libérée et pleinement réveillée pour la première fois depuis des années. Le rêve, c'était la vie qu'elle avait vécue pendant cinq ans, un cauchemar plutôt, dont elle s'échappait enfin.

Laissant leurs vêtements éparpillés sur le sol et oubliant la cheminée, ils montèrent dans leur chambre, à l'étage, et firent l'amour de nouveau, cette fois dans leur immense lit bateau chinois, avec moins d'urgence, davantage de tendresse, et des mots doux qui ressemblaient presque à une chanson. Leur rythme moins pressant leur permit d'avoir mieux conscience de la texture de leurs peaux, de la merveilleuse élasticité de leurs muscles, de la solidité de leurs os, de la souplesse de leurs lèvres et des battements syncopés de leurs deux cœurs. Lorsque la marée du plaisir monta et reflua, dans le calme qui s'ensuivit, les mots « Je t'aime » étaient superflus, mais musicaux et agréables à entendre.

Ce jour d'avril, depuis le moment où ils avaient ouvert les yeux le matin jusqu'à celui où ils s'étaient abandonnés au sommeil, le soir, avait été l'un des plus beaux de leur vie. L'ironie voulut que la nuit qui suivit fût très étrange et très effrayante — l'une des pires que Hatch eût connues.

A vingt-trois heures, Vassago en avait terminé avec Redlow et avait arrangé son cadavre d'une façon des plus satisfaisantes. Il retourna alors au Blue Skies Motel dans la Pontiac du détective, s'offrit la longue douche chaude qu'il avait eu l'intention de prendre plus tôt dans la soirée, enfila des vêtements propres, et quitta sa chambre ; il n'y reviendrait plus jamais : elle n'était plus sûre, puisque Redlow l'avait repérée.

Il conduisit la Camaro à quelques pâtés de maison du Blue Skies et l'abandonna dans une rue bordée de bâtiments industriels en mauvais état, où elle resterait sans doute des semaines, avant d'être volée par quelqu'un ou récupérée par les services de police. Il l'utilisait depuis un mois ; elle appartenait à l'une des femmes de sa collection. Il avait changé plusieurs fois ses plaques d'immatriculation, qu'il dérobait toujours un peu avant l'aube à des voitures dans des parkings.

Il revint à pied au motel, et reprit la Pontiac de Redlow, au volant de laquelle il s'éloigna. Elle n'était pas aussi *sexy* que la Camaro argent, mais il pensa qu'elle lui servirait tout aussi bien pour les prochaines semaines.

Il se rendit à un night-club néo-punk, le Rip It, à Huntington Beach, et se gara dans la zone la plus sombre du parking. Il trouva dans le coffre une petite trousse à outils et utilisa un tournevis et des pinces pour ôter les plaques de la Pontiac qu'il troqua contre celles d'une Ford grise délabrée rangée à côté. Puis il alla stationner à l'autre bout du parking.

Le brouillard qui montait de la mer avait la consistance gluante et froide d'un cadavre. Les palmiers et les poteaux téléphoniques disparaissaient, comme dissous par l'acidité de la brume, et les lumières des lampadaires étaient des fantômes qui dérivaient dans l'obscurité.

A l'intérieur, le night-club était tout ce qu'il aimait : bruyant, sale et sombre. Empestant la fumée, l'alcool renversé, la sueur. L'orchestre jouait plus fort qu'aucun de ceux qu'il avait jamais entendus, martelait avec une rage pure chacune de ses notes, torturait la mélodie jusqu'à la transformer en une espèce de hurlement mutant, faisait claquer ses rythmes répétitifs et engourdissants avec une fureur sauvage, interprétait chaque morceau avec une telle puissance — et l'aide d'énormes amplis — qu'il faisait trembler les fenêtres crasseuses, et presque pleurer les yeux de Vassago.

La foule était bourrée d'énergie, défoncée avec toutes les drogues de la création ; certains étaient soûls et beaucoup étaient dangereux. Au niveau vestimentaire, la tenue préférée de tous ces gens était le noir, si bien que Vassago passa inaperçu. Et il n'était pas le seul à porter des lunettes de soleil. Il y avait quelques skinheads, hommes ou femmes, avec des cheveux courts taillés en pointes, mais personne n'était plus partisan de la flamboyance frivole des immenses crêtes de coq et des décolorations de la vague punk originale. Sur la piste de danse surpeuplée, les gens se bousculaient et se malmenaient et, dans certains cas, se pelotaient, mais aucun n'avait jamais pris de leçon dans un studio d'Arthur Murray, ni regardé *Soul Train*.

Au bar abîmé, graisseux et plein de taches, Vassago indiqua du doigt la Corona, l'une des six marques de bière alignées sur une étagère. Il paya et prit la bouteille que lui tendit le barman sans qu'un seul mot n'eût été échangé. Il resta là à boire et à observer la foule.

Parmi les clients qui se trouvaient au bar, aux tables ou appuyés contre les murs, presque personne ne parlait. La plupart étaient renfrognés et silencieux, et ce n'était pas parce que la musique qui résonnait lourdement rendait les conversations quasi impossibles — non, ils appartenaient à la nouvelle vague d'une jeunesse aliénée, étrangère à la société comme à elle-même. Ils étaient convaincus que rien n'avait d'importance, hormis leur satisfaction personnelle, qu'aucune discussion ne valait la peine — et qu'ils étaient la dernière génération d'un monde sans avenir qui courait à sa destruction.

Vassago connaissait d'autres bars néo-punks, mais celui-ci était l'un des deux seuls établissements authentiques de ce genre dans les comtés d'Orange et de Los Angeles — la zone que tant de fonctionnaires des chambres de commerce prenaient plaisir à appeler Southland. Les autres bars punks s'adressaient à des gens qui jouaient à ce style de vie de la même façon que les dentistes et les comptables aimaient chausser des bottes faites à la main, enfiler des jeans délavés et des chemises à carreaux et se coiffer de chapeaux de cow-boy pour fréquenter des bars country and western et faire semblant d'être des hommes de l'Ouest. Au Rip It, il n'y avait aucun mensonge dans les yeux de personne, et tous ceux que vous croisiez vous jetaient un regard de défi, comme pour décider s'ils voulaient avec vous du sexe ou de la violence et si vous étiez capable de leur donner l'un ou l'autre. Et si vous proposiez les deux, beaucoup préféraient encore la violence au sexe.

Certains cherchaient quelque chose qui transcendait la

violence et le sexe, sans idée précise de ce que cela pouvait être. Vassago aurait été capable de leur offrir exactement ce qu'ils cherchaient.

Le problème, c'était qu'aujourd'hui il ne voyait personne dans cette boîte qui l'attirait suffisamment pour envisager de l'ajouter à sa collection. Il n'avait rien du tueur brutal empilant les corps pour le simple plaisir de les empiler. Ce n'était pas la quantité qui l'attirait : la qualité l'intéressait davantage. Il s'y connaissait en mort. S'il pouvait gagner son retour en Enfer, ce serait avec une offrande exceptionnelle, une collection supérieure tant par sa composition générale que par la nature de chacune de ses pièces.

Il avait fait une première acquisition au Rip It, trois mois plus tôt, une fille qui prétendait s'appeler Neon. Dans la voiture, lorsqu'il avait voulu l'assommer, le coup qu'il lui avait donné n'avait pas été suffisant, et elle s'était défendue avec une férocité très stimulante. Et même plus tard, dans le sous-sol du Palais des Merveilles, quand elle revint à elle, elle résista avec une belle violence, alors qu'elle avait pourtant les poignets et les chevilles attachés. Elle se contorsionna, se débattit et le mordit, et il dut écraser plusieurs fois son crâne sur le sol de ciment.

Juste au moment où il finissait sa bière, il aperçut une fille qui lui rappela Neon. Physiquement, elles étaient très différentes toutes les deux, mais leur état d'esprit avait l'air d'être proche : c'étaient des dures, pleines de colère pour des raisons qu'elles ne comprenaient pas toujours elles-mêmes ; elles avaient plus d'expérience que les filles de leur âge, et la sauvagerie des tigresses. Neon avait été une brunette, à la peau mate, d'environ un mètre soixante-dix ; celle-ci était blonde, elle avait une vingtaine d'années, et mesurait environ un mètre quatre-vingts. Maigre et élancée. Des yeux fascinants, du même bleu qu'une flamme de gaz, mais un bleu pourtant glacé. Elle portait une veste en jean noire et élimée sur un pull noir serré, une jupe courte noire et des bottes.

A un âge où l'on admirait davantage le paraître que l'intelligence, elle savait comment se tenir pour produire le maximum d'effet. Elle se déplaçait avec les épaules en arrière et la tête levée presque avec arrogance. Son assurance était aussi intimidante qu'une armure à pointes. Tous les hommes, autour d'elle, l'examinaient d'un air concupiscent, mais aucun n'osait l'aborder, parce qu'elle semblait très capable d'émasculer quelqu'un d'un seul mot, d'un simple regard.

C'était sa puissante aura sexuelle, cependant, qui faisait son intérêt aux yeux de Vassago. Les hommes seraient toujours attirés vers elle — il remarqua que ses voisins, au bar, l'observaient en ce moment même — et certains ne seraient pas intimidés. Elle possédait une vitalité sauvage, qui aurait fait passer Neon pour quelqu'un de timide. Lorsqu'on aurait pénétré ses défenses, elle serait lascive et d'une fertilité dégoûtante, bientôt grosse d'une nouvelle vie — c'était une poulinière sauvage, mais féconde.

Il décida qu'elle avait deux gros points faibles. Le premier, c'était sa conviction évidente d'être supérieure à tout le monde, et donc intouchable et en sécurité, cette même conviction qui avait permis aux personnages royaux, en des temps plus innocents, de marcher au milieu du commun des mortels avec l'absolue certitude que tous ceux qu'ils croiseraient s'incline-raient avec respect ou tomberaient à genoux, frappés de crainte. La seconde était son extrême colère, dont elle dissimu-lait de telles réserves que Vassago croyait voir cette rage crépiter sous sa peau douce et pâle, comme une surcharge électrique.

Il se demanda comment organiser sa mort de façon à symboliser au mieux cette double imperfection. Il eut bientôt deux bonnes idées...

Elle était avec un groupe de six hommes et de quatre femmes, mais elle ne semblait liée à aucun d'eux. Vassago réfléchissait à un moyen de l'approcher, lorsque — et cela ne l'étonna pas outre mesure — ce fut *elle* qui vint vers lui. Il supposa que leur rencontre était inévitable. Après tout, ils étaient les deux personnes les plus dangereuses de cet endroit.

Juste au moment où l'orchestre fit une pause et que les décibels retombèrent à un niveau où un chat aurait pu survivre à l'intérieur du club, la blonde arriva au bar. Elle se glissa entre Vassago et un autre homme, commanda une bière et paya. Elle prit la bouteille, pivota pour faire face à Vassago, et l'examina à travers le goulot de la canette d'où montaient de fines volutes de vapeur glacée.

Elle demanda :

— T'es aveugle ?

— A certaines choses, mademoiselle.

Elle eut l'air étonnée :

— *Mademoiselle ?*

Il haussa les épaules.

— Pourquoi t'as des lunettes de soleil ?

— J'ai été en Enfer.

— Ça veut dire quoi, exactement ?

— L'Enfer est froid et obscur.

— Et alors ? Ça explique toujours pas les lunettes.

— Là-bas, tu apprends à voir dans l'obscurité totale.

— Voilà d'intéressantes conneries.

— Et donc, maintenant, la lumière me fait mal.

— Ouais, des conneries vraiment pas communes.

Il ne répondit pas.

Elle but un peu de bière, mais ses yeux restèrent posés sur lui.

Il aima la façon dont travaillaient les muscles de sa gorge lorsqu'elle avalait.

Au bout d'un moment, elle reprit :

— C'est ton baratin merdique habituel, ou tu viens juste de l'inventer ?

Il haussa de nouveau les épaules..

— T'étais en train de me mater, dit-elle.

— Et alors ?

— T'as raison. Tous les connards de cette boîte passent la plupart de leur temps à me mater.

Il étudiait ses yeux d'un bleu profond. Il pensa qu'il pourrait les sortir de leurs orbites, puis les y remettre, mais les pupilles tournées dans l'autre sens, de façon à la faire regarder à l'intérieur de son propre cerveau. Un parfait symbole de son égocentrisme.

Dans son rêve, Hatch était en train de discuter avec une belle blonde, mais d'une froideur incroyable. Sa peau sans défaut était d'une blancheur de porcelaine et ses yeux étaient comme de la glace réfléchissant un ciel clair d'hiver. Ils étaient au bar, dans un drôle d'établissement qu'il n'avait jamais vu. Elle l'observait à travers le goulot de la canette de bière, qu'elle tenait à la main et portait à sa bouche comme s'il s'agissait d'un sexe d'homme. Mais la façon provocante dont elle buvait et passait sa langue sur le goulot semblait autant une menace qu'une invitation érotique. Il n'entendait rien de ce qu'elle disait, et ne percevait que quelques-unes de ses propres paroles : « ... été en Enfer... froid et obscur... la lumière me fait mal... » La blonde l'observait et il était sûr que c'était lui qui lui parlait, et pourtant ce n'était pas sa voix. Soudain, il se surprit en train d'examiner intensément ses yeux arctiques, et avant même de comprendre ce qu'il faisait, il sortait un couteau à cran d'arrêt et l'ouvrait. Comme si elle ne ressentait aucune douleur, comme si, en fait, elle était déjà morte, la blonde ne réagit pas lorsque d'un rapide mouvement tournant de la lame, il fit sauter son œil gauche de son orbite. Il le roula entre ses doigts et le replaça, la face aveugle sur le devant et le cristallin bleu tourné vers l'intérieur...

Hatch s'assit dans son lit. Incapable de respirer. Son cœur cognait. Il posa les pieds par terre et se leva, avec l'impression qu'il devait fuir quelque chose. Mais il resta là, à haleter, à essayer de reprendre sa respiration, sans savoir où courir pour trouver un abri, la sécurité.

Ils s'étaient endormis en laissant une lampe de chevet allumée, une serviette autour de l'abat-jour pour atténuer la lumière pendant qu'ils faisaient l'amour. La pièce était assez éclairée pour lui permettre de voir Lindsey allongée, dans un enchevêtrement de couvertures.

Elle était si immobile que la pensée lui vint qu'elle était morte. Il eut soudain l'impression complètement folle de l'avoir tuée. Avec un cran d'arrêt.

Puis elle remua et marmonna dans son sommeil.

Il frissonna. Il regarda ses mains. Elles tremblaient.

Vassago était si enchanté de sa vision artistique qu'il éprouva le désir irrésistible de retourner les yeux de cette fille, tout de suite, là, dans le bar, devant tout le monde. Mais il se retint.

— Alors, qu'est-ce que tu veux ? demanda-t-elle, après avoir bu une autre gorgée de bière.

— De quoi ? De la vie ? répondit-il.

— De moi.

— Qu'est-ce que tu crois ?

— Quelques frissons, dit-elle.

— Plus que ça.

— Un foyer et une famille? fit-elle, sarcastique.

Il ne répondit pas immédiatement. Il lui fallait un peu de temps pour réfléchir. Celle-là n'était pas facile à manœuvrer, c'était un poisson différent des autres. Il ne voulait pas risquer de dire ce qu'il ne fallait pas et la voir se détacher de l'hameçon. Il commanda une autre bière et en avala une gorgée.

Les quatre musiciens d'un second groupe montaient sur la scène, pour jouer pendant la pause du précédent. Bientôt, les conversations allaient de nouveau être impossibles. Pire encore : lorsque la musique fracassante recommencerait, l'énergie du club augmenterait et risquerait de dépasser celle qui circulait entre la blonde et lui. La fille pouvait très bien ne plus être aussi ouverte à la proposition de partir ensemble.

Finalement, il répondit à sa question en lui mentant sur ce qu'il voulait faire avec elle.

— Tu connais quelqu'un que t'aimerais voir mort?

— Qui n'en connaît pas?

— C'est qui?

— La moitié des gens que j'ai rencontrés dans ma vie.

— Je veux dire quelqu'un en particulier.

Elle commença à comprendre ce qu'il suggérait. Elle but un peu de bière et ses lèvres et sa langue s'attardèrent sur le haut du goulot de la bouteille.

— Qu'est-ce que... C'est un jeu, ou un truc comme ça?

— Juste si t'as envie que ça en soit un, mademoiselle.

— T'es bizarre.

— C'est pas c' que t'aime?

— T'es p't'être un flic.

— Tu le penses vraiment?

Elle fixa avec beaucoup d'attention ses lunettes de soleil, même si les yeux du garçon étaient presque invisibles derrière les verres très teintés.

— Non. T'es pas un flic, décida-t-elle.

— Le sexe, c'est pas une bonne façon de commencer, dit-il.

— Ah, ça l'est pas?

— La mort est un meilleur lever de rideau. On fait un peu de mort ensemble, et ensuite un peu de sexe. T'imagines pas combien c'est fort.

Elle ne répondit rien.

Le groupe ramassait ses instruments, sur la scène.

Il reprit :

— Cette personne en particulier que t'aimerais voir morte...
C'est un type ?

— Ouais.

— Il habite à portée de voiture ?

— A vingt minutes d'ici.

— Alors, allons-y.

Les musiciens commencèrent à s'accorder, encore que cela
pût passer pour un exercice inutile, vu la musique qu'ils
allaient jouer. Ils avaient intérêt à donner ce que l'on attendait
d'eux et à être bons, parce que c'était le genre de club où les
clients n'hésiteraient pas à casser la gueule à un groupe qu'ils
n'appréciaient pas.

Finalement, la blonde dit :

— J'ai un peu de PCP. Tu veux qu'on partage ?

— De la poussière d'ange ? C'est ça qui court dans mes
veines.

— T'as une voiture ?

— Allons-y.

Quand ils arrivèrent à la porte, il lui ouvrit et s'effaça pour la
laisser passer.

Elle éclata de rire.

— T'es un fils de pute vraiment bizarre !

A en croire le réveil digital, sur la table de nuit, il était 1 h 28 du
matin. Hatch n'avait dormi que deux heures, cependant il était
complètement réveillé et n'avait aucune envie de se recoucher
pour l'instant.

Et puis il avait la bouche sèche comme s'il avait mangé du
sable. Il avait besoin d'un verre.

La lampe entourée de la serviette lui donnait suffisamment
de lumière pour lui permettre d'aller jusqu'à la commode et
d'ouvrir le bon tiroir sans réveiller Lindsey. En tremblant, il
sortit un sweat-shirt et l'enfila. Il avait déjà son pantalon de
pyjama, mais préférait ne pas remettre le haut, car c'était trop
mince pour faire cesser ses frissons, il le savait.

Il entrebâilla doucement la porte de la chambre et passa
dans le couloir. Il jeta un coup d'œil à sa femme qui dormait
paisiblement. Elle était si belle, là, dans la lumière orangée de
la lampe, avec ses cheveux noirs sur son oreiller blanc, son

visage détendu, ses lèvres légèrement entrouvertes, sa main repliée sous son menton. La voir ainsi le réchauffa plus encore que son sweat-shirt. Et puis il songea à toutes ces années qu'ils avaient perdues en s'abandonnant à leur chagrin, et un flot de regrets balaya les restes de l'angoisse née de son cauchemar. Il referma sans bruit derrière lui. Le couloir du premier était envahi par les ombres, mais une faible lumière baignait l'escalier depuis le vestibule, en dessous. En passant du canapé de la salle de séjour au lit bateau, ils n'avaient pas pris la peine d'éteindre les lampes.

Comme deux teenagers excités. L'idée le fit sourire.

En descendant les marches, il se rappela son cauchemar, et son sourire disparut.

La blonde. Le couteau. L'œil.

Tout cela paraissait si *réel*.

Il s'arrêta au pied de l'escalier et tendit l'oreille. Le silence, dans la maison, n'était pas naturel. Il donna un petit coup au pilastre de la rampe, juste pour entendre quelque chose. Mais le choc lui sembla lointain, anormal. Et le silence qui suivit fut encore plus profond qu'avant.

— Jésus, ce rêve t'a vraiment foutu la trouille ! dit-il tout haut, et le son de sa propre voix le rassura.

Sur le parquet de chêne du couloir du rez-de-chaussée, ses pieds nus faisaient un claquement amusant, qui augmenta encore sur le carrelage de la cuisine. Assoiffé, Hatch sortit une boîte de Pepsi du réfrigérateur, la déboucha, envoya la tête en arrière, ferma les yeux et en but une longue gorgée.

Ça n'avait pas le goût du Pepsi, mais de la bière.

Il fronça les sourcils, rouvrit les yeux, regarda la boîte. Mais ce n'était plus une boîte qu'il avait à la main. C'était une bouteille de bière, de la même marque que dans son rêve : une Corona. Ni Lindsey ni lui ne buvaient de Corona. Quand ils prenaient une bière — rarement —, c'était une Heineken.

La peur se propagea en lui comme des vibrations sur un fil de fer.

Puis il remarqua que le sol carrelé de la cuisine avait disparu. Il était pieds nus sur du gravier. Les pierres lui faisaient mal.

Tandis que son cœur s'accélérait, il regarda autour de lui, avec le besoin désespéré de se prouver à lui-même qu'il se trouvait bien dans sa propre maison, et que le monde n'avait pas basculé dans une autre dimension. Ses yeux passèrent sur les placards en bouleau peint en blanc qui lui étaient familiers, les plans de travail en granit noir, le lave-vaisselle, le devant brillant du micro-ondes encastré, et il ordonna au cauchemar de s'en aller. Mais le sol de gravier demeura. Et lui, il avait toujours une Corona à la main. Il s'approcha de l'évier, dans l'intention de se passer l'eau froide sur le visage, mais l'évier n'était plus là. Une moitié de la cuisine s'était évanouie, remplacée par un bar, au bord d'une route, près duquel des voitures étaient garées sur un rang, et puis...

... il n'était plus du tout dans sa cuisine. Parce que la cuisine avait disparu. Il était dehors, dans un brouillard épais où se reflétait le néon rouge d'une enseigne quelque part derrière lui. Il marchait sur un parking, il dépassait une rangée de voitures en stationnement. Il n'était plus pieds nus, il avait des Rockport noires à semelles de caoutchouc.

Il entendit une femme qui disait :

— Je m'appelle Lisa. Et toi ?

Il tourna la tête et aperçut la blonde. Elle avançait à côté de lui sur le parking.

Au lieu de lui répondre immédiatement, il porta la Corona à ses lèvres, en avala les dernières gouttes, et lança la bouteille vide sur le gravier du parking.

— Mon nom, c'est...

... il haletait, et le Pepsi glacé s'écoulait de la boîte renversée et se répandait autour de ses pieds nus. Le gravier s'était évanoui. La flaque de Pepsi qui s'agrandissait brillait sur les carreaux couleur pêche de sa cuisine.

Dans la Pontiac de Redlow, Lisa dit à Vassago de prendre la San Diego Freeway vers le sud. Tandis qu'il roulait dans des rues envahies par le brouillard, et trouvait finalement une entrée d'autoroute, elle avait sorti de son sac des capsules de ce qu'elle disait être du PCP pharmaceutique, et ils les avaient avalées avec le restant de bière.

Le PCP était un tranquillisant pour animaux qui avait souvent l'effet inverse sur les humains et provoquait chez eux des frénésies destructrices. Il allait être intéressant d'étudier l'effet de la drogue sur Lisa, qui semblait avoir une conscience de serpent et une morale totalement étrangère, qui regardait le monde avec une haine et un mépris implacables, qui affichait une supériorité et un pouvoir n'excluant pas des tendances à l'autodestruction, et qui était déjà chargée d'une telle énergie psychotique très fortement refrénée qu'elle avait toujours l'air au bord de l'explosion. Il avait dans l'idée qu'avec l'aide du PCP, elle devait être capable de se laisser aller à des extrémités de violence hautement réjouissantes, de s'abandonner à des ouragans furieux de destructions sanglantes qu'il serait certainement stimulant d'observer.

— Où va-t-on ? lui demanda-t-il, alors qu'ils roulaient en direction du sud.

Les phares déchiraient un brouillard blanc qui dissimulait le monde et leur laissait penser qu'ils pouvaient inventer le paysage et l'avenir qu'ils voulaient. Tout ce qu'ils imagineraient tirerait sa substance du brouillard et surgirait autour d'eux.

— El Toro, répondit-elle.

— C'est là qu'il vit ?

— Ouais.

— C'est qui ?

— T'as besoin d'un nom ?

— Non, m'dame. Pourquoi tu veux le tuer ?

Elle l'étudia un instant. Un sourire s'inscrivit peu à peu sur son visage, comme une blessure ouverte par un couteau invisible se déplaçant lentement. Ses petites dents blanches paraissaient pointues. Des dents de piranha.

— Tu vas vraiment faire ce truc-là, n'est-ce pas ? demanda-t-elle. Tu vas simplement entrer dans cette piaule et tuer ce type pour prouver que je devrais avoir envie de toi.

— Pour prouver rien du tout, dit-il. Juste parce que ça peut être amusant. Comme je te l'ai expliqué...

— ... on fait un peu de mort ensemble, et ensuite un peu de sexe, termina-t-elle à sa place.

Juste pour la pousser à continuer à parler, et la mettre de plus en plus à l'aise, il ajouta :

— Il vit dans un appartement ou une maison ?

— Qu'est-ce que ça peut foutre ?

— C'est plus facile d'entrer dans une maison, et les voisins ne sont pas aussi près.

— C'est une maison, dit-elle.

— Pourquoi tu veux le tuer ? répéta-t-il.

— Il me désirait et moi non, et il a cru pouvoir prendre quand même ce qu'il désirait.

— Ça n'a pas dû être facile de te prendre quelque chose.

Ses yeux étaient plus froids que jamais.

— Ce salopard a dû se faire recoudre le visage quand ça a été fini.

— Mais il a eu ce qu'il voulait ?

— Il était plus lourd que moi.

Elle détourna la tête et regarda la route devant elle.

Une brise venue de l'est s'était levée, et à présent le brouillard bouillonnait sur l'autoroute comme les volutes de fumée d'un violent incendie, comme si la côte tout entière était en flammes, comme si toutes les villes de la région n'étaient plus que ruines fumantes.

Vassago la regardait sans cesse ; il voulait aller avec elle jusqu'à El Toro et voir jusqu'à quel point elle oserait patauger dans le sang pour assouvir sa vengeance. Ensuite, il aurait aimé réussir à la convaincre de l'accompagner jusqu'à sa cachette et de s'offrir, volontairement, à sa collection. Qu'elle le sût ou non, elle souhaitait mourir. Et elle lui serait reconnaissante de la douce souffrance qui lui ouvrirait les portes de la damnation. Avec sa peau pâle presque luminescente sur ses vêtements noirs, avec sa haine si intense que de tout son corps rayonnait une menace, elle serait une incomparable vision quand elle avancerait vers sa destinée au milieu de la collection, et qu'elle accepterait le coup fatal, un sacrifice spontané qui servirait le retour vers l'Enfer de celui qui le lui donnerait.

Il savait, pourtant, qu'elle ne se plierait pas à ses fantasmes et qu'elle ne mourrait pas pour lui, même si la mort était ce qu'elle voulait. Elle ne mourrait que pour elle-même, lorsqu'elle en viendrait, au bout du coupte, à la conclusion que sa fin était son plus profond désir.

Au moment où elle commencerait à comprendre ce qu'il attendait vraiment d'elle, elle l'attaquerait. Elle allait être plus difficile à contrôler — et causerait plus de dégâts — que Neon. Il préférait emmener à son musée de la mort chacune de ses nouvelles acquisitions alors qu'elle était encore vivante et lui prendre sa vie sous le regard malveillant du Lucifer du Palais des Merveilles. Mais il savait qu'il ne pourrait pas se permettre ce luxe, avec Lisa. Elle ne serait pas facile à maîtriser, même en la frappant sans prévenir. Et une fois qu'il aurait perdu l'avantage de la surprise, ce serait un adversaire féroce.

Il ne se souciait pas d'être blessé. Rien ne l'effrayait, même pas la perspective de la douleur. Au contraire, chaque coup qu'elle placerait, chaque blessure qu'elle lui infligerait seraient une sensation exquise, un pur plaisir.

Le problème était plutôt qu'elle pouvait être assez forte pour lui échapper, et il ne voulait pas prendre ce risque. Il ne croyait pas qu'elle irait le dénoncer aux flics. Elle vivait au sein d'une sous-culture qui se méfiait de la police, qui éprouvait pour elle du mépris et de la haine. Si elle lui glissait entre les doigts, il perdrait la chance de l'ajouter à sa collection — alors que son énergie terriblement perverse était l'offrande finale qui lui vaudrait d'être réadmis en Enfer, il en était convaincu.

— Tu sens encore rien ? demanda-t-elle sans cesser de fixer le brouillard, devant elle, au sein duquel ils roulaient à une vitesse dangereuse.

— Un peu, dit-il.

— Moi, rien du tout. (Elle ouvrit de nouveau son sac et recommença à farfouiller dedans et à faire l'inventaire de tout ce qu'elle possédait comme pilules et capsules.) On a besoin d'un booster quelconque pour aider cette saloperie à nous envoyer en l'air comme il faut.

Alors qu'elle cherchait la substance chimique qu'il leur fallait pour augmenter le pouvoir du PCP, Vassago continua à conduire en tenant le volant de la main gauche, tandis qu'avec l'autre il s'emparait, sous son siège, du revolver de Morton Redlow. Elle leva les yeux juste au moment où il plantait la gueule de l'arme contre son côté gauche. Si elle comprit ce qui se passait, elle ne montra aucune surprise. Il tira deux fois et la tua sur le coup.

Hatch utilisa des serviettes en papier pour nettoyer le Pepsi renversé. Lorsqu'il alla se rincer les mains à l'évier, il tremblait toujours, mais plus aussi violemment.

La terreur, qui avait un instant tout submergé, laissait maintenant une petite place à la curiosité. Il toucha avec hésitation le bord de l'évier en inox, puis le robinet, comme s'ils risquaient de se dissoudre sous sa main. Il cherchait désespérément à comprendre comment un rêve pouvait continuer alors qu'il était réveillé. La seule explication, qu'il ne lui était pas possible d'accepter, c'était qu'il était devenu fou.

Il ouvrit l'eau, régla le mélangeur pour trouver la bonne température, tira quelques gouttes de savon liquide, et se lava les mains tout en regardant par la fenêtre, au-dessus de l'évier, qui donnait sur la cour de derrière. La cour avait disparu. Il y avait une autoroute à la place. La fenêtre de la cuisine était un pare-brise. Noyée dans le brouillard et révélée en partie par les rayons des phares, la chaussée se précipitait vers lui comme si la maison avançait à cent kilomètres à l'heure. Il sentit une présence, à côté de lui, à un endroit où n'auraient dû se trouver que les deux fours. Il tourna la tête et vit la blonde qui fouillait dans son sac ; puis il se rendit compte qu'il avait quelque chose à la main, quelque chose qui n'avait pas la consistance de la mousse de savon, et il s'aperçut que c'était un revolver...

... Et la cuisine perdit toute substance. Il se trouvait dans une voiture qui fonçait sur une autoroute noyée dans le brouillard, et il plantait la gueule de son revolver dans le côté gauche d'une fille blonde. Alors qu'elle levait les yeux vers lui, il constata avec horreur que son doigt pressait une fois, deux fois, sur la détente. Elle fut projetée latéralement par les deux impacts, au moment où les deux détonations assourdissantes claquaient dans la voiture.

Vassago n'avait pas prévu ce qui se passa ensuite.

Le revolver devait être chargé avec des cartouches de magnum, car les deux balles pénétrèrent dans la blonde plus fort qu'il n'avait imaginé et la collèrent contre la portière du passager. Peut-être que celle-ci n'était pas bien fermée, peut-être que l'un des projectiles avait traversé la fille de part en part, puis endommagé la serrure... En tout cas, la portière s'ouvrit. Le vent s'engouffra dans la Pontiac, hurlant comme une bête sauvage, et Lisa bascula, avalée par la nuit.

Il freina brusquement et regarda dans son rétroviseur. Alors que la voiture commençait à chasser, il aperçut le corps de la blonde qui rebondissait sur la chaussée, derrière lui.

Il voulut s'arrêter et retourner en marche arrière à sa hauteur. Mais même à cette heure-ci du petit matin, il y avait d'autres véhicules sur l'autoroute. Il voyait deux paires de phares, peut-être à huit cents mètres derrière lui, de simples taches brillantes dans le brouillard, mais qui devenaient de plus en plus nettes à chaque seconde. Ces deux conducteurs arriveraient avant lui au cadavre, et il n'aurait pas le temps de le charger dans la Pontiac.

Il lâcha la pédale du frein et accéléra, envoya brusquement la voiture sur la gauche, en franchissant deux voies de circulation, puis en revenant tout aussi vite sur la voie de droite : il réussit ainsi à refermer la portière, qui se mit à cliqueter, mais ne se rouvrit pas. La gâche devait donc fonctionner encore un peu.

Bien que la visibilité fût descendue à une douzaine de mètres environ, il lança la Pontiac à plus de cent vingt à l'heure, et fonça en aveugle dans le brouillard qui bouillonnait. Il dépassa une première sortie et, à la seconde, il quitta l'autoroute, et dès qu'il se retrouva en agglomération, il ralentit. Il s'éloigna de ce quartier sans perdre de temps, mais en respectant les limitations de vitesse, parce que si un flic l'avait arrêté, il aurait certainement remarqué le sang sur le siège et sur la vitre, côté passager.

Dans le rétroviseur, Hatch vit le corps qui rebondissait sur la chaussée et disparaissait dans le brouillard. Puis, l'espace d'un instant, il découvrit son propre reflet, de l'arête du nez aux sourcils. Il portait des lunettes de soleil, alors qu'il roulait la nuit ! Mais non. Pas *lui*. C'était le conducteur de la voiture qui les portait, et le reflet qu'il venait d'apercevoir n'était pas le sien. Il avait l'impression d'être le conducteur, mais il comprenait qu'il ne l'était pas, parce que la vision fugitive qu'il avait eue des yeux derrière les verres teintés avait été suffisante pour le convaincre que ces yeux-là étaient particuliers, préoccupés, et totalement différents des siens. Puis...

... il était de retour dans sa cuisine, contre son évier, il haletait, il laissait échapper des bruits de gorge, comme s'il allait vomir. Au-delà de la fenêtre, il n'y avait de nouveau que la cour de sa maison, enveloppée de nuit et de brouillard.

— Hatch ?

Il sursauta et se retourna.

Lindsey se tenait sur le pas de la porte, dans son peignoir de bain.

— Quelque chose ne va pas ?

Il essuya ses mains pleines de savon sur son sweat-shirt et essaya de lui répondre, mais la terreur l'empêcha de parler.

Elle se précipita vers lui.

— Hatch ?

Il la serra dans ses bras et fut heureux de la sentir contre lui — et cela, *finalement,* lui permit d'articuler quelques mots :

— Je lui ai tiré dessus, elle est tombée de la voiture, Seigneur Jésus Tout-Puissant, et elle a rebondi sur l'autoroute comme une poupée de chiffon !

7

Hatch demanda à Lindsey de faire chauffer du café. La familiarité de cet arôme délicieux fut un bon antidote à la bizarrerie de la nuit. Plus que tout le reste, cette odeur ramena avec elle un sentiment de normalité qui lui calma un peu les nerfs. Il burent leur café à la table du coin repas de la cuisine.

Hatch insista pour fermer les volets de la fenêtre la plus proche. Il dit :

— J'ai l'impression... ... qu'il y a quelque chose, là, dehors... et je ne veux pas que ça nous observe...

Il fut incapable d'expliquer ce qu'il entendait par « quelque chose ».

Lorsqu'il lui eut raconté tout ce qui lui était arrivé à partir du moment où il s'était réveillé de son cauchemar avec la blonde glaciale, le couteau à cran d'arrêt et l'œil mutilé, Lindsey n'eut qu'une explication à proposer.

— Ce que tu as ressenti à ce moment-là importe peu. Je pense que tu ne devais pas être complètement réveillé quand tu es sorti du lit. Tu as fait une crise de somnambulisme. Tu n'as vraiment repris conscience que quand je suis entrée dans la cuisine et que j'ai crié ton nom.

— Je n'ai jamais été somnambule ! protesta-t-il.

Elle essaya de prendre son objection à la légère :

— Il n'est jamais trop tard pour choper une nouvelle maladie.

— Je suis pas convaincu.

— Comment tu expliques ça, alors ?

— Je n'ai pas d'explication.

— Tu vois : somnambulisme, conclut-elle.

Il regardait fixement à l'intérieur de la tasse de porcelaine blanche qu'il serrait entre ses deux mains, comme une bohémienne essayant de deviner le futur dans les lignes de lumière jouant à la surface du liquide noir.

— Est-ce que tu as *déjà rêvé* que tu étais quelqu'un d'autre ? demanda-t-il.

— Je suppose que oui, répondit-elle.

Il la dévisagea d'un air sévère.

— Pas de supposition. Est-ce que tu as déjà fait un rêve par les yeux d'un étranger ? Un rêve particulier que tu peux me raconter ?

— Eh bien... non. Mais je suis sûre que j'ai dû en avoir un, une fois. Simplement, je ne m'en souviens pas. Les rêves ne sont que fumée, après tout. Ils s'évanouissent si vite. Qui se les rappelle longtemps ?

— Je me souviendrai de celui-là jusqu'à la fin de mes jours, dit-il.

Ils retournèrent se coucher, mais ils ne réussirent pas à se rendormir. C'était peut-être, pour une part, à cause du café. Lindsey se dit qu'il en avait bu dans l'espoir justement, qu'il l'empêcherait de dormir, et lui éviterait ainsi de replonger dans son cauchemar. Eh bien, c'était réussi !

Ils étaient allongés sur le dos, tous les deux, et ils contemplaient le plafond.

D'abord, il n'avait pas eu envie d'éteindre la lampe de chevet — mais c'était seulement l'hésitation avec laquelle il avait appuyé sur le bouton qui avait trahi son peu d'empressement. Il était comme un enfant — assez âgé pour faire la différence entre les peurs réelles et les peurs imaginaires, mais pas encore tout à fait assez grand quand même pour échapper totalement à ces dernières ; il était certain qu'un monstre était caché sous le lit, mais il avait honte de le dire.

Maintenant que la lampe était éteinte et que seule la lueur indirecte des lampadaires lointains passait à travers les fenêtres et les interstices des rideaux, Hatch avait communiqué son anxiété à Lindsey. Il était facile de se persuader que certaines ombres bougeaient, sur le plafond, des ombres aux formes de chauves-souris, de lézards et d'araignées, étrangement furtives et animées d'intentions malveillantes.

Ils parlaient doucement, de temps en temps, de choses sans importance. Ils savaient tous les deux quel sujet ils devaient aborder, mais craignaient de le faire. A la différence des petites bestioles qui rampaient sur le plafond et des choses qui vivaient sous les lits d'enfants, celle-là était une peur bien réelle. Dommages cérébraux.

Depuis qu'il avait repris conscience à l'hôpital, après sa réanimation, Hatch faisait de mauvais rêves effrayants de réalité. Mais pas chaque nuit. Son sommeil pouvait même être tranquille pendant trois ou quatre nuits d'affilée ; et pourtant, semaine après semaine, ces rêves étaient plus fréquents, et leur intensité augmentait.

Ce n'étaient pas les mêmes cauchemars, mais ils contenaient des éléments très semblables. Violence. Images horribles de corps nus et pourrissants, contorsionnés dans des positions particulières. Et c'était toujours par les yeux d'un étranger qu'il vivait ces rêves-là, toujours le même personnage mystérieux, comme si Hatch était un esprit qui prenait possession d'un autre homme mais était incapable de le contrôler. Les cauchemars commençaient ou finissaient — parfois commençaient et finissaient — systématiquement dans le même décor : un mélange d'immeubles et de constructions bizarres qui résistaient à l'identification, toujours plongés dans le noir, architectures déconcertantes se découpant sur un ciel nocturne. Il *voyait* aussi des salles souterraines et des labyrinthes de couloirs de béton alors qu'il n'y avait là ni fenêtres ni éclairage artificiel. L'endroit, avait-il expliqué à Lindsey, lui était devenu familier, mais il n'en apercevait jamais assez pour pouvoir dire où il se trouvait.

Jusqu'à cette nuit, ils avaient essayé de se persuader que ces problèmes seraient de courte durée. Comme d'habitude, Hatch débordait de pensées positives. Ses mauvais rêves n'étaient pas extraordinaires. Tout le monde en avait. Ils étaient souvent causés par le stress. On soulageait le stress et les cauchemars cessaient.

Mais, là, justement, ils ne cessaient pas. Et voilà qu'ils prenaient un nouveau tour très inquiétant : le somnambulisme.

Ou peut-être se mettait-il à avoir des hallucinations en période de veille avec les mêmes images qui troublaient son sommeil.

Peu de temps avant l'aube, Hatch avança le bras, sous les draps, et prit la main de Lindsey, la serra.

— Ça va aller. C'est rien, vraiment. Juste un rêve.

— La première chose à faire, ce matin, c'est d'appeler Nyebern, dit-elle, le cœur serré. On n'a pas été honnêtes avec lui. Il t'avait demandé de le prévenir si tu avais des symptômes...

— C'est pas vraiment un symptôme, l'interrompit-il d'une voix qu'il voulait convaincante.

— ... des symptômes physiques *ou* mentaux, poursuivit-elle.

Elle craignait pour lui — et aussi pour elle — s'il avait vraiment un problème.

— J'ai passé tous les examens, et même deux fois, pour la plupart. On m'a trouvé en parfait état de santé. Aucun dommage cérébral.

— Alors, tu n'as pas de raison de t'inquiéter, pas vrai ? Pas de raison de différer ta visite à Nyebern.

— S'il y avait eu des dommages cérébraux, on s'en serait rendu compte tout de suite. Ce n'est pas quelque chose de résiduel qui apparaît brusquement plus tard.

Ils restèrent silencieux un moment.

Elle ne parvenait plus à imaginer les bestioles qui rampaient dans les ombres du plafond. Les fausses peurs s'étaient évanouies dès qu'il avait nommé la peur la plus grave, réelle celle-là, qu'ils affrontaient.

Finalement, elle demanda :

— Et Regina ?

Il réfléchit un moment à sa question, puis :

— Je pense qu'on devrait continuer, remplir les papiers — à condition qu'elle veuille venir chez nous, bien sûr.

— Et si... si tu as eu un problème ? Et si ce problème s'aggrave ?

— Il va falloir quelques jours pour tout régler avant de la ramener à la maison. Entre-temps, on aura eu les résultats de l'examen médical et des analyses. Je suis sûr qu'ils ne me trouveront rien.

— Tu prends ça trop à la légère.

— Le stress tue.

— Et si Nyebern tombe sur quelque chose de vraiment mauvais... ?

— Alors on demandera à l'orphelinat de remettre les choses à plus tard, si on y est obligés. Tu comprends, si demain on leur dit que j'ai des ennuis qui ne me permettent pas de remplir les papiers, ils risquent de revenir sur leur décision initiale en ce qui concerne notre aptitude. Ils peuvent refuser notre candidature et nous n'aurons jamais notre chance avec Regina.

Cette journée avait été si parfaite, depuis leur réunion dans le bureau de Salvatore Gujilio jusqu'à l'amour devant le feu et puis dans le vieux lit bateau chinois... L'avenir leur avait semblé si lumineux ; ils étaient si sûrs que le pire était passé...

Et maintenant, elle était abasourdie de la vitesse avec laquelle ils avaient replongé dans le malheur.

— Mon Dieu, Hatch, je t'aime, murmura-t-elle.

Dans l'obscurité, il se rapprocha d'elle et la serra dans ses bras. Et ils restèrent ainsi, l'un contre l'autre, longtemps après le lever du jour, sans rien ajouter, car pour l'instant tout avait été dit.

Plus tard, après avoir pris une douche et s'être habillés, ils descendirent au rez-de-chaussée et burent un autre café. Le matin, ils écoutaient toujours la radio, une station d'informations en continu. Ce fut ainsi qu'ils entendirent parler de Lisa Blaine, la jeune femme blonde tuée de deux balles de revolver et balancée d'une voiture sur la San Diego Freeway, la nuit précédente — à l'heure exacte où Hatch, dans la cuisine, voyait la détente d'une arme sur laquelle on appuyait, et le corps d'une fille qui s'écrasait sur la chaussée, dans le sillage de la voiture.

8

Pour des raisons qu'il ne comprenait pas, Hatch se sentit obligé d'aller voir la section de l'autoroute où l'on avait retrouvé la morte. « Ça me rappellera peut-être quelque chose », fut la seule explication qu'il put donner.

C'était lui qui conduisait leur nouvelle Mitsubishi rouge. Ils prirent vers le nord par la route de la côte, puis vers l'est jusqu'au South Coast Plaza Shopping Mall, où ils rejoignirent la San Diego Freeway qui filait vers le sud. Hatch voulait arriver sur les lieux du meurtre par la même direction que celle empruntée par le tueur, la nuit précédente.

A neuf heures et quart, le trafic de l'heure de pointe aurait dû diminuer, mais toutes les voix de circulation étaient encore bloquées. Ils progressaient par à-coups, dans les vapeurs de gaz d'échappement dont l'air conditionné de leur voiture les protégeait.

Le brouillard monté du Pacifique au cours de la nuit s'était dissipé. Les arbres se balançaient dans une brise de printemps, les oiseaux descendaient en piqué en faisant des arcs de cercle vertigineux à travers un ciel bleu vif, sans nuage. Cette nouvelle journée ne donnait pas envie de penser à la mort.

Ils dépassèrent la sortie du MacArthur Boulevard, puis celle de Jamboree, et à chaque tour de roue Hatch sentait les muscles de son cou et de ses épaules se tendre davantage. Il était paralysé par l'affreux sentiment qu'il avait effectivement emprunté cet itinéraire la nuit dernière, tandis que le brouillard submergeait l'aéroport, les hôtels, les immeubles de bureaux et les collines brunes dans le lointain — alors qu'en réalité il était chez lui.

— Ils allaient à El Toro, dit-il.

C'était un détail dont il ne s'était pas souvenu, jusqu'à cet instant. Ou peut-être ne l'apprenait-il que maintenant grâce à quelque sixième sens.

— C'était peut-être là qu'elle vivait — ou qu'il vivait.

Fronçant les sourcils, Hatch répondit :

— J' crois pas.

Alors qu'ils se faufilaient dans les embouteillages, il commença à se souvenir des détails du rêve, mais aussi de la sensation d'une violence en suspens.

Ses mains glissaient sur le volant. Elles étaient moites. Il les essuya sur sa chemise.

— J'ai l'impression que d'une certaine façon, ajouta-t-il, la blonde était presque aussi dangereuse que je... qu'il l'était...

— Qu'est-ce que tu veux dire ?

— J' sais pas. C'est juste ce que je sentais alors.

Le soleil se reflétait sur les innombrables véhicules qui ne cessaient de se déverser au nord et au sud en deux grands fleuves d'acier, de chrome et de verre. La température extérieure tournait autour des vingt-sept degrés. Et cependant Hatch avait froid.

Comme un panneau indiquait l'approche de la sortie de Culver Boulevard, Hatch se pencha légèrement en avant. Sa main droite abandonna le volant et se glissa sous son siège.

— C'est là qu'il a pris le revolver... Qu'il l'a braqué... Elle était en train de chercher quelque chose dans son sac...

Il n'aurait pas été trop surpris de trouver une arme sous son siège, car il avait encore un souvenir d'une effrayante clarté de la facilité avec laquelle le rêve et la réalité s'étaient mélangés, et séparés, et mélangés à nouveau la nuit précédente. Alors, pourquoi pas maintenant, même en plein jour? Il laissa échapper un léger soupir de soulagement en découvrant que l'espace sous son siège était vide.

Les flics..., dit Lindsey.

Hatch était tellement occupé à la reconstitution des événements de son cauchemar qu'il ne comprit pas immédiatement ce dont parlait Lindsey. Puis il vit des voitures pie et d'autres véhicules de la police garés le long de l'autoroute inter-États.

Courbés, étudiant avec beaucoup d'attention le sol poussiéreux, des policiers en uniforme avançaient sur le bas-côté et examinaient aussi l'herbe sèche s'étendant au-delà. De toute évidence, ils menaient une vaste recherche d'indices pour découvrir quelque chose qui aurait pu être tombé de la voiture du tueur avant, en même temps, ou après la victime blonde.

Il remarqua que tous les flics avaient des lunettes de soleil, comme Lindsey et lui-même. La luminosité de cette journée blessait les yeux, oui.

Mais l'assassin en portait, lui aussi, lorsqu'il avait regardé dans son rétroviseur. Pourquoi en avait-il besoin dans l'obscurité et le brouillard, pour l'amour de Dieu?

Mettre des lunettes noires la nuit et par mauvais temps allait au-delà de la frime ou de l'excentricité. C'était... anormal.

Hatch tenait toujours l'arme imaginaire à la main, l'arme qu'il était allé chercher sous son siège. Mais comme ils roulaient beaucoup plus lentement que le tueur, ils n'étaient pas encore arrivés à l'endroit où les coups de feu avaient été tirés.

Les voitures avançaient pare-chocs contre pare-chocs; l'heure de pointe n'était pas plus chargée que d'habitude, mais les automobilistes ralentissaient pour observer les policiers. Les journalistes radio chargés du trafic routier nommaient cela les « bouchons bée ».

— Il fonçait vraiment à toute pompe, dit Hatch.

— Dans un brouillard à couper au couteau ?

— Et avec des lunettes de soleil.

— Stupide, marmonna Lindsey.

— Non. Ce type est un malin.

— A moi, ça me paraît stupide.

— Il n'a peur de rien...

Hatch essayait de se remettre dans la peau de l'homme avec lequel il avait partagé une enveloppe charnelle au cours de son cauchemar. Ce n'était pas facile. Il y avait quelque chose de totalement étranger chez ce tueur. Quelque chose qui résistait à toute analyse.

— Il est d'une froideur extrême... Froid et noir à l'intérieur... Il ne pense pas comme toi et moi... (Hatch luttait pour trouver les mots capables de faire vraiment comprendre à Lindsey à quoi ressemblait le meurtrier.)... Il est sale. (Il secoua la tête.) Je ne veux pas dire qu'il ne se lave pas, non, c'est pas quelque chose de ce genre. C'est davantage comme si... euh, comme s'il était contaminé. (Il soupira et renonça.) En tout cas, il n'a absolument peur de rien. Non, rien ne lui fiche la trouille. Il croit que rien ne peut l'atteindre. Mais dans son cas, ce n'est pas de la témérité. Parce... d'une façon ou d'une autre, il a raison.

— Qu'est-ce que tu racontes ? Qu'il est invulnérable ?

— Non. Pas exactement. Mais rien de ce que tu pourrais lui faire... n'a d'importance pour lui.

Lindsey serra ses bras autour d'elle.

— Tu le décris comme quelqu'un... d'inhumain.

Pour l'instant, la police concentrait ses recherches d'indices sur quatre cents mètres environ au sud de la sortie de Culver Boulevard. Une fois passée cette zone, le trafic recommençait à mieux s'écouler.

Le revolver imaginaire, dans sa main droite, sembla prendre davantage de substance. Hatch sentait presque la froideur de l'acier contre sa peau.

Lorsqu'il pointa l'arme fantôme sur Lindsey en se tournant vers elle, elle ne put s'empêcher de sursauter. C'était sa femme qu'il voyait, mais il voyait aussi, dans son souvenir, le visage de la blonde qui redressait la tête — mais trop tard, même pour marquer une quelconque surprise.

— Ici, exactement ici, deux balles, aussi vite que j'ai... qu'il a pu appuyer sur la détente, murmura Hatch en frissonnant, car le souvenir de cette violence était beaucoup plus facile à retrouver que ne l'étaient l'humeur et l'esprit malfaisants de l'assassin. Ça a fait deux gros trous en elle. (Il les revoyait si nettement !) Mon Dieu, c'était horrible ! (Il avait l'impression de revivre vraiment ce souvenir.) La façon dont sa chair a été déchirée... Et ce bruit de tonnerre, comme la fin du monde. (Il eut soudain un goût acide dans la gorge.) Elle a été tuée sur le coup. L'impact l'a collée contre la portière qui s'est ouverte sous le choc. Il n'avait pas prévu ça. Il la voulait, elle faisait partie de sa collection désormais, et puis elle n'était plus là, elle avait disparu dans la nuit, elle s'était écrasée sur la chaussée comme un vulgaire détritus.

Pris dans son rêve, il appuya brusquement sur la pédale du frein, comme l'avait fait l'assassin.

— Hatch ! Non !

Une voiture, une autre, puis une troisième, firent des embardées, et évitèrent de justesse la collision, dans un concert d'avertisseurs, un ballet de reflets du soleil sur les chromes et les vitres.

Secouant la tête pour échapper à ses souvenirs, Hatch accéléra de nouveau, et se coula dans le trafic. Il avait conscience que les gens l'observaient depuis les autres voitures.

Mais il s'en moquait, car il avait trouvé la piste, comme un chien limier. En fait, ce n'était pas une odeur qu'il suivait. C'était quelque chose d'indéfinissable qui le guidait, peut-être des vibrations psychiques, une perturbation dans l'éther causée par le passage du tueur, exactement comme l'aileron du requin creuse un sillon à la surface de l'océan — sauf que l'éther ne s'était pas refermé à la même vitesse que l'eau.

— Il a pensé revenir en marche arrière pour la récupérer, mais il s'est rendu compte que c'était impossible, alors il a continué, expliqua Hatch, conscient que sa voix était devenue basse et un peu rauque, comme s'il rapportait des secrets douloureux à avouer.

— ... Et puis je suis entrée dans la cuisine et je t'ai trouvé en train de faire des bruits bizarres, comme si tu t'étranglais et que tu étouffais, dit Lindsey. Tu agrippais le bord du plan de travail assez fort pour briser le granit. J'ai cru que tu avais une crise cardiaque.

— Il roulait très vite, poursuivit Hatch, qui n'accéléra lui-même que légèrement. Cent dix, cent trente, encore plus, pressé de s'échapper avant que les automobilistes, derrière lui, ne découvrent le corps.

Comprenant qu'il ne se contentait pas *d'imaginer* les actes du tueur, Lindsey dit :

— Ce ne sont pas seulement des souvenirs de ton rêve. Tu te souviens de choses qui se sont passées après le moment où je suis arrivée dans la cuisine et où je t'ai réveillé.

— Ce ne sont pas des souvenirs, répondit-il d'une voix enrouée.

— Et qu'est-ce que c'est, alors ?

— Des sensations...

— Maintenant ?

— Oui.

— Comment ?

— D'une façon ou d'une autre. (Il n'avait tout simplement pas de meilleure explication.) D'une façon ou d'une autre..., répéta-t-il dans un murmure, tout en fixant le ruban d'asphalte de la route, dans cette plaine où ils roulaient qui paraissait s'assombrir malgré l'éclat du soleil matinal, comme si le tueur projetait une ombre bien plus large que lui, une ombre qui subsistait derrière lui des heures après son départ. Oui, murmura-t-il. Cent trente... Cent trente-cinq... Presque cent quarante à l'heure... avec une visibilité de seulement trente mètres ! (Cela signifiait que s'il y avait eu une voiture devant lui, l'assassin serait venu s'y fracasser avec une violence cataclysmique.) Il n'a pas tourné à la première sortie, il voulait aller plus loin... Il a continué à rouler... à rouler...

Il faillit ne pas ralentir à temps pour prendre la bretelle de la route d'état 133, qui traversait le canyon avant Laguna Beach. Il freina à la dernière minute, et donna un coup de volant à droite. La Mitsubishi dérapa, au moment où il quittait l'autoroute inter-États, mais il n'en perdit pas le contrôle.

— Il est sorti ici ? demanda Lindsey.

— Oui.

Hatch prit la route à droite.

— Il est entré dans Laguna ?

— Je... ne crois pas.

Il freina et s'arrêta complètement à une intersection marquée par un stop. Il se gara sur l'accotement. Devant eux, c'était la rase campagne, les collines couvertes d'une herbe desséchée de couleur brune. S'il allait tout droit, il se dirigerait vers Laguna Canyon, où les promoteurs n'avaient pas encore réussi à repousser les étendues sauvages avec leurs pavillons. Des kilomètres de taillis où poussaient quelques chênes bordaient la route du canyon jusqu'à Laguna Beach. Mais le tueur avait très bien pu tourner aussi à droite ou à gauche. Hatch examina chacune de ces directions, à la recherche... des signes invisibles qui l'avaient déjà attiré si loin.

Au bout d'un moment, Lindsey dit :

— Tu ne sais pas où il est allé, à partir d'ici ?

— A la cachette.

— Hein ?

Hatch cligna des yeux. Il ne comprenait pas vraiment pourquoi il avait choisi ce terme.

— Il est allé à sa cachette... dans le sol...

— Dans le sol ? répéta Lindsey.

Elle observa avec étonnement les collines desséchées.

— ... Dans l'obscurité...

— Tu veux dire qu'il est quelque part sous terre ?

— ... Un silence glacé... glacé...

Hatch resta assis un moment à examiner le carrefour, tandis que passaient quelques voitures. Il était arrivé à la fin de la piste... Le tueur lui avait échappé. Il ne savait pas où il était. Il ne percevait plus rien — excepté, étrangement, le goût chocolaté des biscuits Oreo, qui était aussi fort que s'il venait d'y mordre.

9

Au Cottage, à Laguna Beach, ils prirent un petit déjeuner tardif, avec pommes rissolées, œufs, bacon et toasts beurrés. Depuis sa mort et sa résurrection, Hatch se moquait du taux de cholestérol et des effets à long terme du tabagisme passif. Il supposait que le jour viendrait où ces petits risques lui paraîtraient importants de nouveau, et qu'il reprendrait alors un régime à base de fruits et de légumes, qu'il jetterait des regards mauvais aux fumeurs soufflant leurs saletés dans sa direction et qu'il ouvrirait une bouteille de bon vin avec un mélange de délectation et de mauvaise conscience, car il connaissait les effets de l'alcool sur la santé. Mais en ce moment, il appréciait trop la vie pour s'inquiéter outre mesure de la perdre à nouveau — et c'était pourquoi il était bien décidé à conserver son calme malgré ses cauchemars et la mort de la blonde.

La nourriture lui faisait l'effet d'un tranquillisant naturel. Chaque bouchée de jaune d'œuf lui détendait les nerfs.

— D'accord, dit Lindsey qui prenait son petit déjeuner avec un peu moins d'enthousiasme que Hatch, supposons qu'il y ait quand même des dommages cérébraux d'un genre ou d'un autre. Mais mineurs. Si mineurs que les examens ne les ont pas révélés. Pas assez graves pour entraîner une paralysie ni des problèmes d'élocution ni des trucs comme ça. Et puis, à la suite d'un incroyable coup de pot, une chance sur un milliard, ces dommages auraient eu une conséquence bizarre, en réalité bénéfique. Ils auraient pu avoir donné naissance à de nouvelles connexions dans les tissus de ton cerveau, et avoir fait de toi un médium.

— Foutaises.

— Pourquoi ?

— Parce que je ne suis pas médium.

— Et alors comment t'appelles ça ?

— Et même si je l'étais, je ne dirais pas que c'est bénéfique.

Comme la bousculade du petit déjeuner était terminée, le restaurant n'était pas trop bondé. Les tables proches de la leur étaient vides. Ils pouvaient discuter des événements de la matinée sans craindre que l'on surprît leur conversation, et cependant Hatch ne cessait de jeter des coups d'œil gênés autour de lui.

Tout de suite après sa réanimation, les media avaient déferlé sur le General Hospital du comté d'Orange, et au cours des jours qui avaient suivi sa sortie, les journalistes avaient pratiquement campé devant chez lui. Après tout, Hatch avait été mort plus longtemps que n'importe quel autre individu réanimé, ce qui lui donnait droit à bien davantage que ce quart d'heure de célébrité qu'Andy Warhol avait promis à tout Américain dans ce pays obsédé par la notoriété. Mais celle-ci, il n'avait rien fait pour la mériter. Il n'en voulait pas. Il n'avait pas eu à lutter pour revenir de la mort ; c'étaient Lindsey,

Nyebern et son équipe de réanimation qui l'avaient ramené à la vie. Il n'était pas une personne publique, il se satisfaisait du respect tranquille des meilleurs antiquaires qui connaissaient sa boutique et qui étaient parfois en affaires avec lui. En fait, s'il n'avait eu que le respect de Lindsey, s'il n'avait été célèbre qu'à ses yeux, et seulement parce qu'il était un bon mari, cela lui aurait suffi. En refusant résolument de parler aux journalistes, il avait fini par les convaincre de le laisser tranquille et de courir après n'importe quelle chèvre à deux têtes — ou son équivalent — qui venait de naître quelque part, et qui pourrait remplir une colonne de quotidien ou occuper une minute sur les ondes, entre deux publicités pour déodorants.

Maintenant, s'il révélait qu'il était revenu de la mort avec l'étrange pouvoir d'entrer en communication avec l'esprit d'un *psycho killer,* des nuées de journalistes allaient s'abattre sur lui de nouveau. Rien que cette perspective lui était insupportable. Il estimait plus facile d'affronter un essaim de mouches tueuses ou un groupe d'Hare Krishna tendant leurs sébiles, les yeux brillants de transcendance spirituelle.

— S'il ne s'agit pas d'un ton médiumnique, insista Lindsey, alors qu'est-ce que c'est?

— Je ne sais pas.

— Ce n'est pas suffisant, comme réponse.

— Peut-être que ça va passer et ne plus jamais se reproduire. Peut-être que c'est un hasard.

— Mais tu ne le crois pas.

— Eh bien... Disons que je veux le croire.

— On doit s'occuper de ça, assura-t-elle.

— Pourquoi?

— On doit essayer de comprendre.

— Pourquoi?

— Arrête de me servir tes *pourquoi* comme un gosse de cinq ans, tu veux?

— Pourquoi?

— Sois un peu sérieux, Hatch. Une femme est morte. Ce n'est peut-être pas la première. Et elle ne sera peut-être pas la dernière.

Il posa sa fourchette sur son assiette à moitié vide, et but un peu de jus d'orange pour faire descendre les pommes de terre.

— Okay, d'accord, on dirait une vision médiumnique, ouais, juste comme dans les films. Sauf que c'est davantage que ça. Ça fait plus peur.

Il ferma les yeux, à la recherche d'une analogie. Quand il la trouva, il les rouvrit et regarda encore la salle de restaurant autour de lui, pour s'assurer qu'aucun nouveau client ne s'était assis à une table voisine.

Il contempla son assiette avec un air de regret. Ses œufs refroidissaient. Il soupira.

— Tu sais, dit-il, ce qu'on raconte des vrais jumeaux, séparés à la naissance et élevés à quinze cents kilomètres l'un de l'autre par des familles adoptives sans le moindre rapport... Malgré tout, quand ils sont adultes, ils vivent des vies identiques.

— Bien sûr que j'ai entendu ça. Et alors ?

— Même grandis chacun dans leur coin, dans des milieux totalement différents, ils choisissent des carrières similaires, parviennent aux mêmes niveaux de revenus, épousent des femmes qui se ressemblent, et donnent à leurs gosses les mêmes noms. On ne comprend pas pourquoi. Et même s'ils ne savent pas qu'ils sont jumeaux, même si on leur dit qu'ils étaient des enfants uniques quand on les a adoptés, ils ont conscience l'un de l'autre, au-delà de la distance, même s'ils ne comprennent pas de qui ou de quoi ils sentent la présence... Il y a un lien entre eux que personne n'est capable d'expliquer, pas même les généticiens.

— Et en quoi ça te concerne ?

Il hésita, puis ramassa sa fourchette. Il avait envie de manger plutôt que de parler. Manger était sécurisant. Mais elle n'allait pas le laisser s'en tirer ainsi. Ses œufs se figeaient. Ses tranquillisants. Il reposa la fourchette.

— Par moments, reprit-il, je vois par les yeux de ce type lorsque je dors, et maintenant, il m'arrive d'avoir conscience de lui quand je suis éveillé, et c'est comme ces conneries de phénomènes psychiques dans les films. Mais je ressens aussi ce... ce lien avec lui, un lien que je ne peux vraiment ni expliquer, ni te décrire, même si tu me pousses dans mes derniers retranchements.

— T'es pas en train de dire que tu crois que c'est ton jumeau ou un truc comme ça ?

— Non, non, pas du tout. Je pense qu'il est bien plus jeune

que moi, qu'il n'a que vingt ou vingt et un ans. Aucun lien de sang. Mais y'a tout de même un de ces trucs mystiques de jumeaux entre nous, comme si ce gars-là et moi on avait quelque chose en commun, qu'on partageait une qualité fondamentale.

— Laquelle ?

— Sais pas. J'aimerais le savoir. (Il se tut. Il décida d'être totalement honnête.) Ou peut-être pas.

Plus tard, lorsque la serveuse eut débarrassé leurs assiettes vides et apporté du café noir bien serré, Hatch ajouta :

— Il n'est pas question que j'aille voir les flics et que je leur offre mon aide, si c'est à ça que tu penses.

— C'est un devoir, là, de...

— De toute façon, je ne sais rien qui pourrait les aider.

Elle souffla sur son café brûlant.

— Tu sais qu'il conduisait une Pontiac.

— Je ne crois pas que c'était la sienne.

— Elle était à qui, alors ?

— Volée, peut-être.

— C'est un autre de ces trucs que tu as sentis ?

— Ouais. Mais je sais pas à quoi il ressemble, ni comment il s'appelle, ni où il vit — tu vois, rien d'utile.

— Et si tu l'apprends ? Si tu découvres quelque chose qui pourrait aider la police ?

— Alors je les appellerai sans leur donner mon identité.

— Ils prendront l'information plus au sérieux si tu la leur donnes.

Il se sentait violé par l'intrusion de cet étranger psychotique dans sa vie. Et ce viol le mettait en colère, et c'était cette colère qu'il craignait, plus qu'il ne craignait cet inconnu ou l'aspect surnaturel de la situation, ou encore la perspective de dommages cérébraux. Il avait peur d'apprendre que la rage de son père était aussi en lui, attendant son heure.

— C'est un meurtre, dit-il. Ils prennent au sérieux *le moindre* tuyau, dans une enquête criminelle, même anonyme. Je n'ai pas envie de laisser les journalistes recommencer à faire leurs gros titres avec moi.

Du restaurant, ils se rendirent directement à leur magasin d'antiquités, *Harrison's Antiques,* où Lindsey avait un atelier sur une partie du premier étage, en plus de celui de chez elle. Lorsqu'elle peignait, il lui fallait changer régulièrement d'environnement pour renouveler son travail.

Dans la voiture, avec l'océan pailleté de soleil qui apparaissait parfois entre les immeubles, sur leur droite, Lindsey lui expliqua qu'elle l'avait harcelé pendant le petit déjeuner parce qu'elle savait que le seul grave défaut de son caractère, c'était sa tendance à ne pas s'en faire. La mort de Jimmy avait été l'unique terrible événement de son existence qu'il n'avait jamais été capable de rationaliser, de minimiser, puis de chasser de son esprit. Et même cela, il avait essayé de l'étouffer, plutôt que d'accepter son chagrin — ce qui expliquait pourquoi celui-ci n'avait fait que croître. Si on lui laissait du temps, il allait commencer à dédramatiser tout cela aussi.

Elle ajouta :

— Tu dois toujours aller voir Nyebern.

— Je suppose que oui, murmura-t-il.

— Et moi j'en suis sûre.

— S'il y a un dommage cérébral, si c'est de là que vient ce truc psychique, tu as dit toi-même que c'était un dommage *positif.*

— Mais peut-être que ça va dégénérer, que ça va empirer.

— Je ne crois vraiment pas. Parce que à part ça, je me sens parfaitement bien.

— Tu n'es pas médecin.

— D'accord, dit-il. (Il s'arrêta au feu rouge du passage pour piétons de la plage publique, au centre ville.) Je l'appellerai. Mais faut qu'on voit Gujilio aujourd'hui, en fin d'après-midi.

— Tu peux quand même trouver une petite place dans ton emploi du temps pour rencontrer Nyebern, s'il est libre.

Le père de Hatch avait été un tyran domestique, prompt à s'emporter, un type caustique, qui avait écrasé sa femme et discipliné son fils en leur administrant des doses régulières de mauvais traitements verbaux — des moqueries méchantes, des sarcasmes blessants, voire de pures menaces. Le père de Hatch explosait pour n'importe quoi ou pour rien du tout, parce qu'en secret il chérissait la colère et cherchait de nouvelles raisons de s'y abandonner. Cet homme ne croyait pas que son destin était d'être heureux — et il faisait en sorte que ce destin se réalisât : il se rendait malheureux et toute sa famille avec lui.

Peut-être parce qu'il avait peur de retrouver en lui cette psychose, ou peut-être parce qu'il avait eu assez de problèmes dans son enfance, Hatch avait fait tout son possible pour être aussi doux que son père était nerveux, aussi gentil et tolérant que son père était borné, aussi magnanime que son père était impitoyable, aussi décidé à éviter les coups de l'existence que son père était déterminé à rendre même les coups imaginaires. Pour toutes ces raisons, c'était l'homme le plus gentil que Lindsey eût jamais connu à des années-lumière, ou selon n'importe quel mode de calcul en ce domaine : des tas, des seaux, des tripotées de gentillesse. Parfois, pourtant, Hatch préférait tourner le dos à un problème plutôt que de risquer d'éprouver des émotions négatives qui lui rappelaient la paranoïa et la rage de son père.

Le feu passa au vert, mais trois jeunes filles en bikini étaient encore engagées sur les clous, se dirigeant vers l'océan avec leurs équipements de plage. Hatch ne se contenta pas d'attendre au feu : il observa avec un petit sourire appréciateur la façon dont elles remplissaient leurs maillots.

— Je n'ai rien dit, fit Lindsey.

— Comment ?

— J'étais en train de penser quel gentil garçon tu fais, trop gentil, mais manifestement t'es qu'un salaud libidineux.

— Un gentil salaud, cependant.

— C'est *moi* qui vais appeler Nyebern dès qu'on arrivera au magasin, déclara Lindsey.

Il traversa la principale partie de la ville qui escaladait la colline et dépassa le vieux Laguna Hôtel.

— D'accord. En tout cas, c'est sûr et certain, je ne lui dirai pas que je suis brusquement devenu médium. C'est un gars bien, mais il serait incapable de garder ce genre de nouvelle pour lui. A la minute suivante, ma tête fera la couverture du *National Enquirer*. En plus, je ne suis pas médium. Pas exactement. Et je sais vraiment pas ce que je suis, à part un salaud libidineux.

— Qu'est-ce que tu vas lui raconter, alors ?

— Juste assez sur mes rêves pour lui faire comprendre à quel point ils sont inquiétants et bizarres, et comme ça il ordonnera tous les examens qu'il faudra. Ça te va ?

— Je crois que c'est nécessaire.

Dans sa cachette obscure comme une tombe, pelotonné, nu, sur son matelas taché et défoncé, Vassago voyait la lumière du soleil, le sable, la mer et trois filles en bikini, par le pare-brise d'une voiture rouge.

Il rêvait et il savait qu'il rêvait, ce qui était une sensation très particulière. Mais il s'y habitua.

Il voyait aussi la brune aux yeux noirs, dont il avait rêvé la veille — elle était alors au volant de la même voiture. Elle lui était apparue à d'autres reprises ; une fois dans une chaise roulante, où elle riait et pleurait en même temps.

Il la trouva plus intéressante que les filles de la plage à peines vêtues parce qu'elle avait une vitalité qui n'était pas habituelle. Elle rayonnait. Par l'inconnu qui conduisait, Vassago savait que la femme avait jadis pensé mourir, qu'elle avait hésité à la frontière du suicide ou de l'autodestruction passive, puis avait renoncé à une mort prématurée...

... *de l'eau, il voyait un endroit plein d'eau, froid et sans air, il les voyait, elle et l'inconnu, sauvés de justesse...*

... à la suite de quoi elle avait été plus que jamais pleine de vie, énergique, vigoureuse. Elle avait trompé la mort. Nié le diable. Vassago la haïssait pour cela parce que lui, c'était au service de la mort qu'il avait trouvé la signification de sa propre existence.

Il essaya de tendre le bras et de la toucher par l'intermédiaire du corps du conducteur invisible. Échoua. Ce n'était qu'un rêve. On ne pouvait pas contrôler les rêves. S'il avait réussi à l'atteindre, il lui aurait fait regretter d'avoir renoncé à cette mort — peu douloureuse, comparativement — qu'était la noyade.

CHAPITRE 5

1

Lorsqu'elle s'installa chez les Harrison, Regina eut presque l'impression d'être morte et montée au Paradis, sauf qu'elle avait une salle de bains pour elle toute seule, et qu'elle ne pensait pas que là-haut, au Paradis, quelqu'un pouvait avoir sa propre salle de bains, parce qu'au Paradis personne n'avait besoin d'une chose pareille. Ce n'était pas qu'ils étaient constipés en permanence, au Paradis, rien de ce genre, non, ni qu'ils faisaient leurs petites affaires dehors, en public, certainement pas, pour l'amour de Dieu (pardon, Dieu), parce qu'aucun individu sensé n'aurait envie d'aller au Paradis si c'était le genre d'endroit où il fallait regarder où l'on mettait les pieds ! Simplement, au Paradis, vous n'aviez plus aucun des soucis de l'existence terrestre. Vous n'aviez même pas de corps, au Paradis ; vous n'étiez probablement plus qu'une sphère d'énergie mentale, quelque chose comme un ballon rempli d'un gaz doré et brillant, flottant au milieu des anges, chantant les louanges de Dieu — et d'ailleurs, quand on y réfléchissait, tous ces ballons brillants et chantants c'était plutôt bizarroïde —, et le pire que vous aviez à faire, question élimination des déchets, c'était peut-être lâcher un petit pet de temps à autre, un petit pet qui ne sentait même pas mauvais, qui avait sans doute l'odeur douce de l'encens d'église, ou du parfum.

De ce premier jour chez les Harrison, lundi 29 avril en fin d'après-midi, elle s'en souviendrait toute sa vie — vu qu'ils avaient été si gentils avec elle. Ils n'avaient même pas évoqué la véritable raison pour laquelle ils lui laissaient le choix entre une chambre au premier étage et un petit bureau au rez-de-chaussée transformable en chambre.

— Elle a un avantage, expliqua Mrs Harrison à propos de cette pièce, c'est la vue. Elle est plus belle que celle de la chambre du premier.

Et elle entraîna Regina jusqu'aux grandes fenêtres qui donnaient sur une roseraie entourée d'une bordure d'énormes fougères. La vue était magnifique, en effet.

— Et puis tu aurais toutes ces étagères, ajouta Mrs Harrison. Tu pourrais les remplir peu à peu avec tes propres livres, puisque tu aimes tant les bouquins.

En fait, ils n'y firent pas allusion, mais ils s'inquiétaient des problèmes qu'elle risquait d'avoir avec les escaliers. Alors que ça ne lui en posait pas tant que ça. Et même, elle aimait les escaliers, elle les adorait, elle en mangeait à tous ses petits déjeuners. A l'orphelinat, ils l'avaient mise au rez-de-chaussée jusqu'à huit ans, âge auquel elle avait compris qu'ils lui avaient donné une chambre en bas à cause de son appareil orthopédique bruyant et de sa main déformée, si bien qu'elle avait immédiatement demandé à être installée au premier. Les religieuses refusèrent d'en entendre parler, alors elle piqua une colère, mais les religieuses savaient faire face à ce genre de chose, alors elle essaya le regard de mépris foudroyant, mais les religieuses ne pouvaient être foudroyées, alors elle commença une grève de la faim et finalement les religieuses capitulèrent, mais pour une période d'essai. Elle avait vécu au premier plus de deux ans et pas une fois elle n'avait utilisé l'ascenseur. Lorsqu'elle se décida pour la chambre à l'étage, chez les Harrison, sans même l'avoir vue, ils ne tentèrent pas de l'en dissuader, pas plus qu'ils ne lui demandèrent si elle en était capable. Ils n'eurent même pas un battement de cils. Elle les aima pour cela.

La maison était magnifique — des murs crème, des boiseries blanches, un mélange de meubles modernes et anciens, des bols et des vases chinois, et le reste à l'avenant. Quand ils la lui firent visiter, Regina se sentit vraiment aussi dangereusement maladroite qu'elle l'avait prétendu lors de leur rencontre dans le bureau de Mr Gujilio. Elle se déplaça avec une prudence exagérée, craignant de renverser l'un ou l'autre de ces précieux objets et de déclencher une réaction en chaîne qui se développerait dans toute la pièce, puis franchirait la porte et continuerait dans la pièce d'à côté et de là dans toute la maison, où chaque trésor basculerait sur son voisin comme dans un championnat mondial de chutes de dominos, où les porcelaines vieilles de deux cents ans exploseraient et les meubles anciens seraient réduits en miettes — jusqu'au moment où ils se retrouveraient tous les trois au milieu d'un monceau de débris sans valeur et d'un nuage de poussière d'une décoration intérieure qui avait coûté *une fortune.*

Elle était si absolument certaine que cela allait se produire qu'elle se creusait la tête, en passant d'une pièce à l'autre, pour trouver d'urgence quelque chose à dire lorsque l'étendue de la catastrophe apparaîtrait, une fois que l'ultime et exquise bonbonnière en cristal aurait glissé de la dernière table — vieille possession du premier roi de France — en voie de désintégration. « Houps ! » ne semblait guère approprié, ni « Jésus-Christ ! » parce qu'ils pensaient avoir adopté une bonne catholique et non une païenne parlant comme une charretière (pardon, Dieu), pas plus que « C'est quelqu'un qui m'a poussée ! » car c'était un mensonge et que mentir revenait à s'acheter un ticket pour l'Enfer, encore qu'elle se doutait bien qu'elle finirait par se retrouver en Enfer de toute façon, vu qu'elle ne pouvait s'empêcher d'invoquer en vain le nom du Seigneur et de dire des mots grossiers... Pour elle, il n'y aurait pas de ballon rempli de gaz doré et brillant.

Partout dans la maison, il y avait des toiles accrochées aux murs, et Regina nota que les plus belles portaient la même signature dans le coin droit, en bas : *Lindsey Sparling.* Elle avait beau être idiote, elle était capable de comprendre que le prénom « Lindsey » n'était pas une coïncidence et que Sparling devait être le nom de jeune fille de Mrs Harrison. C'étaient les peintures les plus bizarres et les plus belles, aussi, que Regina eût jamais vues ; certaines étaient si éclatantes et si pleines de bonnes vibrations qu'elles vous obligeaient à sourire ; d'autres étaient sombres et tristes. Elle avait envie de passer un long moment devant chacune d'elles, comme pour bien s'en pénétrer, mais elle avait peur que Mr et Mrs Harrison la prennent pour un faux-jeton et une lèche-bottes qui ferait semblant de s'y intéresser pour s'excuser des vannes qu'elle avait sorties dans le bureau de Mr Gujilio sur les peintures sur velours et les chats morts.

D'une façon ou d'une autre, elle réussit à traverser toute la maison sans rien casser, et la dernière pièce était à elle. C'était plus vaste que les chambres de l'orphelinat et en plus elle n'avait à la partager avec personne. Les fenêtres étaient protégées par des volets de bois blanc. Comme meubles, elle avait un bureau en angle avec une chaise, une bibliothèque, un fauteuil avec un tabouret pour les pieds, deux tables de nuit et des lampes assorties — et, surtout, un lit incroyable.

— Il date des années 1850, lui expliqua Lindsey Harrison, tandis que Regina faisait glisser lentement ses doigts sur ce lit magnifique.

— C'est anglais, précisa Hatch Harrison. En acajou avec une décoration peinte à la main, sous plusieurs couches de laque.

Sur les planches de la tête et du pied du lit, ainsi que sur les côtés, les roses rouge et jaune foncé et les feuilles vert émeraude semblaient vivantes, non pas simplement brillantes par rapport à l'acajou très coloré, mais si satinées et comme couvertes de rosée que Regina était certaine de sentir leur odeur si elle approchait le nez de leurs pétales.

— Il peut paraître un peu bizarre pour une jeune fille, dit Mrs Harrison, un peu vieux jeu...

— Oui, bien sûr, intervint Mr Harrison, on peut le ramener à la boutique, le vendre, et te laisser choisir quelque chose d'autre, ce que tu préféreras, quelque chose de plus moderne. C'était juste la chambre d'amis, ici, tu sais.

— Non, non, s'empressa de répondre Regina. Il me plaît. Il me plaît vraiment ! Est-ce que je peux le garder, je veux dire même s'il est si cher ?

— Il n'est pas si cher que ça, dit Mr Harrison. Et évidemment que tu peux garder ce que tu veux.

— Ou te débarrasser de ce que tu veux, ajouta Mrs Harrison.

— Sauf de nous, bien sûr, conclut Mr Harrison.

— Exact, reprit Mrs Harrison. J'ai bien peur qu'on aille avec la maison, tous les deux.

Le cœur de Regina battait si fort qu'elle avait du mal à respirer. Le bonheur. Et la peur. Tout était si merveilleux — mais ça n'allait certainement pas durer. Rien d'aussi génial ne pouvait durer très longtemps.

Des portes coulissantes à miroirs couvraient l'un des murs de la chambre, et Mrs Harrison lui montra la penderie qu'elles dissimulaient. Oh, c'était la plus vaste penderie de la planète ! Peut-être que vous aviez besoin d'une penderie de cette taille si vous étiez une star du cinéma, ou alors un de ces hommes sur lesquels elle avait lu quelque chose un jour, qui aimaient s'habiller de temps en temps avec des vêtements de femme, parce qu'alors là, bien sûr, il vous fallait à la fois une garde-robe de fille et une garde-robe de garçon... Mais cette penderie était bien trop grande pour elle : elle aurait pu contenir dix fois plus d'habits qu'elle n'en avait.

Avec une certaine gêne, elle regarda les deux valises en carton qu'elle avait amenées de Saint-Thomas. Il y avait là dedans tout ce qu'elle possédait au monde. Pour la première fois de sa vie, elle se rendit compte qu'elle était pauvre. C'était drôle, vraiment, de ne pas avoir compris plus tôt sa pauvreté, puisqu'elle était orpheline et qu'elle n'avait eu aucun héritage. Enfin, sauf une jambe en camelote et une main droite tordue avec deux doigts et demi en moins...

Comme si elle lisait dans l'esprit de Regina, Mrs Harrison proposa :

— Si nous faisions quelques achats ?

Ils allèrent tous ensemble au South Coast Plaza Mall. Ils lui offrirent trop de vêtements, trop de livres, tout ce qu'elle désirait. Elle pensa avec angoisse qu'ils étaient en train de trop dépenser et que, du coup, ils seraient forcés de manger des haricots pendant un an pour équilibrer leur budget — et elle n'aimait pas les haricots —, mais ils ne prêtèrent pourtant aucune attention à ses allusions aux vertus de la frugalité. Finalement, elle fut obligée de les arrêter en prétendant que sa mauvaise jambe la faisait souffrir.

Ils dînèrent dans un restaurant italien. Elle avait déjà mangé à l'extérieur deux fois, auparavant, mais seulement dans un fast-food dont le propriétaire servait à tous les enfants de l'orphelinat des hamburgers et des frites. Mais là, c'était un *vrai* restaurant, et il y avait tant à voir qu'elle avait du mal à avaler quelque chose, à se défendre pas trop mal avec la conversation et à prendre plaisir à être simplement là — et tout cela en même temps. Les chaises n'étaient pas en plastique dur, et les couteaux et les fourchettes non plus. Et les assiettes n'étaient ni en carton, ni en polystyrène, et les boissons étaient servies dans de véritables verres, ce qui devait signifier que les clients des *vrais* restaurants n'étaient pas aussi maladroits que ceux des fast-foods et que l'on pouvait leur confier sans risque des objets fragiles. Les serveuses n'étaient pas des teenagers, et elles vous apportaient les plats à votre table au lieu de vous les tendre au-dessus d'un comptoir à côté de la caisse. Et on ne vous les faisait payer que lorsque vous les aviez mangés !

Plus tard, de retour chez les Harrison, Regina déballa ses affaires, se lava les dents, mit son pyajama, ôta son appareil, et grimpa dans le lit, et ensuite les Harrison vinrent lui dire bonsoir tous les deux. Mr Harrison s'assit sur le bord de son lit et lui expliqua que tout pouvait lui sembler bizarre au début, et même inquiétant, mais que bientôt elle se sentirait chez elle, et puis il l'embrassa sur le front et lui dit :

— Fais de beaux rêves, princesse.

Mrs Harrison s'approcha à son tour et elle s'assit sur le bord du lit, elle aussi. Elle parla un moment de toutes les choses qu'ils allaient faire ensemble dans les prochains jours. Puis elle l'embrassa sur la joue et lui dit :

— Bonne nuit, ma chérie.

Et elle éteignit la lumière du plafond en s'en allant.

Personne n'avait encore embrassé Regina pour lui souhaiter une bonne nuit, si bien qu'elle n'avait pas su quoi répondre. Certaines religieuses vous serraient affectueusement dans leur bras de temps à autre, mais aucune ne vous embrassait. Aussi loin que remontaient ses souvenirs, un vacillement des lampes du dortoir signalait qu'il fallait être au lit dans le quart d'heure suivant, et quand les lumières s'éteignaient, chaque enfant devait se border lui-même. Et voilà qu'elle venait d'être bordée *deux fois* et qu'on lui avait souhaité *deux fois* une bonne nuit en l'embrassant, et tout cela dans la même soirée, si bien qu'elle avait été trop surprise pour leur rendre leurs baisers, ce qu'elle aurait dû faire, elle le comprenait à présent.

— T'es une telle bousilleuse, Regina ! s'exclama-t-elle tout haut.

Allongée dans son magnifique lit, avec toutes ces roses peintes tressées autour d'elle dans l'obscurité, elle imaginait très bien la conversation qu'ils avaient, en ce moment précis, dans leur chambre :

— *Elle t'a embrassée pour te souhaiter une bonne nuit ?*

— *Non, et toi, elle t'a embrassé ?*

— *Non. Peut-être que c'est un poisson mort.*

— *Peut-être que c'est une enfant satanique.*

— *Ouais, comme ce gosse dans* La Malédiction.
— *Tu sais ce qui m'inquiète ?*
— *Elle va venir nous poignarder dans notre sommeil.*
— *Planquons tous les couteaux de cuisine.*
— *Vaudrait mieux cacher aussi tous les instruments électriques.*
— *T'as toujours le revolver dans la table de nuit ?*
— *Ouais, mais un revolver ça ne l'arrêtera jamais.*
— *Dieu merci, nous avons un crucifix.*
— *On dormira à tour de rôle.*
— *Renvoie-la demain à l'orphelinat.*
— Quelle bousilleuse ! répéta-t-elle, toujours à haute voix. Merde ! (Elle soupira.) Pardon, Dieu. (Puis, joignant les mains pour prier, elle dit doucement :) Cher Dieu, si vous parvenez à convaincre les Harrison de me donner encore une chance, je ne dirai plus jamais « merde » et je serai quelqu'un de meilleur. (Cela ne semblait pas un marché assez bon, du point de vue de Dieu, alors elle augmenta la mise :) Je continuerai à avoir un A de moyenne à l'école, je ne mettrai plus jamais de Jell-O dans l'eau bénite des fonts baptismaux, et je réfléchirai sérieusement à devenir religieuse. (Toujours pas suffisant !)... Et je mangerai des haricots.

Ça devrait aller. Dieu était probablement fier de Ses haricots. Après tout, Il avait fabriqué les différentes espèces qui existaient. Qu'elle refusât de manger des haricots verts, des haricots beurre, des haricots de Lima, des haricots blancs ou n'importe quels autres haricots avait certainement été noté au Paradis, où son nom était consigné dans le *Grand Livre des Insultes* à Dieu : *Regina, actuellement dix ans, pense que Dieu a vraiment fait une gaffe quand Il a créé les haricots.* Elle bâilla. Elle se sentait mieux, désormais, en ce qui concernait ses chances avec les Harrison et ses relations avec Dieu, mais son changement de régime ne l'excitait pas.

De toute façon, elle dormait.

2

Tandis que Lindsey se lavait la figure, se brossait les dents et se coiffait dans la salle de bains attenante à leur chambre, Hatch se coucha avec son journal. Il commença par la page scientifique parce que c'était là que se trouvaient les nouvelles les plus importantes, en ce moment. Puis il parcourut les rubriques loisirs et lut ses BD préférées avant de passer, finalement, à la section A, où les derniers exploits des politiciens étaient aussi terrifiants et de la même sinistre drôlerie que d'habitude. En page trois, il tomba sur un article sur Bill Cooper, le livreur de bière dont le poids lourd s'était trouvé en travers de la route de montagne, en cette fatidique nuit de mars enneigée.

Quelques jours après sa réanimation, Hatch avait appris que le camionneur avait été inculpé pour conduite en état d'ivresse et que le taux d'alcool dans son sang dépassait de plus du double la limite admise par la loi. George Glover, l'avocat de Hatch, avait demandé à son client s'il voulait engager des poursuites au civil contre Cooper ou son employeur, mais Hatch n'était pas d'une nature procédurière. De plus, il avait peur de s'enliser dans l'univers fatigant et compliqué des avocats et des tribunaux. Il était vivant : c'était tout ce qui comptait. Le conducteur serait poursuivi sans que Hatch n'eût besoin de s'en mêler ; laisser le système s'occuper de cette affaire lui suffisait amplement.

William Cooper lui avait écrit deux lettres, la première quatre jours à peine après sa réanimation. Il lui faisait des excuses apparemment sincères, bien qu'interminables et obsé-quieuses, et plaidait l'absolution. Hatch l'avait reçue à l'hôpi-tal. « Faites-moi un procès si vous voulez, écrivait Cooper, je le mérite. Je vous donnerai tout ce que vous voudrez, même si je ne possède pas grand-chose, car je ne suis pas riche. Mais qu'importe si vous me poursuivez ou non, j'espère vraiment que dans votre cœur généreux vous trouverez la force de me pardonner. Sans le génie du Dr Nyebern et de sa merveilleuse équipe, vous seriez mort, et c'est moi, sûr, qui aurais cette mort sur la conscience pour le restant de mes jours. » Et il continuait à discourir ainsi sur quatre pages d'une écriture serrée, des pattes de mouche parfois illisibles.

Hatch lui avait répondu un petit mot, et l'avait assuré qu'il ne le poursuivrait pas en justice et qu'il ne ressentait aucune haine à son égard. Il lui avait aussi vivement conseillé de demander une assistance psychologique pour ses problèmes d'alcoolisme, si ce n'était déjà fait.

Quelques semaines plus tard, alors qu'il était rentré chez lui, qu'il avait repris son travail, et que la tempête médiatique était retombée, il avait reçu une seconde lettre de Cooper. Chose incroyable, le camionneur lui demandait de l'aider à récupérer son travail, qu'il avait perdu à la suite des charges relevées contre lui par la police : « J'ai déjà été poursuivi deux fois pour conduite en état d'ivresse, c'est vrai, écrivait Cooper, mais ces deux fois-là, j'étais dans ma voiture personnelle, pas dans le camion — et en dehors de mes heures de travail. Et maintenant, j'ai perdu mon boulot, et en plus ils ont décidé de me retirer mon permis, ce qui va me rendre la vie vraiment difficile. Je veux dire, comment retrouver du travail sans mon permis ? Alors, voilà ce que j'ai pensé, après votre gentille réponse à ma première lettre... Vous avez prouvé que vous étiez un bon chrétien, et donc si vous parliez en ma faveur, cela m'aiderait énormément. Après tout, vous n'êtes pas mort et vous avez bénéficié de beaucoup de publicité avec toute cette histoire, ce qui a dû considérablement aider votre commerce d'anti-quités. »

Stupéfait et furieux — ce qui était contraire à son habitude —, Hatch avait classé cette seconde lettre sans y répondre. En fait, il s'était même empressé de l'oublier, parce qu'il avait peur de cette colère qu'il éprouvait chaque fois qu'il y pensait.

Et aujourd'hui, à en croire le bref article en page trois du journal, l'avocat de Cooper avait réussi à faire bénéficier son client d'un non-lieu en s'appuyant sur une erreur de procédure. L'article résumait l'accident en trois phrases et faisait une allusion stupide à Hatch qui « détenait le record actuel de la mort la plus longue avant réanimation », comme s'il avait organisé toute l'histoire dans l'espoir de figurer en bonne place dans la prochaine édition du *Guinness Book of World Records*.

Tout en lisant cet article, Hatch se mit à jurer tout haut et il se redressa dans son lit, surtout lorsqu'il apprit que Cooper allait attaquer son employeur en justice pour licenciement abusif et qu'il s'attendait à récupérer son travail ou, dans le cas contraire, à recevoir une substantielle compensation financière. « J'ai subi une humiliation considérable de la part de mon employeur, et à cause du stress que cela a entraîné, j'ai eu de graves problèmes de santé », avait-il déclaré aux journalistes, récitant manifestement un texte appris par cœur rédigé par son avocat : « Même monsieur Harrison m'a écrit pour me dire qu'il ne me tenait pas rigueur des événements de cette nuit-là. »

Hatch sortit du lit sous le coup de la colère. Il avait le visage en feu et il tremblait de rage, incapable de se contrôler.

C'était ridicule! Ce salaud d'alcoolique essayait de récupérer son boulot en se servant comme d'une absolution du petit mot compatissant qu'il lui avait envoyé — ce qui déformait totalement le sens de cette lettre. C'était un mensonge. Et un manque total de délicatesse!

— *Quel foutu culot!* s'exclama Hatch tout haut, avec violence, les dents serrées.

Il jeta le quotidien par terre et, la page en question serrée dans sa main droite, il sortit précipitamment de la chambre et descendit les escaliers quatre à quatre. Dans son petit bureau du rez-de-chaussée, il balança le morceau de journal sur sa table de travail, et ouvrit brusquement le tiroir du haut de son meuble de rangement.

Il avait conservé les deux lettres manuscrites de Cooper; elles n'étaient pas écrites sur du papier à en-tête, mais il se souvenait que le camionneur y avait indiqué son adresse et son téléphone. Il était si agité qu'en feuilletant les dossiers, il laissa passer celui qu'il cherchait — intitulé AFFAIRES DIVERSES. Il jura entre ses dents, revint en arrière, le trouva enfin. Tandis qu'il fouillait dedans, plusieurs autres lettres s'en échappèrent et s'éparpillèrent sur le sol.

Le second mot de Cooper contenait en effet un numéro de téléphone, soigneusement écrit à la main, en haut. Hatch abandonna sur son bureau le dossier en désordre et se précipita vers le téléphone. Sa main tremblait si fort qu'il ne parvint pas à lire le numéro; il dut poser la lettre sur le sous-main, dans le cône de lumière de sa lampe en cuivre, pour y parvenir enfin.

Il appela aussitôt chez William Cooper, décidé à lui dire son fait. La ligne était occupée.

Du pouce, il coupa la communication, et lorsqu'il eut de nouveau la tonalité, il recomposa le numéro de Cooper.

Toujours occupé.

— Fils de pute!

Il reposa violemment le combiné, et puis il décrocha de nouveau parce qu'il ne pouvait rien faire d'autre pour se défouler. Il essaya le même numéro une troisième fois, avec la touche de mémoire d'appel. C'était encore occupé, évidemment, parce qu'il ne s'était pas écoulé plus d'une demi-minute depuis sa première tentative. Il reposa le combiné avec une telle violence qu'il faillit le briser.

Il avait peur, soudain, de la sauvagerie de son comportement et aussi de son enfantillage, mais cette part de lui-même était hors de contrôle, et la conscience d'être sorti de ses gonds ne l'aida pas à se ressaisir.

— Hatch ?

Surpris, il leva les yeux en entendant son nom, et puis il découvrit Lindsey, en peignoir de bain, sur le seuil de la porte.

Soucieuse, elle demanda :

— Qu'est-ce qui ne va pas ?

— Ce qui ne va pas ? répéta-t-il, sentant sa fureur augmenter contre toute raison, comme si d'une façon ou d'une autre Lindsey était du côté de Cooper, comme si elle faisait seulement semblant de n'être pas au courant de ce dernier rebondissement. Je vais te le dire, ce qui ne va pas. Ils ont laissé ce connard de Cooper s'en tirer ! Ce fils de pute me tue, il me balance en dehors de cette saloperie de route, et il *m'assassine,* et puis il s'en sort et en plus il a le culot de se servir de la lettre que je lui ai écrite pour récupérer son boulot ! (Il attrapa violemment la feuille de journal chiffonné et la secoua sous le nez de sa femme, d'un air presque accusateur, comme si elle savait ce qui y était écrit.) Ouais, il va récupérer son boulot, comme ça il pourra encore foutre d'autres gens dans des précipices et les liquider, voilà !

Lindsey paraissait inquiète et étonnée ; elle pénétra dans le bureau.

— Ils l'ont laissé... s'en tirer ? Qu'est-ce que tu racontes ?

— Erreur de procédure. C'est pas original, ça ? Un flic n'orthographie pas un nom correctement sur une citation, ou un truc comme ça, et le type s'en va tranquillement !

— Chéri, calme-toi...

— Me calmer ? Me calmer ? (Il recommença à agiter la page froissée.) Et tu sais ce qu'on raconte aussi là-dedans ? Ce con a vendu son histoire à ce quotidien répugnant dont les journalistes n'ont pas arrêté de me courir après, alors que j'ai jamais voulu avoir affaire avec eux... Et maintenant ce fils de pute d'alcoolique leur a vendu l'histoire de... (Il postillonnait tellement il était en rage ; il aplatit un peu la feuille froissée, trouva l'article en question et commença à lire tout haut :) ... « *son calvaire émotionnel et de son rôle dans les secours qui ont permis de sauver la vie de Mr Harrison.* » Quel rôle il a joué dans mon sauvetage, hein ? A part de s'être servi de sa CB pour appeler à l'aide quand on a quitté la route, ce qui ne serait pas arrivé s'il

ne s'était pas trouvé à cet endroit ! Non seulement il a conservé
son permis de conduire et récupéré son boulot, mais en plus il fait
de l'argent avec toute cette saleté d'histoire ! Si je pouvais mettre
la main sur ce connard, je lui ferais la peau, je jure que je lui ferais
la peau !

— Tu ne penses pas ce que tu dis, dit-elle, choquée.

— T'as intérêt à croire que oui ! Ce connard irresponsable et
cupide ! J'ai envie de lui écraser la tête à coups de pied pour lui
faire entrer un peu de bon sens dans la cervelle, et ensuite je le
balancerai à son tour dans cette rivière glacée...

— Chéri, baisse la voix...

— Et pourquoi merde est-ce que je devrais baisser la voix
dans ma propre...

— Tu vas réveiller Regina.

Ce ne fut pas la mention de la fillette qui le tira brusquement
de sa crise de rage, mais la vision de son propre reflet dans la
porte à miroir du placard, à côté de Lindsey. En fait, il ne se vit
pas, dans ce miroir : l'espace d'un instant, il aperçut un jeune
homme aux épais cheveux noirs qui lui tombaient sur le front,
avec des lunettes de soleil, tout de noir vêtu. Il comprit que
c'était le tueur, mais le tueur semblait être lui-même... Oui, à ce
moment, ils ne faisaient qu'un. Cette pensée aberrante — et
l'image du jeune homme — disparurent au bout d'une ou deux
secondes, et Hatch contempla de nouveau son reflet habituel.

Moins bouleversé par cette hallucination que par cette
confusion passagère d'identité, Hatch continua à fixer le miroir,
tout aussi consterné par ce qu'il y voyait maintenant que par la
brève vision de l'assassin, une seconde plus tôt. Il paraissait au
bord de l'apoplexie. Il avait les cheveux en bataille. Son visage
était rouge et tordu par la rage, et son regard était... sauvage. Il
ressemblait à son père — et cela, c'était impensable, intolérable.

Il ne se souvenait pas quand il avait eu une telle crise de colère.
En fait, il n'avait *jamais* été dans un tel état. Jusqu'à ce jour, il
croyait être incapable de ce genre d'explosion.

— Je... Je ne comprends pas ce qui s'est passé.

Il jeta la page froissée du journal ; elle alla taper contre le
bureau et elle roula par terre avec un petit froissement qui fit
naître soudain une image étonnamment vivante dans son
esprit...

... des feuilles sèches, marron, chassées par le vent sur la chaussée
craquelée d'un parc de loisirs tombant en ruine...

... et pendant une seconde il se retrouva là, au milieu des mauvaises herbes, dans les crevasses du goudron, avec les feuilles mortes qui tourbillonnaient dans le vent et la lune qui brillait à travers les poutrelles soutenant les rails des montagnes russes. Et puis il fut de nouveau chez lui, appuyé, sans force, contre son bureau.

— Hatch ?

Il la regarda en clignant des yeux, incapable de parler.

— Qu'est-ce qui ne va pas ? demanda-t-elle en se précipitant vers lui.

Elle posa sa main sur son bras presque timidement, comme si elle pensait qu'elle risquait de le briser — ou peut-être parce qu'elle s'attendait à ce que, dans sa colère, il lui répondît en la frappant.

Il l'enlaça et la serra contre lui, très fort :

— Lindsey, je suis désolé... Je ne sais pas ce qui est arrivé, je ne sais pas ce qui m'a pris.

— C'est bon.

— Non. J'étais si... si *furieux*.

— Tu étais en colère, c'est tout.

— Je suis désolé, répéta-t-il d'un air pitoyable.

Même si Lindsey n'avait vu là qu'une crise de colère, il savait, lui, que c'était pire que cela, que cette rage terrible était un mystère. Une pure fureur. Un comportement psychotique. Il s'était retrouvé au bord d'un précipice, et seuls l'avaient retenu ses talons plantés dans le sol ferme.

Les yeux de Vassago étaient si sensibles que la statue de Lucifer projetait une ombre même dans les ténèbres totales qui l'entouraient ; mais cette ombre ne l'empêchait pas d'apercevoir les cadavres dans leurs postures avilissantes... et de prendre plaisir à ce spectacle. Le collage organique qu'il avait créé ici, les formes humiliées et la puanteur qui s'en élevait le ravissaient. Son ouïe n'était pas aussi fine que sa vision nocturne, mais il était certain de ne pas imaginer entièrement les sons faibles et humides de la décomposition de tous ces corps, une musique sur laquelle il se balançait comme un amoureux du classique aurait pu le faire aux accords de Beethoven.

Et quand, tout à coup, la rage s'empara de lui, il ne comprit pas pourquoi. Au début ce ne fut qu'une espèce de colère silencieuse, curieusement sans objet.

Il s'y ouvrit, y prit plaisir, l'alimenta pour la faire grossir.

L'image d'un journal lui traversa l'esprit. Il ne le voyait pas nettement, mais c'était un article sur l'une de ses pages qui était la cause de sa colère. Il plissa les yeux comme si cela pouvait l'aider à le lire.

La vision s'effaça, mais la colère resta. Il la nourrit, comme un homme heureux forcerait volontairement son rire, juste parce que c'était une sonorité qui lui plaisait. Des mots lui échappèrent :

— *Quel foutu culot !*

Il ne savait pas d'où venait cette exclamation, exactement comme il n'avait aucune idée non plus de la raison pour laquelle il avait prononcé à haute voix ce prénom, « Lindsey », dans le bar de Newport Beach, des semaines auparavant, au moment où ces phénomènes singuliers avaient commencé.

Cette colère étrangère lui communiqua une telle énergie qu'il abandonna sa collection, traversa à grands pas l'immense salle, remonta la rampe en pente où plongeaient jadis les gondoles aux proues de gargouille, et émergea à l'extérieur, dans la nuit. La clarté lunaire l'obligea à remettre ses lunettes noires. Il ne pouvait pas rester en place. Il lui fallait bouger, bouger... Il arpenta le parc de loisirs abandonné, sans savoir qui il cherchait, ni quoi, curieux de ce qui allait se produire maintenant.

Des images incohérentes lui traversaient l'esprit, mais aucune n'y restait assez longtemps pour lui permettre d'y réfléchir : une feuille de journal, un bureau plein de livres, un meuble bourré de dossiers, une lettre manuscrite, un appareil téléphonique... Il marchait de plus en plus vite, il tournait brusquement dans une allée ou dans un passage plus étroit entre les bâtiments abandonnés, cherchant désespérément à remonter à la source de ces images qui lui traversaient si vite l'esprit et s'en effaçaient aussitôt.

Il longea les montagnes russes, et le clair de lune glacial franchissait le labyrinthe des poutrelles qui les soutenaient et il illuminait les rails si bien qu'ils ressemblaient à deux lignes de glace. Lorsque Vassago leva les yeux pour regarder cette structure monolithique — et qui, soudain, lui paraissait mystérieuse — une exclamation de colère franchit ses lèvres :

— *Le balancer à son tour dans cette rivière glacée !*

Une femme disait :

— *Chéri, baisse la voix...*

Il savait que cette voix était sortie de lui, un complément sonore de ses visions fragmentaires, et pourtant il se retourna pour essayer d'apercevoir cette femme...

... Elle était là.

En peignoir de bain. Debout sur le seuil d'une porte qui n'avait pas le droit de se trouver à cet endroit, sans aucun mur pour la soutenir. Tout autour, il n'y avait que la nuit. Le parc de loisirs silencieux. Mais au-delà de cette porte, derrière la femme qui s'y encadrait, apparaissait ce qui semblait être le vestibule d'une maison, avec une petite table, un vase de fleurs, un escalier.

C'était cette femme qu'il n'avait vue, jusqu'à présent, que dans ses rêves, d'abord sur une chaise roulante et, plus récemment, dans une automobile rouge sur une autoroute inondée de soleil. Au moment où il faisait un pas dans sa direction, elle dit :

— Tu vas réveiller Regina.

Il s'immobilisa, non qu'il craignît de réveiller Regina — il ne savait pas qui était Regina, bon sang ! —, ni qu'il eût renoncé mettre la main sur cette femme, bien au contraire, car elle était si *pleine de vie !* Non, il s'immobilisa parce qu'il venait de découvrir un miroir en pied à gauche de la porte de cette invraisemblable *Twilight-Zone,* un miroir qui flottait d'une façon impossible dans l'air nocturne. Et dans ce miroir, il y avait son reflet... Sauf que ce n'était pas lui, mais un homme qu'il n'avait jamais vu auparavant, un homme de sa taille, mais à peu près deux fois plus âgé que lui, maigre, en parfaite santé — et les traits tordus par la rage.

Cette expression céda la place à la stupeur et au dégoût, et tous les deux, Vassago et l'homme de la vision, se détournèrent du miroir pour regarder la femme qui se tenait sur le seuil de la porte.

— Lindsey, je suis désolé..., dit Vassago.

Lindsey.

Le nom qu'il avait prononcé trois fois dans ce bar de Newport Beach.

Un nom qui n'avait jamais été, jusqu'à maintenant, associé à cette femme anonyme, si souvent présente dans ses rêves, ces derniers temps.

— Lindsey..., murmura Vassago de nouveau.

Cette fois, il s'était exprimé de sa propre volonté, il n'avait pas répété ce que disait l'inconnu, et cela sembla faire exploser sa vision. Le miroir et le reflet qu'il renvoyait, et le seuil de cette porte impossible et la femme aux yeux noirs qui s'y encadrait volèrent en un million d'éclats.

Comme la nuit reprenait possession du parc silencieux baigné par les rayons de lune, Vassago tendit la main vers l'endroit où la femme s'était trouvée. *Lindsey!* Il mourait d'envie de la toucher. Elle était si vivante! *Lindsey!* Il désirait ouvrir sa cage thoracique, et prendre entre ses mains son cœur qui battait, et attendre le moment où son mouvement de pompe ralentirait... ralentirait... et s'arrêterait définitivement. Oui, il voulait tenir son cœur entre ses mains lorsque la vie s'en échapperait et que la mort en prendrait possession.

Le flot de rage l'abandonna aussi vite qu'il l'avait submergé. Hatch roula en boule la page du journal et la jeta dans la poubelle à côté de son bureau, sans plus s'occuper de l'article sur le camionneur. Cooper était pitoyable, c'était un perdant suicidaire qui, tôt ou tard, attirerait sur lui sa propre punition; et celle-ci serait pire que tout ce que lui-même aurait pu lui faire subir.

Lindsey rassembla les lettres éparpillées sur le sol devant le meuble de rangement et les remit dans le dossier en carton intitulé AFFAIRES DIVERSES.

La lettre de Cooper était sur le bureau, à côté du téléphone. Lorsque Hatch la ramassa et qu'il jeta un coup d'œil à l'adresse manuscrite, en haut de la feuille, au-dessus du numéro de téléphone, un fantôme de colère remonta en lui. Mais ce n'était qu'une pâle imitation de la fureur qu'il venait d'éprouver et tout s'évanouit en un instant. Il passa la lettre à Lindsey qui la rangea dans le dossier.

Debout dans la clarté lunaire et la brise nocturne, à l'ombre des montagnes russes, Vassago attendit d'autres visions.

Il était intrigué par ce qui venait de se passer, mais pas vraiment surpris.

Il s'était rendu dans l'au-delà : il savait qu'un autre monde existait, séparé de celui-ci par le plus mince des voiles. Les événements d'une nature surnaturelle ne l'étonnaient donc pas.

Juste au moment où il se disait que l'épisode énigmatique était terminé, une nouvelle vision s'alluma un instant dans son esprit. Une lettre manuscrite. Papier blanc, rayé. Encre bleue. Et en haut, un nom. William X. Cooper. Et une adresse à Tustin.

Le balancer à son tour dans cette rivière glacée..., marmonna Vassago, et il comprit que William Cooper était la raison de la soudaine colère incohérente qui l'avait submergé lorsqu'il se trouvait avec sa collection dans le Palais des Merveilles et qui, ensuite, avait créé un lien entre lui et l'homme du miroir. Cette colère, il se l'était appropriée et il l'avait développée parce qu'il voulait découvrir à qui elle appartenait et comprendre pourquoi il la ressentait, mais aussi parce que la colère était la levure du pain de la violence et que la violence était sa nourriture de base.

Il passa directement des montagnes russes au garage souterrain. Deux voitures s'y trouvaient.

La Pontiac de Morton Redlow était stationnée dans le coin le plus éloigné, dans l'ombre la plus épaisse. Vassago ne l'avait pas utilisée depuis la nuit du jeudi précédent où il avait tué Redlow et, plus tard, la blonde. Il pensait que le brouillard l'avait dissimulé, mais des témoins auraient pu voir la femme tomber de la Pontiac, sur l'autoroute...

Il souhaitait vraiment retourner au pays de la nuit sans fin et de la damnation éternelle, se retrouver de nouveau parmi ceux de son espèce, mais il ne voulait pas être abattu par la police avant d'avoir fini de rassembler sa collection. Si son offrande était incomplète au moment de sa mort, il pensait qu'on ne le jugerait pas digne de l'Enfer et qu'on le renverrait dans le monde des vivants où il serait obligé de recommencer une autre collection.

La seconde voiture était une Honda gris perle ; elle avait appartenu à une certaine Renata Desseux qu'il avait assommée d'un coup sur la nuque, sur le parking d'un supermarché, dans la nuit de samedi, quarante-huit heures après son échec avec la blonde. C'était elle qui était venue s'ajouter à sa collection au lieu de la néo-punk nommée Lisa.

Il avait ôté les plaques d'immatriculation de la Honda, les avait balancées dans le coffre et les avait remplacées plus tard par d'autres plaques volées sur une vieille Ford dans la banlieue de Santa Ana. Les Honda étaient si nombreuses dans ce pays qu'il se sentait en sécurité et anonyme, dans un véhicule de ce genre. Il quitta le parc de loisirs et s'éloigna des collines orientales du comté, très peu peuplées, en direction du vaste panorama de lumières dorées qui occupaient les basses terres vers le sud et vers le nord, à perte de vue, jusqu'à l'océan.

L'étendue urbaine.

La civilisation.

Les terrains de chasse.

L'immensité du sud de la Californie, avec ses milliers de kilomètres carrés et ses dizaines de millions de gens — même sans le comté de Ventura au nord et celui de San Diego au sud — était l'alliée de Vassago, qui voulait terminer sa collection sans attirer l'attention de la police. Trois de ses victimes venaient de différentes communautés du comté de Los Angeles, deux de Riverside et le reste du comté d'Orange, et les prélèvements s'étaient étalés sur plusieurs mois. Sur les centaines de disparitions signalées dans ces mêmes zones pendant cette période, ces quelques acquisitions n'affecteraient pas suffisamment les statistiques pour inquiéter le public ou alerter les autorités.

Il avait un autre allié aussi : le fait que ces dernières années du siècle et du millénaire étaient une époque de grande instabilité. Beaucoup d'Américains changeaient de travail, de voisins, d'amis ou de conjoints en se souciant peu voire pas du tout de la continuité de leur existence. Si bien qu'il y avait moins de gens pour remarquer la disparition de quelqu'un ou pour s'en inquiéter, moins de gens pour harceler les autorités afin de savoir où était passée une personne qu'ils ne voyaient plus. Dans bien des cas, d'ailleurs, on retrouvait un jour ou l'autre les disparus : ils étaient partis volontairement. Un jeune cadre pouvait abandonner la monotonie d'une vie en entreprise pour aller distribuer des cartes de black jack dans un casino de Vegas ou de Reno, et une mère de famille — déçue par les exigences d'un bébé et d'un mari infantile — pouvait devenir croupier, serveuse ou danseuse *topless* dans ces mêmes villes ; on se mettait en route sur un coup de tête et on oubliait sa vie passée comme si l'existence standard de la classe moyenne était aussi honteuse que des antécédents criminels. D'autres tombaient dans les griffes de diverses intoxications, vivaient dans des hôtels minables infestés de rats, où les légions aux regards vitreux de la sous-culture louaient leurs chambres à la semaine. Et parce que l'on était en Californie, beaucoup de personnes disparues atterrissaient finalement dans des communautés religieuses du comté de Marin ou de l'Oregon, et se mettaient à adorer un nouveau dieu, ou une nouvelle manifestation d'un ancien dieu ou tout simplement un homme aux yeux malins qui prétendait être Dieu.

C'était un nouvel âge, méprisant la tradition, un nouvel âge qui offrait tous les styles de vie que l'on pouvait souhaiter. Même pour quelqu'un comme Vassago.

En outre, s'il avait laissé des cadavres derrière lui, on aurait pu faire des rapprochements grâce à certaines similitudes entre les victimes ou les méthodes de meurtre. La police aurait compris qu'un criminel d'une puissance et d'une habileté uniques s'était mis en chasse, et elle aurait rassemblé une force d'intervention spéciale pour le trouver.

Mais les corps de la blonde et du détective privé étaient les seuls qu'il n'avait pas transportés dans son Enfer des profondeurs du Palais des Merveilles. Aucun schéma criminel ne pourrait être imaginé à partir de ces deux cadavres, car ils étaient morts de deux façons radicalement différentes. En outre, Morton Redlow ne serait peut-être pas découvert avant des semaines.

Les seuls liens entre Redlow et la néo-punk étaient le revolver du détective, qui avait servi à tuer la femme, et sa voiture, dont elle était tombée. La voiture était en sûreté, dissimulée dans le coin le plus éloigné du garage souterrain du parc d'attractions. Le revolver se trouvait dans la glacière en polystyrène avec les biscuits Oreo et d'autres amuse-gueules au fond du puits de l'ascenseur, deux étages sous le Palais des Merveilles. Et Vassago n'avait pas l'intention de l'utiliser de nouveau.

Il n'était pas armé lorsque, après s'être enfoncé loin vers le nord à l'intérieur du pays, il arriva à l'adresse qu'il avait réussi à lire sur la lettre, pendant sa vision. Il ne savait pas qui était ce William X. Cooper, ni s'il existait vraiment, mais le gars habitait dans une agréable résidence appelée Palm Court, où les appartements donnaient sur un jardin intérieur. Le nom de l'endroit et le numéro de la rue étaient gravés sur un panneau de bois décoratif illuminé par-devant et surplombé par les palmiers promis.

Vassago dépassa Palm Court, tourna à droite au coin de la rue, et se gara deux pâtés de maisons plus loin. Il n'avait aucune envie que l'on se rappelât une Honda parquée devant la résidence. Il n'avait pas vraiment l'intention de tuer ce Cooper, il voulait juste lui parler, lui poser quelques questions, en particulier à propos de cette salope aux cheveux et aux yeux noirs nommée Lindsey. Mais il vivait une situation qu'il ne comprenait pas, et il se devait de prendre toutes les précautions nécessaires. Et puis, à vrai dire, ces jours-ci, il tuait la plupart des gens auxquels il se donnait la peine de parler un moment...

Après avoir rangé les papiers et éteint la lampe du bureau, Hatch et Lindsey s'arrêtèrent un instant dans la chambre de Regina, et s'avancèrent en silence jusqu'à son chevet, pour s'assurer que tout allait bien. La lumière du couloir éclairait le lit où la fillette dormait profondément. Elle avait fermé un poing, et les petites jointures de ses doigts étaient posées contre son menton. Sa respiration régulière s'échappait de ses lèvres légèrement entrouvertes. Si elle était en train de rêver, ses rêves devaient être agréables.

Hatch sentit son cœur se serrer en la regardant — elle avait l'air si désespérément jeune ! Il avait du mal à croire que lui-même, un jour, avait été aussi jeune que Regina aujourd'hui, car la jeunesse, c'était l'innocence. Comme il avait été élevé sous la férule haïe et tyrannique de son père, il avait très tôt renoncé à l'innocence en échange de la compréhension intuitive d'une psychologie aberrante, et cela seul lui avait permis de survivre dans un foyer où la colère et la discipline brutale récompensaient les fautes et les erreurs les plus minimes. Il savait pourtant que Regina pouvait ne pas être aussi douce qu'elle paraissait, car à elle aussi la vie avait donné des raisons particulières de se développer une carapace et de se blinder le cœur.

Mais aussi coriaces fussent-ils, Hatch et la fillette étaient vulnérables l'un comme l'autre. En fait, en cet instant, Hatch se sentait encore plus fragile qu'elle. A choisir entre les infirmités de Regina — la jambe boiteuse, la main tordue et incomplète — et les dommages qui s'étaient peut-être produits dans son propre cerveau, il aurait opté sans hésitation pour ses dégradations physiques. Après ses expériences toutes récentes, dont l'inexplicable transformation de sa colère en une véritable rage aveugle, Hatch sentait qu'il n'avait plus entièrement le contrôle de lui-même. Et depuis son enfance, avec l'exemple terrifiant de son père pour donner forme à ses angoisses, ce qu'il craignait surtout, c'était justement de perdre ce contrôle.

Je ne te décevrai pas, promit-il en lui-même à l'enfant endormie.

Puis il se tourna vers Lindsey, à qui il devait ses deux vies, celle d'avant sa mort et celle d'après. Et il lui fit la même promesse tout aussi silencieuse : *Je ne te décevrai pas.*

Il se demanda s'il serait capable de les tenir.

Plus tard, dans l'obscurité de leur chambre, ils étaient allongés dans leur grand lit aux matelas indépendants, quand Lindsey murmura :

— Les derniers résultats des examens devraient être communiqués demain au docteur Nyebern.

Hatch était resté la majeure partie du samedi à l'hôpital, où il avait donné des échantillons de sang et d'urine et avait passé des radios et des échographies. A un moment, il avait plus d'électrodes collées sur lui que la créature du Dr Frankenstein amenée à la vie par la puissance de la foudre captée par des cerfs-volants.

— Quand je lui ai parlé, aujourd'hui, répondit Hatch, il m'a dit que tout semblait aller. Et je suis sûr que tous les autres examens seront négatifs, eux aussi. Je ne sais pas ce qui m'arrive, d'accord, mais ça n'a rien à voir avec un dommage physique ou mental dû à l'accident ou au fait que j'ai été... mort. Je suis en pleine forme, je suis okay.

— Oh, mon Dieu, si tu savais comme je l'espère !

— Tout va bien.

— Tu le penses vraiment ?

— Oui, je le pense vraiment, oui.

Il se demanda comment il était capable de lui mentir si tranquillement. Peut-être parce que ce mensonge n'avait pas pour but de lui faire du mal — c'était juste pour la rassurer, l'aider à trouver le sommeil.

— Je t'aime, murmura-t-elle.

— Moi aussi.

Deux minutes plus tard — la pendule digitale posée sur la table de nuit indiquait qu'il était presque minuit —, elle dormait en ronflant légèrement.

Hatch, lui, ne trouvait pas le sommeil, inquiet de ce qu'il apprendrait, le lendemain, sur son avenir — ou son absence d'avenir. Il s'imaginait que Nyebern allait lui annoncer, avec la mine sombre, de tristes nouvelles — une tache détectée dans un lobe de son cerveau, une zone de cellules mortes, une lésion, un kyste ou une tumeur... Un truc mortel. Inopérable. Et qui empirerait forcément.

Il avait perdu une bonne part de sa confiance depuis les événements de la nuit de jeudi et de la matinée de vendredi, quand il avait rêvé du meurtre de la blonde, puis qu'il avait effectivement suivi la piste du tueur jusqu'à la bretelle de sortie de la Route 133 depuis la San Diego Freeway. Pendant le week-end, il n'était rien arrivé. Et la journée qu'il venait de vivre, le bonheur de l'installation de Regina chez eux, avait été merveilleuse... Et voilà qu'il avait lu cet article sur Cooper et qu'il avait perdu les pédales.

Il n'avait pas parlé à Lindsey du reflet de l'étranger aperçu dans le miroir de son bureau. Cette fois, il était difficile de prétendre qu'il avait eu une crise de somnambulisme. Parce qu'il était parfaitement conscient à ce moment-là, oui, ce qui signifiait que l'image du miroir était une hallucination. Or, un cerveau en bonne santé et sans dommage physique n'avait pas d'hallucinations. Il n'avait pas voulu partager cette terreur avec elle parce qu'il savait qu'avec les résultats des examens, le lendemain, elle aurait déjà suffisamment d'angoisses à affronter.

Incapable de trouver le sommeil, il repensa à cet article, alors qu'il n'en avait aucune envie. Il essayait d'oublier William Cooper, mais il y revenait sans cesse, exactement comme on passe sans arrêt sa langue sur une dent douloureuse. Il avait comme l'impression d'être *forcé* d'évoquer l'image du camionneur, comme si un aimant mental géant attirait inexorablement son attention dans cette direction. Bientôt, à sa grande consternation, il sentit revenir la colère. Pire encore, cette colère se transforma brusquement en une fureur et un désir de violence si intenses qu'il fut obligé de serrer les poings et les mâchoires et de lutter contre lui-même pour ne pas laisser échapper un cri de rage primitif.

Grâce aux boîtes aux lettres alignées dans le passage couvert à l'entrée principale de la résidence, Vassago apprit que William Cooper vivait dans l'appartement 28. Il pénétra dans le jardin intérieur qui débordait de palmiers, de figuiers, de fougères et de trop de lumières pour lui, et il emprunta l'escalier jusqu'à la galerie desservant le premier étage de l'immeuble.

Personne en vue. Palm Court était silencieux, paisible.

Bien qu'il fût minuit un peu passé, l'appartement de Cooper était éclairé. Vassago entendit le son étouffé d'une télévision.

La fenêtre à droite de la porte était protégée par des stores pas complètement fermés. Vassago aperçut la cuisine, où ne brillait que l'ampoule de faible voltage de la hotte du fourneau.

A gauche de la porte, une fenêtre plus large donnait sur la galerie et sur la cour depuis le living. Les rideaux étaient entrouverts. Dans l'interstice, il aperçut un homme affalé devant la télévision, dans un fauteuil de relaxation, les pieds relevés. La tête inclinée d'un côté, le visage tourné vers la fenêtre, il semblait dormir. Un verre contenant un doigt de liquide ambré trônait près d'une bouteille de Jack Daniel's à moitié vide sur une table basse à côté du fauteuil. Un sac de soufflés au fromage était tombé de la table et une partie de son contenu orange vif était éparpillé sur le tapis verdâtre.

Vassago vérifia la galerie, à droite, à gauche, et de l'autre côté de la cour. Toujours déserte.

Il essaya alors d'ouvrir la fenêtre du living de Cooper, mais elle était verrouillée ou bloquée par la rouille. Il retourna à celle de la cuisine, mais au passage il s'arrêta devant la porte principale et fit tourner la poignée, sans grand espoir.

Elle n'était pas fermée à clé.

Il la poussa, pénétra dans l'appartement — et donna un tour de clé derrière lui.

L'homme qui était allongé dans le fauteuil, probablement Cooper, ne bougea pas lorsque Vassago ferma silencieusement les rideaux de la fenêtre du living. Désormais, personne ne verrait plus ce qui se passait à l'intérieur de l'appartement.

S'étant déjà assuré que la cuisine, la salle à manger et le

living étaient déserts, Vassago, aussi discret qu'un chat, visita la salle de bains et les deux chambres (dont l'une, sans meuble, servait de réserve) qui composaient le reste de l'appartement. L'homme était seul.

Sur la commode, dans la chambre, Vassago trouva un portefeuille et un trousseau de clés. Le portefeuille contenait cinquante-huit dollars, qu'il empocha, et un permis de conduire au nom de William X. Cooper. La photo, sur le document, était celle de l'homme du fauteuil, de quelques années plus jeune et, bien sûr, pas abruti par l'alcool.

Il regagna le living, dans l'intention de réveiller Cooper et d'avoir avec lui une petite conversation pour lui soutirer quelques informations. Qui était Lindsey? Où vivait-elle?

Mais au moment où il s'approchait du fauteuil, la colère s'empara de lui, trop soudaine et trop irraisonnée pour lui appartenir — comme s'il était devenu une radio humaine captant les émotions d'étrangers lointains. Cette même colère, il l'avait ressentie à peine une heure auparavant quand il se trouvait au milieu de sa collection, dans le Palais des Merveilles. Alors, comme la première fois, il s'ouvrit à elle et l'amplifia en y mêlant sa propre rage intérieure, tout en se demandant si des visions allaient encore l'accompagner. Mais tandis qu'il était là, à observer William Cooper, la colère se mua tout à coup en une fureur insensée et il perdit le contrôle de lui-même. Sur la table, à côté du fauteuil, il attrapa la bouteille de Jack Daniel's par le goulot.

Allongé dans son lit, le corps raide, les points si serrés que ses ongles pourtant coupés court s'enfonçaient douloureusement dans les paumes de ses mains, Hatch avait l'impression folle que son esprit avait été... envahi. On aurait dit que sa brève colère avait entrebâillé une porte, suffisamment pour que *quelque chose* l'attrapât de l'autre côté et la fît sauter de ses gonds. Il sentait ce *quelque chose* qui n'avait pas de nom se déchaîner à l'intérieur de lui, une force sans forme, sans visage, uniquement définie par sa haine et sa rage. C'était une fureur d'ouragan, au-delà des dimensions humaines, et il savait que son enveloppe était trop petite pour contenir toute cette colère aspirée en lui. Il avait l'impression qu'il allait exploser et voler en éclats comme une figurine de cristal.

La bouteille à moitié vide de Jack Daniel's s'écrasa sur la tempe de l'homme endormi avec une telle violence que cela fit presque le bruit d'un coup de fusil. Du whisky et des éclats de verre s'éparpillèrent tout autour de lui, retombèrent en pluie contre le poste de télévision, les meubles, les murs. L'arôme velouté de l'alcool de maïs brassé monta aux narines de Vassago, mais aussi l'odeur du sang, car tout le côté enfoncé de la tête de Cooper saignait abondamment.

L'homme ne dormait plus. Maintenant, il était inconscient.

Dans la main de Vassago ne restait plus que le goulot de la bouteille, qui se terminait par trois pointes effilées d'où s'écoulaient des gouttes de bourbon ; il pensa aux crochets brillants de venin d'un serpent. Modifiant sa prise, il leva son arme au-dessus de sa tête et la laissa retomber avec un féroce sifflement de rage — et le serpent de verre vint mordre profondément le visage de Cooper.

Hatch n'avait jamais connu cette fureur volcanique, bien pire que les crises de son père. Il lui aurait été impossible de fabriquer en lui cette rage absolue, de même qu'il n'était pas question de fabriquer de l'acide sulfurique dans un chaudron en papier : le contenant aurait été dissout par le contenu. Une lave de colère se déversait en lui en bouillonnant, si chaude qu'il eut envie de hurler... Si brûlante qu'il n'eut pas le temps de hurler. Sa conscience fut carbonisée, et il s'enfonça dans une bienfaisante obscurité sans rêve où n'existait plus ni colère, ni terreur.

Vassago se rendit compte tout à coup qu'il laissait échapper une espèce de chant de joie sauvage et sans paroles. Quand il eut frappé une vingtaine de fois, son arme de verre était presque totalement désintégrée. Finalement, à regret, il lâcha le reste du goulot de la bouteille, qu'il serrait toujours si fort que les articulations de ses doigts étaient toutes blanches. Avec un rugissement de fureur, il se jeta contre le fauteuil de relaxation Naugahyde, le renversa et fit tomber l'homme mort sur le tapis verdâtre. Il saisit la petite table et la balança contre le poste de télévision, où, devant un tribunal militaire, Humphrey Bogart jouait avec deux roulements à billes dans ses mains tannées tout en parlant de fraises. L'écran implosa et Bogart se métamorphosa en une pluie d'étincelles jaunes dont la vue augmenta la frénésie destructrice de Vassago. Il donna un coup de pied dans une table basse, arracha du mur deux lithos de chez K-Mart[1], brisa le verre qui les protégeait, balaya une collection de bibelots de céramique bon marché sur le dessus de la cheminée. Il aurait *adoré* continuer à saccager l'appartement d'un bout à l'autre, vider les placards de la cuisine et casser les assiettes, pulvériser tous les objets en verre, sortir la nourriture du réfrigérateur et la balancer sur les murs, écraser les meubles les uns contre les autres, jusqu'à ce que tout soit en miettes, mais le bruit d'une sirène de police l'arrêta, un bruit encore distant mais se rapprochant rapidement, dont la signification pénétra dans son cerveau, même à travers le brouillard de frénésie sanguinaire qui obscurcissait ses pensées. Il fila vers la porte d'entrée, mais il s'en écarta brusquement : des gens étaient peut-être descendus dans la cour ou s'étaient mis à leurs fenêtres pour voir ce qui se passait. Il quitta le living au pas de course, traversa le petit couloir et alla à la fenêtre de la chambre principale, où il écarta les rideaux pour examiner le toit du long garage couvert. Au-delà, il y avait un passage étroit longeant un mur de béton. Il ouvrit le verrou de la fenêtre à guillotine, souleva le châssis inférieur, se glissa par l'ouverture, se laissa tomber sur le toit du garage, s'avança jusqu'au vide, sauta dans l'allée où il atterrit sur ses pieds comme un chat. Il perdit ses lunettes, les ramassa et les remit sur son nez. Il se précipita, à sa gauche, vers l'arrière de la maison, alors que la sirène était plus forte, maintenant, beaucoup plus forte, bien plus proche. Lorsqu'il se retrouva devant le mur de deux mètres cinquante de haut bordant la propriété, il l'escalada rapidement, avec l'agilité d'une araignée

1. Chaîne américaine de grands magasins (*N.d.T.*).

capable de se déplacer sur n'importe quelle surface, et se
retrouva à l'extérieur, dans une autre allée desservant les
garages couverts d'une autre résidence, et il continua ainsi à
passer d'une allée de service à une autre, se frayant un chemin
dans ce labyrinthe par pur instinct. Il arriva finalement dans la
rue où il avait garé sa Honda, à peu près à un demi-pâté de
maisons de l'endroit où elle attendait. Quelques minutes plus
tard, il s'éloignait en roulant à une vitesse aussi normale que
possible, mais il était si en nage et si essoufflé qu'il y eut bientôt
de la buée sur ses vitres. Enivré par l'odeur du bourbon, du
sang et de la transpiration, il était terriblement excité, si *satisfait*
de la violence qu'il venait de libérer qu'il donnait des coups sur
son volant et laissait échapper des éclats de rires proches d'un
hurlement.

Pendant un moment, il roula sans savoir où il allait. Quand
ses rires se calmèrent, quand son cœur battit moins vite, il
s'orienta et prit vers le sud-est, en direction de sa cachette.

Si William Cooper avait pu lui fournir un moyen de
retrouver la femme nommée Lindsey, cette piste était désormais un cul-de-sac. Mais il n'était pas inquiet. Il ne savait pas
ce qui lui arrivait, il ne savait pas pourquoi son attention avait
été attirée d'une façon si surnaturelle sur Cooper, sur Lindsey,
ou sur l'homme dans le miroir. Mais il était certain, en
revanche, qu'il finirait par tout comprendre s'il continuait à
croire en son dieu noir.

Il se demandait si l'Enfer ne l'avait pas *libéré* volontairement,
oui, s'il ne l'avait pas renvoyé dans le monde des vivants pour
se servir de lui, pour le faire s'occuper de certaines personnes
dont le Dieu des Ténèbres voulait la mort. Peut-être n'avait-il
pas été volé à l'Enfer, après tout, peut-être qu'on lui avait
rendu la vie, au contraire, pour une mission de destruction qui
lui deviendrait compréhensible peu à peu... Si c'était le cas, il
était heureux d'être l'instrument de la sombre et puissante
divinité aux côtés de laquelle il souhaitait se retrouver, et il
attendait impatiemment la prochaine tâche qui lui serait
confiée.

Quand, vers l'aube, Hatch se réveilla après plusieurs heures
d'un parfait sommeil de plomb, presque semblable à la mort, il

ne savait plus où il se trouvait. L'espace d'un instant, il dériva sur l'océan de la confusion, et puis il fut rejeté sur la grève du souvenir : la chambre, Lindsey qui dormait en respirant doucement à son côté, le gris cendre de la première lueur du jour, comme une fine poussière argentée sur les vitres...

Lorsqu'il se rappela la crise de rage inexplicable et inhumaine qui s'était abattue sur lui au point de le paralyser, il eut peur de nouveau et se raidit. Il essaya de se rappeler jusqu'où avait pu l'entraîner cette spirale de haine, dans quelle violence elle avait culminé — mais son esprit était absolument vide. Il lui sembla qu'il s'était juste endormi comme une masse, comme si cette fureur d'une intensité surnaturelle avait surchargé les circuits de son cerveau et fait sauter quelques fusibles.

Sommeil de plomb ? Ou... amnésie ? Entre les deux, il y avait une fatale différence. Profondément endormi, il était resté dans son lit toute la nuit, épuisé, aussi immobile qu'une pierre au fond de l'océan ; en revanche, s'il était conscient mais incapable de se rendre compte de ce qu'il faisait, s'il s'était perdu dans ce que les psychiatres nommaient une « fugue psychotique », Dieu seul savait ce qu'il pouvait bien avoir fabriqué !

Soudain, il se dit que Lindsey courait un grave danger.

Son cœur battant contre ses côtes, il s'assit dans le lit et la regarda. La lumière de l'aube, à la fenêtre, était trop pâle pour la révéler nettement. Elle n'était qu'une forme sombre contre les draps.

Il tendit la main vers le bouton de la lampe de la table de nuit, et puis il hésita. Il avait peur de ce qu'il risquait de découvrir.

Je n'aurais jamais fait de mal à Lindsey... Jamais ! pensa-t-il, désespéré.

Mais il ne se souvenait que trop bien que pendant un moment, au cours de cette nuit, il n'avait pas été entièrement lui-même. Oui, il se souvenait que sa colère contre Cooper semblait avoir ouvert une porte à l'intérieur de lui et laissé le passage à un monstre venu de quelque vaste espace de ténèbres, au-delà.

En tremblant, il appuya finalement sur l'interrupteur. La lumière lui révéla que Lindsey était intacte, qu'elle était aussi belle que d'habitude, qu'elle dormait avec un petit sourire paisible.

Extraordinairement soulagé, il éteignit de nouveau — et il

pensa soudain à Regina. Alors, le moteur de l'angoisse
s'emballa de nouveau.

Ridicule. Il n'aurait pas pu faire du mal à Regina, pas plus
qu'à Lindsey. C'était une enfant sans défense.

Mais il était incapable de cesser de trembler. Il ne pouvait
s'empêcher de se poser des questions.

Il se leva en essayant de ne pas déranger sa femme,
ramassa son peignoir de bain sur le dos du fauteuil, l'enfila,
et quitta silencieusement la chambre.

Les deux lucarnes du couloir laissaient passer la lumière
du matin. Il alla, pieds nus, jusqu'à la chambre de Regina.
D'abord, il se déplaça vite, puis plus lentement, comme
retenu par une terreur aussi lourde qu'une paire de bottes de
fer.

Une image se forma dans son esprit : l'acajou du lit,
décoré de fleurs peintes, éclaboussé de sang, les draps
trempés de rouge. Pour une raison ou pour une autre, il était
sûr qu'il allait retrouver l'enfant avec des fragments de verre
plantés dans son visage mutilé. La mystérieuse précision de
cette image le convainquit qu'il avait fait quelque chose
d'impensable pendant son amnésie.

Lorsqu'il ouvrit la porte et regarda dans la chambre de la
fillette, il découvrit qu'elle dormait aussi paisiblement que
Lindsey, dans la même position que la veille au soir, lorsqu'il
était venu la voir avec sa femme avant d'aller se coucher.

Pas de sang. Pas de verre brisé.

La gorge serrée, il referma la porte et s'éloigna dans le
couloir jusqu'à la première lucarne du plafond. Et dans la
faible lumière du petit matin, il contempla à travers le verre
teinté un ciel d'une couleur indéterminée, comme si, soudain,
il allait lire l'explication de tout ce qui lui arrivait écrite en
grosses lettres en travers les cieux.

Mais aucune explication ne vint. Et il resta là, troublé et
angoissé.

Au moins Lindsey et Regina étaient-elles saines et sauves...
La *chose* avec laquelle il était entré en contact au cours de la
nuit ne s'était pas attaquée à elles.

Il se souvint tout à coup d'un film de vampires, dans
lequel un vieux prêtre tout ratatiné prévenait une jeune
femme que les non-morts ne pouvaient entrer dans sa maison
que si elle les y invitait, mais qu'ils étaient malins et persua-

sifs, et qu'ils étaient capables de convaincre même les plus prudents et de leur soutirer cette mortelle invitation.

D'une façon ou d'une autre, Hatch savait qu'il existait un lien entre lui et le psychopathe qui avait assassiné la jeune blonde nommée Lisa. Et en ne réussissant pas à contrôler sa colère dirigée contre William Cooper, il avait renforcé ce lien. Sa colère était la clé qui ouvrait la porte. Lorsqu'il s'y abandonnait, il lançait une invitation semblable à celle contre laquelle le prêtre avait mis en garde la jeune femme dans ce film de vampires. Il n'aurait su expliquer pourquoi il savait que c'était cela, la vérité, mais il le savait vraiment, oui, dans sa chair. Il demandait simplement à Dieu de réussir à *comprendre*.

Il se sentait complètement perdu.

Il se sentait petit, sans force et effrayé.

Et si Lindsey et Regina étaient parvenues saines et sauves au bout de cette nuit, il était sûr, au fond de lui, plus fort que jamais, qu'elles couraient un grave danger. De plus en plus grave chaque jour. Chaque heure.

3

Avant l'aube, le 30 avril, Vassago se lava à la belle étoile, avec de l'eau minérale et du savon liquide. Et quand parurent les premières lueurs du jour, il était en sécurité, au plus profond de sa cachette. Allongé sur son matelas, regardant la cage de l'ascenseur qui le surplombait, il s'offrit des Oreo et de la *root beer* tiède, puis deux paquets de Reese's Pieces.

Tuer était toujours énormément satisfaisant. De formidables pressions internes étaient libérées quand il portait un coup qui mettait fin à une vie. Mieux, chaque assassinat était une rébellion contre tout ce qui était sacré, contre les commandements, les lois, les règles et les insupportables systèmes de comportement formalistes avec lesquels les humains faisaient semblant de croire que la vie était précieuse et qu'elle signifiait quelque chose. Mais la vie ne valait rien et n'avait aucun sens. Rien ne comptait, sinon la sensation et la satisfaction rapide de tous les désirs, ce que seul pouvait vraiment comprendre un être puissant et libre. Après chaque meurtre, Vassago se sentait aussi libre que le vent et plus puissant que n'importe quelle machine.

Jusqu'à cette nuit spéciale et merveilleuse, quand il avait douze ans, il avait appartenu à ces masses d'esclaves qui traversaient l'existence en silence, d'un pas lourd, et suivaient les règles d'une prétendue civilisation, des règles qui n'avaient cependant aucun sens pour lui. Il faisait semblant d'aimer sa mère, son père, sa sœur, et quelques parents, alors qu'il ne ressentait rien de plus pour eux que pour un étranger croisé dans la rue. Dans son enfance, dès qu'il fut suffisamment grand pour réfléchir à ce genre de choses, il se demanda s'il n'avait pas un problème, s'il ne manquait pas un élément essentiel à son caractère. Et tandis qu'il s'entendait jouer la comédie de l'amour, qu'il se voyait employer des stratégies de fausse affection et de flatterie éhontée, il constatait avec stupéfaction que les autres le trouvaient convaincant, alors qu'il avait conscience, lui, de l'hypocrisie dans sa voix, de la fraude de chacun de ses gestes et, surtout, de la tromperie de chacun de ses sourires affectueux. Et puis un jour, il perçut soudain cette même supercherie dans leurs voix et il la vit sur leurs visages, et il comprit qu'aucun d'entre eux non plus n'avait jamais fait l'expérience de l'amour ni de ces nobles sentiments auxquels une personne civilisée était censée aspirer — l'altruisme, le courage, la piété, l'humilité et tout le reste de ce triste catéchisme. Oui, eux aussi, ils jouaient la comédie. Plus tard, il en conclut que la plupart d'entre eux, même les adultes, n'avaient jamais bénéficié de son degré de perspicacité ni deviné que les autres n'étaient pas différents. Chacun d'eux pensait être unique en son genre, chacun d'eux pensait qu'il lui manquait quelque chose — mais qu'il devait jouer le jeu correctement s'il ne voulait pas être découvert et frappé d'ostracisme comme un sous-humain... Dieu avait essayé de créer un monde d'amour, mais Il avait échoué, et Il avait ordonné à Ses créatures de prétendre à la perfection qu'Il avait été incapable de mettre en elles. En apprenant cette stupéfiante vérité, Vassago avait fait son premier pas vers la liberté. Et puis, une nuit d'été, alors qu'il avait douze ans, il comprit que pour être vraiment libre, totalement libre, il devait tenir compte de ce savoir et vivre différemment du troupeau de l'humanité en ne considérant plus que son seul plaisir. Il comprit qu'il devait être prêt à exercer ce pouvoir qu'il possédait sur les autres grâce à sa connaissance intime de la vraie nature du monde. Cette nuit-là, il apprit que la capacité de tuer sans le moindre remords était la forme la plus pure du pouvoir et que l'exercice du pouvoir était le plus grand plaisir de tous...

A cette époque, avant sa mort et son retour d'entre les morts, avant d'avoir choisi sa nouvelle identité, celle du prince-démon Vassago, Jeremy était le nom auquel il répondait et sous lequel il avait vécu. Son meilleur ami était Tod Ledderbeck, le fils du docteur Sam Ledderbeck, un gynécologue que Jeremy surnommait *crack quack*[1] quand il voulait taquiner son copain Tod.

En cette matinée du début juin, Mrs Ledderbeck avait emmené Jeremy et Tod à Fantasy World, l'immense parc de loisirs qui, contre toute attente, avait commencé à donner du fil à retordre à Disneyland. Il se trouvait dans les collines, à quelques kilomètres à l'est de San Juan Capistrano, à l'écart de tout — exactement comme Magic Mountains avait été un peu isolé avant d'être dévoré par les banlieues nord de Los Angeles, et comme Disneyland avait donné au début l'impression de s'élever au milieu de nulle part, quand on l'avait construit dans une région agricole près d'une ville inconnue nommée Anaheim. Les capitaux de Fantasy World étaient japonais, et cela dérangeait un certain nombre de gens qui pensaient qu'un de ces jours les Japonais allaient posséder le pays tout entier ; des rumeurs parlaient aussi d'argent de la Mafia, ce qui ne rendait l'endroit que plus mystérieux et plus attirant. Mais en fin de compte, l'important, c'était que l'ambiance était bonne, les attractions audacieuses, et les fast-foods délirants. C'était à Fantasy World que Tod avait voulu passer son douzième anniversaire, avec son meilleur ami et sans ses parents, du matin jusqu'à dix heures du soir, et Tod obtenait généralement ce qu'il désirait parce que c'était un brave garçon ; tout le monde l'aimait ; il savait exactement de quelle façon jouer le jeu.

Mrs Ledderbeck les déposa devant l'entrée principale et, tandis qu'ils s'éloignaient en courant de la voiture, elle leur cria :

— Je vous reprends ici ce soir à dix heures ! Ici et à dix heures pile !

Ils achetèrent leur ticket, pénétrèrent dans l'enceinte du parc, et Tod demanda :

— Par quoi tu veux commencer ?

---

1. « Super toubib », mais aussi « charlatan cinglé », avec un jeu de mots supplémentaire sur *quack-quack,* coin-coin (*N.d.T.*).

— J' sais pas. Et toi, par quoi tu veux commencer ?
— Un tour de Scorpion ?
— Ouais !
— Ouais !

Et vlan ! Les voilà partis au pas de course vers l'extrémité nord du parc, où le Scorpion — « Des Montagnes Russes Avec un Dard ! » proclamaient les pubs à la télé — s'élevait dans sa douce terreur sinueuse sur un ciel bleu clair. Comme le parc n'était pas encore bondé, ils ne furent pas obligés de slalomer dans une foule avançant avec une lenteur de ruminants. Leurs tennis faisaient du bruit sur l'asphalte, et chaque grande claque de leurs semelles de caoutchouc sur le sol était un cri de liberté. Ils chevauchèrent le Scorpion et ils hurlèrent comme des fous tandis que leur wagonnet plongeait et prenait les virages à toute allure et tournait à l'envers et plongeait de nouveau, et quand le tour fut terminé, ils se précipitèrent immédiatement au quai d'embarquement et ils recommencèrent.

A l'époque déjà, comme aujourd'hui, Jeremy adorait la vitesse. Les virages et les plongeons brusques des montagnes russes avaient été des substituts enfantins de cette violence dont il avait, inconsciemment, un besoin maladif. Après deux tours de Scorpion, avec tant de délicieux-moments-de-vitesse-de-descentes-en-piqué-de-loopings-et-de-zigzags, Jeremy se sentait d'une humeur sensationnelle.

Et puis Tod gâcha leur journée, alors qu'ils s'éloignaient des montagnes russes. Il passa son bras autour des épaules de Jeremy et s'exclama :

— Mec, sûr que ça va être le plus génial anniversaire que personne a jamais eu, juste toi et moi !

La camaraderie, comme tout le reste, était un mensonge. Une supercherie. Une imposture. Jeremy détestait toutes ces conneries, toutes ces foutaises, dont Tod débordait. Meilleurs amis. Frères de sang. Toi-et-moi-contre-le-monde-entier.

Jeremy ne savait pas vraiment ce qui lui faisait le plus mal : entendre Tod le baratiner avec cette histoire de « bons copains » et croire qu'il se laissait prendre à cette escroquerie — ou avoir l'impression que, parfois, c'était Tod qui était suffisamment idiot pour être dupe de sa propre arnaque. Jeremy soupçonnait depuis peu que certaines personnes jouaient si bien le jeu de la vie qu'elles ne se rendaient pas compte qu'il s'agissait d'une comédie pure et simple. Ces gens s'abusaient eux-mêmes avec toutes leurs histoires d'amitié, d'amour et de compassion. Et Tod ressemblait de plus en plus à ces crétins-là.

Être le meilleur ami de quelqu'un, c'était juste un moyen d'avoir un pote qui faisait pour vous des choses qu'il ne ferait jamais pour personne d'autre en mille ans. L'amitié, c'était aussi un arrangement mutuel de défense, une façon d'unir vos forces contre les bandes de vos concitoyens qui auraient bien voulu vous casser la gueule et tout vous piquer. Tout le monde savait que l'amitié n'était rien d'autre, mais personne n'osait en parler sincèrement — et surtout pas Tod.

Plus tard, alors qu'ils sortaient de la Maison Hantée et qu'ils se dirigeaient vers la Créature du Marais, ils s'arrêtèrent un moment à un stand où l'on vendait des ice-creams enrobés de chocolat et roulés dans des noisettes écrasées. Ils s'installèrent sur des chaises en plastique, à une table en plastique, sous un parasol rouge, avec, derrière eux, des acacias et des cascades artificielles, et ils s'attaquèrent à leurs glaces, et c'était parfait, au début... Et puis Tod ficha tout en l'air.

— C'est super de venir au parc sans les grands, hein ? dit-il, la bouche pleine. Tu peux manger de la glace avant le repas, comme maintenant. Et merde, tu peux faire aussi ton repas avec, si t'as envie, et en remanger encore après, et y'a personne pour pleurnicher comme quoi tu vas te couper l'appétit ou te rendre malade.

— Ouais, c'est super, acquiesça Jeremy.

— On n'a qu'à rester ici et bouffer de la glace jusqu'à ce qu'on gerbe, proposa Tod.

— Ça me paraît une bonne idée, dit Jeremy. Mais faut pas gaspiller.

— Hein ?

— Faut qu'on soit sûrs, quand on vomira, de pas simplement gerber par terre. Faut qu'on soit sûrs de gerber sur quelqu'un.

— Ouais ! s'exclama Tod, qui pigea immédiatement où il voulait en venir. Sur quelqu'un qui le mérite, qui donne vraiment envie de dégueuler !

— Comme celles-là, dit Jeremy, en lui montrant deux jolies petites filles qui passaient devant eux.

Elles étaient vêtues de shorts blancs et de chemisiers d'été clairs, et elles étaient si certaines d'être mignonnes qu'on avait envie de leur dégueuler dessus même si on avait l'estomac vide et qu'on pouvait juste avoir des haut-le-cœur...

— Ou ces deux vieux schnoques, dit Tod, en montrant un couple âgé qui achetait des glaces.

— Non, non, pas eux, fit Jeremy. Ceux-là, ils donnent l'impression qu'on leur a *déjà* vomi dessus.

Tod trouva l'idée si marrante qu'il s'étouffa avec son ice-cream. Par certains côtés, Tod était okay.

— Elle est poilante, cette glace, dit-il lorsqu'il retrouva son calme.

— Et pourquoi elle est poilante? demanda Jeremy.

— Je sais que la crème glacée, c'est fait avec du lait et que le lait vient des vaches. Et je sais qu'ils font le chocolat à partir de fèves de cacao. Mais c'est les noisettes de qui qu'ils écrasent pour saupoudrer dessus?

Ouais, c'était vrai que ce vieux Tod était okay par certains côtés.

Mais juste au moment où ils rigolaient le plus et où ils se sentaient bien, Tod se pencha au-dessus de la table, tapota légèrement Jimmy sur la joue et dit :

— Toi et moi, Jer, on restera ensemble toute la vie, on sera amis jusqu'à ce qu'on nourrisse les vers. Vrai?

Et en plus, il y croyait vraiment, à ses conneries! Il avait réussi à s'abuser lui-même. Tod était si stupidement sincère que c'était sur lui que Jeremy avait envie de gerber, maintenant!

Mais il préféra répondre :

— Et qu'est-ce que tu vas faire ensuite, Tod? Tu vas essayer de me rouler un patin?

Avec un large sourire, sans paraître remarquer l'hostilité de Jeremy, Tod répondit du tac au tac :

— Non, je vais embrasser le cul de ta grand-mère.

— Le cul de la tienne!

— Ma grand-mère n'a pas de cul.

— Ah ouais? Et sur quoi elle s'assoit, alors?

— Sur ta gueule!

Et ils continuèrent à se chamailler jusqu'au moment où ils arrivèrent à la Créature du Marais. L'attraction était impec, pas très bien faite, mais elle permettait justement, à cause de ça, un bon paquet de blagues. Pendant un moment, Tod fut tout fou et rigolo comme il fallait.

Mais une fois qu'ils furent sortis de la Bataille Spatiale, Tod commença à raconter qu'ils étaient « les deux meilleurs pilotes de fusée de l'univers », ce qui gêna Jeremy tellement c'était idiot et puéril. Cela l'irrita aussi parce que ce n'était ni plus ni moins qu'une autre façon de dire : « On est potes... Frères de sang... Copains... » Ils embarquèrent de nouveau dans le Scorpion, et au moment où les wagonnets démarraient, Tod lâcha : « C'est rien, c'est juste une balade du dimanche des deux meilleurs pilotes de fusée de l'univers ! » Et puis, au Monde des Géants, Tod passa son bras autour des épaules de Jeremy et dit : « Les deux meilleurs pilotes de fusée de l'univers peuvent bien affronter un foutu géant, pas vrai, mon frère ? »

Jeremy avait envie de lui répondre : *Écoute, espèce de crétin, la seule raison pour laquelle on est copains, tous les deux, c'est parce que ton père et le mien travaillent dans la même branche, et c'est juste le hasard qui nous a réunis. Je déteste ce genre de merde le-bras-autour-des-épaules, alors on arrête ce truc, on rigole un bon coup et on se contente de ça. D'accord ?*

Pourtant, il ne dit rien de tel parce que, bien sûr, les bons joueurs au jeu de la vie savent que ce n'est qu'un jeu, mais ils ne l'admettent jamais. Si vous faites savoir aux autres joueurs que vous vous fichez des règles, ils ne vous laissent plus jouer. Allez en Prison. Allez directement en Prison. Ne passez pas par la Case Départ. Ne vous amusez plus.

Vers dix-neuf heures, lorsqu'ils eurent avalé assez de nourriture de fast-food pour produire un vomissement foncièrement intéressant s'ils décidaient vraiment de gerber sur quelqu'un, Jeremy en avait tellement marre de ces conneries sur les pilotes de fusée et il était si irrité par les petites tapes amicales de Tod qu'il comprit qu'il ne tiendrait pas jusqu'à dix heures du soir, au moment où Mrs Ledderbeck viendrait les chercher à l'entrée avec son break.

Ils étaient dans le Mille-Pattes et ils fonçaient à travers une partie absolument noire du circuit lorsque Tod fit une allusion de trop aux « deux meilleurs pilotes de fusée de l'univers » : alors Jeremy décida de le tuer. A l'instant où cette idée lui traversa l'esprit, il sut qu'il devait vraiment tuer son « meilleur ami ». Ça semblait si *juste*. Si la vie était un jeu avec un règlement de plusieurs millions de pages, ça n'allait pas être une super partie de rigolade — à moins de trouver des moyens de violer les règles et de continuer à jouer. N'importe quel jeu était chiant, si vous étiez obligé de respecter les règles — le Monopoly, le rami, le base-ball. Mais si vous trichiez sur un terrain de base-ball, que vous chipiez une carte sans être pris ou que vous changiez la marque d'un dé pendant un moment d'inattention de vos adversaires, une partie ennuyeuse pouvait devenir excitante. Et au jeu de la vie, tuer et ne pas se faire prendre, ça, c'était le grand pied !

Lorsque le Mille-Pattes s'arrêta dans un cri strident au quai de débarquement, Jeremy dit :

— Encore un tour.

— Sûr, fit Tod.

Ils se précipitèrent dans le couloir de sortie pour aller refaire la queue. Le parc s'était rempli durant la journée, et il fallait désormais attendre au moins vingt minutes pour entrer dans n'importe quelle attraction.

Plus tard, lorsqu'ils quittèrent le pavillon du Mille-Pattes, le ciel était noir vers l'est, bleu foncé au-dessus d'eux, et orange vers l'ouest. A Fantasy World, le crépuscule commençait plus tôt et durait plus longtemps que dans la partie occidentale du comté, parce qu'entre le parc et l'océan lointain s'élevaient plusieurs chaînes de collines qui cachaient le soleil. Les sombres silhouettes de ces sommets se découpaient maintenant sur les cieux orange, comme des décorations d'Halloween hors de saison.

A l'approche de la nuit, l'ambiance de Fantasy World devenait magique. Des lampes, qui faisaient penser aux illuminations de Noël, dessinaient les contours des attractions et des bâtiments. Des lumières qui clignotaient donnaient un air de fête à tous les arbres, tandis que deux projecteurs non synchronisés balayaient le pic artificiel enneigé de la Montagne du Big Foot. De chaque côté, les néons brillaient de toutes les nuances que pouvaient offrir les néons, et depuis l'Ile de Mars des tirs de puissants rayons laser colorés déchiraient au hasard le ciel qui s'assombrissait, comme pour repousser l'attaque d'un vaisseau spatial. Une douce brise qui sentait le pop-corn et les cacahuètes grillées agitait les guirlandes de fanions, au-dessus d'eux. Des musiques de toutes les époques et de tous les genres sortaient des différents pavillons, du rock'n'roll venait de la piste de danse en plein air de l'extrémité sud du parc, et de quelque part ailleurs s'élevait le swing vigoureux d'un grand orchestre de jazz. Des gens riaient et discutaient avec animation, et sur les attractions, ils hurlaient, hurlaient.

— *Risque-tout !* maintenant, lança Jeremy tandis que Tod et lui couraient reprendre leur tour dans la file d'attente du Mille-Pattes.

— Ouais, s'exclama Tod, *risque-tout !*

En fait, le Mille-Pattes était des montagnes russes couvertes, comme la Space Mountain de Disneyland, mais ici, au lieu de monter et de descendre à toute vitesse dans une seule immense salle, il filait comme un éclair dans une longue succession de tunnels dont certains étaient allumés et d'autres non. La barre de protection, prévue pour retenir les voyageurs, était parfaitement sûre, mais un enfant mince et agile pouvait s'en extraire en se contorsionnant, puis l'escalader et se tenir debout dans le creux pour les jambes. Là, il s'appuyait contre la barre de protection et l'attrapait derrière lui — ou l'entourait avec ses bras : c'était cela que l'on nommait le *voyage risque-tout !*

C'était stupide et dangereux, Jeremy et Tod le savaient. Mais ils l'avaient déjà fait, et pas seulement sur le Mille-Pattes, mais dans d'autres parcs de loisirs. Le *risque-tout !* augmentait les sensations d'au moins mille pour cent — et surtout dans les tunnels obscurs, où il était impossible de voir ce qui approchait.

— Pilotes de fusée ! s'exclama Tod, dans la queue, à mi-chemin de l'entrée. (Il voulut absolument lui serrer la pince, d'abord doucement et puis plus fort, si bien qu'ils devaient ressembler à deux gamins complètement cons.) Aucun pilote de fusée n'a peur d'un *risque-tout !* sur le Mille-Pattes, vrai ?

— Vrai, fit Jeremy, alors qu'ils pénétraient lentement dans le pavillon.

Les échos de hurlements aigus leur parvenaient des wagonnets fonçant dans le tunnel, plus loin.

La légende (les gosses avaient inventé d'autres légendes pour la même attraction, dans les différents parcs de loisirs du pays) disait qu'un garçon avait été tué en s'offrant un *risque-tout !* sur le Mille-Pattes, parce qu'il était trop grand. Le plafond du tunnel était haut dans toutes les parties éclairées, mais on racontait qu'il y avait un endroit, dans l'un des passages sombres, où il était très bas, au contraire — peut-être parce que c'était là que se trouvaient les tuyaux de l'air conditionné, peut-être parce que les techniciens avaient demandé au constructeur de rajouter un support qui n'était pas prévu à l'origine, ou peut-être simplement parce que l'architecte était idiot. En tout cas, ce garçon trop grand se tenait debout pendant un *risque-tout !* et sa tête était venue frapper dans cette partie basse du plafond, qu'il n'avait pas vu arriver. Le choc lui avait instantanément pulvérisé le visage et l'avait décapité. Tous les petits marrants qui voyageaient derrière lui sans se douter de rien avaient été arrosés de sang, de cervelle et de dents cassées.

Jeremy ne croyait pas cette histoire une seconde. Fantasy World n'avait pas été construit par des types qui avaient du crottin de cheval à la place du cerveau. Ils avaient forcément pensé que les gamins trouveraient un moyen de se libérer de la barre de protection, parce que rien n'était jamais à l'épreuve des gamins, et leur plafond avait donc certainement une hauteur suffisante tout le long du parcours. La légende ajoutait que la partie plus basse était toujours là, quelque part, dans les sections sombres du tunnel, avec les traces de sang et les éclaboussures de cervelle séchée, ce qui était une parfaite imbécillité.

Non, pour qui restait debout et choisissait le *risque-tout !*, le véritable danger c'était de tomber du wagonnet lorsque celui-ci prenait à pleine vitesse un brusque tournant, ou qu'il accélérait quand on ne s'y attendait pas. Jeremy savait qu'il y avait six ou sept virages particulièrement serrés sur le parcours du Mille-Pattes, où Tod Ledderbeck pourrait facilement basculer sans qu'on eût besoin de l'aider beaucoup.

La file d'attente progressait lentement.

Jeremy ne ressentait aucune impatience, aucune peur. Au fur et à mesure qu'ils approchaient du quai d'embarquement, l'excitation montait en lui, mais aussi davantage de confiance. Ses mains ne tremblaient pas. Il n'avait pas le trac. Il voulait juste faire ce qu'il avait décidé.

On avait donné au hall d'entrée la forme d'une caverne, avec des stalactites et des stalagmites immenses. De bizarres créatures aux yeux brillants nageaient dans les profondeurs troubles de mares inquiétantes ; sur les rives se promenaient des crabes albinos mutants qui tendaient leurs énormes et dangereuses pinces vers le public du quai d'embarquement et les faisaient claquer dans sa direction — mais leurs pattes n'étaient pas assez longues pour leur permettre de s'emparer d'un tel repas.

Chaque train comptait six wagonnets pour deux personnes,

peints de façon à ressembler aux segments d'un mille-pattes ; le premier avait une grosse tête d'insecte avec des mâchoires qui bougeaient et des yeux noirs à facettes, et là, il ne s'agissait pas d'un dessin mais de la gueule en relief d'un monstre vraiment féroce ; le wagonnet de queue possédait un dard incurvé qui ressemblait davantage à celui d'un scorpion qu'à la partie arrière d'un mille-pattes. Deux convois chargeaient leurs passagers en même temps, l'un derrière l'autre, et partaient dans le tunnel à quelques secondes d'intervalle car le fonctionnement de cette attraction était contrôlé par ordinateur, ce qui éliminait tout risque de voir un train en percuter un autre.

Jeremy et Tod étaient parmi les douze clients que l'employé dirigea sur le premier train.

Tod aurait voulu le wagonnet de tête, mais ils ne l'eurent pas. C'était le meilleur endroit pour un *risque-tout !*, parce que ceux qui étaient montés dans celui-là vivaient tout avant les autres : chaque plongeon dans les ténèbres, chaque courant d'air glacé venu des orifices des murs, chaque explosion au passage des portes battantes, au milieu des lumières tournoyantes... Comme, en plus, une part du plaisir du *risque-tout !* était de faire l'intéressant, le wagonnet de tête était l'emplacement idéal pour un exhibitionniste, vu que les occupants des cinq autres étaient forcément un public attentif dans les portions éclairées.

Quand ils comprirent qu'ils ne pourraient pas avoir le wagonnet de tête, ils se précipitèrent vers le sixième. Être les derniers à vivre les plongeons et les virages était un plaisir presque aussi intense : les hurlements des autres voyageurs, devant vous, faisaient monter votre adrénaline et augmentaient la jouissance de l'attente. D'une façon ou d'une autre, rester en sécurité dans les wagonnets du milieu du train ne collait pas avec un *risque-tout !*

Les barres de protection descendirent automatiquement lorsque les douze personnes eurent embarqué. Un employé parcourut le quai pour s'assurer que toutes les barres étaient bien à leur place et verrouillées.

En fait, Jeremy était soulagé de ne pas être dans le wagonnet de tête, car il aurait eu dix témoins derrière lui. Dans les profondeurs sombres comme une tombe des sections non éclairées du tunnel, il n'aurait pas réussi à apercevoir sa propre main, même s'il l'avait mise à quelques centimètres de son visage, il était donc peu vraisemblable que quelqu'un le vît pousser Tod. Mais il s'agissait cette fois d'une violation de première catégorie des règles du jeu, et il ne voulait courir aucun risque. Et dans le sixième wagonnet, il était en sécurité *derrière* les témoins potentiels qui regardaient devant eux. Et qui, de toute façon, auraient eu du mal à tourner la tête, car à chaque siège un haut dossier prévenait le coup du lapin.

Lorsque l'employé eut fini de vérifier les barres de sécurité, il fit signe à un opérateur, assis devant son tableau de commande, sur une formation rocheuse, à droite de l'entrée du tunnel.

— Nous y voilà, dit Tod.

— Nous y voilà, acquiesça Jeremy.

— Pilotes de fusée ! cria Tod.

Jeremy serra les dents.

— Pilotes de fusée ! répéta Tod.

Et merde, pensa Jeremy. *Une fois de plus ou de moins...* Il hurla :

— Pilotes de fusée !

Le train ne quitta pas le quai d'embarquement avec ces saccades caractéristiques de la plupart des montagnes russes. Une formidable poussée d'air comprimé le projeta en avant, très vite, comme une balle était éjectée du canon d'un revolver, avec un *whoosh !* qui faisait presque mal aux oreilles. Plaqués contre leur siège, ils passèrent en un éclair devant l'opérateur et s'enfoncèrent dans la bouche noire du tunnel.

Obscurité totale.

Il n'avait que douze ans, à ce moment-là.

Il n'était pas mort.

Il n'était pas allé en Enfer. Il n'en était pas revenu. Et donc, il était aussi aveugle que quiconque dans le noir, comme Tod.

Ils franchirent les premières portes à battants qui claquèrent violemment, puis ils montèrent une rampe bien éclairée, d'abord à bonne vitesse et puis de plus en plus doucement. Des deux côtés des wagonnets, des limaces blanchâtres, aussi grosses que des hommes, se dressaient sur leur passage, menaçantes, et leurs gueules rondes pleines de dents qui tournaient comme les lames d'une benne à ordure laissaient échapper des hurlements. L'ascension, très raide, se fit sur une hauteur de cinq ou six étages, et pendant tout ce temps d'autres monstres mécaniques grommelèrent, ululèrent, rugirent et poussèrent des cris aigus en direction de leur convoi ; tous, ils étaient pâles et gluants, avec des yeux rouges ou noirs et aveugles, le genre de bestioles que vous penseriez trouver à des kilomètres sous la surface de la terre — si vous étiez totalement inculte, évidemment.

C'était au cours de cette première montée que les voyageurs *risque-tout !* devaient se mettre en position. L'itinéraire du Mille-Pattes comptait deux autres montées, mais aucune n'offrait une période de tranquillité aussi longue pendant laquelle il était possible de se dégager sans danger de la barre de protection.

Jeremy se contorsionna, se releva en se tortillant contre le dossier de son siège, passa peu à peu au-dessus de la barre, mais Tod, lui, ne bougea pas.

— Allez, tête de nœud, faut qu' tu sois en place avant qu'on arrive en haut !

Tod parut inquiet :

— S'ils nous attrapent, ils nous chasseront du parc à coups de pied au cul !

— Ils nous attraperont pas.

A la fin du parcours, le train avançait sur sa lancée, propulsion coupée, dans une portion de tunnel non éclairée, ce qui permettait aux voyageurs de reprendre un peu leurs esprits. Pendant ces toutes dernières secondes, avant d'émerger dans la fausse caverne du départ, on pouvait repasser sous la barre de protection et se glisser de nouveau dans son siège. Jeremy savait qu'il en était capable ; il ne craignait donc pas de se faire prendre. Et Tod n'avait pas besoin non plus de s'inquiéter de cela, car à ce moment-là il serait déjà mort ; il n'aurait plus à s'inquiéter de rien, jamais.

— J'veux pas être viré pour avoir joué au *risque-tout !,* s'exclama Tod, alors que le convoi avait déjà atteint la moitié de la longue, longue, montée initiale. Ç'a été une chouette journée et on a encore deux heures avant que ma mère vienne nous chercher.

Des rats albinos mutants leur criaient des choses depuis des saillies de faux rochers des deux côtés de la voie, tandis que Jeremy répondait à Tod :

— D'accord, tu peux être une p'tite chochotte sans couilles, si tu veux.

Et tout en parlant, il continua à se dégager de la barre de protection.

— Suis pas une chochotte sans couilles ! répliqua Tod, sur la défensive.

— Bien sûr que si !

— Non !

— P't'être qu'à la rentrée, en septembre, tu pourras t'inscrire au club des Jeunes Ménagères, apprendre à cuisiner, à coudre de jolis napperons, à faire des bouquets.

— T'es un branleur, tu sais ça ?

— Hoooooooo, tu me brises le cœur ! répondit Jeremy en sortant ses deux jambes de dessous la barre de protection et en s'accroupissant sur son siège. Vous, les filles, vous savez vraiment comment faire de la peine à un garçon.

— Salopard !

Le convoi peinait dans la montée, avec ce vacarme fait de cliquetis et de claquements si particulier aux montagnes russes qu'il suffisait de l'entendre pour vous faire battre plus vite le cœur et vous retourner l'estomac.

Jeremy enjamba la barre de protection, et vint se placer dans le creux pour les jambes, à l'avant du wagonnet. Il jeta un coup d'œil par-dessus son épaule : Tod était toujours assis, l'air renfrogné, derrière la barre. En fait, Jeremy se disait que ce n'était pas grave si Tod ne le rejoignait pas. Il avait décidé de le tuer, et s'il n'y parvenait pas à Fantasy World le jour de son douzième anniversaire, il le ferait ailleurs, tôt ou tard. Cette simple pensée lui procurait un grand plaisir. Comme ce refrain dans la pub à la télé où le ketchup Heinz était si épais qu'on avait l'impression qu'il lui fallait des heures pour sortir de la bouteille : *An-ti-ci-ii-paaa-aa-tion !* Devoir attendre quelques jours, ou des semaines, une autre bonne occasion de pouvoir tuer Tod augmenterait simplement la jouissance qu'il y prendrait. Si bien qu'il cessa de se moquer de lui. Il se contenta de le toiser avec mépris. *An-ti-ci-ii-paaa-aa-tion !*

— J'ai pas peur, insista Tod.

— Ouais.

— C'est juste que je veux pas gâcher cette journée.

— Sûr.

— Salopard ! répéta Tod.

— Pilotes de fusée, mon cul ! siffla Jeremy.

Cette ultime insulte produisit son effet. Tod était si totalement dupe de cette escroquerie qu'était son amitié qu'il était réellement blessé si on laissait entendre qu'il ne savait pas comment devait se comporter un vrai ami. L'expression de son visage révéla une souffrance et même un désespoir qui prirent

Jeremy au dépourvu. Peut-être que Tod avait vraiment compris ce qu'était la vie, rien d'autre qu'un jeu brutal dont tous les joueurs n'étaient concentrés que sur un unique but purement égoïste — gagner ! —, et peut-être bien que ça effrayait tant ce vieux Tod qu'il se retenait à un dernier espoir : sa conception de l'amitié. Si l'on pouvait jouer à ce jeu avec un ou deux partenaires alors que le monde entier était ligué contre votre petite équipe, c'était presque supportable, et n'importe comment c'était toujours mieux que si le monde entier était ligué contre vous *tout seul*. Dans l'idée que Tod Ledderbeck et son bon copain Jeremy étaient ligués ensemble contre le reste de l'humanité il y avait même une espèce de romantisme et d'aventure, mais Tod Ledderbeck *tout seul,* ça oui, à l'évidence, ça lui tordait les boyaux.

Assis derrière la barre de protection, Tod parut d'abord très éprouvé par la réflexion de Jeremy, et puis soudain il se décida il se mit à se démener, à se tortiller avec fureur contre la barre.

— Allez, allez ! le pressa Jeremy. On est presque en haut !

Tod se faufila comme une anguille au-dessus de la barre et se retrouva dans le trou pour les jambes à côté de Jeremy. Mais l'un de ses pieds se coinça dans le mécanisme de protection et il faillit tomber du wagonnet.

Jeremy l'attrapa de justesse et le tira près de lui. Ce n'était pas là que Tod devait basculer. Ils ne roulaient pas encore assez vite. Au pire, il n'aurait récolté que quelques bleus.

Maintenant, ils étaient côte à côte ; leurs pieds fermement plantés sur le plancher du wagonnet, ils se penchèrent en arrière pour s'appuyer contre la barre de protection d'où ils venaient de s'extraire, les bras dans leur dos, les mains agrippées à la barre, et ils échangèrent de grands sourires, tandis que le convoi atteignait le haut de la rampe, passait avec fracas deux nouvelles portes battantes et pénétrait dans la portion suivante du tunnel, sans lumière celle-là. La voie restait plate juste le temps de faire grimper la tension des voyageurs d'un ou deux crans. *An-ti-ci-ii-paaa-aa-tion !* Et juste au moment où Jeremy fut incapable de retenir plus longtemps sa respiration, le wagonnet de tête bascula en avant dans la descente et ses deux occupants se mirent à hurler dans le noir. Et puis, rapidement, le second et le troisième et le quatrième et le cinquième...

— Pilotes de fusée ! crièrent à l'unisson Jeremy et Tod.

... et le sixième et dernier wagonnet suivirent dans un terrible plongeon, prenant de la vitesse à chaque seconde. L'air faisait voler les cheveux des deux garçons. Puis il y eut un virage sur la droite au moment où ils s'y attendaient le moins, et puis une petite montée juste pour soulever l'estomac, et puis un autre virage à droite, tandis que la voie s'inclinait pour faire pencher les wagonnets d'un côté, plus vite, plus vite encore, et puis une ligne droite et une autre montée, où le convoi utilisa la vitesse acquise pour grimper plus haut que jamais avant de ralentir vers le sommet, toujours plus doucement, plus doucement... *An-ti-ci-ii-paaa-aa-tion!* Ils passèrent la crête et tombèrent, tombèrent, tooooooombèrent si brutalement que Jeremy eut l'impression d'avoir craché son estomac et qu'à sa place il n'avait plus qu'un gros trou. Il savait ce qui arrivait maintenant, mais cela lui coupa quand même la respiration : le train s'envola dans un looping, se retrouva à l'envers. Jeremy appuya très fort ses pieds sur le plancher et s'agrippa à la barre de protection, derrière lui, comme s'il voulait faire fusionner sa chair et l'acier, certain tout à coup qu'il allait tomber sur la voie en dessous d'eux, certain, oui, qu'il allait se fracasser le crâne sur les rails. Il savait que la force centripète le maintiendrait à sa place, même s'il se tenait debout à un endroit où il ne fallait pas, mais ce qu'il savait ne comptait pas : *ce que vous sentiez pesait toujours plus que ce que vous saviez, les émotions importaient toujours davantage que l'intellect.* Et puis le looping fut terminé, et ils franchirent une autre porte battante et se retrouvèrent sur la troisième montée, leur incroyable vitesse leur faisant prendre de la hauteur avant d'aborder la prochaine série de plongeons et de brusques virages.

Jeremy jeta un coup d'œil à Tod.

Le bon vieux pilote de fusée était verdâtre.

— Plus de looping! cria Tod, assez fort pour couvrir les cliquetis des roues. Le pire est derrière nous!

Jeremy éclata de rire. Il pensa : *Mais non, pour toi, le pire est encore à venir, tête de nœud! Et le meilleur pour moi. An-ti-ci-ii-paaa-aa-tion!*

Tod se mit à rire aussi, mais certainement pas pour les mêmes raisons.

Arrivés au sommet, les wagonnets bringuebalants franchirent une autre double porte et pénétrèrent dans une obscurité de tombe qui électrisa Jeremy parce qu'il *savait* que Tod

Ledderbeck venait d'apercevoir la dernière lumière de son existence. Le train tangua, monta en flèche et plongea, s'inclinant sur le côté en une série de virages en tire-bouchon.

Pendant tout ce temps, Jeremy eut conscience de la présence de Tod à côté de lui. Leurs bras nus frottaient l'un contre l'autre et leurs épaules se heurtaient quand ils étaient ballottés par les mouvements du train. Chacun de ces contacts envoyait une décharge de plaisir à Jeremy, lui donnait la chair de poule... Il avait conscience de posséder le pouvoir ultime sur cet autre garçon, le pouvoir de vie et de mort, il avait conscience d'être différent de toutes les autres femmelettes de la planète parce que lui, il n'avait pas peur de *se servir* de ce pouvoir.

Il attendait une section du tunnel, vers la fin du parcours, où, il le savait, l'ondulation du train entraînait le déséquilibre le plus dangereux pour les voyageurs *risque-tout!*. D'ici là, Tod aurait retrouvé toute sa confiance en lui — *le pire est derrière nous!* —, et il serait plus facile à surprendre. L'approche de l'endroit où il pensait le tuer était annoncée par l'une des plus belles surprises de cette attraction, un tournant de trois cent soixante degrés à pleine vitesse où les wagonnets étaient affreusement inclinés. Lorsqu'ils sortiraient de ce cercle complet et qu'ils retrouveraient leur stabilité, ils aborderaient immédiatement une série de six monticules, très proches les uns des autres, si bien que le train avancerait comme une chenille droguée, en-haut-en-bas-en-haut-en-bas-en-haut-en-bas-en-haut-en-bas jusqu'à la dernière double porte qui s'ouvrirait sur la caverne d'où ils étaient partis.

Le train s'inclina.

Ils attaquèrent le cercle de trois cent soixante degrés.

Le train se pencha complètement sur un côté.

Tod essaya de rester droit, mais il s'affaissa un peu contre Jeremy. Le bon vieux pilote de fusée hurlait comme une sirène annonçant un raid aérien; il faisait de son mieux pour s'exciter lui-même et tirer le maximum de plaisir du parcours à venir, maintenant que le pire était derrière eux.

An-ti-ci-ii-paaa-aa-tion!

Jeremy estima qu'ils avaient parcouru un tiers du cercle... la moitié... les deux tiers...

Les rails se redressèrent et le train cessa de lutter avec la gravité.

Avec une soudaineté qui coupa presque le souffle à Jeremy, le convoi rencontra le premier des six monticules et fut propulsé vers le haut.

Jeremy lâcha la barre de la main droite.

Le convoi plongea de nouveau.

Jeremy ferma le poing.

Le train, qui venait juste de piquer du nez remonta brutalement vers le sommet du second monticule.

Jeremy lança le poing en un mouvement tournant, se fiant à son instinct pour trouver la tête de Tod.

Le train plongea une troisième fois.

Le poing atteignit sa cible, s'écrasa violemment sur le visage de Tod. Jeremy sentit le nez du garçon se casser sous l'impact.

Le train remonta à pleine vitesse, avec Tod qui hurlait — mais personne n'y prêta attention, car tous les autres passagers s'époumonaient de la même façon.

Pendant une fraction de seconde, Tod allait sans doute s'imaginer qu'il venait de heurter la partie du tunnel en saillie où un jour, selon la légende, un gamin avait été décapité. Alors, dans la panique, il lâcherait la barre de protection. C'était du moins ce qu'espérait Jeremy, si bien que dès qu'il eut frappé le vieux pilote de fusée et que le train recommença à dégringoler le troisième monticule, il lâcha la barre lui aussi et se jeta contre son meilleur ami et il l'empoigna et il le souleva et il le poussa aussi fort que possible. Il sentit Tod qui essayait de s'accrocher à ses cheveux, mais il secoua la tête avec fureur, il poussa encore plus fort, et il lui donna un coup de pied dans la hanche...

... et le train escaladait comme une flèche le quatrième monticule...

... et Tod bascula dans l'obscurité du tunnel et, immédiatement, il fut loin derrière le wagonnet, comme avalé par un espace intersidéral. Jeremy se sentit près de tomber avec lui, il chercha comme un fou à attraper la barre de protection dans l'obscurité, la trouva, s'en saisit...

... et le train descendait, descendait le quatrième monticule...

... et Jeremy crut entendre Tod pousser un dernier cri et puis il y eut un *thunk*! puissant quand celui-ci heurta le mur du tunnel et rebondit sur les rails dans le sillage du convoi, mais c'était peut-être son imagination...

... et le train montait, montait à toute vitesse le cinquième monticule en secouant ses passagers dans tous les sens, si bien que Jeremy eut envie de recracher ses glaces et ses biscuits...

... et là-bas, derrière eux, dans l'obscurité Tod était mort ou bien il essayait de se remettre debout, étourdi, à moitié assommé...

... et le convoi descendait le cinquième monticule, et Jeremy fut violemment balancé en arrière et puis en avant, il lâcha presque la barre, avant d'être propulsé de nouveau vers le haut, jusqu'au sommet du dernier monticule...

... et s'il n'était pas mort, là-bas, Tod comprenait peut-être que l'autre convoi arrivait...

... et en bas, en bas du sixième monticule et puis sur l'ultime ligne droite...

Dès qu'il sut qu'il était de nouveau sur la portion stable du trajet, Jeremy regrimpa tant bien que mal par-dessus la barre de protection et, une fois de l'autre côté, se faufila dessous, d'abord la jambe gauche, puis la droite.

La porte venait vers eux à toute vitesse dans l'obscurité. Et au-delà, il y aurait la lumière, le quai dans la caverne et les employés qui ne devaient pas savoir qu'il avait joué au *risque-tout!*

Il se tortilla comme un fou pour glisser ses hanches dans l'espace entre le dossier du siège et la barre de protection.

Pas trop difficile, vraiment. C'était plus simple de revenir sous la barre que de s'en extraire.

Ils franchirent la double porte battante — *wham!* — puis ils ralentirent sans à-coup jusqu'au quai de débarquement à une trentaine de mètres de la porte d'entrée du bâtiment. Des gens s'y bousculaient et beaucoup regardèrent le train lorsqu'il émergea du tunnel. Pendant un instant, Jeremy pensa qu'ils allaient le montrer du doigt et crier : « A l'assassin ! »

Juste au moment où le train s'immobilisait, l'éclairage rouge de sécurité se mit à clignoter partout dans la caverne, indiquant les différentes sorties de secours. Une voix synthétique se fit entendre dans les haut-parleurs dissimulés dans les fausses formations rocheuses :

« *Le Mille-Pattes a dû être arrêté d'urgence. Nous prions tous les voyageurs de rester assis... »*

Tandis que la barre de protection s'ouvrait automatiquement à la fin du parcours, Jeremy se dressa sur son siège, puis attrapa une main courante et se hissa sur le quai de débarquement.

« ... *prions tous les voyageurs de rester assis jusqu'à ce que notre personnel vienne les aider à quitter le tunnel...* »

Sur les quais, les employés en uniforme, l'air étonnés, échangeaient des regards sans savoir quoi faire.

« ... *nous prions tous les voyageurs de rester assis...* »

Jeremy observa le tunnel par lequel son train venait d'entrer dans la caverne. Il vit le second convoi franchir les portes battantes.

« ... *nous demandons à nos autres clients de se diriger en bon ordre vers la sortie la plus proche...* »

Le train qui approchait ne se déplaçait pas normalement : il vibrait et donnait l'impression de vouloir quitter les rails.

Jeremy sursauta lorsqu'il découvrit ce qui bloquait les roues avant et soulevait le wagon de tête au-dessus des rails... Et d'autres gens, sur les quais, virent sans doute la même chose, car ils se mirent soudain à hurler et ce n'étaient pas les cris du genre « bon-sang-qu'est-ce-qu'on-s'amuse ! » que l'on entendait partout dans le parc, mais des exclamations d'horreur et de dégoût.

« ... *nous prions tous les voyageurs de rester assis...* »

Le second train trembla de plus belle et avança par à-coups et puis s'immobilisa définitivement — avant d'atteindre le quai de débarquement. Quelque chose se balançait dans la gueule féroce de sa tête d'insecte, à l'avant du premier wagonnet, coincé dans les mandibules dentelées. C'étaient les restes de ce bon vieux pilote de fusée, une jolie prise pour un monstre comme celui-là...

« ... *nous demandons à nos autres clients de se diriger en bon ordre vers la sortie la plus proche...* »

— Ne regarde pas, mon garçon ! lança un employé à Jeremy, d'un ton compatissant, tout en l'éloignant de ce macabre spectacle. Pour l'amour de Dieu, fiche le camp d'ici !

Le premier choc passé, le personnel commença à diriger la foule vers les sorties indiquées par les lumières rouges. Se rendant compte qu'il était particulièrement agité, qu'il souriait comme un idiot, qu'il débordait de trop de joie pour jouer avec succès le rôle du meilleur ami affligé de la victime, Jeremy se joignit à la bousculade proche de la panique.

Quand il se retrouva à l'air libre, dans la nuit, dans les clignotements des éclairages de Noël, des rayons laser qui déchiraient le ciel noir et des arcs-en-ciel de néon qui ondulaient, perdu parmi des milliers de visiteurs qui s'amusaient sans se douter le moins du monde que la Mort marchait à leur côté, Jeremy s'éloigna au plus vite du Mille-Pattes. Se faufilant entre les gens, il avançait au hasard, cherchant à mettre le plus de distance possible entre lui et le corps déchiqueté de Tod Ledderbeck.

Finalement, il s'arrêta au bord du lac artificiel, où quelques aéroglisseurs faisaient en vrombissant la navette entre la rive et l'Ile de Mars. Il avait l'impression d'être lui-même sur Mars, ou sur une quelconque planète étrangère, à la gravité plus faible que sur la Terre. Parce qu'il se sentait léger, prêt à s'envoler, haut, haut et loin...

Il s'affala sur un banc de béton, le dos tourné au lac, en face de la promenade bordée de fleurs, où passait un perpétuel défilé de gens, et il se laissa aller à un rire complètement fou qu'il sentait pétiller en lui comme du Pepsi quand on remue la bouteille. Il explosa en gloussements si effervescents qu'il était obligé de se tenir les côtes et de se pencher en arrière pour ne pas tomber du banc. Il riait si fort qu'il s'étranglait et que les larmes inondaient son visage. Ceux qui le virent crurent qu'il pleurait — un petit cornichon de douze ans qui avait perdu sa famille dans le parc et qui était encore trop bébé pour le supporter. Leur erreur le fit rire de plus belle.

Lorsqu'il réussit enfin à se calmer, il se pencha en avant, contempla ses tennis, et réfléchit au baratin qu'il allait devoir servir à la mère Ledderbeck lorsqu'elle reviendrait les chercher, Tod et lui, à dix heures — si, bien sûr, à ce moment-là, les responsables du parc n'avaient pas encore identifié le corps ni pris contact directement avec elle. Il était huit heures du soir.

— Il a voulu faire un voyage *risque-tout!*, marmonna Jeremy à ses tennis, et j'ai essayé de l'en empêcher, mais il ne m'a pas écouté, et il m'a même traité de tête de nœud quand j'ai refusé de l'accompagner. Je suis désolé, madame Ledderbeck, docteur Ledderbeck, mais il parlait comme ça, des fois. Il pensait que ça lui donnait l'air *cool*. (Bon, jusqu'à présent, ça allait, mais sa voix devait trembler davantage...). Moi, j' voulais pas faire un *risque-tout!*, alors il est allé au Mille-Pattes tout seul. Je l'ai attendu dehors, et quand tous ces gens sont sortis en courant et en parlant d'un corps déchiqueté et sanglant, j'ai compris qui ça devait être et je... et je... j'ai juste... vous voyez... flippé. J'ai flippé, voilà. (Les employés ne se souviendraient pas si Tod était monté dans le wagonnet seul ou avec quelqu'un ; ils voyaient défiler des milliers de passagers par jour et ils ne pouvaient pas se rappeler qui était seul et qui était avec qui.) Je suis si désolé, madame Ledderbeck, j'aurais dû l'empêcher de faire une chose pareille ! J'aurais dû rester avec lui et l'arrêter d'une façon ou d'une autre. Je me sens si idiot, si... si impuissant. Comment est-ce que j'ai pu le laisser monter dans le Mille-Pattes ? Quel genre d'ami j'ai été ?

Ouais... Pas mal. Ça demandait d'être un peu travaillé, et il faudrait quand même faire attention de ne pas trop dramatiser. Des larmes, une voix cassée, d'accord. Mais pas de sanglots violents, pas de crise de nerfs.

Il était certain d'y réussir.

Il était un Maître du Jeu, maintenant.

Dès qu'il fut sûr de lui et de son histoire, il se rendit compte qu'il avait faim. Et même très faim. En fait, il tremblait de faim, littéralement. A une buvette, il s'offrit un hot-dog avec tout le tralala — oignons, piment, moutarde, ketchup — et il l'engloutit en un rien de temps. Il le fit descendre avec un Orange Crush. Tremblait toujours. Il prit un ice-cream sandwich, de la glace, avec des gâteaux au chocolat et aux flocons d'avoine.

Ses frissons cessèrent. Et pourtant, il tremblait encore, à l'intérieur. Ce n'était pas la peur, mais de délicieux tressaillements, comme ces coups dans le ventre qu'il avait ressentis, cette année, chaque fois qu'il avait regardé une fille en se disant qu'elle pourrait être sa petite amie — mais là c'était indiciblement meilleur. Cela ressemblait à l'excitation qui montait le long de sa colonne vertébrale lorsqu'il se glissait sous la barrière de sécurité et qu'il se tenait tout au bord de la falaise sablonneuse du Laguna Beach Park et regardait, en bas, les vagues s'écraser sur les rochers et sentait la terre se désagréger lentement sous ses chaussures, lentement, lentement jusqu'à la moitié de ses semelles... Et il attendait, il attendait, en se demandant si le sol traître n'allait pas s'effondrer d'un seul coup et le précipiter sur les rochers, loin en dessous, sans lui laisser le temps de bondir en arrière et d'attraper la barrière, et pourtant il attendait encore... et encore...

Mais aujourd'hui, cette nouvelle excitation était meilleure que toutes les autres réunies. Et elle augmentait à chaque minute, c'était une chaleur intérieure voluptueuse que le meurtre de Tod n'avait pas calmée, mais nourrie.

Ce sombre désir devint un besoin irrépressible.

Il se mit à rôder dans le parc, pour l'assouvir.

Il était surpris de constater que Fantasy World continuait à fonctionner comme si rien ne s'était passé au Mille-Pattes. Il avait pensé que l'ensemble du parc allait fermer, et pas seulement le Mille-Pattes. Et maintenant, il comprenait que l'aspect financier était plus important que la mort d'un client. Et l'on n'avait pas pris au sérieux le récit de ceux qui avaient vu le corps déchiqueté de Tod et l'avaient décrit à d'autres ; on l'avait sans doute considéré comme une simple répétition de la fameuse légende du Mille-Pattes. Non, l'atmosphère de fête qui l'entourait n'avait pas sensiblement diminué.

A un moment, il osa passer devant l'entrée du Mille-Pattes, mais à une certaine distance, parce qu'il n'était pas encore sûr d'être capable de dissimuler son excitation au souvenir de son exploit, ni l'immense plaisir que lui procurait son nouveau statut. Maître du Jeu ! Les chaînes étaient passées dans les montants des portes du pavillon, et il y avait un panneau : FERMÉ POUR RÉPARATIONS à l'entrée principale. Pas pour réparer ce vieux Tod, oh non ! Le pilote de fusée était au-delà des réparations. Ni ambulance, ni corbillard en vue. Pas le moindre policier non plus. Bizarre.

Et puis il se souvint d'un reportage télévisé sur le monde souterrain qui s'étendait sous Fantasy World : des catacombes de tunnels de service, d'entrepôts, de centres de sécurité et de contrôle informatique des attractions, exactement comme à Disneyland. Pour éviter de déranger les clients et d'attirer l'attention, les fouilleurs de cadavres et les flics de chez le coroner se déplaçaient sans doute en ce moment même dans les tunnels.

Les frissons de Jeremy augmentaient. Le désir. Le besoin.

Il était Maître du Jeu. Personne ne pouvait plus l'atteindre.

Autant donner aux flics davantage de travail, autant les distraire encore un peu...

Il continua à rôder, à chercher, à guetter l'occasion. Et il la trouva là où il l'attendait le moins, lorsqu'il entra dans les toilettes des hommes.

Un type dans la trentaine se regardait dans la glace au-dessus d'un des lavabos et peignait ses épais cheveux blonds qui brillaient de Vitalis. Il avait posé quelques objets personnels sur le rebord de faïence, le long du miroir : portefeuille, clés de voiture, un petit spray pour rafraîchir l'haleine, un paquet de Dentyne à moitié vide (ce type devait vraiment puer de la bouche!) et un briquet.

Ce fut ce briquet qui attira immédiatement l'attention de Jeremy. Ce n'était pas un Bic jetable en plastique, mais un de ces modèles en acier, en forme de tranche de pain miniature, avec un dessus à charnière qui révélait une molette et une mèche quand il se relevait vers l'arrière. La façon dont le néon éclaboussait de lumière les douces courbes de l'objet donnait à celui-ci une apparence surnaturelle; chargé de son propre rayonnement sinistre, c'était un phare — mais seulement pour les yeux de Jeremy.

L'adolescent hésita un instant, puis se dirigea vers les urinoirs. Quand sa vessie fut vide et qu'il eut remonté sa fermeture Éclair, le type blond était encore devant le lavabo, à se pomponner.

Jeremy se lavait toujours les mains après être allé aux W.C. parce que c'était ce que faisaient les gens polis. C'était le genre de règle que suivait un bon joueur.

Il prit le lavabo contigu à celui du mec qui bichonnait. Tout en frottant ses mains avec le savon liquide du distributeur, il ne pouvait pas quitter des yeux le briquet posé sur la tablette, à quelques centimètres de lui. Il pensa qu'il devait absolument regarder ailleurs. Parce que le type allait comprendre qu'il avait dans l'idée de voler ce satané machin. Mais ses contours argentés aux lignes parfaites le fascinaient. Tandis qu'il le contemplait en se rinçant les mains, il entendait déjà le crépitement d'immenses flammes.

Le gars remit son portefeuille dans sa poche, mais laissa le reste sur le lavabo et s'éloigna vers les urinoirs. Juste au moment où Jeremy allait tendre la main pour s'emparer du briquet, un homme et son fils entrèrent dans les toilettes. Ils auraient pu tout gâcher, mais ils disparurent immédiatement dans deux cabinets en refermant la porte derrière eux. Jeremy comprit que c'était un signe. *Fais-le,* lui disait le signe. *Prends-le, allez, fais-le, fais-le!* Jeremy jeta un coup d'œil à l'homme qui se soulageait, ramassa rapidement le briquet et sortit sans se sécher les mains. Personne ne le poursuivit.

Le briquet bien serré dans sa main droite, il recommença à rôder dans le parc, à la recherche de petit bois. Le désir, en lui, était si intense qu'il n'avait plus simplement des frissons à l'entrejambe, au ventre et à la colonne vertébrale ; tous ses membres tremblaient, maintenant.

Le besoin...

Finissant le dernier Reese's Pieces, Vassago roula proprement le sac vide et en fit un petit tube, qu'il noua pour qu'il fût encore plus petit, puis qu'il jeta dans un sac poubelle en plastique, à gauche de sa glacière en polystyrène. La propreté était l'une des règles du monde des vivants.

Il aimait se replonger dans les souvenirs de cette nuit spéciale, huit ans plus tôt, quand il avait douze ans et qu'il avait changé pour toujours, mais il était fatigué et il voulait dormir. Peut-être qu'il allait rêver de la femme nommée Lindsey. Peut-être qu'une autre vision le conduirait à quelqu'un qui la connaîtrait, puisque d'une façon ou d'une autre elle semblait partager son destin. Il se sentait conduit vers elle par des forces qu'il ne comprenait pas complètement, mais qu'il respectait. La prochaine fois, il ne ferait pas la même erreur qu'avec Cooper. Il ne laisserait pas son besoin le submerger. Il poserait les questions *d'abord*. Puis, quand il aurait reçu toutes les réponses, et seulement à ce moment-là, il libérerait ce sang qui était toujours si beau, et avec lui, une autre âme qui s'en irait rejoindre les infinies multitudes des morts, au-delà de ce monde haï.

4

Mardi matin, Lindsey resta chez elle pour travailler dans son atelier ; Hatch, lui, déposa Regina à l'école et se rendit à un rendez-vous avec l'exécuteur testamentaire d'une succession, à North Tustin, qui prenait des offres pour une collection d'urnes et de vases Wedgwood. Après le déjeuner, il devait voir le Dr Nyebern pour connaître les résultats de ses examens du samedi précédent. D'ici la fin de l'après-midi, où il reprendrait Regina à l'école et rentrerait à la maison, Lindsey pensait avoir terminé la toile sur laquelle elle travaillait depuis un mois.

C'était le programme, mais le sort et les elfes malfaisants — et son propre esprit — conspirèrent pour en empêcher la réalisation. Pour commencer, la machine à café tomba en panne. Il fallut une heure à Lindsey pour trouver le problème et le régler. C'était une bonne bricoleuse. Heureusement que l'appareil était réparable, car elle ne pouvait pas commencer une journée sans une dose de caféine capable de faire démarrer correctement son cœur. Elle savait que le café était mauvais pour elle, mais l'acide de la batterie de sa voiture et le cyanure l'étaient aussi et elle ne buvait ni l'un ni l'autre, ce qui prouvait qu'elle avait plus que sa part de maîtrise de soi en ce qui concernait les habitudes diététiques destructrices. Bon sang, c'était un vrai roc !

Lorsqu'elle monta à l'atelier du premier avec sa tasse et, en prime, une Thermos pleine, la lumière qui venait des fenêtres côté nord était parfaite pour ce qu'elle voulait faire. Elle avait tout ce qu'il lui fallait. Elle avait ses couleurs, ses pinceaux, et ses couteaux à palette. Elle avait son tabouret ajustable, et son chevalet, et sa stéréo avec ses piles de CD de Garth Brooks, Glenn Miller et Van Halen, ce qui d'une façon ou d'une autre semblait être le bon mélange pour un fond sonore chez un peintre dont le style était une combinaison de néo-classicisme et de surréalisme. Les seules choses qui lui manquaient, en fait, c'était sa concentration et un quelconque intérêt pour sa toile actuelle.

Elle se laissa distraire par une araignée d'un noir brillant qui explorait le coin supérieur droit de la fenêtre proche. Elle n'aimait pas les araignées, mais elle n'aimait pas non plus les tuer. Tout à l'heure, elle l'attraperait avec un bocal et elle la relâcherait dehors. L'animal rampa à l'envers sur le châssis de la fenêtre jusqu'au coin gauche, perdit immédiatement tout intérêt pour ce territoire et retourna jusqu'au coin droit, où il tremblota, replia ses longues pattes et sembla apprécier la qualité — sensible seulement aux araignées — de cet endroit particulier.

Lindsey s'intéressa de nouveau à sa peinture presque terminée ; c'était l'une de ses meilleures œuvres ; il ne lui manquait plus que quelques finitions.

Elle hésita pourtant à déboucher ses tubes et à prendre ses pinceaux, car si elle était artiste, elle était aussi une perpétuelle angoissée. Et là, maintenant, elle se faisait du souci pour la santé de Hatch, bien sûr — sa santé physique et sa santé mentale. Mais aussi à cause de cet homme bizarre qui avait tué la blonde, et de l'inquiétant rapport entre Hatch et ce prédateur sauvage.

L'araignée descendit doucement le long de la fenêtre jusqu'au coin inférieur droit. Ses sens d'araignée lui firent renoncer aussi à cet endroit-là, et elle s'en retourna une nouvelle fois dans le coin supérieur droit.

Comme la plupart des gens, Lindsey considérait les médiums comme de bons personnages de films d'épouvante, mais elle estimait qu'ils n'étaient que des charlatans, dans la vie réelle. Et cependant, elle avait suggéré à Hatch que la clairvoyance pouvait expliquer ce qui lui arrivait. Et elle avait défendu cette hypothèse quand il avait déclaré qu'il n'était pas médium.

Et maintenant, abandonnant l'araignée et examinant avec un sentiment de frustration la toile inachevée devant elle, elle comprenait pourquoi elle s'était faite l'avocate des pouvoirs psychiques, vendredi, dans la voiture, lorsqu'ils suivaient la piste du tueur jusqu'à Laguna Canyon Road. Si Hatch était devenu médium, il allait commencer à recevoir des impressions de toutes sortes de gens, et il ne s'agirait plus seulement d'un lien particulier avec ce meurtrier. Mais si, comme il le prétendait, il n'était *pas* médium, si cette connexion entre ce monstre et lui était plus bizarre que s'il s'agissait simplement d'une réception psychique prise au hasard, parmi d'autres ; alors oui, dans le cas, ils étaient vraiment plongés jusqu'au cou dans l'inconnu. Et l'inconnu était bien plus effrayant que quelque chose que l'on pourrait décrire et définir.

En outre, si ce lien entre eux était plus intime qu'un contact psychique, les conséquences psychologiques, pour Hatch, risquaient d'être désastreuses. Quel traumatisme mental pouvait entraîner le fait de se retrouver, même brièvement, à l'intérieur de l'esprit d'un tueur impitoyable ? Cette connexion était-elle une source de contamination comme l'aurait été un lien *biologique* intime ? Si c'était le cas, le virus de la folie pouvait traverser l'éther et infecter Hatch.

Non. Ridicule. Pas son mari. Il était digne de confiance, équilibré, mûr, c'était un être humain aussi sain que n'importe qui sur cette terre.

L'araignée avait définitivement pris possession du coin supérieur droit de la fenêtre. Elle commençait à tisser sa toile.

Lindsey se souvint de la colère de Hatch, la nuit précédente, lorsqu'il avait lu cet article sur Cooper dans le journal. L'expression de rage brutale, sur son visage. La fièvre inquiétante dans ses yeux. Elle n'avait jamais vu Hatch dans cet état.

Son père, oui, mais jamais Hatch. Elle savait qu'il craignait d'avoir en lui un peu de la folie de son père, mais jusqu'à présent elle n'en avait jamais eu la moindre preuve. Peut-être que l'hérédité paternelle n'était pas en cause, la nuit dernière. Peut-être que ce qu'elle avait surpris, c'était un peu de la rage du tueur qui s'infiltrait dans Hatch par ce lien existant entre eux...

Non. Elle n'avait rien à craindre de Hatch. C'était un homme bon, elle n'en avait jamais rencontré de meilleur que lui. C'était un tel puits de bonté que toute la folie de l'assassin de la fille blonde pouvait bien se déverser en lui, elle s'y diluerait au point d'être absolument sans effet.

Un filament soyeux et brillant sortait de l'abdomen de l'araignée industrieuse qui revendiquait pour son repaire le coin de la fenêtre. Lindsey prit une petite loupe dans un tiroir de son meuble de rangement et observa l'insecte de plus près. Ses pattes grêles étaient piquées de centaines de poils très fins qu'elle n'aurait pas vus sans son instrument. Ses yeux à facettes absolument affreux regardaient de tous les côtés à la fois, et sa gueule poilue bougeait sans arrêt, comme si elle pensait déjà à la première mouche qui viendrait se prendre dans le piège qu'elle tissait.

Lindsey comprenait que cet insecte était une part de la nature tout autant qu'elle-même, et qu'il n'était donc pas mauvais, mais cela la révoltait quand même. Car c'était une part de la nature qu'elle préférait oublier : celle qui concernait la chasse et le meurtre, et tout ce qui se nourrissait avidement du vivant. Elle posa sa loupe sur le rebord de la fenêtre et descendit au rez-de-chaussée pour chercher un bocal dans le placard de la cuisine. Elle avait décidé de capturer l'araignée et de la mettre dehors sans lui laisser le temps de s'installer.

Au bas des escaliers, elle jeta un coup d'œil par la fenêtre, à côté de la porte d'entrée, et elle aperçut là voiture du facteur. Alors, elle sortit chercher le courrier dans sa boîte, sur le trottoir : quelques factures, le minimum habituel de deux catalogues de vente par correspondance, et le dernier numéro de *Arts American*.

Elle était d'humeur à prendre n'importe quelle prétexte pour ne pas travailler, ce qui était inhabituel chez elle parce qu'elle adorait son travail. Oubliant le bocal pour l'araignée, elle remonta dans son atelier avec le courrier et s'installa dans son vieux fauteuil avec une nouvelle tasse de café et la revue.

Elle regarda la table des matières et repéra immédiatement l'article qui la concernait. Cela la surprit. Ce magazine avait déjà rendu compte de son œuvre mais elle avait toujours su à l'avance qu'il allait publier un papier sur elle. Généralement, son auteur avait quelques questions à lui poser, même si ce n'était pas une interview en règle. Et puis elle vit la signature et tressaillit.

S. Steven Honell. Elle savait, avant même de lire le premier mot de l'article, que ce serait une démolition en règle.

Honell était un auteur de fiction apprécié par la critique, qui, de temps en temps, donnait aussi un papier sur l'art. Il avait une soixantaine d'années et ne s'était jamais marié. C'était un homme flegmatique ; il avait décidé quand il était jeune de renoncer au réconfort d'une femme et d'une famille pour ne se consacrer qu'à ses livres. Pour bien écrire, disait-il, il fallait posséder l'amour du moine pour la solitude. Dans l'isolement, on était forcé de se retrouver face à soi-même plus complète-ment et plus honnêtement qu'on ne le pouvait dans le tourbillon de la vie sociale, et, à travers soi-même, on décou-vrait alors la vraie nature du cœur humain. Il avait vécu dans un splendide isolement, d'abord dans le nord de la Californie, puis au Nouveau-Mexique. Récemment, il s'était installé à la frontière orientale de la partie civilisée du comté d'Orange, à l'extrémité de Silverado Canyon, une série de collines et de ravins broussailleux, parsemés d'un certain nombre de chênes verts et de rares cabanes.

En septembre de l'année précédente, Lindsey et Hatch mangeaient dans un restaurant du Silverado Canyon, où l'on servait des alcools forts et de bons steaks. Ils avaient une table dans la salle principale, décorée de lambris de pin noueux et de colonnes de calcaire qui soutenaient le toit. Un homme aux cheveux blancs discourait sur la littérature, l'art, la politique. Il était soûl. Ses opinions étaient particulièrement tranchées et caustiques.

A l'indulgence affectueuse dont bénéficiait cet ours mal léché de la part du serveur et des consommateurs installés au bar, Lindsey comprit que c'était un client régulier et un personnage local, dont on disait sans doute encore plus de choses que ce qu'il pouvait bien raconter lui-même.

Puis elle le reconnut. S. Steven Honell. Elle avait lu certains de ses livres et les avait aimés. Elle admirait son dévouement à son art ; car elle-même n'aurait pas pu sacrifier l'amour, le mariage et les enfants à sa peinture, même si l'exploration de son talent créateur était aussi important que la nourriture et la boisson. En écoutant Honell, elle regretta de n'avoir pas dîné ailleurs ce soir-là, parce qu'elle ne serait plus capable de le lire sans se souvenir de certaines de ses déclarations malveillantes sur ses collègues et leurs œuvres. A chaque verre, il était plus amer, plus acerbe, plus complaisant à l'égard de ses sombres instincts, et nettement plus verbeux. L'alcool révélait le bavardage idiot sous son légendaire caractère taciturne ; pour le faire taire, on aurait eu besoin d'un 357 Magnum ou d'une seringue hypodermique de vétérinaire remplie de Demerol. Lindsey mangea vite, décida de sauter le dessert et d'échapper à la compagnie d'Honell dès que possible.

Et puis lui aussi, il la reconnut. Il l'observa un bon moment par-dessus son épaule, en plissant ses yeux chassieux. Finalement, il s'approcha de leur table d'un pas incertain.

— Excusez-moi, vous ne seriez pas Lindsey Sparling, le peintre ?

Elle savait qu'il écrivait parfois sur l'art américain, mais elle n'aurait pas imaginé qu'il pouvait connaître son œuvre et encore moins son visage.

— Oui, c'est moi, répondit-elle, espérant qu'il ne se présenterait pas et qu'il ne lui dirait pas qu'il aimait son travail.

— J'aime beaucoup votre travail, fit-il, et je ne vais pas vous ennuyer en vous en disant davantage.

Mais juste au moment où elle se détendait et le remerciait, il lui donna son nom et elle fut obligée de lui avouer qu'elle aimait ses livres, elle aussi, ce qu'elle fit, mais qu'elle les voyait à présent sous une lumière différente. Il lui faisait moins penser à un homme qui avait sacrifié l'amour familial à son art qu'à quelqu'un d'incapable de dispenser cet amour. Dans la solitude, il avait peut-être trouvé davantage de force de création ; mais il avait eu aussi plus de temps pour s'admirer lui-même et pour réfléchir à l'infinité de raisons qui le rendaient supérieur à la masse de ses semblables... Elle essaya de ne pas montrer son aversion, ne parla qu'en termes chaleureux de ses romans, mais il sentit sa désapprobation. Il mit fin rapidement à leur discussion et retourna au bar.

Il ne regarda plus une seule fois dans sa direction, ce soir-là. Et il ne fit plus la moindre déclaration aux buveurs qui

l'entouraient, préférant concentrer son attention sur les conte-
nus successifs de son verre.

Et aujourd'hui, installée dans le fauteuil de son atelier et
contemplant la signature d'Honell dans *Arts American,* Lindsey
sentait son estomac se serrer. Elle avait entendu le grand
homme, un verre dans le nez, dévoiler davantage que ce qu'il
révélait d'habitude de sa vraie personnalité. Pis, elle avait
quelque talent et elle fréquentait un monde où elle pouvait
rencontrer des gens qu'Honell connaissait aussi. Il l'avait donc
considérée comme une menace. Une façon de la neutraliser,
c'était de publier un article bien écrit, quoique injuste, sur son
œuvre ; ensuite, il pourrait toujours dire que tout ce qu'elle
racontait de lui était motivé par la rancune et d'une véracité
discutable. Elle devina ce qu'elle devait attendre de lui dans cet
article d'*Arts American,* et Honell ne la déçut pas. Elle n'avait
jamais lu un papier si malveillant, bien que tourné avec
suffisamment de talent pour éviter l'accusation d'un règlement
de comptes personnel.

Quand elle eut terminé, elle referma le magazine et le reposa
doucement sur la petite table qui se trouvait à côté du fauteuil.
Elle ne l'envoya pas voler à travers la pièce parce qu'elle savait
que cette réaction aurait trop fait plaisir à Honell s'il avait été
là.

Et puis elle s'exclama :

— Et merde !

Et elle reprit le magazine et le lança devant elle de toutes ses
forces. Il s'écrasa contre le mur et tomba avec bruit sur le
plancher.

Son travail était important pour elle. Elle y mettait de
l'intelligence, de l'émotion, du talent, du savoir-faire, même
quand une peinture ne donnait pas ce qu'elle aurait souhaité —
aucune création n'était facile. L'angoisse en faisait toujours
partie. Et toujours trop de soi-même. Et autant de joie que de
désespoir. Un critique avait le droit de ne pas aimer un artiste
si son jugement était basé sur un examen sérieux et la
compréhension du travail que cet artiste essayait de faire. Mais
le texte d'Honell n'était pas une critique sincère. C'était une
invective malsaine. De la rancune. Oui, son œuvre était
importante pour elle, et il avait chié dessus.

En rage, elle se leva et fit les cents pas dans l'atelier. Elle
savait qu'en s'abandonnant à la colère, elle donnait la victoire à

Honell; c'était la réponse qu'il avait espéré lui arracher avec ses critiques. Mais elle ne pouvait pas s'en empêcher.

Elle aurait aimé être avec Hatch, pour partager sa colère avec lui. Il avait sur elle un effet sédatif plus puissant qu'une bouteille de bourbon.

Elle s'approcha finalement de la fenêtre où, maintenant, la grosse araignée noire avait tissé sa toile dans le coin supérieur droit. Se rendant compte qu'elle avait oublié d'aller chercher un bocal dans le placard de la cuisine, Lindsey reprit sa loupe et examina le filigrane soyeux du filet de ce pêcheur à huit pattes qui brillait d'une iridescence nacrée aux nuances pastel. La toile était si délicate, si séduisante. Mais le métier à tisser vivant qui l'avait réalisée était l'essence même de tous les prédateurs, puissant malgré sa taille, efficace et rapide. Son corps bulbeux luisait comme une goutte d'un épais sang noir, et ses mandibules coupantes travaillaient déjà, dans l'attente de la chair d'une future proie.

L'araignée et Steven Honell lui étaient complètement étrangers; oui, ils étaient au-delà de sa compréhension, indépendamment du temps qu'elle aurait pu passer à les observer. Tous les deux, ils tissaient leur toile dans le silence et la solitude. Tous les deux, ils avaient introduit leur méchanceté dans sa maison sans y être invités, l'un à travers le texte d'un magazine, l'autre dans une petite fissure d'un montant de fenêtre. Tous les deux étaient venimeux, infâmes.

Elle reposa sa loupe. Elle ne pouvait rien faire pour Honell, mais elle pouvait au moins régler le problème de l'araignée. Elle prit deux Kleenex dans la boîte, au-dessus de son meuble de rangement, et d'un geste rapide elle ramassa l'araignée et sa toile, et écrasa le tout.

Elle jeta dans sa poubelle les deux mouchoirs roulés en boule.

Si, en général elle capturait les araignées chaque fois qu'elle le pouvait et les remettait dehors, elle n'avait aucun remords pour la façon dont elle avait traité celle-là. Et si Honell avait été là en cet instant, alors que son attaque haineuse était toujours si présente dans son esprit, peut-être aurait-elle été tentée de le traiter aussi violemment que l'araignée.

Elle se rassit sur son tabouret, examina sa toile inachevée et sut, soudain, quelles ultimes retouches y apporter. Elle dévissa ses tubes et prépara ses pinceaux. Ce n'était pas la première fois qu'elle était motivée par un coup injuste ou une insulte puérile, et elle se demanda combien d'artistes avaient produit leur meilleure œuvre avec l'envie de l'écraser sur le visage d'un contradicteur méprisant.

Lorsqu'elle eut travaillé à sa toile une quinzaine de minutes, elle fut frappée par une pensée troublante qui la ramena à ses inquiétudes d'avant l'arrivée d'*Arts American* au courrier.

Honell et l'araignée n'étaient pas les seules créatures qui avaient envahi sa maison sans y être invitées. Le tueur inconnu avec ses lunettes de soleil y avait pénétré aussi, d'une certaine façon, à travers le lien mystérieux qui le reliait à Hatch. Que se passerait-il s'il avait conscience de Hatch comme Hatch avait conscience lui ? Il trouverait un moyen de localiser Hatch et d'envahir leur maison pour de bon, et de leur faire beaucoup plus de mal que l'araignée et Honell réunis.

5

Les fois précédentes, Hatch avait rencontré Jonas Nyebern dans son bureau du General Hospital du comté d'Orange, mais ce jeudi, il avait rendez-vous dans le complexe médical de Jamboree Road où le médecin avait son cabinet privé.

La salle d'attente était remarquable, non pour son tapis gris à poils courts ou son ameublement standard, mais à cause des œuvres accrochées aux murs : Hatch fut surpris et impressionné de découvrir une collection de peintures anciennes d'une très grande qualité, représentant des scènes religieuses catholiques : la passion de saint Jude, la Crucifixion, la Sainte Mère, l'Annonciation, la Résurrection et beaucoup d'autres.

Le plus curieux n'était pas que cette collection valait énormément d'argent. Après tout, Nyebern était un chirurgien très célèbre, et il venait d'une famille dont les ressources dépassaient largement la moyenne. Non, c'était bizarre qu'un membre de la profession médicale qui avait pris des positions publiques de plus en plus agnostiques au cours des dernières années eût choisi de l'art religieux pour les murs de son bureau, et surtout un art si manifestement confessionnel, capable de choquer les non-catholiques aussi bien que les athées.

Lorsque l'infirmière vint le chercher dans la salle d'attente, il découvrit que la collection continuait dans le couloir du cabinet médical. Il trouva tout à fait étrange de voir une belle peinture à l'huile représentant la souffrance de Jésus à Gethsémani à côté d'une balance en inox et en émail blanc et d'un tableau indiquant le poids idéal en fonction de la taille, de l'âge et du sexe.

Après le contrôle de son poids et de sa tension, il attendit Nyebern dans une petite pièce de consultation, assis à l'extrémité d'une table d'examen recouverte avec le papier à jeter d'un rouleau en défilement continu. Sur l'un des murs étaient accrochés côte à côte un tableau d'acuité et une exquise peinture de l'Ascension où le traitement de la lumière par l'artiste était si exceptionnel que cela donnait un aspect tridimensionnel à la scène, avec des personnages qui paraissaient vivants.

Nyebern ne le fit attendre que quelques minutes. En entrant, il arborait un large sourire. Tandis que les deux hommes se serraient la main, il dit :

— Je ne vais pas prolonger le suspense, Hatch. Tous les examens sont négatifs. Vous êtes en parfaite santé.

Hélas, ces paroles n'étaient pas aussi agréables à entendre qu'elles l'auraient dû : Hatch s'était attendu à des résultats qui lui auraient permis de comprendre ses cauchemars et son rapport mental avec l'assassin. Pourtant, ce verdict ne le surprenait pas. Il se doutait bien que les réponses qu'il cherchait ne seraient pas aussi faciles à découvrir.

— Et donc vos cauchemars ne sont que des cauchemars, ajouta Nyebern, et rien que ça...

Hatch ne lui avait pas parlé de sa « vision » du meurtre de cette blonde que l'on avait ensuite vraiment retrouvée morte sur l'autoroute. Comme il l'avait expliqué à Lindsey, il n'avait aucune intention de remonter en première ligne et de recommencer à faire les gros titres de la presse en décrivant le tueur à la police, du moins pas avant d'en « voir » plus qu'un simple reflet dans un miroir, comme la nuit précédente. Dans ce cas-là, bien sûr, il n'aurait pas d'autre choix que d'accepter de se retrouver de nouveau sous les projecteurs.

— Aucune pression crânienne, ajouta Nyebern, aucun déséquilibre chimico-électrique, pas de signe de déplacement de la glande pinéale — ce qui entraîne parfois de graves cauchemars et même des hallucinations à l'état de veille...

Tout en parlant, il feuilletait les résultats des examens un à un, toujours aussi méthodique.

En l'écoutant, Hatch se rendit compte qu'il avait toujours vu le médecin plus âgé qu'il ne l'était en réalité, parce qu'autour de lui flottait une espèce de grisaille et un terrible air de sérieux. Grand et maigre, il voûtait ses épaules pour ne pas faire ressortir sa taille, et se tenait déjà presque comme un vieillard — alors qu'il n'avait que la cinquantaine... Et il semblait triste, aussi, comme s'il avait vécu une grande tragédie.

Lorsqu'il eut terminé d'examiner le dossier, Nyebern releva la tête et sourit de nouveau. C'était un sourire chaleureux, mais qui ne réussissait pas à faire oublier la tristesse.

— Ce n'est pas un problème physique, Hatch.

— C'est possible que vous ayez raté quelque chose?

— Possible, je suppose, mais très peu vraisemblable. Nous...

— Un dommage cérébral extrêmement faible, quelques centaines de cellules, qui n'apparaîtrait pas dans vos analyses, mais aurait malgré tout de graves conséquences?

— Comme je viens de vous le dire, c'est peu vraisemblable. Je pense que nous pouvons assurer avec certitude qu'il s'agit ici d'un problème strictement émotionnel, une conséquence compréhensible du traumatisme que vous avez subi. Essayons une petite thérapie normale.

— Une psychothérapie?

— Ça vous ennuie?

— Non.

Sauf, pensa Hatch, que ça ne marchera pas. Ce n'est pas un problème mental. C'est réel.

— Je connais un type bien, il est très bon, vous l'aimerez, dit Nyebern, en tirant un stylo de la poche de poitrine de sa blouse blanche, et en écrivant le nom du médecin en question sur une feuille de son bloc de prescriptions. Je lui parle de votre cas et je lui dis que vous l'appelez. Est-ce que c'est d'accord?

— Oui. Certainement. C'est parfait.

Il aurait aimé raconter toute l'histoire à Nyebern. Mais alors il aurait donné l'impression d'avoir *vraiment* besoin d'une thérapie. Il comprit à contrecœur qu'il n'avait aucune aide à attendre ni d'un médecin, ni d'un psychothérapeute. Son affection était trop bizarre pour répondre à un traitement habituel. Peut-être un sorcier guérisseur? Ou un exorciste? Il lui semblait que le tueur aux habits noirs et aux lunettes de soleil était un démon qui testait ses défenses pour voir s'il pouvait prendre possession de lui.

Ils discutèrent quelques minutes de choses et d'autres qui n'avaient rien à voir avec la médecine.

Lorsque Hatch se leva pour partir, il montra du doigt la toile représentant l'Ascension, et dit :

— Belle pièce.

— Merci. Elle est exceptionnelle, n'est-ce pas ?

— Italienne.

— Exact.

— Début du xviii\ siècle ?

— Encore exact, répondit Nyebern. Vous vous y connaissez en art religieux ?

— Pas très bien. Mais je dirais que toute votre série est italienne, et de la même période.

— C'est vrai. Encore une pièce, peut-être deux, et la collection sera complète, je crois.

— C'est marrant de trouver tout ça ici, dit Hatch en se plaçant devant la toile accrochée à côté du tableau d'acuité.

— Oui, je comprends, fit Nyebern, mais je n'ai pas assez de place pour tout mettre sur les murs de ma maison. Et puis, chez moi, je rassemble une autre collection. De l'art religieux *moderne*.

— Ça existe ?

— Y'en a pas beaucoup. Les sujets religieux ne sont pas à la mode, de nos jours, chez les artistes connus. La plupart sont produits par des barbouilleurs. Mais, de temps en temps, quelqu'un qui possède un véritable talent cherche la lumière sur les vieux sentiers et traite ces sujets avec un regard contemporain. Je mettrai la collection moderne ici quand j'aurais fini de rassembler celle-ci et que je pourrai m'en défaire.

Hatch se détourna de la toile et regarda le médecin avec un soudain intérêt professionnel.

— Vous avez dans l'idée de la vendre ?

— Oh, non ! répondit Nyebern, en rangeant son stylo dans sa blouse. (Sa main, aux doigts longs et fins que l'on s'attendait à trouver chez un chirurgien, s'attarda dans sa poche comme pour y chercher la vérité de ce qu'il disait.) Je vais la donner. C'est la sixième collection d'art religieux que je rassemble depuis vingt ans, et ensuite que je donne.

Parce qu'il pouvait se faire une idée approximative de la valeur des œuvres qu'il avait vues sur les murs du cabinet médical, Hatch fut stupéfait du degré de philanthropie qu'impliquait cet aveu de Nyebern. Il demanda :

— Qui sont les heureux bénéficiaires ?

— Eh bien, presque toujours une université catholique, mais à deux reprises ça a été une autre institution de l'Église, répondit Nyebern.

Le médecin regardait la peinture représentant l'Ascension, avec une étrange expression dans les yeux, comme s'il voyait quelque chose au-delà de la toile, au-delà du mur où elle était accrochée, au-delà même de l'horizon le plus lointain. Sa main s'attardait toujours dans sa poche de poitrine.

— C'est très généreux de votre part, dit Hatch.

— Il ne s'agit pas de générosité. (La voix lointaine de Nyebern correspondait maintenant à son regard absent.) C'est un acte d'expiation.

Cette déclaration demandait une nouvelle question, même si Hatch sentait bien que ce serait une intrusion dans la vie privée du médecin.

— Une expiation pour quoi ?

Toujours perdu dans la contemplation de la peinture, Nyebern répondit :

— Je n'ai jamais parlé de ça à personne.

— Je ne voulais pas m'occuper de ce qui ne me regarde pas. J'ai juste pensé que...

— Peut-être que ça me ferait du bien d'en parler. Vous croyez ?

Hatch ne répondit pas — en partie parce qu'il n'avait pas l'impression, de toute façon, que le médecin l'écoutait.

— Une expiation, répéta Nyebern. Au début... pour être le fils de mon père. Ensuite... pour être le père de mon fils.

Hatch ne voyait pas en quoi cela pouvait être un péché, mais il attendit, certain que le médecin allait s'expliquer. Il se rappela le poème de Coleridge et commença à se sentir dans la peau de cet interlocuteur de l'Ancien Marin qui devait absolument raconter son histoire terrifiante, car s'il la gardait pour lui il perdrait le peu de santé mentale qui lui restait encore.

Regardant toujours le tableau d'un air absent, Nyebern reprit :

— Quand j'avais sept ans, mon père a eu une dépression nerveuse. Il a tué ma mère et mon frère d'un coup de fusil. Il

nous a blessés, ma sœur et moi, nous a laissés pour morts, et
puis il s'est suicidé.

— Mon Dieu, je suis désolé..., dit Hatch, et il pensa au puits
sans fond de la colère de son propre père. Vraiment, docteur.

Mais il ne savait toujours pas quel échec ou quel péché
Nyebern désirait expier.

— Certaines psychoses peuvent parfois avoir une cause
génétique. Lorsque j'ai constaté les premiers signes de comportement psychopathe chez mon fils, même dans son tout jeune
âge, j'aurais dû comprendre ce qui allait se passer, j'aurais dû
trouver un moyen d'empêcher ça. Mais je n'ai pas pu affronter
la vérité. Trop douloureux. Et puis, il y a deux ans, à dix-huit
ans, il a poignardé sa sœur et l'a tuée...

Hatch frissonna.

— ... et puis sa mère, ajouta Nyebern.

Hatch allait poser sa main sur le bras du docteur, mais il
retint son geste, sentant que la douleur de Nyebern ne pourrait
jamais être soulagée, que de simples paroles de réconfort ne
suffiraient pas à soigner cette blessure. Le médecin évoquait
une tragédie très personnelle, mais manifestement il ne cherchait ni la compassion ni l'amitié de Hatch. Il semblait tout à
coup affreusement peu communicatif. Il évoquait cette histoire
parce que le temps était venu de la faire sortir de ses ténèbres
personnelles pour l'examiner de nouveau et il en aurait parlé à
quiconque aurait été présent aujourd'hui à cet endroit à la
place de Hatch — ou peut-être même l'aurait-il racontée à l'air
qui l'entourait, si personne n'avait été là.

— Et ensuite, poursuivit Nyebern, Jeremy est allé dans le
garage avec le couteau, un couteau de boucher, il a placé le
manche dans l'étau de mon établi pour le faire tenir droit, et
puis il est monté sur un tabouret, il s'est laissé tomber en avant
et s'est empalé dessus. Il s'est vidé de son sang et il est mort.

Le médecin avait toujours sa main dans sa poche. Il
rappelait à Hatch une peinture du Christ et du Sacré-Cœur
dévoilé, avec la fine main de Jésus, d'une divine grâce, pointée
vers ce symbole du sacrifice et de la promesse de l'éternité.

Finalement, les yeux de Nyebern abandonnèrent la toile et
rencontrèrent ceux de Hatch.

— Certains prétendent que le mal n'est que la conséquence
de nos actions, rien d'autre que le résultat de notre volonté.
Moi, je crois que c'est ça, mais que c'est aussi beaucoup plus. Je

crois que le mal est vraiment une force indépendante, une énergie existant en dehors de nous, une présence dans le monde. Est-ce que c'est votre avis, Hatch?

— Oui, répondit Hatch immédiatement — ce qui, d'une certaine façon, le surprit lui-même.

Nyebern regarda le bloc d'ordonnances qu'il n'avait pas lâché. Il sortit enfin sa main de sa poche, arracha la première feuille et la tendit à Hatch.

— Il s'appelle Foster. Docteur Gabriel Foster. Je suis sûr qu'il pourra vous aider.

— Merci, dit Hatch, comme engourdi.

Nyebern lui ouvrit la porte de la salle d'examen et lui fit signe de sortir devant lui.

Dans le couloir, il dit soudain :

— Hatch?

Hatch se retourna.

— Désolé, ajouta alors Nyebern.

— Désolé de quoi?

— De vous avoir expliqué la raison de mes donations.

Hatch hocha la tête :

— Eh bien, c'est moi qui ai posé la question, non?

— Mais j'aurais pu être beaucoup plus bref.

— Oh?

— J'aurais pu dire simplement quelque chose du genre : peut-être que je pense que la seule façon pour moi d'aller au Paradis, c'est de payer mon passage...

Dehors, sur le parking inondé de soleil, Hatch resta un long moment assis dans sa voiture, à regarder une guêpe qui tournait autour du capot rouge, comme si elle croyait avoir trouvé une rose géante.

La conversation, dans le cabinet de Nyebern, lui avait fait un effet bizarre, comme s'il s'agissait d'un rêve, et il avait l'impression qu'il venait juste de se réveiller. Il sentait que la tragédie de l'existence de Jonas Nyebern hantée par la mort avait un rapport direct avec ses problèmes actuels. Mais il cherchait en vain la connexion.

La guêpe se balançait à droite, à gauche, mais elle restait face au pare-brise, comme si elle pouvait apercevoir Hatch, dans la voiture et était mystérieusement attirée par lui. Elle fonçait sans arrêt vers la vitre, y rebondissait, reprenait ses oscillations. Tapait — oscillait — tapait — oscillait — tapait — tapait

— oscillait. C'était une guêpe déterminée. Il se demanda si elle appartenait à une espèce avec un seul dard qui se cassait au moment de la piqûre et entraînait la mort de l'insecte. Tapait — oscillait — tapait — oscillait — tapait tapait tapait. Si c'était le cas, comprenait-elle les conséquences de son insistance ? Tapait — oscillait — tapait tapait tapait...

Après le dernier patient de la journée — une belle femme de trente ans, qui avait eu une greffe aortique en mars dernier, était venue pour une visite de contrôle —, Jonas Nyebern passa dans son bureau privé, à l'extrémité du cabinet médical et referma la porte derrière lui. Il s'assit et chercha dans son portefeuille un petit bout de papier où était inscrit un numéro de téléphone, qu'il avait préféré ne pas noter dans son Rolodex. Puis il composa les sept chiffres.

A la troisième sonnerie, il tomba sur un répondeur comme lors de ses précédents appels, la veille, et plus tôt ce matin même : « *Ici Morton Redlow. Je ne suis pas à mon bureau pour l'instant. Après le bip sonore, veuillez laisser un message et votre numéro, et je vous rappellerai aussitôt que possible.* »

Jonas attendit le signal, et parla lentement :

— Monsieur Redlow, c'est le docteur Nyebern. Je sais que j'ai laissé d'autres messages, mais il me semblait que je devais recevoir un rapport de vous vendredi dernier. Et en tout cas ce week-end au plus tard. Si vous plaît, rappelez-moi dès que vous le pouvez. Merci.

Il raccrocha.

Il se demanda s'il avait une raison de s'inquiéter.

Il se demanda s'il avait la moindre raison de *ne pas* s'inquiéter.

6

Regina était à son bureau, dans la classe de français de sœur Mary Margaret, incommodée par l'odeur de la poussière de craie et par la dureté de sa chaise en plastique sous ses fesses, et elle apprenait à dire en français : « *Bonjour, je suis américaine. Pouvez-vous m'indiquer l'église la plus proche où je pourrai assister à la messe dominicale ?* »

Très[1] ennuyeux.

Elle était restée à l'école élémentaire Saint-Thomas, parce que sa présence ici était la condition *sine qua non* de son adoption. (Adoption à l'essai. Rien encore de définitif. Pouvait rater. Les Harrison pouvaient décider tout à coup qu'ils préféraient élever des perroquets plutôt que des gosses, la renvoyer et prendre un oiseau. Je vous en prie, mon Dieu, faites qu'ils comprennent que dans Votre divine bonté Vous avez fabriqué les oiseaux pour qu'ils crottent beaucoup. Faites qu'ils sachent combien c'est difficile de garder une cage propre.) Lorsqu'elle aurait fini ses classes à l'école élémentaire Saint-Thomas, elle entrerait à l'école secondaire Saint-Thomas, vu que saint Thomas avait des intérêts partout. En plus de la maison d'enfants et des deux écoles, il possédait un centre de soins et une boutique d'objets d'occasions. La paroisse avait quelque chose du conglomérat, et le père Jiminez était une sorte de grand patron, comme Donald Trump, sauf que le père Jiminez ne s'affichait pas avec des prostituées et qu'il n'était propriétaire d'aucun casino. Le loto de la paroisse comptait pour du beurre. (Cher Dieu, ce truc sur les oiseaux qui crottent un max, ce n'était pas du tout une critique, à aucun point de vue. Je suis sûre que Vous avez Vos raisons pour avoir fait des oiseaux qui font caca partout, et comme le mystère de la Sainte Trinité, c'est une de ces choses que nous, les humains ordinaires, nous ne pourrons jamais comprendre complètement. Je ne voulais pas vous blesser.) N'importe comment, ça ne la dérangeait pas d'être à l'école Saint-Thomas, parce que les religieuses et le profs laïques vous faisaient bosser dur, si bien que vous finissiez par apprendre beaucoup de choses — et elle adorait apprendre.

Pourtant, en ce dernier cours du mardi après-midi, elle en avait marre d'étudier, et si sœur Mary Margaret lui demandait de dire un truc en français, elle allait sans doute confondre « église » et « égout », ce qui lui était déjà arrivé une fois, pour la plus grande joie de ses camarades, et sa grande honte à elle. (Cher Dieu, n'oubliez pas que j'ai décidé sans y être obligée par personne de dire le rosaire en pénitence pour cette gaffe, juste pour prouver que je n'ai pas voulu suggérer quelque chose avec ça, c'était simplement une erreur.) Lorsque la cloche de la

---

1. En français dans le texte (*N.d.T.*).

sortie sonna, Regina était debout la première et dehors la première, même si la plupart des élèves de Saint-Thomas ne venaient pas du foyer Saint-Thomas et n'étaient donc pas des handicapés.

Jusqu'à son casier, puis jusqu'à la porte de l'établissement, elle se demanda si Mr Harrison serait vraiment là comme il l'avait promis. Elle imagina qu'elle attendait sur le trottoir, avec tous ces gosses agglutinés autour d'elle, qu'elle était incapable de repérer la voiture, que la foule diminuait rapidement, qu'elle se retrouvait seule, et toujours pas de voiture en vue, qu'elle patientait jusqu'au moment où le soleil se couchait et où la lune se levait, et que sa montre marquait minuit et que le lendemain matin, lorsque les enfants revenaient à l'école, elle rentrait tout simplement avec eux, et ne disait à personne que les Harrison ne voulaient plus d'elle...

Il était là. Dans la voiture rouge. Dans une rangée de voitures d'autres parents d'élèves. Il se pencha par-dessus le siège du passager pour lui ouvrir la portière quand elle s'approcha.

Lorsqu'elle fut installée avec son cartable, il demanda :

— Rude journée ?

— Ouais, répondit-elle, soudain intimidée, alors que la timidité n'avait jamais été parmi ses problèmes majeurs.

Elle avait du mal à prendre le coup avec cette histoire de nouvelle famille. Et même, elle avait peur de ne jamais y parvenir, peut-être.

Il dit :

— Ces religieuses...

— Ouais, fit-elle.

— Elles sont dures.

— Dures.

— Des peaux de vache, ces religieuses.

— De vache, répéta-t-elle, en acquiesçant d'un signe de tête, se demandant si elle serait capable un jour de s'exprimer de nouveau avec des phrases de plus de deux mots.

En démarrant, il ajouta :

— Je te parie que tu mets n'importe quelle religieuse dans un ring avec n'importe quel poids lourd de l'histoire de la boxe, et même Muhammad Ali, ça m' gêne pas, et elle te le fiche KO au premier round.

Regina ne put s'empêcher de lui adresser un grand sourire.

— Sûr, poursuivit-il. Y a que Superman qui pourrait survivre à une bagarre contre une religieuse vraiment dure à cuire. Batman ? Mince, alors ! Même ta religieuse moyenne pourrait se servir de Batman comme serpillière, ou faire de la soupe avec la bande entière des Tortues Ninja.

— Elles n'ont pas de mauvaises intentions, dit-elle.

C'était déjà ça, six mots, mais ils faisaient nunuches. Peut-être qu'il vaudrait mieux ne rien dire ; elle n'avait tout simplement aucune idée des rapports entre les pères et leurs gosses.

— Les religieuses ? demanda-t-il. Oui, sûr, elles sont bien intentionnées. Si elles ne l'étaient pas, elle ne seraient pas religieuses. Elles seraient peut-être des tueuses de la Mafia, des terroristes internationales, des membres du Congrès des États-Unis...

Il ne rentrait pas chez lui en roulant à toute vitesse comme un homme occupé avec des tas de machins à faire ; non, il se baladait. Elle n'était pas encore montée suffisamment en voiture avec lui pour savoir s'il conduisait toujours comme ça, mais elle avait dans l'idée qu'il devait traîner plus que d'habitude de façon à passer un peu plus de temps avec elle, juste tous les deux. C'était gentil. Ça lui serrait un peu la gorge et ça lui mouillait les yeux. Oh, super ! Une bouse de vache aurait eu plus de conversation qu'elle, et maintenant elle allait chialer, ce qui serait l'idéal pour cimenter leur relation. C'est connu que chaque parent adoptif souhaite désespérément qu'on lui confie une fille muette et émotionnellement instable, avec en plus des problèmes physiques — pas vrai ? Ça faisait fureur, vous saviez pas ? Bon, si elle pleurait, ces lâcheurs de sinus allaient se mettre de la partie, eux aussi, et le bon vieux robinet à morve commencerait à couler, ce qui la rendrait certainement encore plus attirante. Hatch abandonnerait l'idée d'une petite balade tranquille et il rentrerait à la maison à une vitesse tellement phénoménale qu'il faudrait qu'il pense à appuyer sur les freins un kilomètre avant d'arriver s'il ne voulait pas traverser le mur du fond du garage. (S'il vous plaît, mon Dieu, aidez-moi, maintenant. Vous avez remarqué que j'ai pensé « bouse de vache » et pas « merde de vache ». Alors je mérite un peu de pitié.)

Ils continuèrent à parler de choses et d'autres. Ou plus exactement il discuta et elle lui répondit en grognant comme un sous-humain qui aurait eu la permission de sortie du zoo. Et puis finalement, elle se rendit compte tout à coup, à sa grande surprise, qu'elle parlait en faisant des phrases complètes, que cela durait depuis plusieurs kilomètres et qu'elle était à l'aise, avec lui.

Il lui demanda ce qu'elle voulait faire quand elle serait grande, et elle lui expliqua que certaines personnes vivaient en écrivant le genre de livres qu'elle aimait lire et qu'elle écrivait des histoires à elle depuis un ou deux ans. Des trucs idiots, elle l'admettait, mais elle ferait des progrès. Elle était très brillante pour ses dix ans, et plus mûre que son âge, mais elle ne pouvait pas s'attendre à démarrer une carrière littéraire avant dix-huit ans, mettons peut-être seize si elle avait de la veine. Quand Mr Christopher Pike avait-il commencé à publier? Dix-sept ans? Dix-huit? A vingt ans, peut-être, mais certainement pas plus, alors c'était ça qu'elle visait — être le prochain Mr Christopher Pike de vingt ans. Elle avait un carnet entier d'idées d'histoires. Quelques-unes étaient bonnes, même si on éliminait celles qui lui faisaient honte à cause de leur puérilité, comme celle du cochon intelligent venu de l'espace qui lui avait tant plu pendant un moment, mais qui, elle s'en rendait compte maintenant, était désespérément stupide. Elle parlait toujours des livres qu'elle allait écrire lorsqu'ils entrèrent dans l'allée de la maison, à Laguna Niguel, et il avait l'air *vraiment* intéressé.

Elle se dit que finalement elle réussirait peut-être à prendre le coup avec ce machin de nouvelle famille.

Vassago rêvait de feu. Le clic du chapeau du briquet ouvert dans l'obscurité. Le grattement sec de la molette contre la pierre. L'étincelle. La robe d'été blanche d'une fillette qui s'enflammait. La Maison Hantée qui brûlait. Les hurlements, et les langues de lumière orange qui illuminaient des ténèbres prévues pour être effrayantes. Tod Ledderbeck était mort dans la caverne du Mille-Pattes, et maintenant la demeure des squelettes en plastique et des goules en caoutchouc connaissait une *véritable* terreur et l'odeur puissante de la mort.

Il avait déjà rêvé de ce feu bien des fois depuis la nuit où Tod avait fêté son douzième et dernier anniversaire. Ce feu lui avait toujours offert le plus beau de tous les fantasmes qu'il voyait dans son sommeil.

Mais, cette fois, des images et des visages mystérieux apparurent au cœur des flammes. La voiture rouge, de nouveau. Une fillette aux cheveux auburn, d'une beauté solennelle, avec de grands yeux gris qui semblaient trop vieux pour son visage. Une petite main, cruellement déformée, avec des doigts qui manquaient. Et puis un nom, déjà entendu une fois, retentit à travers les flammes dansantes qui repoussaient les ombres de la Maison Hantée.

Regina... Regina... Regina...

Depuis sa visite au cabinet du docteur Nyebern, Hatch se sentait démoralisé, parce que les examens n'avaient rien révélé qui aurait expliqué ses étranges expériences — mais aussi parce qu'il avait eu un aperçu de la vie troublée du médecin. Mais Regina était un remède à la mélancolie, si cela existait. Elle avait l'enthousiasme d'une enfant de son âge ; l'existence ne l'avait pas abattue.

Entre la voiture et la porte d'entrée elle se déplaça plus vite et avec davantage de facilité que lorsqu'elle avait fait son apparition dans le bureau de Salvatore Gujilio, mais son appareil orthopédique lui faisait une démarche mesurée et pleine de sérieux. Un papillon jaune et bleu accompagna chacun de ses pas, voletant gaiement à quelques centimètres au-dessus de sa tête, comme s'il savait que l'esprit de la fillette lui ressemblait, qu'il était beau et plein de vie.

Elle dit, avec solennité :

— Merci d'être venu me chercher, monsieur Harrison.

— C'était volontiers, sûr, lui répondit-il avec une égale gravité.

Il pensa qu'il faudrait faire quelque chose au sujet de ce « monsieur Harrison » avant la fin de cette journée. Il sentait que cette raideur venait pour une part de ce qu'elle craignait de trop s'attacher à eux — et puis d'être rejetée comme elle l'avait été lors de sa première adoption. Mais c'était aussi qu'elle avait peur de dire ou de faire quelque chose qu'il ne fallait pas et de détruire sans le vouloir ses perspectives de bonheur.

Une fois à la porte, il ajouta :

— Que ce soit Lindsey ou moi, on viendra te chercher à l'école tous les jours — sauf si tu as ton permis et que tu préfères te déplacer par tes propres moyens.

Elle le regarda. Le papillon décrivait des cercles, dans l'air, au-dessus de sa tête, comme une couronne ou une auréole vivantes. Elle dit :

— Vous me taquinez, n'est-ce pas ?

— Euh, oui, j'en ai bien peur.

Elle rougit et détourna les yeux, comme si elle ne savait pas si c'était bien ou non d'être taquinée ainsi. Hatch eut l'impression d'entendre ce qu'elle pensait : *Il se moque de moi parce qu'il croit que je suis maligne, ou alors parce qu'il est sûr que je suis désespérément idiote...* ou quelque chose de ce genre.

Pendant le trajet, Hatch s'était rendu compte que Regina souffrait de douter d'elle-même, et qu'elle croyait réussir à le cacher, alors que ses sentiments étaient évidents sur son beau visage si expressif. Chaque fois qu'il avait senti une brèche dans sa confiance, il avait eu envie de l'entourer de ses bras, de la serrer fort, de la rassurer — ce qui aurait été exactement la chose à ne pas faire parce que ç'aurait été horrible pour elle de découvrir que son tumulte intérieur était si visible. Elle était fière d'être forte, résistante, et indépendante. Cette image qu'elle donnait d'elle-même était l'armure qui la protégeait du monde.

— J'espère que ça ne te gêne pas d'être un peu taquinée, dit-il en enfonçant la clé dans la serrure. Je suis comme ça, tu vois. Je pourrais essayer de me soigner en m'inscrivant chez les Taquineurs Anonymes pour me débarrasser de cette habitude, mais c'est une sacrée bande de durs. Ils vous battent avec des tuyaux en caoutchouc et vous obligent à manger des haricots de Lima...

Lorsque du temps aurait passé, lorsqu'elle se sentirait aimée et qu'elle serait sûre de faire partie de cette famille, sa confiance en elle serait aussi inébranlable que ce qu'elle souhaitait aujourd'hui. En attendant, le mieux était de faire semblant de la voir exactement comme elle le désirait — et de l'aider avec douceur, avec patience, à devenir la personne équilibrée et assurée quelle espérait être.

Tandis qu'il ouvrait la porte et qu'ils pénétraient dans la maison, Regina expliqua :

— Je haïssais les haricots de Lima, toutes les sortes de

haricots, mais j'ai fait un marché avec Dieu. S'il me donne...
quelque chose que je veux particulièrement, je mangerai tous
les genres de haricots qui existent sur cette terre jusqu'à la fin
de mes jours sans me plaindre.

En refermant la porte derrière eux, Hatch répondit :

— C'est une belle offre. Dieu a dû être impressionné.

— Je l'espère vraiment, murmura-t-elle.

Et dans le rêve de Vassago, Regina se déplaçait au soleil, avec
une jambe entourée d'acier et un papillon qui l'accompagnait,
comme une fleur. Une maison flanquées de palmiers. Une
porte. Elle se tourna vers Vassago, et dans ses yeux il découvrit
une âme d'une formidable vitalité et un cœur si vulnérable que
les battements du sien s'accélérèrent même dans son sommeil.

Ils trouvèrent Lindsey à l'étage, dans la chambre qui lui servait
d'atelier. Le chevalet était installé de dos par rapport à la porte,
dans un angle de la pièce, si bien que Hatch ne voyait pas la
toile. Le chemisier de Lindsey était à moitié sorti de son jean,
ses cheveux étaient en désordre, elle avait une petite tache de
peinture rouge sur la joue gauche, et une expression qu'il
connaissait d'expérience : elle était en pleine création, à la fin
d'une œuvre qui donnait exactement ce qu'elle avait souhaité.

— Salut, ma chérie, dit Lindsey à Regina. C'était comment,
l'école ?

Regina fut troublée, comme à chaque fois semblait-il, par
cette expression affectueuse, « ma chérie ».

— Ben, l'école c'est l'école, vous voyez.

— Tu dois aimer ça, pourtant. Je sais que tu as des bonnes
notes.

Regina ne releva pas le compliment et parut embarrassée.

Refoulant l'envie de serrer l'enfant dans ses bras, Hatch
expliqua à sa femme :

— Elle sera écrivain quand elle sera grande.

— Vraiment ? fit Lindsey. C'est passionnant. Je savais que
tu adorais les livres, mais il ne m'était pas venu à l'esprit que tu
voulais en écrire.

— Moi non plus..., répondit la fillette... (Et soudain elle se lança — un vrai moulin à paroles, tout à coup —, oubliant sa gêne initiale vis-à-vis de Lindsey, elle traversa la pièce et vint se planter devant le chevalet pour jeter un coup d'œil sur la toile.)... jusqu'au dernier Noël, au foyer Saint-Thomas, le jour où j'ai trouvé six livres de poche comme cadeau, au pied de l'arbre. Et pas des livres pour un gosse de dix ans, non, mais de vrais livres, parce que je lisais déjà comme les enfants de *quinze* ans. Je suis ce qu'on appelle « précoce ». Bon, ces livres c'étaient les plus beaux des cadeaux, et je me suis dit que ce serait bien si, un jour, une fille comme moi, au foyer, trouvait *mes* livres à moi sous l'arbre de Noël, et ressentait ce que moi j'ai ressenti, encore que je ne serai jamais un aussi bon écrivain que Daniel Pinkwater ou Christopher Pike. Jésus, je veux dire qu'ils sont tout en haut de l'échelle avec Shakespeare et Judy Blume. Mais j'ai de bonnes histoires à raconter, et elles ne sont pas toutes comme cette merde du cochon-intelligent-de-l'espace. Pardon. Je voulais dire : ce caca. Euh, ce machin minable. Comme ce machin minable du cochon-intelligent-de-l'espace. Elles ne sont pas toutes comme ça...

Lindsey ne montrait jamais à Hatch — ni à quiconque — une peinture en cours ; elle refusait que l'on y jetât ne fût-ce qu'un œil avant le coup de pinceau final. Et là, elle était encore en train de travailler à sa toile, et Hatch fut surpris de son absence de réaction lorsque Regina contourna le chevalet pour l'examiner. Il décida qu'aucune gamine, juste parce qu'elle avait un petit nez mignon et quelques taches de rousseur, ne se verrait accorder un privilège qui lui avait toujours été refusé à lui, si bien qu'il s'avança d'un pas décidé pour jeter lui aussi un coup d'œil à ce nouveau tableau.

C'était une œuvre étonnante. Sur un champ d'étoiles en arrière-plan apparaissait, en surimpression, le visage transparent d'un jeune garçon d'une beauté éthérée. Et pas n'importe quel garçon. Leur Jimmy. Lorsqu'il était vivant, elle l'avait peint plusieurs fois, mais jamais plus depuis sa mort — jusqu'à aujourd'hui. C'était un Jimmy idéal, un Jimmy d'une telle perfection que son visage aurait pu être celui d'un ange. Ses yeux pleins d'amour, tournés vers une douce lumière qui le baignait d'un point situé au-delà du bord supérieur de la toile, exprimaient quelque chose d'encore plus profond que la joie. Une extase. Au premier plan, et c'était là où se portait d'abord le regard, flottait une rose noire, non pas transparente comme le visage de Jimmy, mais rendue avec un tel détail de la matière que Hatch crut sentir la texture veloutée de ses pétales pelucheux. Le vert de la tige était humide d'une douce rosée, et les épines avaient des pointes si fines qu'il pensa qu'elles le piqueraient comme de vraies épines s'il les touchait. Une unique goutte de sang brillait sur l'un des pétales noirs. Lindsey avait réussi à communiquer à la rose une puissance surnaturelle, si bien qu'elle attirait l'œil, qu'elle avait un pouvoir quasi hypnotique. Et cependant, l'enfant ne regardait pas dans sa direction. Il contemplait le seul objet rayonnant qu'il voyait, au-dessus de lui — et cela signifiait que la rose avait beau être attirante, elle l'était moins que la source de lumière qui le dominait.

Depuis la mort de Jimmy jusqu'à la réanimation de Hatch, Lindsey avait refusé de chercher la moindre consolation auprès d'un dieu — n'importe quel dieu — qui aurait créé un monde où la mort avait une place. Hatch se souvenait du jour où un prêtre avait suggéré à Lindsey de prier pour accepter ce qui arrivait et trouver un réconfort psychologique, et il se souvenait aussi que la réponse de Lindsey avait été un refus glacial et sans appel : *La prière ne marche jamais. Je ne crois pas aux miracles, mon père. Les morts restent morts et les vivants attendent seulement de les rejoindre...* Et voilà maintenant que quelque chose avait changé en elle. La rose noire, dans la peinture, c'était la mort. Et pourtant elle n'avait aucun pouvoir sur Jimmy. Leur fils était au-delà de la mort qui ne signifiait plus rien pour lui. Il s'élevait au-dessus d'elle. Et Lindsey, en concevant cette peinture avec une telle perfection, avait enfin trouvé une façon de dire au revoir à son enfant, un au revoir sans regrets, sans aigreur, un au revoir plein d'amour, et en même temps elle avait montré qu'elle acceptait de croire en autre chose qu'une vie qui finissait nécessairement au fond d'un trou, noir et glacé, dans le sol.

— C'est si beau ! s'exclama Regina, avec un mélange sincère d'admiration et de crainte. C'est angoissant, dans un sens, je ne sais pas pourquoi... Angoissant, voilà... Mais c'est si beau !

Hatch croisa le regard de Lindsey, voulut dire quelque chose, mais fut incapable de parler. Depuis sa réanimation, son âme et celle de Lindsey avaient retrouvé une nouvelle jeunesse ; et ils avaient admis l'erreur qu'ils avaient commise en s'abandonnant si longtemps au chagrin et en perdant ainsi cinq ans de leur vie. Mais à un niveau plus fondamental, ils n'avaient pas encore accepté que la vie pût redevenir aussi douce qu'elle l'était avant la mort de ce petit être; non, ils n'avaient pas vraiment laissé partir Jimmy. Et voilà qu'en rencontrant le regard de Lindsey, Hatch comprit qu'elle avait finalement retrouvé un espoir sans réserve. Et tout le poids de la mort de son petit garçon s'abattit soudain sur lui, comme cela ne lui était pas arrivé depuis des années — parce que si Lindsey avait été capable de se réconcilier avec Dieu, il devait en faire autant. Il essaya encore une fois de parler, mais toujours en vain, regarda de nouveau la peinture, comprit qu'il allait pleurer, et s'empressa de quitter la pièce.

Il ne savait pas où le menaient ses pas. Sans même se rendre compte qu'il se déplaçait, il descendit au rez-de-chaussée, entra dans leur petit bureau, ouvrit la porte-fenêtre et pénétra dans la roseraie, sur le côté de la maison.

Dans la chaleur de cette fin de l'après-midi, les roses étaient rouges, blanches, jaunes, roses et pêche, certaines étaient encore en bouton et d'autres grosses comme des soucoupes — mais il n'y avait aucune rose noire. Dans l'air, flottait leur fragrance enchanteresse.

Un goût de sel aux coins des lèvres, il tendit les mains vers le buisson de roses le plus proche pour caresser les fleurs, mais il arrêta son geste avant de les atteindre. Car dans ses bras qui formaient maintenant une sorte de berceau, il sentait soudain un poids invisible. Ses bras étaient vides, mais le poids qui pesait sur eux n'était pas pour lui un mystère : c'était le poids du corps de son fils dévoré par le cancer.

Dans les ultimes moments, juste avant l'horrible visite de la mort, il avait débranché tous les fils et tous les tubes de Jim, il l'avait attrapé dans son lit trempé de sueur, il l'avait installé dans un fauteuil près de la fenêtre et il l'avait tenu contre lui, tout près, et il lui avait murmuré des choses gentilles jusqu'à ce que son dernier souffle eût franchi ses lèvres pâles... Et jusqu'au jour de sa propre mort, Hatch se souviendrait exactement du poids de l'enfant décharné dans ses bras, du tranchant de ses os autour desquels il restait si peu de chair, de l'horrible chaleur de la fièvre sur sa peau rendue translucide par la maladie, de sa fragilité qui fendait le cœur.

Et tout cela, il le sentait encore dans ses bras pourtant vides, ici, au milieu des roses. Il leva la tête vers le ciel et demanda :

« Pourquoi ? » comme s'il y avait Quelqu'un pour lui répondre. Et il ajouta : « Il était si petit. Si foutrement petit ! »

Et tandis qu'il parlait, ce poids invisible était plus lourd qu'il l'avait été à l'hôpital, il pesait un millier de tonnes sur ses bras vides, peut-être parce que Hatch ne voulait pas s'en libérer, même s'il le croyait. Et puis une chose étrange se produisit — ce poids diminua lentement, et le corps invisible de son fils sembla lui échapper en flottant, comme si la chair s'était enfin changée en esprit, comme si Jim n'avait plus besoin de réconfort ni de consolation.

Hatch baissa les bras.

Peut-être que, désormais, du triste souvenir d'un fils disparu ne lui resterait plus que le doux souvenir d'un enfant aimé. Et peut-être que cela ne lui écraserait plus le cœur.

Il resta immobile, au milieu des roses.

C'était une délicieuse fin d'après-midi, baignée d'une lumière dorée.

Le ciel était clair — et totalement mystérieux.

Regina demanda si elle pouvait avoir quelques tableaux de Lindsey dans sa chambre, et elle semblait sincère. Lindsey et elle en choisirent trois. Puis elles plantèrent des pitons et accrochèrent les toiles là où Regina le désirait. Elles installèrent aussi le crucifix de trente centimètres de haut qui se trouvait dans la chambre de Regina, à l'orphelinat.

Tout en travaillant, Lindsey demanda :

— Que dirais-tu d'aller dîner dans une vraie pizzeria que je connais ?

— Ouais ! s'exclama la fillette avec enthousiasme. J'adore la pizza.

— Ils la font avec une bonne pâte épaisse et beaucoup de fromages.

— Des poivrons ?

— Oui, coupés en fines tranches, mais beaucoup.

— De la saucisse ? ajouta Regina.

— Sûr, pourquoi pas ? Mais tu ne crois pas que ça va devenir une pizza plutôt révoltante pour une végétarienne comme toi ?

Regina sourit.

— Oh, ça... J'ai été une trouduc, ce jour-là. Oh, Jésus, pardon ! Je veux dire, je faisais la maligne. Enfin, j'étais une vraie idiote, quoi.

— C'est okay, dit Lindsey. Nous nous conduisons tous comme des idiots, de temps à autre.

— Pas vous. Pas Mr Harrison.

— Oh, attends un peu et tu verras.

Debout sur un tabouret devant le mur en face du lit, Lindsey planta un crochet, et Regina lui tendit le tableau. Tout en le prenant des mains de la fillette, Lindsey ajouta :

— Écoute, tu voudrais bien me faire une faveur, ce soir au dîner ?

— Une faveur ? Sûr.

— Je comprends que ce soit encore embarrassant, notre nouvel arrangement. Tu ne te sens pas vraiment chez toi, pour l'instant, et ça va sans doute durer un moment...

— Oh, c'est très bien, ici ! protesta Regina.

Lindsey passa la ficelle du tableau sur le crochet et plaça la toile bien droite. Puis elle s'assit sur le tabouret, si bien que ses yeux étaient pratiquement à la même hauteur que ceux de la fillette. Elle lui prit les deux mains, la normale — et celle qui ne l'était pas.

— Tu as raison, c'est très bien ici. Mais toutes les deux on sait que ça n'a pas le même sens qu'un *chez-soi*. En te disant ça, je ne voulais pas te bousculer. Je te laisserai prendre ton temps, mais... Même si à toi ça te semble un peu prématuré, tu ne crois pas que ce soir, pendant le dîner, tu pourrais arrêter de nous appeler *monsieur* et *madame* Harrison ? Surtout Hatch. Ce serait très important pour lui, justement en ce moment, si tu pouvais au moins lui dire « Hatch ».

Regina baissa les yeux sur ses mains serrées dans celles de Lindsey.

— Ben, je pense... Sûr... Que ce serait okay.

— Et tu sais quoi ? J'ai conscience que c'est te demander plus qu'il est juste de te demander, avant que tu le connaisses vraiment bien. Mais sais-tu ce qui serait pour lui la plus belle chose au monde ?

La fillette regardait toujours ses mains.

— Ce serait quoi ?

— Si tu pouvais trouver la force, au fond de ton cœur, de l'appeler... *papa*. Ne dis pas oui ou non tout de suite. Réfléchis-y.

Mais ce serait un merveilleux cadeau que tu pourrais lui offrir, pour des raisons que je ne peux pas t'expliquer maintenant. Et je te le promets, Regina — Hatch est un homme bien. Il ferait n'importe quoi pour toi, il mettrait sa vie en jeu si c'était nécessaire, et il ne demandera jamais rien en échange. Il serait même contrarié s'il apprenait que je t'ai parlé de tout ça. Mais ce que je souhaite c'est seulement que tu y penses.

Après un long silence, Regina cessa de contempler leurs mains emmêlées et hocha la tête.

— Okay. J'y penserai.

— Merci, Regina. (Lindsey se leva.) Maintenant, installons ce dernier tableau, tu veux ?

Elle prit les mesures, fit une marque au stylo sur le mur, y planta un crochet.

Regina lui passa la toile et dit :

— C'est juste que pendant toute ma vie... il n'y a jamais eu personne que j'ai appelé maman ou papa... C'est très nouveau, pour moi.

Lindsey sourit.

— Je comprends, ma chérie. Je comprends vraiment. Et Hatch aussi comprendra s'il te faut du temps.

Dans la Maison Hantée qui brûlait, alors que les appels au secours et les hurlements d'agonie augmentaient, quelque chose de stupéfiant apparut soudain au milieu du brasier. *Une rose.* Une rose noire. Elle flottait dans l'air, comme maintenue en lévitation par un magicien dissimulé quelque part. Vassago n'avait jamais rien vu d'aussi beau dans le monde des vivants, ni dans le monde des morts, ni même au royaume des rêves. Elle chatoyait devant lui, avec ses pétales si lisses et si doux qu'ils semblaient avoir été découpés dans un ciel nocturne sans étoile. Les épines étaient délicieusement effilées, de vraies aiguilles de verre. La tige verte luisait comme les écailles d'un serpent. Sur un pétale, on voyait une unique goutte de sang.

Et puis la rose disparut de son rêve — mais plus tard elle revint et, avec elle, la femme nommée Lindsey et la fillette aux cheveux auburn et aux yeux gris. Vassago mourait d'envie de les posséder toutes les trois : la rose noire, la femme et l'enfant.

Lorsque Hatch eut fait un brin de toilette avant de dîner, tandis que Lindsey finissait de se préparer dans la salle de bains, il s'assit au bord du lit et lut l'article de S. Steven Honell dans *Arts American*. Il était capable d'ignorer pratiquement n'importe quelle insulte qu'on pouvait lui adresser, mais quand on s'attaquait à Lindsey, il réagissait toujours avec colère. Il ne supportait même pas certaines critiques sur son travail qu'elle-même jugeait fondées. A la lecture de la diatribe d'Honell, malveillante, fielleuse et définitivement stupide — à l'en croire, l'ensemble de la carrière de Lindsey était « un gaspillage d'énergie » —, Hatch se mit en colère.

Et comme la nuit précédente, cette colère se changea en une rage féroce, aussi soudainement qu'une éruption volcanique. Il serra si fort les mâchoires qu'il eut mal aux dents. Le magazine commença à bouger, car ses mains tremblaient. Sa vision se brouilla légèrement comme s'il voyait ce qui l'entourait à travers des vagues de chaleur qui miroitaient, et il lui fallut plisser les yeux pour que les mots aux contours flous redeviennent lisibles.

Comme la veille, lorsqu'il était allongé dans son lit, il eut l'impression que sa colère ouvrait une porte et que quelque chose pénétrait en lui par cette ouverture, un esprit mauvais qui ne connaissait que la haine et la rage. Ou peut-être que cette chose avait toujours été en lui, mais endormie, et que sa colère la réveillait. Il n'était plus seul à l'intérieur de sa propre tête. Il avait conscience d'une autre présence, comme une araignée qui se faufilait dans son cerveau.

Il voulut poser la revue et se calmer. Mais il continua à lire parce qu'il n'était plus totalement maître de lui-même.

Vassago se déplaçait dans la Maison Hantée, sans être gêné par le terrible incendie qui la ravageait, parce qu'il avait prévu une issue de secours. Parfois il avait douze ans, et parfois il en avait vingt. Mais dans les deux cas son avance était illuminée par des torches humaines, dont certaines s'effondraient en silence et s'empilaient sur le sol fumant, tandis que d'autres explosaient sur son passage.

Dans son rêve, il avait un magazine à la main, ouvert sur un article qui le mettait en colère, un article qu'il lui semblait urgent de lire. Les bords des pages se gondolaient sous l'effet de la chaleur et menaçaient de s'enflammer. Des noms lui sautaient aux yeux. *Lindsey. Lindsey Sparling.* Maintenant, il pouvait au moins mettre un nom sur son visage. Il sentit un besoin urgent de se débarrasser du magazine, de respirer plus lentement, de se calmer. Au lieu de quoi, il alimenta sa colère, il laissa un agréable flot de rage le submerger et décida d'en savoir davantage. Le bord des pages continuait à se recroqueviller sous la chaleur. Honell. Un autre nom. Steven Honell. Des débris enflammés tombèrent sur l'article. Steven S. Honell. Non. Le S en premier. *S. Steven Honell.* Le papier prit feu. Honell. Un écrivain. Une salle de bar. Silverado Canyon. Entre ses mains, maintenant, le magazine brûlait. Les flammes lui léchaient le visage.

Il sortit du sommeil à la vitesse d'une balle éjectée de sa chemise de laiton, et s'assit dans sa sombre cachette.

Parfaitement réveillé. Excité. Il en savait assez, à présent, pour retrouver la femme.

La rage balayait Hatch comme un incendie — l'instant suivant, elle avait disparu.

Ses mâchoires se desserrèrent, ses épaules contractées se détendirent et ses mains s'ouvrirent si brusquement qu'il lâcha le magazine ; celui-ci tomba à ses pieds.

Il resta assis un moment au bord du lit, étourdi et désorienté. Il regarda la porte de la salle de bains, soulagé que Lindsey ne fût pas arrivée au moment où il était... Où il était quoi ? En transe ? Possédé ?

Il sentit tout à coup quelque chose de très particulier, quelque chose de parfaitement déplacé ici, en cet instant.

Une odeur de fumée.

Il considéra le numéro d'*Arts American* par terre, entre ses pieds. Il le ramassa d'un geste mal assuré. Le magazine était toujours ouvert sur l'article d'Honell. Aucune fumée visible ne s'en élevait, et cependant le papier laissait échapper une lourde odeur de bois, de papier, de goudron, de plastique brûlés... et de quelque chose d'autre encore pire. Les bords des pages étaient marron-jaune et craquants, comme s'ils avaient été exposés à une chaleur suffisante pour déclencher une combustion spontanée.

7

Lorsque l'on frappa à la porte, Honell était installé dans un rocking-chair près de la cheminée. Il buvait du Chivas Regal et était plongé dans l'un de ses propres romans, *Miss Culvert*, écrit vingt-cinq ans auparavant — il n'avait alors que trente ans.

Il relisait chacun de ses neuf livres une fois par an parce qu'il était perpétuellement en compétition avec lui-même, et s'évertuait à progresser avec l'âge au lieu de s'installer tranquillement dans la sénescence comme la plupart des écrivains. Et une amélioration continue était un formidable pari parce qu'il était *rudement* bon dans sa jeunesse. Chaque fois qu'il se relisait, il découvrait avec surprise que son œuvre était considérablement plus impressionnante que dans son souvenir.

Miss Culvert était un traitement fictionnel de l'existence égocentrique de sa mère dans la bonne société de la haute bourgeoisie d'une ville du sud de l'Illinois, une condamnation de la culture du Midwest satisfaite d'elle-même et d'une fadeur étouffante. Il avait vraiment réussi à rendre l'essence de cette garce. Oh oui, comme il l'avait peinte ! En lisant *Miss Culvert*, il se rappela combien sa mère avait été choquée et horrifiée quand elle avait lu le roman, et il décida que dès qu'il aurait fini ce livre, il s'attaquerait à la suite, *Mrs Towers*, qui racontait le mariage de sa mère avec son père, son veuvage, et son second mariage. Il était convaincu que c'était cette suite qui l'avait tuée. Officiellement, elle était morte d'une crise cardiaque. Mais un infarctus devait être déclenché par quelque chose, et l'événement coïncidait de façon satisfaisante avec la publication de *Mrs Towers* et l'intérêt que lui avait porté la presse.

Lorsqu'un visiteur inattendu frappa à la porte d'entrée, Honell réprima difficilement sa mauvaise humeur. Son visage se plissa avec aigreur. Il préférait la compagnie de ses propres personnages à celle de quiconque venant le voir, invité ou pas.

Car tous les personnages de ses livres étaient soigneusement affinés et précisés, alors que les gens, dans la vie réelle, étaient immanquablement... eh bien, confus, obscurs, compliqués sans raison.

Il jeta un coup d'œil à la pendule, sur la cheminée. Vingt et une heures dix.

On frappa de nouveau. Avec plus d'insistance, cette fois. Il s'agissait probablement d'un voisin, et c'était là une perspective atterrante, parce que tous ses voisins étaient cinglés.

Il envisagea un instant de ne pas répondre. Mais dans ces cantons ruraux, les autochtones se considéraient comme de « bons voisins » et jamais comme les casse-pieds qu'ils étaient en réalité, et s'il ne répondait pas, ils allaient assiéger la maison, essayer de regarder par les fenêtres, pris d'une inquiétude typiquement campagnarde pour sa santé. Bon Dieu, qu'il les haïssait ! Il ne parvenait à les supporter que parce qu'il haïssait encore plus les gens des villes — quant aux banlieusards, il les avait en horreur.

Il posa son Chivas et son livre, et gagna la porte dans l'intention de passer un savon à la personne qui se trouvait sous son porche. Vu sa maîtrise du langage, il était capable de mortifier n'importe qui en une minute et de le faire fuir en deux minutes. Le plaisir d'infliger une humiliation le dédommagerait presque de cette interruption.

Lorsqu'il souleva le rideau protégeant le panneau vitré de la porte d'entrée, il découvrit avec surprise que ce n'était pas un voisin. C'était quelqu'un qu'il ne connaissait pas. Le garçon ne devait pas avoir plus de vingt ans, il était aussi pâle que les ailes des phalènes qui venaient taper contre la lampe du porche. Il était entièrement habillé de noir et portait des lunettes de soleil.

Les intentions du visiteur ne l'inquiétèrent pas le moins du monde. Le canyon était à moins d'une heure des zones les plus populeuses du comté d'Orange, mais il était néanmoins isolé par sa situation géographique rébarbative et le mauvais état de ses routes. Le crime ne posait pas de problème dans le coin car les criminels étaient attirés par des endroits plus habités où les gains étaient meilleurs. En outre, la plupart des gens qui vivaient dans les cabanes des environs n'avaient rien d'intéressant à dérober.

Ce jeune homme très pâle l'intrigua.

— Qu'est-ce que vous voulez ? demanda-t-il sans ouvrir la porte.

— Monsieur Honell ?

— Exact.

— S. Steven Honell ?

— Vous allez transformer ça en séance de torture ?

— Monsieur, excusez-moi, mais vous êtes l'écrivain ?

Un étudiant. Ça devait être ça.

Dix ans plus tôt — euh, presque vingt — Honell était poursuivi par les étudiants en licence d'anglais qui voulaient être ses élèves ou simplement se jeter à ses pieds pour l'adorer. C'était une masse inconstante, cependant, toujours à l'affût des modes, sans la moindre véritable appréciation de l'art littéraire de qualité.

Bon sang, aujourd'hui la plupart d'entre eux étaient même incapables de lire ; ils n'avaient d'étudiants que le nom. Les institutions où ils étaient inscrits n'étaient pas grand-chose de plus que des garderies pour des immatures en phase terminale, et ils avaient aussi peu de chances d'y apprendre quelque chose que de s'envoler pour Mars en agitant les bras.

— Oui, l'écrivain. Pourquoi ?

— Monsieur, j'admire énormément vos livres.

— Vous les avez écoutés sur cassettes, n'est-ce pas ?

— Monsieur ? Non, je les ai lus, tous.

Les cassettes, pour lesquelles ses éditeurs avaient cédé les droits sans son autorisation, reprenaient ses textes, mais abrégés de deux tiers. Des parodies.

— Ah, vous les avez lus sous forme de BD, hein ? dit Honell avec aigreur, encore qu'à sa connaissance le sacrilège de l'adaptation en BD n'eût pas été commis pour l'instant.

— Monsieur, je suis désolé de faire intrusion chez vous comme ça. Il m'a fallu vraiment beaucoup de temps pour trouver le courage de venir vous voir. Ce soir, j'ai eu finalement le cran de le faire, et je savais que si je remettais ça à plus tard, ça ne se reproduirait plus. J'ai le plus grand respect pour votre œuvre, monsieur, et si vous pouviez me consacrer un peu de temps — oh pas beaucoup ! — pour répondre à quelques questions, je vous en serais extrêmement reconnaissant.

Une petite conversation avec un jeune homme intelligent pouvait, en fait, avoir plus de charme que la énième lecture de *Miss Culvert*. Beaucoup de temps s'était écoulé depuis le dernier visiteur de ce genre, qui était venu jusqu'au nid d'aigle où il vivait alors, au-dessus de Santa Fe. Il n'hésita qu'une seconde et ouvrit la porte.

— Bon, entrez, et nous verrons si vous avez vraiment saisi la complexité de ce que vous avez lu.

Le jeune homme franchit le seuil, et Honell lui tourna le dos, se dirigeant vers son rocking-chair et son Chivas.

— C'est vraiment gentil de votre part, monsieur, dit le visiteur tout en refermant la porte derrière lui.

— La gentillesse, c'est la qualité des faibles et des idiots, jeune homme. J'ai d'autres motivations. (En atteignant son fauteuil, il se retourna et ajouta :) Ôtez ces lunettes noires. Les lunettes noires, la nuit, c'est la pire des affectations hollywoodiennes, et non un signe de sérieux.

— Je suis désolé, monsieur, mais ce n'est pas de la frime. C'est juste que ce monde est d'une luminosité bien plus violente que l'Enfer — ce que, j'en suis sûr, vous finirez par découvrir.

Hatch n'avait pas d'appétit. Il avait simplement envie de s'asseoir tout seul dans un coin, avec le numéro d'*Arts American* aux pages inexplicablement recroquevillées par la chaleur, et le fixer jusqu'à ce que, bon Dieu !, il *s'obligeât* à comprendre exactement ce qui lui arrivait. Il avait foi en la raison. Il ne lui était pas facile d'accepter les analyses surnaturelles. Ce n'était pas un hasard s'il travaillait dans les antiquités ; il avait besoin de s'entourer de choses qui contribuaient à une atmosphère d'ordre et de stabilité.

Mais les gosses aussi recherchaient la stabilité, ce qui signifiait entre autres des heures de repas régulières. Aussi allèrent-ils dîner dans une pizzeria, après quoi ils s'offrirent un film au centre culturel, à côté. Une comédie. Si le film ne fit pas oublier à Hatch les problèmes qui le tourmentaient, les rires fréquents et musicaux de Regina mirent un peu de baume sur ses nerfs à vif.

Plus tard, chez eux, il borda la fillette dans son lit, l'embrassa sur le front, lui souhaita de beaux rêves et éteignit la lumière ; alors, Regina murmura :

— Bonsoir... papa...

Il allait sortir de sa chambre, lorsque le mot « papa » l'immobilisa. Il se retourna et la regarda.

— Bonsoir, répéta-t-il, décidé à recevoir ce présent aussi tranquillement qu'elle le lui avait donné, craignant que s'il en faisait toute une affaire elle ne l'appelât « Mr Harrison » jusqu'à la fin de ses jours. Mais il sentit son cœur s'envoler.

Dans leur chambre, où Lindsey était en train de se déshabiller, il annonça :

— Elle m'a appelé « papa ».

— Qui ça ?

— Sois sérieuse. Qui, d'après toi ?

— Combien tu l'as payée pour ça ?

— T'es juste jalouse parce qu'elle t'a pas encore dit « maman ».

— Elle le dira. Elle n'a plus aussi peur.

— De toi ?

— De courir le risque.

Avant de se déshabiller à son tour, Hatch alla vérifier s'il y avait des messages sur le répondeur, dans la cuisine. Après tout ce qui lui était arrivé, et avec les problèmes qu'il avait encore à résoudre, c'était drôle qu'un simple « papa » prononcé par Regina lui redonnât à ce point le moral. Il descendit les escaliers deux marches à la fois.

Le répondeur était sur le plan de travail, à la gauche du réfrigérateur, au-dessous du bloc-notes mural en liège. Hatch espérait une réponse de l'exécuteur testamentaire auquel il avait fait une offre, dans la matinée, pour la collection Wedgwood. Le compteur de l'appareil indiquait trois messages. Le premier était de Glenda Dockridge, son bras droit à la boutique. Le second, de Simpson Smith, un ami antiquaire de Melrose Place, à Los Angeles. Et le dernier venait de Janice Dimes, une amie de Lindsey. Tous les trois les appelaient pour leur annoncer la même nouvelle : ... *Hatch, Lindsey, Hatch et Lindsey, est-ce que vous avez vu le journal, est-ce que vous avez lu la presse, est-ce que vous avez entendu les nouvelles sur Cooper, sur ce type qui vous a balancés dans le ravin, sur Bill Cooper, il est mort, il a été assassiné, il a été tué la nuit dernière...*

Hatch eut brusquement l'impression que son sang se glaçait dans ses veines.

La veille au soir, il s'était mis en rage contre Cooper qui s'en tirait finalement sans être puni, et il avait souhaité sa mort.

Non, une seconde. Il avait dit qu'il voulait lui casser la gueule, lui faire payer ça, le balancer dans la rivière, mais il n'avait pas réellement souhaité sa mort. Et même, si ç'avait été le cas ? Il n'avait pas tué l'homme pour de bon. Il n'était pas responsable de ce qui était arrivé.

En enfonçant sans ménagement la touche d'effacement des messages, il pensa : *Tôt ou tard, les flics vont vouloir me parler.*

Et puis il se demanda pourquoi il se souciait de la police. Peut-être que le tueur était déjà en prison, auquel cas aucun soupçon ne pèserait sur lui. Mais pourquoi serait-il soupçonné ? Il n'avait rien fait. *Rien !* Pourquoi, alors, la culpabilité montait-elle en lui comme le Mille-Pattes avançant tout doucement dans son long tunnel ?

Le Mille-Pattes ?

La nature totalement énigmatique de cette image lui fit froid dans le dos. Il était incapable d'en retrouver l'origine. Comme si ce n'était pas une pensée à lui, mais quelque chose qu'il... *avait reçu.*

Il remonta à l'étage aussi vite que possible.

Lindsey, allongée sur le dos, arrangeait les draps autour d'elle.

Le journal était sur la table de nuit, du côté de Hatch, à l'endroit où elle le posait toujours. Il le ramassa vivement et jeta un rapide coup d'œil à la première page.

— Hatch ? demanda-t-elle. Qu'est-ce qui ne va pas ?

— Cooper est mort.

— Quoi ?

— Le type qui conduisait le camion de bière. William Cooper. Assassiné.

Elle repoussa les draps et s'assit au bord du lit.

Il trouva l'article en page trois. Il s'installa à côté de Lindsey et ils le lurent ensemble.

D'après le journal, la police cherchait à parler à un jeune homme d'une vingtaine d'années, à la peau très blanche et aux cheveux noirs. Un voisin l'avait aperçu alors qu'il s'enfuyait dans l'allée derrière les appartements de Palm Court. Peut-être qu'il portait des lunettes de soleil. En pleine nuit, ajoutait le témoin.

— C'est le même salopard qui a tué la blonde, dit Hatch, d'une voix effrayée. Les lunettes noires dans le rétroviseur. Et maintenant, il me fauche mes pensées. Il met en scène *ma* colère, il assassine les gens que je voudrais voir punis.

— Ça n'a pas de sens. C'est impossible.

— C'est comme ça. (La nausée lui tordait l'estomac. Il regarda ses mains comme s'il pouvait vraiment y voir le sang du camionneur.) Mon Dieu, c'est moi qui l'ai envoyé après Cooper !

Il était si épouvanté, si oppressé par le sentiment de sa responsabilité dans ce qui venait d'arriver qu'il avait tout à coup désespérément besoin de se laver les mains, de les frotter jusqu'à s'arracher la peau. Mais quand il voulut se lever, il découvrit que ses jambes étaient trop faibles pour le supporter, et il fut forcé de se rasseoir.

Lindsey était déconcertée et horrifiée, elle aussi, mais elle ne réagit pas aussi violemment que Hatch à ces nouvelles.

Il lui parla alors du reflet du jeune homme aux lunettes de soleil, habillé de noir, qu'il avait vu la nuit précédente dans le miroir du petit bureau à la place de son propre reflet, lorsqu'il s'était emporté contre Cooper. Il lui raconta aussi comment, alors qu'elle dormait et qu'il était couché à côté d'elle à ressasser l'histoire du camionneur, sa colère s'était transformée soudain en une rage d'une violence mortelle. Il lui parla de son impression d'être envahi et submergé et lui expliqua que tout s'était terminé dans le noir le plus complet. Et pour l'achever, il lui dit que sa colère avait de nouveau augmenté anormalement quand il avait lu l'article d'*Arts American* un peu plus tôt dans la soirée, et il prit le magazine sur sa table de nuit pour lui montrer les pages inexplicablement roussies par la chaleur.

Lorsqu'il eut fini son récit, l'angoisse de Lindsey égalait celle de son mari. Mais c'était qu'il ne lui eût rien dit jusqu'à présent qui semblait la toucher encore plus que tout le reste.

— Pourquoi m'as-tu dissimulé tout ça ?

— Je ne voulais pas t'inquiéter, répondit-il, conscient de la faiblesse de l'argument.

— On ne s'était encore jamais rien caché, jusqu'à aujourd'hui. On a toujours tout partagé. Tout.

— Je suis désolé, Lindsey. J'ai juste... c'est seulement que... ces derniers deux mois... les cauchemars avec les corps pourrissants, les violences, les incendies... toute cette *étrangeté*...

— A partir de maintenant, dit-elle, il n'y aura plus de secrets.

— J'ai seulement voulu t'épargner les...

— Plus de secrets, insista-t-elle.

— D'accord. Plus de secrets.

— Et tu n'es pas responsable de ce qui est arrivé à Cooper. Même s'il y a un lien quelconque entre toi et cet assassin, et même si c'est pour ça que Cooper a été pris pour cible, ce n'est pas de ta faute. Tu ne pouvais pas savoir que ta colère contre Cooper équivalait à sa condamnation à mort. Et tu n'avais aucun moyen pour empêcher ça.

Hatch regarda la revue desséchée par la chaleur et il frissonna. Le frisson de la peur.

— Mais maintenant, ce sera de ma faute si je n'essaie pas de sauver Honell..., murmura-t-il.

Elle fronça les sourcils et demanda :

— Qu'est-ce que tu veux dire ?

— Si ma colère a, d'une façon ou d'une autre, conduit ce type à Cooper, pourquoi est-ce que ça ne serait pas pareil avec Honell ?

Honell se réveilla dans un monde de douleur. Sauf qu'il y avait une différence, cette fois : oui, cette fois, c'était lui qui la ressentait — et c'était une douleur physique, pas morale. Son entrejambe le faisait souffrir après le coup de pied qu'il avait reçu dans les testicules ; le poing qui s'était abattu sur sa gorge lui donnait l'impression que son œsophage était lézardé comme du verre. Il avait un mal de tête épouvantable. Ses poignets et ses chevilles le brûlaient, et il lui fallut un moment pour comprendre pourquoi : il était attaché aux quatre montants de quelque chose, son lit probablement, et les cordes lui irritaient la peau.

Il n'y voyait guère, parce que sa vision était brouillée par les larmes, mais aussi parce qu'il avait perdu ses lentilles de contact au cours de l'agression. Il savait qu'il avait été attaqué, mais pendant un instant, il fut incapable de se souvenir de l'identité de son assaillant.

Et puis le jeune homme se pencha au-dessus de lui, aussi flou que la surface de la lune vue dans un télescope mal réglé. Il s'approcha, s'approcha, et alors son visage devint net — un visage beau et pâle, entouré par d'épais cheveux noirs. Il ne souriait pas comme les psychotiques du cinéma ; il n'avait pas l'air sauvage non plus ; il ne fronçait même pas les sourcils. En fait, il n'avait aucune expression — sauf, peut-être, une curiosité professionnelle pleine de sérieux avec laquelle un entomologiste étudiait les mutations d'une espèce familière d'insectes.

— Je suis désolé de ce traitement peu courtois, alors que vous avez été assez gentil de m'accueillir dans votre maison, dit l'inconnu. Mais je suis plutôt pressé, et je n'avais pas le temps de découvrir au cours d'une conversation ordinaire ce que j'ai besoin de savoir.

— Tout ce que vous voulez, répondit Honell sur un ton apaisant.

Il fut choqué de constater à quel point sa voix mélodieuse avait changé — cet outil de séduction jusqu'à présent toujours fiable, cet instrument si capable d'exprimer le mépris... Maintenant, sa voix était rauque, c'était un gargouillement humide tout à fait répugnant.

— J'aimerais savoir qui est Lindsey Sparling, expliqua le jeune homme sans la moindre émotion, et où je peux la trouver.

Hatch fut surpris de découvrir le numéro de téléphone d'Honell dans l'annuaire. Bien sûr, le nom de l'auteur n'était plus aujourd'hui aussi familier au citoyen cultivé qu'il l'avait été durant ses brèves années de gloire, lorsqu'il avait publié *Miss Culvert* et *Mrs Towers*. Honell n'avait plus à s'inquiéter de sa vie privée, ces temps-ci : à l'évidence, le public lui offrait désormais davantage d'incognito qu'il n'en pouvait désirer.

Pendant que Hatch composait le numéro, Lindsey faisait les cent pas dans la chambre. Elle avait donné son opinion sur cette initiative : Honell considérerait l'avertissement de Hatch comme une menace de pacotille.

Hatch était aussi de cet avis. Mais il devait quand même essayer.

L'humiliation et la frustration qu'il s'attendait à éprouver à la réaction d'Honell lui furent pourtant épargnées car personne ne décrocha, là-bas, dans les lointains canyons de la nuit désertique. Il laissa sonner vingt fois.

Il allait renoncer quand une série d'images claquèrent dans

son esprit avec un bruit semblable à un court-circuit électrique : un édredon en désordre ; un poignet saignant attaché avec une corde ; deux yeux myopes effrayés et injectés de sang... et dans ces yeux, le double reflet d'un visage sombre avec une paire de lunettes de soleil.

Hatch reposa brusquement le combiné et fit un bond en arrière comme si l'appareil venait tout à coup de se métamorphoser en un serpent à sonnettes entre ses doigts.

— Ça se produit... maintenant..., murmura-t-il.

Le téléphone se tut.

Vassago regarda l'appareil, mais la sonnerie ne reprit pas.

Il reporta son attention sur l'homme attaché, bras et jambes écartés, aux montants de cuivre du lit.

— Donc Lindsey Harrison c'est son nom de femme mariée ?

— Oui, répondit Honell d'une voix rauque.

— Maintenant, ce qu'il me faut d'urgence, monsieur, c'est une adresse.

Le téléphone public était à l'extérieur d'une petite épicerie, dans un centre commercial, à trois kilomètres à peine de chez les Harrison. Il était protégé des intempéries par un auvent de Plexiglas et entouré par un écran phonique arrondi. Hatch aurait préféré l'intimité d'une véritable cabine, mais celles-ci — souvenirs luxueux d'une époque moins consciente des coûts — étaient rares, désormais.

Il se gara à l'extrémité du centre commercial, à une distance suffisante de la vitrine du magasin d'alimentation pour que personne ne pût se souvenir de lui.

Il alla à pied jusqu'au téléphone, dans un vent tiède soufflant en rafales. Les lauriers du centre étaient infestés de thrips, et des feuilles mortes recroquevillées glissaient sur la chaussée avec un bruit sec. Dans la lueur pisseuse des lampadaires du parking, on aurait dit des hordes d'insectes, des cafards aux mutations bizarres, qui s'enfuyaient en grouillant vers leurs repaires souterrains.

Le magasin était presque vide et toutes les autres boutiques étaient fermées. Hatch se pencha derrière l'écran phonique du téléphone public, certain que personne ne surprendrait ce qu'il dirait.

Il n'avait pas voulu contacter la police de chez lui car, il le savait, elle pouvait repérer l'origine de tous les appels. Si elle retrouvait Honell mort, Hatch n'avait aucune envie de devenir son principal suspect. Et si ses inquiétudes pour la sécurité de Honell se révélaient infondées, il ne voulait pas être fiché comme une espèce de dingue ou d'illuminé.

Au moment où il composa le numéro avec l'index plié, tout en tenant le combiné dans un Kleenex pour ne laisser aucune empreinte, il ne savait toujours pas ce qu'il allait raconter aux policiers. Il savait seulement ce qu'il ne devait pas dire : *Hello, j'ai été mort quatre-vingts minutes, et puis j'ai été réanimé, et maintenant j'ai ce lien télépathique rudimentaire mais parfois efficace avec un tueur psychotique et je crois devoir vous avertir qu'il va encore frapper.* Il pensait que les autorités le prendraient avec le même sérieux qu'un type coiffé d'une pyramide en feuilles d'aluminium en guise de chapeau pour protéger son cerveau des radiations dangereuses de méchants voisins extraterrestres capables de polluer les esprits...

Il avait décidé d'appeler le bureau du shérif du comté d'Orange plutôt que tel ou tel service de police urbain, car les crimes commis par l'homme aux lunettes noires concernaient plusieurs juridictions. Lorsque la standardiste répondit, Hatch parla vite, et ne la laissa pas l'interrompre, sachant aussi qu'ils pouvaient le retrouver dans un téléphone public s'ils avaient assez de temps :

— L'homme qui a tué la fille blonde et qui l'a jetée sur l'autoroute il y a une semaine est le même que celui qui a assassiné William Cooper hier soir, et cette nuit il va attaquer Steven Honell l'écrivain si vous ne le protégez pas vite, je veux dire immédiatement. Honell habite Silverado Canyon, je ne connais pas l'adresse, mais c'est probablement dans votre juridiction, et c'est un homme mort si vous ne vous mettez pas en route tout de suite.

Il raccrocha et regagna sa voiture, tout en faisant disparaître dans la poche de son pantalon le Kleenex roulé en boule. Il était moins soulagé qu'il ne s'y était attendu, et surtout : il se sentait vraiment fou.

Il avançait face au vent, maintenant. Les feuilles des lauriers attaquées par les thrips arrivaient en face de lui, cette fois. Elles sifflaient en glissant sur le revêtement, elles craquaient sous ses chaussures.

Il savait que ses efforts pour secourir Honell étaient inutiles. Le bureau du shérif traiterait certainement son appel comme tous les autres appels de dingues.

De retour chez lui, il se gara dans l'allée, pour ne pas réveiller Regina avec le bruit de la porte du garage. Son cuir chevelu le picotait, quand il sortit de la voiture. Il resta immobile une minute, à surveiller les ombres le long de la maison, autour des massifs et sous les arbres. Rien.

Lindsey était en train de lui verser une tasse de café quand il pénétra dans la cuisine.

Il sirota avec plaisir le breuvage chaud. Il avait plus froid, soudain, que lorsqu'il était dehors, dans la fraîcheur de la nuit.

— Qu'est-ce que tu en penses ? lui demanda-t-elle, d'un air inquiet. Est-ce qu'ils t'ont pris au sérieux ?

— C'est comme si j'avais pissé dans un violon.

Vassago utilisait toujours la Honda gris perle de Renata Desseux. C'était une bonne voiture, qui se révélait très maniable sur les routes tortueuses qu'il emprunta pour s'éloigner du canyon où habitait Honell, et regagner des zones habitées du comté d'Orange.

Alors qu'il négociait un virage particulièrement serré, une voiture de police du bureau du shérif le croisa à toute vitesse, se dirigeant vers le haut du canyon. Sa sirène était silencieuse, mais ses lumières envoyaient des flashes bleus et rouges sur les talus schisteux et les arbres noueux qui les surplombaient.

Il partagea son attention entre la route qui tournait, devant lui, et les feux arrière de la voiture de patrouille qui diminuaient dans son rétroviseur, puis qui disparurent dans un virage. Il était sûr que les flics fonçaient chez Honell. La sonnerie interminable qui avait interrompu son interrogatoire, voilà ce qui avait alerté le bureau du shérif, il en était sûr, mais il ne savait ni comment, ni pourquoi.

Il ne roulait pas vite. A l'extrémité du Silverado Canyon, il prit vers le sud sur Santiago Canyon Road et resta à la vitesse légale autorisée comme tout bon citoyen était censé le faire.

8

Allongé dans l'obscurité, Hatch sentait son univers se désagréger autour de lui. Bientôt, il ne resterait que de la poussière — et lui.

Le bonheur avec Lindsey et Regina était à portée de main. Ou était-ce une illusion ? Ces deux êtres étaient-ils infiniment plus loin de lui qu'il ne le pensait ?

Il aurait aimé avoir une nouvelle perspective d'approche de ces événements apparemment surnaturels : tant qu'il ne comprendrait pas la nature de l'être malfaisant qui était entré dans sa vie, il ne pourrait pas le combattre.

Il se rappela les paroles du docteur Nyebern : ... *Je crois que le mal est vraiment une force en tant que telle, une énergie qui existe en dehors de nous, une présence dans le monde...*

Il crut sentir un reste de l'odeur de fumée des pages d'*Arts American* racornies par la chaleur. Il avait rangé le magazine dans le meuble de son bureau du rez-de-chaussée, dans le tiroir qui fermait à clé. Et la petite clé avait rejoint le trousseau qu'il transportait sur lui.

Jusqu'à aujourd'hui, il n'avait jamais rien enfermé dans ce meuble. Et il ne savait pas exactement pourquoi il l'avait fait, cette fois. Pour mettre une preuve à l'abri, pensa-t-il. Mais une preuve de quoi ? Les pages roussies de la revue ne prouvaient rien à personne sur rien.

Non. Ce n'était pas tout à fait la vérité : ce magazine lui prouvait à lui, à défaut de quelqu'un d'autre, qu'il n'était pas simplement victime d'hallucinations, ni en train d'imaginer tout ce qui lui arrivait. Ce qu'il avait conservé dans ce meuble, pour la paix de son propre esprit, était bien une preuve : une preuve de sa santé mentale.

Lindsey, à côté de lui, était éveillée, elle aussi; peut-être qu'elle ne voulait pas dormir, ou peut-être qu'elle n'y parvenait pas. Elle dit soudain :

— Et si ce tueur...

Hatch attendit. Il n'avait pas besoin de lui demander de finir sa phrase, parce qu'il savait déjà ce qu'elle allait dire. Et effectivement, au bout d'un moment, elle posa exactement la question qu'il attendait :

— ... Et si ce tueur a conscience de ton existence autant que toi, tu as conscience de la sienne ? S'il te retrouve, toi, nous, Regina ?

— Dès demain matin, on prendra des précautions.

— Quelles précautions ?

— Des revolvers, pour commencer.

— Peut-être que ce n'est pas une histoire que nous pouvons affronter tout seuls.

— On n'a pas le choix.

— Peut-être que nous avons besoin de l'aide de la police...

— D'une façon ou d'une autre, je ne crois pas qu'ils mettront beaucoup d'effectifs pour protéger quelqu'un simplement parce qu'il prétend avoir un lien surnaturel avec un tueur psychotique, tu vois.

Le vent qui, tout à l'heure, tourmentait les feuilles sur le parking du centre commercial avait trouvé, ici, une attache de gouttière qui bougeait et il jouait avec. Le métal grinçait doucement contre le métal.

Hatch reprit :

— Quand je suis mort, je suis allé quelque part, d'accord ?

— Qu'est-ce que tu veux dire ?

— Le Purgatoire, le Paradis, l'Enfer — voilà les possibilités de base pour un catholique, si ce que nous croyons correspond à la réalité.

— Mais tu as toujours prétendu que tu n'avais eu aucune expérience de cette... presque mort.

— Exact. Je n'ai absolument aucun souvenir de... l'Autre Côté. Mais ça ne signifie pas que je n'y suis pas allé.

— Où veux-tu en venir ?

— Peut-être que ce tueur n'est pas un homme ordinaire ?

— Je ne te suis plus, Hatch.

— Peut-être que j'ai ramené quelque chose avec moi ?

— *Ramené quelque chose avec toi ?*

— Oui. De là où j'étais quand j'étais mort.

— Quelque chose ?

L'obscurité avait ses avantages. L'homme aux superstitions primitives qui y était allongé pouvait dire des choses qui, exprimées en pleine lumière, auraient semblé trop folles.

Il répondit :

— Oui, un esprit. Une entité.

Elle resta silencieuse.

— Mon passage dans la mort et mon retour ont peut-être

ouvert une porte, poursuivit-il, et laissé... quelque chose s'y glisser.

— Quelque chose..., répéta-t-elle, mais sans interrogation dans la voix, cette fois.

Il sentit qu'elle comprenait ce qu'il voulait dire — et qu'elle n'aimait pas cette théorie.

— Et maintenant cette chose est en liberté dans notre monde... Ce qui explique son lien avec moi — et peut-être la raison pour laquelle elle tue des gens qui *me* mettent en colère.

Elle ne dit rien pendant un moment. Puis :

— Si quelque chose est « revenu », c'est sans aucun doute un mal absolu. Qu'est-ce que... tu veux dire, alors ? Quand tu es mort... tu es allé en Enfer, et ce tueur est rentré sur ton dos de là-bas ?

— Peut-être. Je ne suis pas un saint, quoi que tu en penses. Après tout, j'ai le sang de Cooper sur les mains.

— Non. Ça s'est passé après ta mort et ta réanimation. En plus, tu n'as pas de raison de partager cette culpabilité.

— C'est ma colère qui en a fait une cible, ma colère...

— Des conneries, ça, répliqua Lindsey avec violence. Tu es l'homme le plus gentil que j'aie jamais rencontré. Si les logements de l'après-vie comprennent un Paradis et un Enfer, tu as gagné au Paradis l'appartement avec la plus belle vue.

Il découvrit avec surprise que, malgré son humeur si sombre, il pouvait encore sourire. Il trouva sa main, sous les draps, et la prit avec reconnaissance.

— Et je t'aime, en plus..., lui murmura-t-il.

— Alors essaie de trouver une autre théorie, si tu veux que je continue à rester éveillée.

— Mettons plutôt au point celle que nous avons déjà, okay ? Est-ce qu'il ne pourrait pas y avoir quelque chose après la vie qui ne ressemble pas du tout aux descriptions des théologiens ? Ce n'est peut-être pas obligé que ce soit le Paradis ou l'Enfer, l'endroit d'où je reviens... Simplement un autre lieu, plus bizarre qu'ici, différent, avec des dangers inconnus.

— Je n'aime pas tellement non plus cette théorie-là, fit Lindsey.

— Si je veux affronter cette histoire, il faut que je trouve un moyen de l'expliquer. Je ne peux pas rendre les coups si je ne sais même pas où frapper.

— Il doit bien y avoir une explication plus logique, assura-t-elle.

— C'est ce que je me dis aussi. Mais quand je la cherche, je suis confronté à l'absence de logique de tout ce qui nous arrive.

La gouttière continuait à grincer. Le vent murmurait sous les avant-toits et criait dans le conduit de la cheminée de leur chambre.

Il se demanda si Honell entendait le vent, lui aussi, là où il se trouvait — et si c'était le vent de ce monde... ou du prochain.

Vassago se gara devant la boutique d'antiquités d'Harrison, à l'extrémité sud de Laguna Beach ; elle occupait la totalité d'un immeuble Arts-Déco. Les grandes vitrines étaient plongées dans le noir, en cet instant de minuit où le jeudi devint vendredi.

Steven Honell n'avait pas pu lui dire où habitaient les Harrison, et une rapide vérification dans l'annuaire n'avait rien donné non plus. L'écrivain ne connaissait que le nom de leur boutique et son emplacement approximatif sur la Pacific Coast Highway.

L'adresse de leur domicile devait certainement se trouver quelque part dans leur magasin. Mais aller l'y chercher risquait de se révéler problématique. Un autocollant sur chacune des grandes vitrines de Plexiglas et un autre sur la porte principale prévenaient que les lieux étaient protégés par un système d'alarme relié à une société de gardiennage.

Il était revenu de l'Enfer avec la capacité d'y voir dans l'obscurité, des réflexes aussi rapides que ceux des animaux et une absence totale d'inhibitions qui le rendait capable de n'importe quelle atrocité ; en outre, il ne connaissait pas la peur, ce qui en faisait un adversaire aussi formidable qu'une machine... Mais il ne pouvait pas passer à travers les murs, ni se transformer en vapeur puis reprendre sa forme charnelle, ni voler ni réaliser toutes les prouesses dont un vrai démon était capable. Tant qu'il n'aurait pas mérité de retourner en Enfer en rassemblant une collection parfaite dans son musée de la mort et en tuant ceux qu'on l'avait envoyé détruire, il ne possédait que les pouvoirs mineurs du demi-monde démoniaque, insuffisants pour vaincre un système d'alarme.

Il s'éloigna de la boutique.

Au centre ville, il trouva une cabine téléphonique avec un annuaire, à côté d'une station-service. Malgré l'heure tardive, la station vendait toujours du carburant et ses éclairages extérieurs étaient si brillants que Vassago dut plisser les yeux derrière ses lunettes noires.

Tournoyant autour des lampadaires, des phalènes aux ailes de trois centimètres de long dessinaient sur la chaussée des ombres de la taille d'un corbeau.

Le sol de la cabine était jonché de mégots. Des fourmis s'occupaient du cadavre d'un scarabée.

Quelqu'un avait scotché sur la caisse de l'appareil un avertissement écrit à la main : HORS SERVICE.

Mais Vassago s'en moquait parce qu'il n'avait pas l'intention de téléphoner. Seul l'annuaire l'intéressait, attaché par une chaîne solide.

Il parcourut la rubrique « Antiquaires » dans les pages jaunes. Laguna Beach comptait beaucoup de monde dans ce milieu ; c'était un paradis pour les clients réguliers. Il étudia les espaces publicitaires : certaines boutiques avaient des noms de société, comme *International Antiques,* et d'autres tout simplement le nom de leurs propriétaires, comme celle d'Harisson, *Harisson's Antiques.*

Quelques-unes utilisaient les deux noms, société et propriétaire, et d'autres encore les noms complets de leur propriétaire parce que dans ce métier la réputation personnelle pouvait parfois attirer les clients. Ainsi, *Robert O. Loffman Antiques* dans les pages jaunes correspondait à un Robert O. Loffman dans l'annuaire, avec une adresse, que Vassago nota dans sa mémoire.

En retournant vers la Honda, il vit une chauve-souris descendre en piqué des profondeurs de la nuit, dessiner un arc de cercle dans l'éclat blanc bleuté éblouissant des lumières de la station-service, saisir au vol une grosse phalène et s'évanouir de nouveau dans les ténèbres d'où elle était arrivée. Ni le prédateur ni sa proie n'avaient fait le moindre bruit.

Robert O. Loffman avait soixante-dix ans, mais dans ses rêves les plus beaux il avait toujours dix-huit ans, il était vif et agile, fort et heureux. Ce n'étaient jamais des rêves érotiques. Aucune jeune femme aux gros seins n'ouvrait ses cuisses de velours pour l'accueillir. Ce n'étaient pas non plus des rêves de puissance, où il courait et franchissait d'un bond des précipices au cours d'aventures mouvementées. Non, tout y était toujours banal : il se promenait tranquillement sur une plage, à la tombée du jour, pieds nus, avec la sensation du sable mouillé entre ses orteils, tandis que sur l'écume brillante des vagues se reflétait un éblouissant coucher de soleil violet et rouge ; ou bien il était simplement assis dans l'herbe, à l'ombre d'un palmier, un après-midi d'été, et il observait un oiseau-mouche butinant le nectar des fleurs lumineuses d'un parterre multicolore. Le simple fait d'être jeune de nouveau semblait suffisamment miraculeux pour nourrir le rêve et le rendre intéressant.

En cet instant, il avait dix-huit ans, et il était allongé sur un banc à bascule, sous le porche de la maison de Santa Ana où il était né et où il avait été élevé. Il se balançait doucement et il pelait une pomme, rien de plus, mais c'était un rêve merveilleux, riche d'odeurs et de textures, plus érotique que s'il se trouvait dans un harem de beautés dénudées.

— Réveillez-vous, monsieur Loffman !

Il essaya d'ignorer la voix, parce qu'il voulait rester seul sous ce porche. Il continua à fixer sa pelure en tire-bouchon.

— Allez, réveillez-vous, espèce de vieil endormi !

Il essayait de peler sa pomme en ne faisant qu'un seul petit ruban de peau, sans le casser.

— Vous avez pris un somnifère, ou quoi ?

Au grand désespoir de Loffman, le porche, le banc, la pomme et le couteau commencèrent à se dissoudre dans l'obscurité. Il était dans sa chambre.

Il émergea du sommeil avec difficulté et se rendit compte qu'il y avait quelqu'un dans la pièce.

Une silhouette spectrale, à peine visible, se tenait à son chevet.

Bien qu'il n'eût jamais été victime d'une agression, et qu'il vécût dans un quartier aussi sûr que ce que l'on pouvait espérer aujourd'hui, l'âge avait développé chez Loffman un sentiment de vulnérabilité. Il avait un revolver chargé, près de sa lampe de chevet, à côté de son lit. Il tendit la main pour l'attraper, son cœur cognant dans sa poitrine tandis qu'il tâtonnait sur la surface de marbre glacée du petit coffre français du XVIIIe siècle en or moulu qui lui servait de table de nuit.

L'arme n'était plus là.

— Je suis désolé, monsieur, dit l'intrus. Je ne voulais pas vous effrayer. Je vous en prie, calmez-vous. Si c'est le revolver que vous cherchez, c'est moi qui l'ai, maintenant.

Mais l'inconnu n'aurait pas pu voir le revolver sans allumer, et la lumière l'aurait réveillé immédiatement : Loffman en était sûr, si bien qu'il continua à chercher son arme.

Quelque chose de froid et de contondant sortit soudain de l'obscurité et vint se planter contre sa gorge. Il se recula d'un coup sec, mais cette chose froide le suivit, appuya plus fort, comme si le spectre qui le tourmentait était capable de le voir dans l'obscurité. Il se figea lorsqu'il comprit ce qu'était cet objet : la gueule de son propre revolver. Contre sa pomme d'Adam.

L'arme remonta lentement le long de son cou, jusqu'à son menton.

— Si j'appuie sur la détente, monsieur, votre cervelle va gicler partout sur votre tête de lit. Mais je n'ai pas besoin de vous faire mal, monsieur. La douleur est tout à fait inutile tant que vous coopérez... Je désire seulement que vous répondiez à une question importante pour moi.

Si Robert Loffman avait réellement eu dix-huit ans, comme dans les plus beaux de ses rêves, il n'aurait pas accordé davantage de valeur au reste de son temps sur cette terre qu'il ne le faisait à soixante-dix ans, même si, aujourd'hui, il en avait beaucoup moins à perdre. Oh, oui ! il était prêt à s'accrocher à l'existence avec toute la ténacité d'une tique plantée dans de la chair. Oh, oui ! il répondrait à n'importe quelle question, il ferait n'importe quoi pour avoir la vie sauve, sans se soucier du prix que paieraient son orgueil et sa dignité. Il essaya d'expliquer tout cela au fantôme qui appuyait le revolver sous son menton, mais il eut l'impression de n'émettre qu'un flot de mots et de sons qui, au bout du compte, n'avaient aucun sens.

— Oui, monsieur, dit l'intrus, je comprends et j'apprécie votre attitude... A présent, arrêtez-moi si je me trompe, mais je suppose que le métier d'antiquaire, relativement peu important comparé à d'autres professions, forme une communauté où les gens sont proches, ici, à Laguna. Vous vous connaissez tous, vous vous rencontrez, vous êtes amis, n'est-ce pas ?

Les antiquaires ? Un instant, Loffman fut tenté de croire qu'il dormait toujours et que son rêve s'était transformé en un cauchemar absurde. Pourquoi quelqu'un entrerait-il par effraction dans sa maison au milieu de la nuit pour lui parler des antiquaires sous la menace d'un revolver ?

— Nous nous connaissons, certains d'entre nous sont de bons amis, bien sûr, mais il y a des salauds, dans ce boulot, des voleurs, répondit Loffman. (Il se mit à parler, parler, incapable de s'arrêter, espérant que sa peur évidente témoignerait de sa bonne foi, qu'il fût dans un cauchemar ou dans la réalité :) ce ne sont que des arnaqueurs à la caisse enregistreuse, et il n'est pas possible d'être ami avec ce genre d'individus si on a un peu de respect de soi-même.

— Vous connaissez le Harrison de *Harrison's Antiques* ?

— Oh, oui, oui, je le connais parfaitement, c'est un marchand réputé, tout à fait digne de confiance, un type bien.

— Vous êtes déjà allé chez lui ?

— Chez lui ? Oui, certainement, à trois ou quatre occasions, et lui aussi est venu chez moi.

— Dans ce cas, vous devez posséder la réponse à cette importante question dont je vous ai parlé en arrivant, monsieur. J'ai besoin de l'adresse de Mr Harrison et de l'itinéraire pour m'y rendre.

Loffman se décontracta, soulagé, lorsqu'il comprit qu'il allait pouvoir fournir à l'intrus les informations qu'il cherchait. Il pensa un instant qu'il faisait courir un grave danger à Harrison... Mais peut-être que ce n'était qu'un cauchemar, après tout, et que donner ce renseignement n'avait pas vraiment d'importance. Il répéta l'adresse et l'itinéraire plusieurs fois, à la demande de l'inconnu.

— Merci, monsieur. Votre aide m'a été précieuse. Comme je l'ai dit, vous faire mal n'est absolument pas nécessaire... Mais je vais quand même m'y employer parce que j'adore ça.

C'était donc bien un cauchemar.

Vassago passa en voiture devant la maison des Harrison, à Laguna Niguel. Puis il fit le tour du pâté de maisons et recommença.

La construction exerça sur lui un attrait puissant ; elle était du même style que toutes les autres, dans la rue, mais si différente, d'une façon indéfinissable et cependant fondamentale, qu'elle aurait pu tout aussi bien s'élever seule au beau milieu d'une plaine monotone. Il n'y avait aucune lumière aux fenêtres, et un minuteur avait sans doute éteint automatiquement l'éclairage extérieur, mais même si des lampes avaient brillé partout, cette maison n'aurait pas été un plus beau feu de joie pour Vassago.

Alors qu'il passait lentement devant elle pour la seconde fois, il se sentit aspiré par sa formidable gravité. Son destin, et il n'y pouvait rien, était intimement lié à ce bâtiment et à la femme pleine de vie qui y habitait.

Rien, ici, ne suggérait un piège. Une voiture rouge était rangée dans l'allée, et non dans le garage, mais cela ne l'inquiéta pas. Il décida néanmoins de faire le tour du pâté de maisons une troisième fois pour donner un dernier coup d'œil minutieux à l'endroit.

Au moment où il franchissait le coin de la rue, une phalène argentée glissa dans les faisceaux de ses phares et brilla une seconde comme la braise d'un grand feu. Il se souvint alors de la chauve-souris qui avait plongé dans la lumière de la station-service pour saisir au vol une autre infortunée phalène et la dévorer vivante.

Hatch avait fini par s'endormir, bien après minuit. Son sommeil était un puits de mine profond, où les veines des rêves circulaient comme de brillants rubans de minéraux sur ses parois totalement noires. Aucun de ses rêves n'était agréable, mais aucun non plus n'était suffisamment affreux pour le réveiller.

Il était debout au fond d'un ravin aux parois si abruptes qu'il ne pouvait les escalader. Et même si leur inclinaison lui en avait permis l'ascension, il n'aurait tout de même pas pu s'y engager, car elles étaient faites d'un curieux schiste blanc très meuble qui s'effritait et glissait traîtreusement sous les pieds. Le schiste émettait une faible incandescence de chaux, et c'était la seule lumière visible, car le ciel, loin au-dessus de sa tête, était noir, sans lune et sans étoiles. Hatch parcourait sans cesse le long ravin d'une extrémité à l'autre, inquiet sans savoir pourquoi.

Et puis il comprit deux choses qui firent se dresser ses cheveux sur sa tête : ce schiste blanc n'était fait ni de pierres ni des coquilles de millions d'anciennes créatures marines : c'étaient des squelettes humains, brisés et compactés, mais reconnaissables par endroits — ici, les phalanges de deux doigts avaient survécu à la compression, là, ce qui faisait penser au terrier d'un petit animal était en fait l'orbite creuse d'un crâne... Hatch vit aussi que le ciel n'était pas vide, que quelque chose y faisait des cercles, quelque chose de si noir qu'il se mêlait au noir de la nuit, tandis que ses ailes parcheminées battaient en silence. Il ne voyait pas cette chose, mais il sentait son regard et il sentait aussi en elle une faim qui ne pourrait jamais être assouvie.

Hatch se retourna dans son sommeil troublé, et murmura à son oreiller des paroles inquiètes, sans signification.

Vassago jeta un coup d'œil à la pendulette du tableau de bord. Même sans la confirmation des chiffres, il savait que l'aube se lèverait dans moins d'une heure.

Il n'était pas sûr d'avoir assez de temps avant le jour pour pénétrer dans la maison, tuer le mari, s'emparer de la femme et la ramener à sa cachette... Il ne pouvait pas se retrouver à l'extérieur une fois le jour levé. Si cela se produisait, il ne serait pas ratatiné, il ne tomberait pas en poussière, comme les morts-vivants dans les films, non, rien d'aussi théâtral — mais ses yeux étaient si sensibles que ses lunettes noires ne le protége-raient pas suffisamment du soleil. La lumière du jour le rendrait presque aveugle, elle l'affecterait dangereusement et sa façon de conduire attirerait immanquablement l'attention du premier policier qui remarquerait sa progression hésitante et zigzagante. Et dans cet état, il aurait quelques difficultés à s'occuper du flic.

Pis : il risquait alors de laisser cette femme s'échapper. Elle était apparue si souvent dans ses rêves qu'il la désirait vraiment, maintenant. Il avait déjà trouvé, avant, des pièces tellement belles qu'il avait été certain qu'elles seraient l'abou-tissement de sa collection et lui vaudraient de repartir immé-diatement dans l'univers sauvage des ténèbres et de la haine éternelles auquel il appartenait — et il s'était trompé. Mais aucune de ces acquisitions-là n'était apparue dans ses rêves. *Cette* femme, oui, était le véritable joyau qu'il cherchait pour sa couronne. Il devait éviter de s'emparer d'elle prématurément et de la perdre avant de pouvoir lui ôter la vie au pied du Lucifer géant, de tordre son corps pendant qu'il se refroidirait et de lui faire prendre la position qui symboliserait le mieux ses péchés et ses faiblesses.

Tandis que, pour la troisième fois, il passait en voiture devant la maison, il envisagea de repartir immédiatement pour sa cachette et de revenir ici le lendemain soir, dès le coucher du soleil. Mais ce plan ne lui plaisait pas. Se trouver si proche de cette femme le rendait fou et il n'avait aucune envie d'en être séparé de nouveau. Il sentait dans son sang le raz de marée qui l'entraînait vers elle.

Il avait simplement besoin d'un endroit où se dissimuler qui lui permettrait de rester près de cette femme. Peut-être un coin secret dans sa propre demeure. Une planque où il y avait peu de chances qu'elle vînt jeter un coup d'œil au cours des longues et hostiles heures du prochain jour.

Il gara la Honda à deux pâtés de maisons de chez les Harrison, et retourna à pied jusque chez eux en empruntant le trottoir bordé d'arbres. Les hauts lampadaires patinés de vert avaient, à leur sommet, des bras orientables qui dirigeaient la lumière sur la rue, et seule une vague lueur baignait, au-delà du trottoir, les pelouses des maisons silencieuses. Le voisinage dormait certainement et il était peu probable qu'on le surprît à rôder dans les buissons autour de la maison ; il se mit donc, sans se presser, à chercher une porte ou une fenêtre non verrouillée, et ne trouva rien jusqu'au moment où il arriva à la fenêtre du mur du fond du garage.

Regina fut réveillée en sursaut par un grattement, un faible *thump-thump* et un petit grincement. Comme elle n'était pas encore habituée à son nouveau domicile, elle était toujours un peu perdue quand elle sortait du sommeil, pas très sûre de l'endroit où elle se trouvait — mais certaine, au moins, qu'elle n'était pas dans sa chambre, à l'orphelinat. Elle chercha à tâtons sa lampe de chevet et l'alluma ; elle cligna des yeux une seconde à cause de la lumière, puis elle s'orienta et comprit que les bruits qui l'avaient tirée du sommeil étaient des bruits *sournois*. Ils avaient cessé dès qu'elle avait allumé. Ce qui semblait encore plus sournois.

Elle éteignit de nouveau et resta aux aguets dans l'obscurité, maintenant envahie d'auréoles colorées, car la lampe l'avait temporairement aveuglée, comme si elle avait reçu le flash d'un appareil photo en pleine figure. Les bruits ne recommencèrent pas, mais elle pensait qu'ils étaient venus de l'arrière de la maison.

Son lit était confortable. Le parfum de ses fleurs peintes semblait flotter dans la chambre. Entourée par ces roses, elle se sentait plus en sécurité qu'elle ne l'avait jamais été.

Elle n'avait pas envie de se lever, mais elle avait conscience aussi que les Harrison avaient des problèmes et elle se demanda si ces bruits anormaux au milieu de la nuit n'étaient pas justement liés à ces problèmes-là. La veille, quand elle était rentrée de l'école avec Hatch, et puis pendant le dîner au restaurant et ensuite après le cinéma, elle les avait sentis tendus, même s'ils essayaient de le lui cacher. Elle savait bien qu'elle était une bousilleuse et que les gens avaient des raisons d'être nerveux à cause d'elle, mais là, elle était certaine de ne pas être la cause de leur nervosité. Avant de dormir, elle avait prié pour que leurs ennuis, s'ils en avaient, fussent de peu d'importance et vite réglés, et elle avait rappelé à Dieu sa promesse désintéressée de manger toutes les catégories de haricots existants.

Si ces bruits sournois avaient un rapport quelconque avec l'état d'esprit troublé des Harrison, Regina supposait qu'elle était bien obligée d'aller vérifier. Elle jeta un coup d'œil au crucifix au-dessus de son lit et soupira. On ne pouvait pas toujours se reposer pour tout sur Jésus et Marie. C'étaient des gens très occupés. Ils avaient un univers entier à gérer. Dieu aidait ceux qui s'aidaient eux-mêmes.

Elle se glissa donc hors de ses draps et alla, tant bien que mal, jusqu'à la fenêtre en se tenant d'abord au lit, puis au mur. Comme elle n'avait pas son appareil, elle avait besoin d'un support.

La fenêtre donnait sur la petite cour, derrière le garage — l'endroit d'où les bruits suspects avaient semblé venir. Le clair de lune n'avait aucun effet sur les ombres de la maison, des arbres et des buissons.

Plus elle regarda dehors, et moins elle y voyait, comme si l'obscurité était une éponge aspirant ses capacités visuelles. Il devint facile de croire que chaque poche d'obscurité impénétrable était vivante et aux aguets.

La fenêtre du garage n'était pas verrouillée, mais elle fut difficile à ouvrir. Les gonds supérieurs étaient rouillés et par endroits le cadre était scellé au chambranle par la peinture. Vassago fut moins discret qu'il ne l'avait prévu, mais il ne pensait pas avoir attiré l'attention de quelqu'un de la maison. Et puis, juste au moment où la peinture craquait et où les gonds tournaient pour lui permettre d'entrer, une lumière s'alluma à une fenêtre du premier étage.

Il s'éloigna immédiatement du garage, même si la lumière s'était éteinte dès qu'il était redevenu silencieux. Il se dissimula dans un massif d'eugénias de près de deux mètres de haut, le long de la clôture de la propriété.

De là, il vit la fillette s'encadrer dans l'obscurité d'obsidienne de la fenêtre, peut-être plus visible que si elle n'avait pas coupé la lumière. C'était elle qui était apparue deux fois dans ses rêves, et la seconde fois aux côtés de Lindsey Harrison. Elles se faisaient face, toutes les deux, au-dessus d'une rose noire flottant dans l'air, avec une goutte de sang qui brillait sur un pétale de velours.

Regina.

Il l'observa d'abord avec surprise, puis avec une excitation croissante. Plus tôt, cette même nuit, il avait demandé à Steven Honell si les Harrison avaient une fille, mais l'écrivain lui avait répondu qu'il leur connaissait seulement un fils, mort plusieurs années auparavant.

Séparée de Vassago par l'air nocturne et une vitre — et rien d'autre —, la fillette semblait flotter comme une apparition. Dans la réalité, elle était, si c'était possible, encore plus jolie que dans ses rêves. Elle possédait une vitalité si exceptionnelle qu'il n'aurait pas été surpris de découvrir qu'elle aussi était capable de se déplacer dans l'obscurité comme lui, mais pour une raison différente : parce qu'elle semblait posséder en elle toute la lumière nécessaire pour éclairer son chemin dans les ténèbres. Il se recula davantage dans les eugénias, soudain convaincu qu'elle pouvait le voir aussi clairement que lui-même la voyait.

Un treillage était fixé contre le mur ; un énorme jasmin grimpait sur ce solide support jusqu'au rebord de la fenêtre, puis continuait à monter à sa droite presque jusqu'à l'avant-toit. On aurait dit une princesse prisonnière dans une tour, attendant désespérément qu'un prince voulût bien grimper pour la délivrer. La tour qui lui servait de prison était la vie elle-même, et le prince qu'elle attendait, c'était la mort, et c'était de la malédiction de l'existence dont elle espérait être débarrassée.

Vassago murmura dans un souffle :

— Je suis là pour toi...

Mais il resta immobile dans sa cachette.

Quelques minutes plus tard, elle quitta la fenêtre. S'évanouit. Un vide remplaçait l'endroit où elle s'était tenue.

Il brûlait de la voir revenir, de pouvoir lui jeter un dernier regard.

Regina.

Il attendit cinq minutes. Puis encore cinq minutes. Mais elle ne se montra plus.

Finalement, conscient que l'aube était plus proche que jamais, il retourna discrètement derrière le garage. Comme il l'avait déjà débloquée, la fenêtre s'ouvrit silencieusement, cette fois. C'était étroit, mais il s'y glissa comme une anguille ; ses vêtements frottèrent légèrement contre le bois.

Lindsey dormit, toute la nuit, d'un sommeil entrecoupé qui n'eut rien de paisible. Chaque fois qu'elle se réveillait, elle était toute collée de sueur, alors que la maison était fraîche. A ses côtés, Hatch protestait dans ses rêves.

Vers l'aube, elle entendit quelque chose dans le couloir, et elle se redressa pour écouter. Au bout d'un moment, elle identifia le bruit de la chasse d'eau dans la salle de bains de la chambre d'amis. Regina.

Elle se laissa retomber sur ses oreillers, bizarrement apaisée par le murmure de l'eau qui diminuait peu à peu. C'était trouver un réconfort dans quelque chose de bien quelconque — pour ne pas dire ridicule. Mais il n'y avait pas eu d'enfant

sous son toit depuis longtemps. C'était tellement bon et...
normal d'écouter la fillette dans de petites occupations domesti-
ques banales ; cela rendait la nuit moins hostile. Malgré leurs
problèmes actuels, la promesse du bonheur lui semblait plus
réelle qu'elle ne l'était depuis des années.

De retour dans son lit, Regina se demanda pourquoi Dieu avait
donné aux humains des boyaux et des vessies. Était-ce le
meilleur design possible, ou avait-Il un peu le sens de
l'humour ?

Elle se souvint de la fois où, se levant à trois heures du matin,
à l'orphelinat, pour aller faire pipi, elle avait rencontré une
religieuse dans le couloir et lui avait posé cette même question.
Sœur Sarafina n'avait pas été étonnée du tout. Regina était
encore trop jeune pour avoir eu le temps d'apprendre comment
étonner une sœur ; il fallait pour cela des années de réflexion et
de pratique. Sœur Sarafina lui avait répondu immédiatement
— suggérant que Dieu avait peut-être voulu donner une raison
aux gens de se lever au milieu de la nuit pour qu'ils aient ainsi
une occasion supplémentaire de penser à Lui et de Lui être
reconnaissants de la vie qu'Il leur avait offerte. Regina avait
souri et acquiescé d'un signe de tête, mais elle s'était dit que
sœur Sarafina était soit trop fatiguée pour penser correctement,
soit un peu idiote. Dieu avait trop de classe pour vouloir que
Ses enfants pensent à Lui pendant qu'ils étaient sur le pot.

De retour de la salle de bains, elle se pelotonna de nouveau
dans les couvertures de son lit en acajou peint et essaya de
trouver une meilleure explication que celle de la religieuse, des
années auparavant. Elle n'entendait plus aucun bruit bizarre
dans la cour de derrière, et avant même que la pâle luminosité
de l'aube ne vînt caresser les vitres, elle dormait de nouveau.

Des impostes décoratives s'ouvraient en haut des grandes
portes et laissaient pénétrer juste assez de la lumière des
lampadaires extérieurs pour révéler à Vassago, sans ses
lunettes noires, qu'il n'y avait qu'une seule voiture, une
Chevrolet noire, dans le garage conçu pour trois véhicules. Une

rapide inspection ne lui permit pas de découvrir un endroit sûr où se cacher des Harrison et rester hors de portée du soleil jusqu'à la tombée de la nuit.

Puis il aperçut la corde qui se balançait du plafond, au-dessus de l'un des deux emplacements sans voiture. Il passa la main dans la boucle et tira doucement, puis plus fort, mais toujours régulièrement et sans à-coups, jusqu'à l'ouverture de la trappe. Celle-ci était bien huilée et silencieuse.

Il déplia lentement les trois sections de l'échelle en bois fixée au dos de la trappe. Il prit le temps qu'il fallait, veillant à rester absolument silencieux.

Il grimpa alors dans le grenier du garage. Il y avait certainement des trous dans les avant-toits, mais sur le moment l'endroit lui sembla hermétique.

Grâce à ses yeux très sensibles, il vit un plancher solide, de nombreuses boîtes en carton, et quelques petits meubles sous des bâches de protection. Pas de fenêtre. Au-dessus de lui, la face intérieure du bois brut de la toiture était visible entre les solives. A deux endroits de ces longs combles rectangulaires des lampes pendaient du toit pointu. Il n'alluma bien sûr aucune des deux.

Prudemment, doucement, comme dans un ralenti de cinéma, il s'allongea sur le ventre, avança les bras dans le trou et replia l'échelle, section après section. Lentement, sans le moindre bruit, il la fixa de nouveau sur le dessus de la trappe ; puis il remit celle-ci en place, toujours sans bruit, hormis le *sprang !* du gros ressort qui la maintenait, et il s'enferma ainsi au-dessus du garage.

Il ôta une partie des bâches qui protégeaient les meubles. Elles étaient relativement peu poussiéreuses ; il les replia de façon à faire une espèce de nid au milieu des boîtes et puis il s'installa pour attendre la fin de ce jour.

Regina. Lindsey. Je suis avec vous.

CHAPITRE 6

1

Ce fut Lindsey qui conduisit Regina à l'école, le vendredi matin. A son retour à Laguna Niguel, Hatch était installé à la table de la cuisine ; il nettoyait et huilait les deux Browning 9 mm qu'il avait achetés, cinq ans auparavant, pour avoir des armes de défense à la maison.

On venait juste de diagnostiquer la phase terminale du cancer de Jimmy, quand il s'était procuré ces revolvers. Il avait brusquement expliqué à Lindsey que le taux de criminalité l'inquiétait — alors que celui-ci n'avait jamais été particulièrement élevé dans cette partie du comté d'Orange, et qu'il ne l'était toujours pas à l'époque. Lindsey n'avait pas fait la moindre remarque mais elle avait deviné qu'en réalité ce n'était pas des cambrioleurs qu'il avait peur, mais de la maladie qui lui volait son fils ; et parce qu'il n'avait aucun moyen de se battre contre le cancer, il espérait secrètement se retrouver face à un ennemi qui pourrait être éliminé avec un simple revolver.

Les Browning n'avaient servi que dans un stand de tir. Hatch avait insisté pour que Lindsey apprît avec lui. Mais ni l'un ni l'autre ne s'étaient plus entraînés sur cible depuis un an ou deux.

— Tu penses vraiment que c'est prudent ? demanda-t-elle en indiquant les armes.

— Oui, répondit-il les lèvres serrées.

— On devrait appeler la police.

— On a déjà vu pourquoi c'est pas possible.

— Ça vaudrait quand même peut-être le coup d'essayer.

— Ils ne nous aideront pas. Ils ne peuvent pas.

Elle savait qu'il avait raison. Ils n'avaient aucune preuve qu'ils étaient en danger.

— En plus, ajouta-t-il en gardant les yeux fixés sur l'arme dont il frottait l'intérieur du canon avec une petite brosse ronde, en me mettant au boulot, tout à l'heure, j'ai allumé la télé pour avoir un peu de compagnie. Les informations du matin.

A présent, le petit poste posé sur une étagère qui coulissait et pivotait dans le meuble de cuisine du bout était éteint.

Lindsey ne lui demanda pas les nouvelles. Elle avait peur d'entendre quelque chose d'effrayant — et elle avait comme l'impression de savoir déjà ce que c'était.

Les yeux de Hatch abandonnèrent enfin le revolver.

— Ils ont trouvé Steven Honell, la nuit dernière, dit-il. Attaché aux montants de son lit. Battu à mort avec un tisonnier.

Sur le moment, Lindsey fut trop bouleversée pour bouger. Puis elle se sentit trop faible pour rester debout. Elle tira une chaise de dessous la table et s'y laissa tomber.

La veille, pendant un moment, elle avait haï Steven Honell comme elle n'avait jamais haï personne. A présent, elle ne ressentait plus la moindre animosité à son égard. Juste de la pitié. Ç'avait été un type anxieux qui se dissimulait à lui-même son angoisse derrière sa supériorité méprisante. Il s'était montré mesquin et malveillant, et peut-être pis encore, mais maintenant il était mort ; et la mort était une trop grande punition pour ses fautes.

Elle croisa les bras sur la table et y posa la tête. Elle ne pouvait pas pleurer Honell, car elle n'avait rien aimé chez cet homme — hormis son talent littéraire. Et si la fin de ce talent n'était pas suffisante pour lui tirer des larmes, au moins étendait-elle sur elle un voile de tristesse.

— Tôt ou tard, dit Hatch, ce fils de pute va se lancer à mes trousses.

Lindsey réussit à relever la tête, même si elle avait l'impression qu'elle pesait une tonne.

— Mais pourquoi ?

— J'en sais rien. Peut-être que nous ne saurons jamais pourquoi, que nous ne le comprendrons jamais. Mais d'une façon ou d'une autre, nous sommes liés, lui et moi, et finalement il va venir.

— Laissons les flics s'occuper de lui, dit-elle, douloureusement consciente du fait que les autorités ne pouvaient pas les aider. Mais elle refusait avec obstination de renoncer à cet espoir.

— Les flics ne le trouveront pas, grogna Hatch d'un air lugubre. C'est une fumée.

— Il ne viendra pas, dit-elle, souhaitant de toutes ses forces avoir raison.

— Peut-être pas demain. Peut-être pas la semaine prochaine, ni même le mois prochain. Mais aussi sûrement que le soleil se lève tous les matins, je t'assure qu'il viendra. Et nous serons prêts à l'accueillir.

— Vraiment ? demanda-t-elle.

— Tout à fait prêts.

— Souviens-toi de ce que tu as dit la nuit dernière.

Il leva de nouveau les yeux et la regarda avec étonnement.

— Qu'est-ce que j'ai dit ?

— Que ce n'était peut-être pas un homme ordinaire, qu'il était peut-être revenu sur ton dos de... quelque part ailleurs.

— Je pensais que tu avais rejeté cette théorie.

— Je l'ai rejetée. Je ne peux pas croire une chose pareille. Mais toi ? Vraiment ?

Au lieu de répondre, il se remit à nettoyer le Browning.

— Si tu y crois, poursuivit-elle, même qu'à moitié, si tu ajoutes foi à tout ça le moins du monde — alors à quoi servira un revolver ?

Il resta silencieux.

— Comment les balles pourraient-elles arrêter un esprit mauvais ? insista-t-elle.

Elle avait l'impression que tout ce qu'elle avait fait depuis qu'elle s'était réveillée ce matin appartenait au même rêve qui se poursuivait... L'impression qu'elle n'affrontait pas un problème de la vie réelle, mais un cauchemar. Elle ajouta :

— Comment quelque chose qui vient d'au-delà de la tombe pourrait-il être stoppé avec un simple revolver ?

— C'est tout ce que j'ai, murmura-t-il.

Comme de nombreux médecins, Jonas Nyebern ne prenait aucune consultation ni n'opérait le vendredi. Pourtant, il ne passait jamais son après-midi à s'entraîner au golf, à faire de la voile ou à jouer aux cartes au country club. Il utilisait ses vendredis pour se mettre à jour dans ses papiers, pour écrire des articles sur ses recherches ou rédiger des études de cas dans le cadre du Projet médical de réanimation au General Hospital du comté d'Orange.

Ce premier vendredi de mai, il prévoyait de travailler de huit à dix bonnes heures dans le bureau de sa maison de Spyglass Hill, où il vivait depuis près de deux ans, depuis la disparition de sa famille. Il espérait pouvoir finir le texte de la conférence qu'il devait donner, le 8, à San Francisco.

Les grandes fenêtres de la pièce lambrissée de teck dominaient Corona Del Mar et Newport Beach. Au-delà de quarante kilomètres d'eau grise veinée de vert et de bleu, les sombres falaises de l'île Santa Catalina s'élevaient contre le ciel, mais elles étaient bien incapables de diminuer l'intensité de l'océan Pacifique et de rabaisser son humiliante puissance.

Il ne prit pas la peine de tirer les rideaux parce que ce panorama ne détournait jamais son attention. Il avait acheté cette propriété dans l'espoir que le luxe de la maison et la magnificence de la vue lui donneraient l'impression que la vie était belle et valait la peine d'être vécue malgré sa tragédie personnelle. Mais seul son travail y avait réussi, si bien qu'il s'y mettait toujours imédiatement, sans un seul regard au paysage.

Ce matin, il avait pourtant du mal à se concentrer sur les mots qui s'inscrivaient en blanc sur le fond bleuté de l'écran de son ordinateur. Ce n'était pas au Pacifique qu'il pensait, néanmoins, mais à son fils, Jeremy.

Le ciel était gris en ce jour de printemps, deux ans plus tôt, quand, en rentrant chez lui, Jonas avait trouvé Marion et Stephanie poignardées tant de fois et avec une telle brutalité que leur réanimation était impossible ; et puis il avait découvert Jeremy inconscient ; il était empalé sur un couteau de cuisine coincé dans les mâchoires de son étau, dans le garage, et se vidait rapidement de son sang. Jonas n'avait pas pensé une seconde qu'il pouvait s'agir de l'acte d'un dément ou de cambrioleurs dérangés dans leur travail. Il avait su immédiatement que le meurtrier était le jeune garçon affaissé sur l'établi et dont la vie s'écoulait sur le sol de béton. Quelque chose

n'avait jamais fonctionné chez Jeremy, comme s'il n'avait pas
été totalement terminé — et ce, depuis le début ; sa différence
était devenue plus évidente et plus effrayante au fil des années,
même si Jonas avait longtemps essayé de se persuader que les
attitudes et les actes de son fils étaient des manifestations
normales de rébellion. En fait, la folie du père de Jonas avait
sauté une génération et avait fait sa réapparition dans les gènes
altérés de Jeremy.

Le garçon avait survécu à l'extraction du couteau et au trajet
fou de l'ambulance jusqu'au General Hospital du comté
d'Orange qui n'était qu'à quelques minutes. Mais il était mort
sur le brancard qui roulait dans un couloir de l'hôpital.

Jonas avait convaincu depuis peu l'administration de mettre
sur pied une équipe de réanimation spéciale. Au lieu d'utiliser
la machine d'exsanguino-transfusion pour réchauffer le sang du
garçon mort, son équipe et lui s'en étaient servi pour faire
circuler dans le corps de l'adolescent du sang *refroidi*, car il y
avait urgence à faire baisser radicalement sa température pour
retarder la détérioration cellulaire et les dommages cérébraux
jusqu'à ce que l'on fût en mesure de commencer l'opération. Ils
avaient réglé l'air conditionné sur six degrés et entassé des sacs
de glace broyée contre le patient, et Jonas avait personnellement ouvert la blessure pour chercher — et réparer — le
dommage organique qui aurait empêché la réanimation.

Pendant tout ce temps, sans doute savait-il pourquoi il
voulait sauver Jeremy à tout prix, mais par la suite il ne fut
jamais capable de comprendre pleinement et clairement ses
motivations.

Parce que c'était mon fils, pensait parfois Jonas, *et que c'était donc
de ma responsabilité...*

Mais quelle responsabilité parentale avait-il encore vis-à-vis
de l'assassin de sa fille et de sa femme ?

*Je l'ai sauvé pour lui demander pourquoi, pour essayer d'avoir des
éclaircissements grâce lui...,* se disait-il à d'autres moments.

Mais il savait qu'en ce domaine aucune réponse n'avait de
sens. Ni les philosophes ni les psychologues — pas même les
meurtriers eux-mêmes — n'avaient jamais été capables, à
aucun moment de l'histoire, de donner une explication convenable d'un acte de violence psychopathe.

La seule réponse convaincante, vraiment, c'était que l'espèce
humaine était imparfaite, souillée, et transportait en elle les

germes de sa propre destruction. L'Église nommait cela l'héritage du Serpent, qu'elle faisait remonter au Jardin et à la Chute. Les savants, eux, évoquaient les mystères de la génétique, la biochimie, les actions fondamentales des nucléotides. Peut-être qu'ils parlaient tous de la même souillure, mais qu'ils la décrivaient simplement en termes différents. Pour Jonas, il semblait que cette réflexion, qu'elle vînt des savants ou des théologiens, était toujours également insuffisante, car elle ne proposait aucune solution, ne prescrivait aucune mesure préventive, à part la foi en Dieu ou dans les possibilités de la science.

Indépendamment de ses raisons d'agir comme il l'avait fait, Jonas sauva Jeremy. Le garçon avait été mort trente et une minutes, ce qui n'était pas un record absolu même à cette époque, parce qu'une fillette, dans l'Utah, avait déjà été réanimée après être restée dans les griffes de la Mort pendant soixante-six minutes. Mais cette enfant avait été en profonde hypothermie, alors que Jeremy était mort à une température normale, et du coup cette réussite était un record dans son genre. Car revivre après trente et une minutes de mort à une température normale était aussi miraculeux que revivre après quatre-vingts minutes de mort en hypothermie. Son fils et Hatch Harrison étaient les deux succès les plus stupéfiants de Jonas jusqu'à aujourd'hui — si la réanimation du premier pouvait être qualifiée de « succès ».

Jeremy resta dix mois dans le coma, nourri par voie intraveineuse, mais capable de respirer tout seul et n'ayant besoin d'aucune assistance mécanique. Dès le début de cette période, on l'avait sorti de l'hôpital et installé dans une riche clinique privée.

Au cours de ces mois-là, Jonas aurait pu demander à un tribunal d'autoriser l'arrêt de l'alimentation intraveineuse. Mais Jeremy serait mort d'inanition ou de déshydratation, et certains patients dans le coma souffraient beaucoup en mourant ainsi — cela dépendait de la profondeur de leur léthargie. Or, Jonas n'avait aucune envie d'être responsable de cette douleur. Plus insidieusement, à un niveau de conscience si profond qu'il ne s'en aperçut que beaucoup plus tard, il fut victime de l'idée égoïste qu'il pourrait tirer du garçon — à supposer qu'il se réveillât jamais — une explication des comportements psychotiques qui avaient échappé à tous les autres chercheurs de l'histoire de l'humanité. Peut-être pensait-il avoir une meilleure compréhension de la chose, grâce à son espérience unique de la folie de son père et de son fils — le premier l'avait blessé et rendu orphelin, et le second l'avait fait veuf. Il continua donc à payer les factures de la clinique. Et tous les samedis après-midi, il venait s'asseoir au chevet de Jeremy et il se plongeait dans la contemplation de ce visage pâle et serein, où il reconnaissait tant de lui-même.

Jeremy reprit conscience dix mois plus tard. Les dommages cérébraux l'avaient rendu aphasique — il était désormais incapable de parler et de lire. Il ne savait pas son nom, ni les raisons pour lesquelles il se trouvait là. Quand il voyait son visage dans un miroir, il réagissait comme s'il s'agissait de celui d'un étranger; et il ne reconnaissait pas son père. Lorsque la police vint le questionner, il ne manifesta aucune culpabilité : comment l'aurait-il pu, puisqu'il ne comprenait pas ce qui se passait ? A son réveil, il n'était pas loin du crétin congénital, avec des capacités intellectuelles sérieusement réduites par rapport à ce qu'elles avaient été, et une attention qui se dispersait et qui était facilement embrouillée.

Par gestes, il se plaignit de fortes douleurs aux yeux et d'une hypersensibilité à la lumière. Un examen ophtalmologique révéla une curieuse — et, en fait, inexplicable — dégénérescence des iris. La membrane contractile paraissait avoir été partiellement rongée. Le sphincter de la pupille — le muscle qui permettait à l'iris de se contracter et qui, donc, rétrécissait la pupille et laissait passer moins de lumière dans l'œil — était totalement atrophié; le muscle dilatateur de la pupille s'était réduit, lui aussi, ouvrant l'iris en grand; et enfin, la connexion entre ce muscle et le nerf oculogyre avait fondu, laissant l'œil pratiquement sans moyen de réduire la quantité de lumière qui lui arrivait. C'était un état sans précédent et de nature dégénérative, ce qui rendait toute correction chirurgicale impossible. On donna donc au garçon des lunettes noires aux verres très fortement teintés. Mais malgré tout, il préférait passer les heures de jour dans des pièces aux fenêtres parfaitement closes par des stores métalliques ou d'épais rideaux.

Curieusement, Jeremy devint le favori des membres de l'équipe de l'hôpital de rééducation où il fut transféré quelques jours après avoir repris conscience. Ils étaient désolés à cause de ses graves problèmes d'yeux, mais aussi parce que c'était un si beau garçon tombé si bas. Et cela, d'autant plus qu'il avait désormais la douceur de tempérament d'un enfant timide, en raison de la diminution de son QI, et qu'il ne montrait plus aucun des traits de caractère d'avant sa mort — son arrogance, sa froideur, son esprit calculateur, sa sourde hostilité.

Pendant plus de quatre mois, il se promena dans les couloirs de l'établissement, aida les infirmières pour des tâches toutes simples, se démena avec un orthophoniste sans grands résultats, resta planté devant les fenêtres, la nuit, pendant des heures, mangea suffisamment pour se refaire des muscles, et s'entraîna dans le gymnase, le soir, dans une quasi-obscurité. Son corps décharné se reconstitua et ses cheveux noirs, secs comme de la paille, retrouvèrent leur brillant.

Et un jour — cela faisait dix mois aujourd'hui —, alors que Jonas commençait à se demander où il pourrait bien placer Jeremy lorsque celui-ci ne tirerait plus de bénéfice de sa thérapie physique ni de son ergothérapie, le garçon disparut. Alors qu'il n'avait jamais manifesté auparavant un désir particulier d'aller vagabonder au-delà de l'enceinte de l'hôpital, il était sorti, une nuit, sans se faire remarquer et n'était jamais revenu.

Jonas avait cru que les policiers retrouveraient rapidement le garçon. Mais pour eux, c'était seulement une « personne disparue », et non quelqu'un soupçonné de meurtre. S'il avait recouvré toutes ses facultés, là oui, ils l'auraient considéré comme quelqu'un fuyant la justice et représentant une menace ; mais son incapacité mentale apparemment permanente lui procurait une espèce d'immunité. Jeremy n'était plus la personne qu'il était au moment des crimes ; avec ses facultés intellectuelles diminuées, son impossibilité d'élocution, sa beauté et sa personnalité tranquille, aucun jury ne l'aurait condamné.

Une enquête sur une personne disparue n'est pas une enquête du tout. On considère que les forces de police doivent être réservées à la lutte contre le crime.

Les flics pensaient que le garçon s'était probablement perdu, qu'il était tombé aux mains d'individus peu recommandables, qu'on avait profité de lui et puis qu'on l'avait tué ; mais Jonas, lui, savait que son fils était vivant. Et dans son for intérieur, il savait aussi que ce qui venait d'être lâché dans le monde n'était pas un crétin souriant, mais un jeune homme rusé, dangereux et très malade.

Jeremy les avait tous dupés.

Jonas ne pouvait pas prouver que le retard mental de l'adolescent était une comédie, mais au fond de lui, il savait qu'il avait bien voulu se laisser abuser. Il avait accepté le nouveau Jeremy parce que, lorsqu'il s'était retrouvé devant lui, il n'avait pas eu le courage d'affronter l'autre Jeremy, celui qui avait tué Marion et Stephanie. La preuve la plus accablante de sa complicité de l'imposture de Jeremy, c'était de ne pas avoir demandé une CAT[1] pour déterminer la nature précise de ses dommages cérébraux. A l'époque, il s'était dit que les dommages étaient la seule chose qui comptait, et non leur étiologie précise — une réaction incroyable pour n'importe quel médecin, mais pas pour un père qui n'avait aucune envie d'un face-à-face avec le monstre dissimulé à l'intérieur de son fils.

Et maintenant le monstre était en liberté. Jonas n'en avait aucune preuve, mais il le savait.

Jeremy était là, dehors, quelque part. Le Jeremy d'avant.

Pendant dix mois, en utilisant les services de trois agences de détectives privés, il avait essayé de le récupérer, parce qu'il sentait qu'il avait la responsabilité morale — mais pas légale — des crimes que le garçon risquait de commettre. Les deux premières agences n'avaient eu aucun résultat, et devant leur incapacité à remettre la main sur lui elles en avaient finalement conclu que le garçon avait disparu. D'après elles, selon toute vraisemblance, il était mort.

La troisième agence appartenait à Morton Redlow. Le détective travaillait seul, avec beaucoup moins de moyens que les deux autres, plus importantes, mais sa détermination à toute épreuve fit croire à Jonas qu'il aurait des résultats. La semaine précédente, Redlow lui avait laissé entendre qu'il était sur quelque chose et qu'il le contacterait ce week-end.

Mais, depuis, il ne s'était plus manifesté. Il n'avait pas donné suite aux messages que Jonas avait laissés sur son répondeur.

Abandonnant son ordinateur et le texte de la conférence auquel il se sentait incapable de travailler, Jonas décrocha son téléphone et essaya de joindre de nouveau le détective. Cette fois encore, il tomba sur le répondeur. Mais il ne put rien dire,

---

1. Computerized Axial Tomography, tomographie axiale informatisée (*N.d.T.*).

même pas son nom ni son numéro, parce que la cassette de l'appareil de Redlow était pleine. La communication fut coupée.

Jonas avait un mauvais pressentiment en ce qui concernait le détective.

Il raccrocha, alla jusqu'à la fenêtre. Son moral était si bas qu'il ne pensait pas qu'une vue magnifique suffirait à l'améliorer, mais pourquoi ne pas essayer ? Chaque nouvelle journée était faite de tant de terreur supplémentaire par rapport à la veille qu'il avait besoin de toutes les béquilles possible simplement pour pouvoir dormir la nuit et se lever le matin.

Les reflets du soleil matinal dessinaient un réseau argenté sur les vagues qui arrivaient, comme si la mer était un vaste morceau de tissu gris bleu broché de fils métalliques.

Il pensa que Redlow n'avait que quelques jours de retard pour rendre son rapport, moins d'une semaine, rien d'inquiétant. Et s'il ne se manifestait pas après plusieurs messages sur son répondeur, cela signifiait seulement qu'il était malade ou qu'il avait des problèmes personnels.

Mais non. Il savait : Redlow avait trouvé Jeremy et, malgré ses avertissements, il avait sous-estimé le garçon.

Un voilier filait vers le sud, longeant la côte. De grands oiseaux blancs emplissaient le ciel derrière le bateau, plongeaient dans l'océan et en ressortaient, avec un poisson à chaque fois. Gracieux et libres, les oiseaux étaient un merveilleux spectacle — sauf pour les poissons, bien sûr. Sauf pour les poissons.

Lindsey pénétra dans son atelier, au premier, entre sa chambre et la pièce contiguë à celle de Regina. Elle prit son tabouret devant son chevalet et le plaça à sa planche à dessin, ouvrit son bloc de croquis et se lança dans des ébauches pour sa prochaine toile.

Elle sentait qu'il était important de se concentrer sur son travail, parce que la création d'une œuvre d'art apaisait l'âme tout autant que la contemplation de celles des autres. Mais c'était important pour une autre raison : s'en tenir à sa routine quotidienne était le seul moyen pour elle de repousser les forces de l'irrationnel qui semblaient surgir comme un sombre raz de marée dans leur existence. Les choses ne pourraient pas empirer — *vraiment?* — si elle continuait à peindre, à boire son café noir habituel, à faire trois repas par jour, à laver la vaisselle quand c'était nécessaire, à se brosser les dents avant de se coucher, à se doucher et à se mettre du déodorant le matin. Comment une créature meurtrière venue de l'au-delà pourrait-elle faire intrusion dans une vie *bien rangée?* Les goules et les fantômes, les gobelins et les monstres n'avaient certainement aucun pouvoir sur ceux qui se récuraient, se désodorisaient, se lavaient les dents au fluor, s'habillaient, s'alimentaient, travaillaient, étaient motivés.

C'était ce qu'elle désirait croire. Mais lorsqu'elle voulut dessiner, elle fut incapable de calmer les tremblements de ses mains.

Honell était mort.

Cooper était mort.

Elle regarda la fenêtre, comme si l'araignée avait pu revenir. Mais il n'y avait là ni forme noire, ni nouvelle toile. Juste la vitre. Et au-delà, les cimes des arbres et le ciel bleu.

Hatch lui rendit visite un moment plus tard. Il la prit dans ses bras, par-derrière, et l'embrassa sur la joue.

Mais il était d'une humeur plus sérieuse que romantique. Il lui apportait un Browning. Il le posa sur le dessus du meuble où elle rangeait son matériel.

— Prends ça avec toi quand tu quittes ton atelier. Il ne se montrera pas pendant la journée. Je le sais. Je le sens. Comme si c'était un vampire ou un machin de ce genre, pour l'amour de Dieu! Mais ça ne te fera pas de mal d'être prudente, surtout quand tu es seule.

Elle en doutait, mais elle répondit :

— D'accord.

— Je sors un moment. J'ai quelques courses à faire.

— Quelles courses? demanda-t-elle en pivotant sur son tabouret pour l'observer.

— On n'a pas assez de munitions pour les revolvers.

— On a un chargeur plein pour chacun.

— Et je veux acheter aussi un fusil.

— Hatch! Même s'il se montre, et ça ne sera probablement pas le cas, ça ne va pas être la guerre. Quand un homme fait irruption chez quelqu'un, on tire un ou deux coups de feu, c'est pas une bataille rangée.

Il se tenait devant elle, le visage fermé et dur.

— Le fusil, c'est la meilleure de toutes les armes défensives, dans une maison. Tu n'as pas besoin de savoir tirer. C'est la dispersion des plombs qui te permet d'atteindre ta cible. Je sais exactement celui que je veux. Canon court, poignée pistolet, avec...

Elle l'interrompit en posant la paume de sa main sur sa poitrine.

— Tu me fous la trouille.

— Tant mieux. Si tu as peur, tu seras plus vigilante, moins insouciante.

— Si tu crois vraiment qu'il y a du danger, alors on ne devrait pas garder Regina ici.

— On ne peut pas la renvoyer à Saint-Thomas, répliqua-t-il immédiatement, comme s'il avait déjà réfléchi à la question.

— Seulement jusqu'à ce que le problème soit réglé.

— Non. (Il secoua la tête.) Regina est trop sensible, tu le sais, trop fragile, trop pressée d'interpréter n'importe quel truc comme un rejet. On risque de ne pas savoir lui faire comprendre pourquoi on doit l'éloigner un moment — et elle, de ne pas nous offrir une seconde chance.

— Je suis sûre qu'elle...

— En plus, il faudra donner une explication à l'orphelinat. Si on invente un mensonge quelconque — et je ne vois même pas lequel —, ils devineront qu'on les mène en bateau. Ils se demanderont pourquoi. Et ils reviendront sur leur accord. Et si on leur dit la vérité, si on commence à baragouiner des histoires de visions médiumniques et de liens télépathiques avec des tueurs psychotiques, ils nous considéreront comme un couple de dingues et ils ne nous la rendront jamais.

En effet, il avait dû penser très sérieusement à tout cela !

Et Lindsey savait qu'il avait raison.

Il lui donna un autre petit baiser.

— Je serai de retour dans une heure. Deux, tout au plus.

Après son départ, elle considéra un instant le revolver.

Puis elle s'en détourna avec colère, et reprit son crayon. Elle déchira une page sur son bloc à dessin. La nouvelle page était blanche. Vierge. Immaculée. Elle le resta.

Elle regarda la fenêtre en se mordillant nerveusement les lèvres. Pas de toile. Pas d'araignée. Juste la vitre. Et au-delà, les cimes des arbres et le ciel bleu.

Elle ne s'était jamais rendu compte jusqu'à présent combien un ciel parfaitement bleu pouvait être inquiétant.

Les deux bouches d'aération assuraient la ventilation. Le toit et les deux grilles ne laissaient pas vraiment pénétrer le soleil, mais la lumière blafarde du petit matin entrait dans le grenier en même temps que d'infimes courants d'air frais.

Vassago se moquait bien de cette lumière, car il était caché au milieu des boîtes empilées et des meubles qui lui épargnaient une vue directe des aérations. L'air sentait le bois sec et le vieux carton.

Comme il avait du mal à trouver le sommeil, il essaya de passer le temps en pensant au beau feu que l'on aurait pu allumer avec le contenu de ce grenier. Grâce à sa riche imagination, il voyait déjà les rideaux de flammes rouges, les spirales de flammes orange et jaunes, et il entendait les petits bruits secs des bulles de sève qui crevaient à la surface des chevrons en feu. Les cartons et les papiers d'emballage et tous ces souvenirs combustibles disparaissaient dans les nuages de fumée qui s'élevaient avec des crépitements rappelant les applaudissements effrénés de millions de personnes dans un lointain théâtre plongé dans l'obscurité. Ces images se déroulaient dans sa tête et cependant la lumière fantôme de l'incendie était si réelle qu'il fut obligé de plisser les yeux.

Et puis ce feu ne l'amusa plus — peut-être parce qu'il n'aurait dévoré que des *choses,* dans ce grenier, de simples objets sans vie. Quel plaisir aurait-on bien pu y trouver ?

Dix-huit personnes avaient été brûlées vives — ou piétinées — dans la Maison Hantée, la nuit où Tod Ledderbeck avait péri dans la caverne du Mille-Pattes. Ça oui, ç'avait été un incendie !

Il n'avait pas été soupçonné pour la mort du pilote de fusée, ni pour la catastrophe de la Maison Hantée, mais les répercussions de ses jeux nocturnes l'avaient ébranlé. Les victimes de Fantasy World firent les gros titres pendant au moins deux semaines, et ce fut le principal sujet de conversation, à l'école, pendant peut-être un mois. Le parc ferma temporairement, rouvrit, mais les affaires ne furent pas très bonnes, ferma de nouveau pour être remis à neuf, ouvrit une troisième fois et continua à connaître une faible fréquentation, et finalement l'exploitant jeta l'éponge, au bout de deux ans, à la suite de toute cette mauvaise publicité et des embrouillaminis judiciaires. Quelques milliers de personnes perdirent leur travail. Mrs Ledderbeck eut une dépression nerveuse, mais Jeremy pensa que, là aussi, elle jouait la comédie, comme lorsqu'elle avait fait semblant d'aimer vraiment Tod — la même hypocrisie dégueulasse qu'il constatait chez tout le monde.

Mais ce furent d'autres répercussions plus personnelles qui marquèrent Jeremy. Au petit matin, après la longue nuit sans sommeil qui suivit ses aventures à Fantasy World, il se rendit compte qu'il avait perdu le contrôle de lui-même. Pas lorsqu'il avait tué Tod. Il savait que c'était juste et bien, un Maître du Jeu prouvant qu'il est le Maître. Mais à partir du moment où il avait fait tomber Tod du Mille-Pattes, il avait été ivre de pouvoir et s'était laissé aller à un beau tapage dans le parc, dans un état mental proche de celui où il se serait trouvé — du moins l'imaginait-il — s'il avait avalé un ou deux packs de six bières. Il avait été blindé, bourré, fadé, totalement envapé, raide, chargé au pouvoir, car il avait joué le rôle de la Mort, car il était devenu pour un temps celle que tous les hommes craignaient. L'expérience n'était pas seulement enivrante : elle créait une dépendance ; il désirait recommencer le lendemain, et le surlendemain et chaque jour jusqu'à la fin de son existence. Il désirait brûler quelqu'un et savoir ce qu'il ressentirait en prenant la vie avec une lame affilée, avec un fusil, avec un marteau, à mains nues. Cette nuit-là, il avait connu une puberté précoce, ses fantasmes de mort avaient déclenché une érection et l'idée des meurtres encore à venir, un orgasme. Choqué par cette première explosion sexuelle et par les fluides qui s'échappèrent de lui, il comprit finalement, vers l'aube, qu'un Maître du Jeu ne devait pas seulement être capable d'assassiner sans crainte, il devait savoir aussi contrôler le puissant désir de tuer de nouveau que le premier meurtre faisait naître.

Tuer sans se faire prendre prouvait sa supériorité sur tous les autres joueurs, mais il ne parviendrait pas à s'en tirer toujours s'il perdait le contrôle de lui-même, s'il devenait fou furieux, comme ce type qu'il avait vu aux informations qui avait ouvert le feu avec une arme semi-automatique sur la foule d'un centre commercial. Ce gars-là n'était pas un Maître. C'était un dingue, un raté. Un Maître devait sélectionner ses cibles avec un grand soin et les éliminer avec style.

A présent, allongé dans le grenier du garage, sur des bâches pliées, il se disait qu'un Maître devait ressembler à une araignée. Définir son terrain de chasse. Tisser sa toile. S'installer, replier ses longues jambes, faire de soi-même quelque chose de petit et d'insignifiant... Et attendre.

Beaucoup d'araignées partageaient ce grenier avec lui. Même dans l'obscurité il parvenait à les voir, grâce à ses yeux extrêmement sensibles. Certaines étaient des merveilles de travail. D'autres étaient vivantes, mais aussi astucieusement immobiles que si elles étaient mortes. Il se sentait des affinités avec elles.

Ses petites sœurs.

L'armurerie était une vraie forteresse. Une affiche, près de la porte d'entrée, avertissait que les lieux étaient gardés par des multi-systèmes d'alarme silencieux, et aussi, la nuit, par des chiens d'attaque. Des barreaux d'acier étaient soudés en travers des fenêtres. Hatch nota que la porte avait au moins dix centimètres d'épaisseur, qu'elle était en bois — mais sans doute renforcée par de l'acier à l'intérieur —, et que ses trois gonds semblaient avoir été dessinés pour un bathyscaphe capable de résister à des milliers de tonnes de pression au fond des océans. Beaucoup de marchandises en rapport avec les armes étaient exposées sur les étagères, mais les carabines, les fusils de chasse et les armes de poing étaient placés dans des vitrines verrouillées ou des râteliers muraux protégés par des chaînes. On avait installé aussi des caméras vidéo près du plafond, dans les quatre coins du magasin, derrière des vitres épaisses à l'épreuve des balles.

L'endroit était mieux défendu qu'une banque. Hatch se demanda s'il vivait à une époque où les armes attiraient davantage les gangsters que l'argent.

Les quatre employés étaient sympathiques, ils avaient l'air de bien s'entendre entre eux et ils recevaient les clients d'une façon bon enfant. Ils portaient des chemises à bords droits, sorties de leurs pantalons. Peut-être qu'ils aimaient être à l'aise. Ou peut-être que chacun d'eux avait un revolver dans un holster sous sa chemise, dans le creux des reins.

Hatch acheta un fusil à pompe calibre douze, un Mossberg à canon court et à poignée revolver.

— C'est l'arme parfaite pour se défendre chez soi, lui dit l'employé. Quand vous avez ça, vous avez vraiment tout ce qu'il faut.

Hatch supposa qu'il devait être heureux de vivre à une époque où le gouvernement promettait de protéger ses citoyens de menaces aussi infimes que le radon dans les caves et les conséquences environnementales ultimes de l'extinction du moucheron borgne à queue bleue. Parce qu'en des temps moins civilisés — disons le tournant du siècle —, il aurait eu besoin, sans aucun doute, d'une armurerie avec une centaine d'armes et une tonne d'explosifs, et il aurait dû enfiler un gilet pare-balles avant d'ouvrir sa porte.

Il décida que l'ironie était la forme acide de l'humour, et que ce n'était pas à son goût. Ou du moins qu'il n'avait pas l'humeur à ça, en ce moment.

Il remplit les formulaires fédéraux, et ceux de l'État de Californie, paya par carte de crédit, et s'en alla avec son Mossberg, un kit de nettoyage, et des boîtes de cartouches pour les Browning et pour ce nouveau fusil à pompe. Derrière lui, la porte de la boutique se referma avec un bruit sourd, comme s'il sortait d'une chambre forte.

Il rangea ses achats dans le coffre de la Mitsubishi, se mit au volant, démarra — et se figea, la main sur le levier de vitesses. Au-delà du pare-brise, le petit parking avait disparu. L'armurerie n'était plus là.

Comme à la suite d'un sort jeté par un puissant sorcier, la clarté du jour s'était brusquement évanouie. Hatch se retrouvait dans un long tunnel baigné d'une lumière sinistre. Il jeta un coup d'œil par les vitres des portières, à droite et à gauche, puis par la lunette arrière, mais cette illusion — ou était-ce une hallucination ? — l'enveloppait complètement, et elle était aussi réelle que l'avait été le parking.

Lorsqu'il regarda devant lui de nouveau, il découvrit une longue montée, et deux rails où, soudain, sa voiture se mit à avancer à la façon d'un train.

Hatch écrasa la pédale de frein. Sans succès.

Il ferma les yeux, compta jusqu'à dix, écouta les battements de son cœur qui s'accéléraient et essaya, mais en vain, de se calmer. Lorsqu'il rouvrit les yeux, le tunnel était toujours là.

Il coupa le moteur. Il l'entendit qui s'arrêtait.

Sa voiture continua à avancer.

Le silence qui suivit l'arrêt du moteur ne dura guère. Un nouveau bruit le remplaça bientôt : *clack-clack, clack-clack, clack-clack.*

Un hurlement inhumain s'éleva sur sa gauche et, du coin de l'œil, Hatch détecta un mouvement menaçant. Il tourna vivement la tête dans cette direction. Stupéfait, il découvrit une silhouette extraterrestre — une limace blanchâtre de la taille d'un homme. Elle se dressait sur sa queue pour se jeter sur lui, et dans sa grosse bouche ronde ses dents tournaient comme les pales coupantes d'une benne à ordures. Une bête identique hurlait dans une niche du mur du tunnel, à sa droite, et plusieurs encore devant lui, et au-delà d'autres monstres différents émettaient des sons inarticulés, ululaient, grondaient, poussaient des cris perçant.

Malgré son incompréhension et sa terreur, il devina que toutes ces créatures grotesques, le long des murs du tunnel, étaient des bêtes mécaniques et non des êtres de chair et de sang. Et avec cette découverte, il finit par reconnaître le bruit qu'il entendait. C'était un son familier. *Clack-clack, clack-clack.* Il se trouvait dans des montagnes russes couvertes, et pourtant il était aussi dans sa voiture et il grimpait en perdant de la vitesse vers une hauteur, derrière laquelle l'attendait une descente vertigineuse.

Il ne se dit même pas que tout cela était impossible ; il n'essaya ni de se réveiller ni de reprendre ses esprits. Il était désormais au-delà de toute dénégation. Il comprenait qu'il n'avait pas besoin de croire en cette folie pour qu'elle continuât ; car elle se poursuivrait, qu'il y crût ou non — alors, autant serrer les dents et aller jusqu'au bout.

Être au-delà du refus ne signifiait pas, cependant, qu'il était passé au-delà de la peur. Oh oui, il avait les jetons.

Il pensa un instant ouvrir la portière et sortir de la voiture. Peut-être que cela briserait l'enchantement. Mais il n'essaya pas, parce qu'il craignait de ne pas se retrouver sur le parking de l'armurerie, mais dans le tunnel, où sa voiture continuerait son ascension sans lui... Et en perdant le contact avec sa petite

Mitsubishi rouge, il risquait peut-être de refermer une porte sur la réalité et de s'enfermer lui-même dans sa vision, sans aucun moyen de s'en échapper, aucun moyen de revenir en arrière.

La voiture dépassa le dernier monstre mécanique. Elle atteignit le sommet. Franchit une double porte battante. Se retrouva dans l'obscurité. La porte se referma derrière elle. La voiture grimpa. Grimpa. Grimpa. Et brusquement, elle tomba comme dans un puits sans fond.

Hatch hurla, et les ténèbres s'évanouirent. Le soleil de cette journée de printemps était là, de nouveau. Le parking. L'armurerie.

Ses mains serraient si fort le volant qu'elles lui faisaient mal.

Pendant toute cette matinée dans le grenier, Vassago ne dormit guère. Mais chaque fois qu'il plongeait dans le sommeil, il se retrouvait dans le Mille-Pattes, en cette glorieuse nuit.

Au cours des jours et des semaines qui avaient suivi les meurtres de Fantasy World, il s'était prouvé à lui-même, sans le moindre doute, qu'il était un Maître, en exerçant un contrôle de fer sur son désir compulsif de prendre des vies. Le seul souvenir d'avoir tué suffisait à relâcher la pression qui s'accumulait en lui à intervalles réguliers. Il revécut des centaines de fois les détails voluptueux de chacune de ces morts, et cela calmait pour un temps la violence de son désir. Et la certitude qu'il tuerait de nouveau, quand il ne risquerait pas d'éveiller les soupçons, l'aidait à mieux maîtriser ses pulsions.

Il n'assassina plus personne pendant deux ans. Et puis, à quatorze ans, il noya un autre garçon dans un camp de vacances d'été. Le gamin était plus petit et plus faible que lui, mais il lui opposa une agréable résistance. Lorsqu'on le retrouva en train de flotter dans l'étang, le visage dans l'eau, ce fut l'unique sujet de conversation du camp, jusqu'à la fin du mois.

L'eau pouvait être aussi palpitante que le feu.

A seize ans, il avait son permis de conduire, et il supprima deux étrangers de passage, qui faisaient du stop tous les deux, un en octobre, et l'autre deux jours avant Thanksgiving. Celui-là n'était qu'un étudiant qui rentrait chez lui pour les fêtes. Mais le premier, c'était autre chose : un prédateur croyant être tombé sur un lycéen un peu fou et naïf qui lui donnerait quelques sensations. Pour ces deux-là, Jeremy avait choisi le couteau.

A dix-sept ans, lorsqu'il découvrit le satanisme, il se mit à lire tout ce qu'il put trouver sur la question, surpris d'apprendre que sa philosophie secrète avait été codifiée et embrassée par des cultes clandestins. Oh, bien sûr, c'étaient là des formes relativement bénignes propagées par des trouillards qui cherchaient seulement là-dedans une excuse à leur hédonisme et des jeux pervers. Mais les vrais croyants existaient aussi ; ceux-là étaient convaincus que Dieu n'avait pas réussi à créer les hommes à Son image, que le gros de l'humanité n'était qu'un troupeau, que l'égoïsme était admirable, que le plaisir était le seul objectif valable et que l'exercice brutal de son pouvoir sur autrui était le plus grand d'entre tous.

L'expression ultime de la puissance, assurait un certain petit livre publié à compte d'auteur, c'était de détruire ceux qui vous avaient engendré, et de briser ainsi les chaînes de « l'amour » familial. Le livre disait aussi qu'il fallait rejeter aussi violemment que possible la totale hypocrisie des règles, des lois et des nobles sentiments grâce auxquels les hommes prétendaient vivre. Il avait suivi ces conseils et y avait gagné sa place en Enfer — d'où son père l'avait ramené.

Mais il y retournerait bientôt. Quand il aurait encore fait quelques victimes — et deux en particulier — il serait rapatrié vers le monde des ténèbres et des damnés.

La température du grenier augmenta au fur et à mesure que la journée s'écoula.

Quelques grosses mouches bourdonnaient dans sa sombre retraite et quelques-unes d'entre elles se posèrent pour toujours sur l'une ou l'autre des toiles, jolies mais dangereuses, qui reliaient les chevrons. *Alors,* les araignées bougeaient.

Dans cet espace chaud et clos, Vassago finit par s'endormir profondément et faire des rêves intenses.

Le feu et l'eau, la lame et la balle.

Accroupi au coin du garage, Hatch plongea la main entre deux azalées et ouvrit le couvercle de la boîte de contrôle de l'éclairage extérieur. Il régla le minuteur de façon à empêcher les lumières de l'allée et des massifs de s'éteindre à minuit, comme c'était le cas d'habitude. Désormais, elles resteraient allumées toute la nuit.

Il referma la boîte métallique, se releva et regarda la rue tranquille et bien entretenue. Tout y était harmonieux. Chacune des maisons avait un toit de tuiles aux teintes ocre, sable et pêche, rien à voir avec le rouge orange violent de nombreuses habitations californiennes plus anciennes. Leurs murs de stuc étaient couleur crème ou d'une teinte obligatoirement choisie dans une liste de pastels assortis, spécifiés par les « engagements, conventions et restrictions », qui avaient été fournis avec l'acte de vente et les documents d'hypothèque. Les pelouses étaient vertes, tondues depuis peu, les parterres de fleurs bien soignés et les arbres correctement taillés. Il était difficile d'imaginer qu'une indescriptible violence pouvait surgir du monde extérieur et s'abattre dans cette communauté ordonnée et d'un niveau social élevé, et il était *inconcevable* que quelque chose de surnaturel pût rôder dans ces rues. La normalité du voisinage était si inébranlable que le quartier semblait encerclé par des remparts de pierres couronnés de créneaux.

Il pensa, et ce n'était pas la première fois, que Lindsey et Regina étaient en parfaite sécurité ici — sans lui. Car si la folie avait envahi cette forteresse de normalité, c'était lui qui lui avait ouvert la porte. Peut-être qu'il était fou lui-même ; peut-être que ses étranges expériences n'avaient même pas la noblesse de visions psychiques, qu'elles n'étaient que de vulgaires hallucinations nées d'un esprit malade. Il aurait parié tout ce qu'il possédait sur sa santé mentale — mais il restait une infime possibilité qu'il perdît son pari. En tout cas, fou ou pas, il était l'instrument par lequel la violence risquait de s'abattre sur Lindsey et Regina et peut-être était-il préférable de les éloigner, de mettre une certaine distance entre elles et lui jusqu'à ce que cette histoire de dingue fût réglée.

Oui, cela semblait une décision sage et responsable — sauf qu'une petite voix, au fond de lui, s'y opposait. Il avait le terrible pressentiment — ou était-ce davantage qu'un pressentiment ? — que le tueur en avait non après lui mais après Lindsey et Regina. Si elles se réfugiaient quelque part, juste toutes les deux, ce monstre assassin les suivrait, et Hatch attendrait seul une épreuve de force qui ne se produirait jamais.

D'accord. Il leur fallait donc rester ensemble. Comme une famille. Ils l'emporteraient ou ils perdraient ensemble.

Avant de partir prendre Regina à l'école, il fit lentement le tour de la maison, pour trouver des failles dans leurs défenses. Il n'y avait pas de problème, hormis une fenêtre non verrouillée à l'arrière du garage. Le loquet ne fonctionnait plus depuis longtemps et il y avait un moment qu'il avait l'intention de l'arranger. Il alla chercher quelques outils dans un meuble de garage et travailla sur le mécanisme jusqu'à ce que le verrou s'enclenchât de nouveau correctement.

Comme il l'avait dit à Lindsey un peu plus tôt, il ne croyait pas que l'homme de ses visions viendrait ce soir ; il ne viendrait sans doute même pas cette semaine, même pas d'ici un ou plusieurs mois — mais finalement il viendrait, de cela il était sûr. Et même si cette visite importune ne se produisait que dans des jours ou des semaines, cela faisait du bien de s'y préparer.

2

Vassago se réveilla.

Il n'avait nul besoin d'ouvrir les yeux pour savoir que la nuit arrivait. Il sentait l'oppressant soleil dégringoler sur le monde et glisser de l'autre côté de l'horizon. Lorsqu'il écarta enfin les paupières, la faible lumière qui entrait pas les bouches d'aération lui confirma que la marée des eaux de la nuit était en train de monter.

Hatch estimait qu'il n'était pas facile de continuer à mener une vie domestique normale, alors que l'on risquait à chaque seconde d'être victime d'une vision terrifiante et peut-être sanglante, une vision si puissante qu'elle obscurcissait la réalité tout le temps qu'elle durait. C'était une épreuve que de rester assis dans cette agréable salle à manger, de sourire, d'apprécier les pâtes au parmesan, de plaisanter gentiment, et de taquiner la fillette aux yeux gris si sérieux pour lui tirer un petit gloussement — alors que l'on ne cessait de penser au fusil chargé, caché dans le coin de la pièce derrière le paravent de

Coromandel [1], ou au revolver rangé sur le réfrigérateur, dans la cuisine adjacente, à une hauteur où les yeux d'une petite fille ne portaient pas.

Il se demandait comment l'homme en noir pénétrerait dans la maison quand il viendrait. La nuit, premièrement. Il ne sortait que la nuit. Ils n'avaient donc pas à s'inquiéter de le voir s'en prendre à Regina à l'école. Mais aurait-il l'audace de sonner ou de frapper à la porte, à un moment où ils ne seraient pas encore couchés et où toutes les lumières seraient allumées, dans l'espoir de les prendre à l'improviste, à une heure normale où ils penseraient à la visite d'un voisin ? Ou attendrait-il qu'ils fussent endormis, lumières éteintes, pour essayer de franchir leurs défenses et les attaquer par surprise ?

Hatch aurait aimé avoir un système d'alarme, comme à la boutique. Lorsqu'ils avaient vendu leur ancienne maison et s'étaient installés ici, dans la nouvelle, après la mort de Jimmy, ils auraient dû appeler Brinks tout de suite. Après tout, il y avait des antiquités de grande valeur dans chaque pièce. Mais Jimmy leur avait été enlevé, et pendant longtemps ils se moquèrent bien de tout ce que l'on aurait pu leur enlever d'autre.

Au cours du dîner, Lindsey fut une actrice parfaite. Elle avala une montagne de rigatonis comme si elle avait de l'appétit, alors que Hatch ne mangea que trois bouchées, et elle combla les silences soucieux de son mari par une conversation qui sonnait juste. Bref, elle fit de son mieux pour préserver l'ambiance d'une soirée ordinaire à la maison.

Regina était suffisamment observatrice pour comprendre que quelque chose n'allait pas. Et si elle était assez solide pour affronter à peu près toutes les situations, son manque de confiance en elle apparemment chronique allait sans doute lui faire croire qu'ils étaient mécontents d'elle.

Un peu plus tôt, Hatch et Lindsey avaient discuté de ce qu'ils pouvaient raconter à la fillette de leur situation, et cela sans l'inquiéter outre mesure. La meilleure réponse leur avait semblé être : rien. Elle n'était avec eux que depuis deux jours. Elle ne les connaissait pas assez bien pour qu'on pût lui balancer en pleine figure cette histoire complètement folle. S'ils lui avaient parlé des mauvais rêves de Hatch, de ses hallucina-

---

1. Paravent chinois laqué de la seconde moitié du XVIIe siècle (*N.d.T.*).

tions éveillées, du magazine roussi par la chaleur, des meurtres et tout ça, elle aurait été sûre d'avoir été confiée à un couple de détraqués.

N'importe comment, il ne semblait pas utile pour l'instant de mettre la fillette en garde. Ils étaient capables de la protéger ; ils en avaient d'ailleurs fait le serment.

Hatch avait du mal à croire que, trois jours plus tôt, ses cauchemars à répétition ne leur avaient pas semblé suffisamment graves pour retarder cet essai d'adoption. Mais Honell et Cooper n'étaient pas encore morts, à ce moment-là, et les puissances surnaturelles semblaient être encore réservées aux films d'adolescents et aux pages du *National Enquirer*.

Vers le milieu du repas, il entendit quelque chose dans la cuisine. Comme des claquements et des raclements. Lindsey et Regina étaient lancées dans une conversation passionnée pour savoir si Nancy Drew, la jeune détective aux innombrables aventures, était une andouille, ce qui était l'avis de Regina, ou si elle était maligne et pleine de jugeote pour son époque, mais simplement démodée lorsqu'on la considérait d'un point de vue plus moderne, comme le prétendait Lindsey. Elles étaient trop captivées par cet important débat pour avoir entendu quelque chose. Ou peut-être qu'il n'y avait pas eu le moindre bruit, peut-être qu'il l'avait imaginé ?

— Excusez-moi, dit-il en se levant. Je reviens tout de suite.

Il franchit la porte battante, pénétra dans la grande cuisine et regarda autour de lui d'un air méfiant. Le seul mouvement, dans la pièce déserte, c'était un petit ruban de vapeur, qui montait en spirale au-dessus du pot de la sauce des pâtes posé sur un carreau de céramique sur le plan de travail, à côté de la gazinière.

Et maintenant, quelque chose frappait doucement dans la salle de séjour en forme de L sur laquelle donnait la cuisine. Il n'apercevait qu'une partie de cette pièce, de l'endroit où il se trouvait. Il traversa silencieusement la cuisine et franchit le porche, ramassant au passage le Browning sur le dessus du réfrigérateur.

La salle de séjour était déserte, elle aussi. Mais il était sûr de ne pas avoir imaginé ces bruits-là. Il resta immobile un moment, à examiner les lieux, déconcerté.

Sa peau le picotait ; il se précipita vers le petit couloir reliant la salle de séjour et le vestibule. Rien. Il était seul. Alors pourquoi avait-il l'impression que l'on avait posé un cube de glace sur sa nuque ?

Il se déplaça avec précaution dans le couloir, jusqu'à la penderie, dont la porte était fermée. En face, il y avait un cabinet de toilette, fermé lui aussi. Il se sentait attiré vers le vestibule, et il avait envie de suivre son intuition et d'y aller, mais il ne voulait pas laisser ces deux portes dans son dos.

Lorsqu'il ouvrit d'un coup celle de la penderie, il vit immédiatement qu'il n'y avait personne à l'intérieur. Avec son pistolet braqué sur deux manteaux pendus à leur cintre, il se sentit idiot à jouer le flic de cinéma. Mais il valait mieux espérer que ce n'était pas la dernière bobine. Parce que, parfois, quand l'histoire le nécessitait, ils éliminaient le gentil, à la fin.

Il jeta ensuite un coup d'œil au cabinet de toilette, le trouva vide, lui aussi, et il s'avança alors dans le vestibule. La sensation inquiétante était toujours là, mais moins forte. Le vestibule était désert. Il jeta un coup d'œil dans les escaliers. Personne.

Il examina le living. Personne. Tout au bout, il apercevait un coin de la table de la salle à manger, de l'autre côté du porche. Il entendait Lindsey et Regina qui continuaient à discuter de Nancy Drew, mais il ne les voyait pas.

Il vérifia alors le petit bureau qui donnait aussi sur le vestibule. Et la penderie de celui-ci. Et l'espace pour les jambes, sous le bureau.

De retour dans le vestibule, il alla à la porte d'entrée. Fermée comme il convenait.

Ce n'était pas bon, tout ça. Jésus, s'il était déjà nerveux aujourd'hui, dans quel état serait-il demain ou dans une semaine ? Lindsey allait être obligée de le décoller du plafond pour lui servir son café, le matin.

Revenant sur ses pas, il s'arrêta dans la salle de séjour pour contrôler les portes vitrées coulissantes qui donnaient sur le patio et la cour de derrière. Elles étaient verrouillées, avec la barre antivol correctement insérée dans le rail.

La cuisine, de nouveau. La porte du garage n'était pas fermée. Aussitôt, il eut l'impression que des araignées recommençaient à lui ramper sur le crâne.

Il ouvrit doucement. Le garage était plongé dans l'obscurité. Il tâtonna pour trouver l'interrupteur. Alluma. Les gros tubes fluorescents, fixés en croix sur le plafond, inondèrent la pièce d'une violente lumière, éliminant pratiquement toutes les ombres et ne révélant rien de particulier.

Il franchit la porte et la laissa se refermer lentement derrière lui. Il traversa la pièce avec précaution, les grandes portes coulissantes à sa droite et l'arrière des deux voitures à sa gauche. L'emplacement du milieu était vide.

Ses Rockport à semelles de caoutchouc ne faisaient aucun bruit. Il s'attendait à surprendre quelqu'un accroupi derrière l'une des voitures. Personne.

A l'extrémité du garage, quand il eut dépassé la Chevrolet, il se laissa tout à coup tomber sur le sol pour regarder sous la voiture. Il aperçut ainsi l'ensemble de la pièce, même au-delà de la Mitsubishi. Personne ne se dissimulait sous l'un ou l'autre des véhicules. Et, pour autant qu'il pût en juger puisqu'il ne voyait pas derrière les pneus, personne non plus n'était en train de tourner en même temps que lui autour des voitures pour échapper à son inspection.

Il se redressa et alla jusqu'à la porte, dans le mur du fond. Elle desservait la cour latérale et possédait une serrure à pêne dormant que l'on fermait manuellement. Le pêne était engagé. Personne ne pouvait entrer par là.

En revenant vers la cuisine, il ne vérifia que les deux placards de rangement assez larges pour procurer une cachette à un adulte. Personne, ni dans l'un ni dans l'autre.

Il contrôla le loquet de la fenêtre qu'il avait réparé un peu plus tôt dans la journée. C'était bon. Le pêne rentrait parfaitement dans le mentonnet vertical.

De nouveau, il se sentit idiot. Un vrai gosse qui se prenait pour un héros de cinéma.

Et soudain, il se demanda comment il aurait réagi si quelqu'un avait *vraiment* été caché dans l'un de ces grands placards et s'était précipité sur lui au moment où il ouvrait la porte. Ou si l'homme en noir s'était trouvé là, justement, en face de lui, à quelques centimètres de son visage, quand il s'était jeté au sol pour regarder sous la Chevy...

Il était heureux de ne pas avoir eu l'occasion de répondre à ce genre de question parfaite pour lui saper le moral. Mais il n'était tout de même pas mécontent de se l'être posée : il se sentait moins idiot, maintenant, parce que l'homme en noir aurait très bien pu être là, en effet.

Tôt ou tard, le salopard *serait* là. Hatch était plus sûr que jamais que la confrontation était inévitable. On pouvait appeler ça comme l'on voulait, pressentiment, prémonition, ou dinde de Noël, il savait pouvoir se fier à cette voix intérieure qui le mettait en garde.

En passant devant la Mitsubishi, il découvrit alors que son capot avait une marque. Il s'arrêta, certain qu'il devait s'agir d'une illusion d'optique, l'ombre de la corde qui pendait de la trappe du plafond, directement au-dessus de la voiture. Mais quand il donna un petit coup sur la corde, cette marque ne se mit pas à danser, comme ç'aurait été le cas si elle n'avait été qu'une ombre.

Se penchant au-dessus de la calandre, il effleura le métal tout lisse du capot et sentit un petit creux, à peine visible mais de la largeur de sa main. Il soupira. La voiture était encore neuve, et voilà qu'elle avait déjà besoin de passer chez le carrossier ! Vous allez acheter un nouveau véhicule, et une heure après sa sortie du garage, il y a toujours un dingue pour se garer à côté et le bugner en ouvrant sa portière ! Ça ne rate jamais.

Il n'avait pas repéré cette marque en revenant de chez l'armurier cet après-midi, ni en allant chercher Regina à l'école. Peut-être qu'elle n'était pas aussi évidente quand on était derrière le volant ; peut-être qu'il fallait être devant la voiture et regarder le capot sous un certain angle. Et pourtant, elle semblait assez importante pour être visible de n'importe quel côté.

Il essayait de comprendre comment cela avait pu arriver — quelqu'un avait dû passer à côté de la voiture et laisser tomber quelque chose sur le capot... Et tout à coup, il vit l'empreinte. C'était une pellicule arachnéenne de poussière beige sur la peinture rouge : la semelle et une partie du talon d'une chaussure de marche, sans doute pas très différente des siennes. Quelqu'un s'était tenu debout sur le capot de la Mitsubishi !

Cela avait dû se produire devant l'école Saint-Thomas, parce que c'était exactement le genre de choses qu'un gamin pouvait inventer pour se faire remarquer de ses copains. Comme il était parti tôt à cause des embouteillages, il était arrivé à l'école vingt minutes avant la sortie. Plutôt que d'attendre dans la voiture, il était allé se promener un moment pour éliminer un trop-plein de nervosité. Sans doute que des petits malins du lycée d'à côté — l'empreinte était trop grande pour appartenir à un gosse — s'étaient échappés un peu avant l'heure et qu'ils avaient fait leurs intéressants en quittant l'école, peut-être en sautant et en grimpant par-dessus les obstacles au lieu de les contourner, comme s'ils étaient en train de s'évader de prison avec les chiens policiers sur leurs talons et...

— Hatch ?

Tiré de ses pensées au moment où elles semblaient le mener quelque part, il se tourna brusquement dans la direction de la voix, comme si celle-ci ne lui était pas familière.

Lindsey se tenait dans l'encadrement de la porte. Elle jeta un coup d'œil à son revolver, puis croisa son regard :

— Qu'est-ce qui ne va pas ?

— J'ai cru entendre quelque chose.

— Et ?

— Rien. (Il avait été tellement surpris qu'il oublia l'empreinte sur le capot de la Mitsubishi. En lui emboîtant le pas jusqu'à la cuisine, il ajouta :) Cette porte n'était pas fermée à clé. Je l'avais pourtant verrouillée.

— Oh, Regina avait oublié un livre dans la voiture, en rentrant de l'école. Elle est allée le chercher juste avant le dîner.

— Tu aurais dû vérifier qu'elle avait bien refermé.

— C'est juste la porte du garage, répondit Lindsey en faisant mine de se diriger vers la salle à manger.

Il l'arrêta en posant sa main sur son épaule, l'obligea à se retourner.

— C'est un point faible, dit-il, avec une inquiétude peut-être disproportionnée pour une brèche aussi minime dans leurs défenses.

— Les portes extérieures du garage ne sont pas fermées ?

— Si, mais celle-ci doit l'être aussi.

— Mais on y passe tellement souvent que c'est plus pratique de la laisser ouverte ! On l'a toujours laissée ouverte.

(Ils avaient un second réfrigérateur dans le garage.)

— Plus maintenant, dit-il avec autorité.

Ils étaient face à face ; elle l'étudia d'un air soucieux. Il devinait ce qu'elle pensait — qu'il avançait sur l'étroite frontière entre la prudence normale et la douce hystérie, et qu'il passait même, parfois, du mauvais côté de la ligne...

Mais elle n'avait pas, elle, bénéficié de ses cauchemars ni de ses visions.

Cette même pensée traversa peut-être l'esprit de Lindsey, car elle acquiesça finalement d'un signe de tête :

— D'accord. Je suis désolée. Tu as raison.

Il se pencha dans l'encadrement de la porte et éteignit les lumières du garage, puis il referma à clé — ne se sentit pas en sécurité pour autant.

Lindsey se dirigea vers la salle à manger. Comme il lui emboîtait le pas, elle se retourna et indiqua le revolver d'un signe du menton :

— Tu vas ramener ça à table ?

Estimant qu'il avait été un peu brusque avec elle, il secoua la tête et fit les gros yeux avec une expression à la Christopher Lloyd pour essayer de détendre l'atmosphère :

— Certains de mes rigatonis sont encore vivants et j'ai pas envie de les manger tant qu'ils ne sont pas morts, voilà !

— Ben, tu as le fusil planqué derrière le Coromandel, pour ça, lui rappela-t-elle.

— Tu as raison ! (Il abandonna le revolver sur le réfrigérateur.) Et si ça ne marche pas, je pourrai toujours les sortir dans l'allée et leur rouler dessus avec la voiture !

Elle poussa la porte battante, Hatch sur les talons.

Regina les regarda et dit :

— Vos assiettes refroidissent.

Continuant à imiter Christopher Lloyd, Hatch répondit :

— Alors il va falloir qu'on leur mette des pull-overs et des moufles !

Regina pouffa de rire. Hatch *adorait* l'entendre rire.

Une fois la vaisselle terminée, Regina retourna dans sa chambre pour étudier.

— Important examen d'histoire, demain, dit-elle simplement.

Lindsey remonta dans son atelier pour avancer un peu dans son travail. En s'asseyant à sa planche à dessin, ses yeux se posèrent sur le second Browning. Il était toujours là où Hatch l'avait laissé, un peu plus tôt dans la journée — sur le meuble bas où elle rangeait son matériel.

Elle lui jeta un regard mauvais. Elle n'était pas nécessairement opposée aux armes à feu, mais celle-ci était plus qu'un simple revolver : c'était le symbole de leur impuissance devant la menace indéfinie qui planait sur leur tête. Garder un revolver à portée de la main, c'était admettre leur désespoir et leur incapacité à contrôler leur destinée. Si elle avait vu un serpent lové sur son meuble, elle n'aurait sans doute pas réagi très différemment.

Regina pouvait entrer ici et le découvrir. Et cela, elle ne le voulait pas.

Elle ouvrit le tiroir supérieur de son meuble et poussa les gommes et les crayons pour faire de la place au Browning, qui entra tout juste dans cet espace étroit. Elle referma le tiroir et se sentit mieux.

Ce jour-là, elle n'avait rien produit d'intéressant. Seulement des ébauches qui ne menaient nulle part. Elle ne se sentait même pas prête à préparer une toile.

De l'agglo, plus exactement. Elle travaillait sur de l'agglo, comme la plupart des artistes d'aujourd'hui, mais pour elle ses tableaux étaient toujours des « toiles », comme si elle était la réincarnation d'un peintre d'un autre âge, incapable de se débarrasser des vieilles habitudes de pensée. Elle utilisait aussi des peintures acryliques plutôt que des peintures à l'huile. L'agglo ne se détériorait pas avec le temps comme le faisait une toile, et l'acrylique conservait ses vraies couleurs beaucoup mieux que les peintures à l'huile.

Évidemment, si elle ne recommençait pas quelque chose bientôt, elle pourrait tout aussi bien utiliser de la pisse de chat à la place de l'acrylique, ça n'aurait plus aucune importance... Comment se considérer comme une artiste si elle n'était pas capable de sortir une idée qui lui plaisait ni de mettre sur le papier de quoi exprimer cette idée ? Elle prit un fusain et se pencha sur son carnet de croquis ouvert devant elle sur sa planche à dessin. Elle essaya de faire tomber l'inspiration de son perchoir pour obliger son gros derrière paresseux à s'envoler de nouveau.

Une minute plus tard, ses yeux se désintéressèrent de sa page et se perdirent dans la contemplation de la fenêtre. Aucun spectacle pour la distraire, ce soir, à l'extérieur — les cimes des arbres ne se balançaient pas dans la brise nocturne, et il n'y avait pas d'étoiles. La nuit, au-delà des vitres, était sans traits distinctifs.

Cette toile de fond nocturne faisait de la vitre un miroir où elle se vit penchée sur sa planche à dessins. Mais ce n'était pas un véritable miroir, et son reflet était transparent, fantomatique, comme si elle était revenue hanter après sa mort le dernier endroit qu'elle eût connu sur cette terre.

C'était une idée dérangeante, alors elle reporta son attention sur la page blanche, devant elle.

Lorsque Regina et Lindsey furent montées à l'étage, Hatch passa d'une pièce à l'autre et s'assura que les portes et les fenêtres étaient bien fermées. Il les avait déjà vérifiées une fois. Recommencer était inutile. Il le fit quand même.

Quand il arriva aux deux portes vitrées de la salle de séjour, il alluma les lumières du patio pour augmenter l'éclairage extérieur qui n'était pas très puissant. Il voyait désormais la majeure partie du jardin — mais, bien sûr, quelqu'un aurait pu être accroupi dans les buissons, le long de la clôture arrière. Il resta un moment devant les baies vitrées et attendit qu'une ombre se mît à bouger.

Peut-être qu'il se trompait. Peut-être que ce type ne viendrait jamais. Dans ce cas, d'ici un mois ou deux, il serait bon à enfermer, à cause de la tension nerveuse de l'attente. Il pensa que ce serait mieux si ce saligaud venait maintenant de façon à en finir tout de suite.

Il alla vérifier les fenêtres du coin repas. Elles étaient toujours verrouillées.

Regina prépara son bureau pour réviser son histoire. Elle posa ses livres d'un côté de son sous-main, ses stylos et ses feutres de l'autre, et son carnet de notes au milieu. Tout était bien rangé et bien net.

Tout en s'organisant ainsi, elle s'inquiétait pour les Harrison. Il y avait quelque chose qui n'allait pas chez eux.

Euh, pas quelque chose dans le sens où ils étaient des gangsters, ou des espions étrangers, ou des faux monnayeurs ou des assassins ou des mangeurs d'enfants... Pendant un moment, elle avait eu une idée de roman — cette fille qui bousille absolument tout est adoptée par un couple de cannibales mangeurs d'enfants et elle trouve un gros tas d'os dans la cave et un classeur de recettes dans la cuisine, avec des fiches comme : BROCHETTE DE PETITE FILLE et SOUPE DE FILLE, et des instructions du genre : « INGRÉDIENTS : une jeune fille toute tendre, non salée ; un oignon, haché ; une livre de carottes, coupées en dés... » Dans l'histoire, la fille va voir la police, mais on ne la croit pas parce que tout le monde sait que cette bousilleuse raconte des histoires à dormir debout. Mais bon, c'était une fiction, et elle, elle vivait dans une réalité où les Harrison semblaient très heureux avec les pizzas, les pâtes et les hamburgers.

Elle alluma la lampe au néon de son bureau.

Il n'y avait pas de problème avec les Harrison, mais eux ils avaient vraiment des ennuis, ils étaient sur les nerfs et ils essayaient désespérément de le lui cacher. Peut-être qu'ils ne pouvaient pas rembourser leurs crédits et que la banque allait saisir la maison et qu'ils allaient être obligés tous les trois de se réfugier dans son ancienne chambre à l'orphelinat. Peut-être qu'ils avaient appris que Mrs Harrison avait une sœur dont elle n'avait jamais entendu parler, une jumelle méchante, comme ça se passait souvent pour tous ces gens que l'on voyait à la télé. Ou peut-être qu'ils devaient de l'argent à la Mafia et qu'ils ne pouvaient pas payer et qu'on allait leur briser les jambes.

Regina prit un dictionnaire sur une étagère et le posa sur son bureau.

S'ils avaient un problème, elle préférait encore une histoire avec la Mafia, parce qu'elle pourrait assumer ça très bien. Les jambes des Harrison finiraient par guérir et ils auraient appris une leçon importante — qu'il ne fallait pas emprunter de l'argent à des usuriers. Pendant ce temps, elle pourrait s'occuper d'eux, veiller à leur faire prendre leurs médicaments, vérifier leur température de temps en temps, leur apporter des crèmes glacées avec de petits animaux en biscuit sur le dessus, et même vider leurs bassins (Beurk !) s'il fallait en arriver là. Elle en connaissait un paquet sur la profession d'infirmière, vu qu'elle avait eu souvent l'occasion, au cours des années précédentes, de bénéficier de leurs services. (Mon Dieu, si leur problème c'est moi, est-ce qu'il peut y avoir un miracle ici, et que leur problème soit changé, et que ce soit la Mafia, de sorte qu'ils me gardent et qu'on soit heureux tous ensemble ? En échange de ce miracle, j'accepte même d'avoir les jambes brisées, moi aussi. Au moins discutez-en avec les types de la Mafia et voyez ce qu'ils veulent.)

Lorsque son bureau fut prêt, Regina décida qu'elle avait besoin d'être habillée plus confortablement pour étudier. En rentrant à la maison, elle avait ôté son uniforme de l'école catholique ; elle portait maintenant des pantalons en velours côtelé et un pull-over de coton vert jaune, à manches longues. Un pyjama et un peignoir, ce serait bien mieux pour réviser l'histoire. En plus son appareil la grattait à deux endroits et elle avait envie de l'ôter.

Quand elle ouvrit la porte de son placard, elle se retrouva nez à nez avec un homme accroupi, vêtu de noir et avec des lunettes de soleil.

3

Après avoir fait une nouvelle fois le tour du rez-de-chaussée, Hatch décida d'éteindre partout. Avec les lumières extérieures allumées et l'intérieur éteint, il pourrait voir sans être vu.

Il termina sa garde dans le bureau plongé dans l'obscurité, où il avait décidé de veiller un moment. Assis dans le noir, il pouvait surveiller le vestibule et le bas des escaliers. Ainsi, il saurait immédiatement si quelqu'un essayait d'entrer par une fenêtre du bureau ou par les portes-fenêtres de la roseraie. Et si un intrus réussissait à franchir leurs défenses dans une autre pièce, il le coincerait lorsqu'il chercherait à monter à l'étage, parce que les lumières du couloir du premier éclairaient l'escalier. Il ne pouvait pas être partout à la fois et cet endroit lui semblait être la meilleure position stratégique.

Il posa le fusil et le revolver sur son bureau, à portée de main. Il ne les voyait pas très bien, sans lumière, mais il pouvait s'en emparer en une seconde si quelque chose se produisait. Il s'y entraîna plusieurs fois — il était assis dans son fauteuil pivotant, face au vestibule, et soudain il tendait la main pour saisir le Browning, et puis le Mossberg calibre 12, et puis le Browning, le Browning, le Mossberg, le Browning, le Mossberg, le Mossberg... A chaque fois, peut-être parce que ses réactions étaient renforcées par l'adrénaline, sa main descendait dans l'obscurité et venait se poser avec précision sur la poignée du Browning ou sur la crosse du Mossberg.

Il ne trouvait aucune satisfaction dans le fait d'être prêt, parce qu'il savait qu'il ne pourrait pas être vigilant vingt-quatre heures par jour et sept jours par semaine. Il serait obligé de dormir et de manger. Il n'était pas allé à la boutique aujourd'hui et ce n'était pas grave s'il s'absentait encore quelques jours, mais il ne pourrait pas tout confier à Lew et à Glenda définitivement. Tôt ou tard, il devrait repartir travailler.

Il fallait voir la réalité en face : outre les interruptions lorsqu'il mangerait et qu'il dormirait, il cesserait d'être un gardien efficace aussi longtemps qu'il continuerait à travailler. Conserver un haut degré de vigilance physique et mentale était une entreprise épuisante. En fin de compte, il serait forcé d'engager un ou deux gardes du corps d'une société de sécurité, et il n'avait aucune idée de ce que cela coûterait. Et surtout, il ne savait pas à quel point un garde du corps était fiable.

Mais il croyait qu'il n'aurait sans doute pas à prendre cette décision, parce que ce salopard ne tarderait pas à venir — et peut-être même cette nuit. A un niveau très primitif, il devinait vaguement les intentions de l'homme grâce à l'espèce de lien psychique qui les réunissait. C'était comme les paroles d'un enfant prononcées dans une boîte et transportées par un fil jusqu'à une autre boîte, où elles étaient reproduites sous forme de vagues sonorités : la majeure partie de leur cohérence était perdue à cause du peu de qualité du conducteur, mais la tonalité de base restait perceptible. S'il ne comprenait pas avec précision le message actuel qui lui arrivait par l'intermédiaire de leur connexion, son sens général était clair : *Je viens... Je viens... Je viens...*

Sans doute après minuit. Hatch sentait que leur rencontre aurait lieu entre minuit et l'aube. Il était dix-neuf heures quarante-six à sa montre.

Il sortit de sa poche son trousseau de clés, y trouva la petite clé du bureau qu'il y avait ajoutée récemment, et ouvrit le tiroir, d'où il sortit le numéro d'*Arts American* noirci par la chaleur et sentant le brûlé. Laissant le trousseau pendre à la serrure du tiroir, il saisit le magazine des deux mains, dans l'obscurité : il espérait que cela amplifierait sa vision magique, comme un talisman, et lui permettrait de découvrir exactement quand, où et comment le tueur se manifesterait.

Un mélange d'odeurs d'incendie et de destruction — certaines étaient si affreusement âcres qu'elles lui donnaient presque la nausée, alors que d'autres ne sentaient que la cendre — s'élevait encore des pages craquantes.

Vassago éteignit la lampe du bureau. Il traversa la chambre de la fillette jusqu'à la porte et coupa aussi la lampe du plafond.

Il posa la main sur le bouton de porte, mais il hésita. Il n'avait pas envie de laisser l'enfant derrière lui. Elle était si délicate, si pleine de vie ! Il *avait su*, au moment où il l'avait tenue dans ses bras, qu'elle était le genre d'acquisition grâce à laquelle il compléterait sa collection et recevrait sa récompense éternelle.

Étouffant son cri et coupant sa respiration de sa main gantée, il l'avait tirée et saisie dans ses bras puissants au moment où elle ouvrait le placard. Il l'avait écrasée si violemment contre lui qu'elle n'avait plus eu la possibilité ni de bouger, ni de donner des coups de pied pour attirer l'attention des Harrison.

Lorsqu'elle s'était évanouie entre ses bras, il s'était senti défaillir, submergé qu'il était par le désir urgent de la tuer immédiatement. Dans son placard. Au milieu des doux entassements de ses vêtements tombés des cintres. L'odeur du coton récemment lavé et de l'amidon, la tendre fragrance de la laine... Et cette fillette. Il avait envie de lui serrer le cou et de sentir son énergie vitale passer en lui, par ses mains puissantes — et, à travers elle, rejoindre le pays des morts.

Il lui fallut un si long moment pour oublier ce désir fou qu'il la tua presque. Elle s'écroula, silencieuse, sans mouvement. Lorsqu'il ôta sa main de son nez et de sa bouche, il pensa l'avoir étouffée. Mais quand il approcha son oreille de ses lèvres entrouvertes, il entendit et sentit le souffle de sa faible respiration. Il posa la main sur sa poitrine et en fut récompensé par les coups sourds de ses battements cardiaques, lents mais puissants.

Il la contempla un instant et résista au désir de la tuer en se promettant qu'il s'offrirait cette satisfaction avant l'aube. Entre-temps, il se devait d'être un Maître. Il se devait d'exercer sa maîtrise de soi.

Contrôle.

Il ouvrit la porte et, depuis le seuil de la chambre, étudia le couloir du premier étage. Désert. Un lustre brillait à son extrémité, en haut des marches, devant la porte d'une autre pièce — trop de lumière, s'il n'avait pas eu ses lunettes noires. Et même avec, cette luminosité l'obligeait à plisser les yeux.

Il ne devait éliminer ni l'enfant, ni la mère, mais les ramener vivantes, toutes les deux, dans son musée des morts, où il avait tué tous les autres qui appartenaient désormais à sa collection. Il comprenait maintenant pourquoi il avait été attiré vers Lindsey et Regina. La mère et la fille. La salope et la mini-salope. Pour qu'il récupère sa place en Enfer, on attendait de le voir commettre un acte identique à celui qui lui avait valu la damnation, la première fois : le meurtre d'une mère et de sa fille. Et comme sa mère et sa sœur n'étaient plus disponibles, c'était Lindsey et Regina qui avaient été choisies.

Sur le seuil de la chambre, immobile, il écoutait les bruits de la maison. Tout était silencieux.

Il savait que l'artiste n'était pas la mère de la fillette. Un peu plus tôt, alors que les Harrison étaient dans leur salle à manger et qu'il s'était glissé dans la maison depuis le garage, il avait eu le temps de fureter un peu dans la chambre de Regina. Il avait trouvé des documents avec le nom de l'orphelinat — pour la plupart, des programmes mal imprimés de pièces de théâtre jouées pendant les vacances, où l'enfant avait eu des rôles mineurs. Et pourtant, il avait été entraîné vers Regina et Lindsey, que son Maître, apparemment, avait jugées dignes d'être sacrifiées.

La maison était tellement silencieuse qu'il allait devoir s'y déplacer aussi discrètement qu'un chat. Il y parviendrait.

Il jeta un coup d'œil à la fille, sur le lit ; il la voyait mieux dans l'obscurité qu'il n'apercevait les détails du couloir trop éclairé. Elle était encore inconsciente ; il lui avait enfoncé dans la bouche un de ses foulards roulé en boule, puis il avait entouré le bas de son visage avec un second foulard pour faire tenir ce bâillon improvisé. Ses poignets et ses chevilles étaient attachés bien serré avec de solides cordes, récupérées sur les boîtes du grenier.

Contrôle.

Laissant la porte de la chambre de Regina ouverte derrière lui, il s'avança doucement dans le couloir, veillant à rester contre le mur, où le plancher de contre-plaqué, sous la moquette épaisse, risquait moins de craquer.

Il connaissait la disposition des lieux : il avait exploré le premier étage avec d'infinies précautions tandis que les Harrison finissaient de dîner.

A côté de la chambre de la fillette, il y avait une chambre d'amis. Elle était vide et sombre, maintenant. Il s'avança vers l'atelier de Lindsey, contigu à cette pièce.

Comme le lustre du couloir était directement au-dessus de sa tête, son ombre tombait derrière lui, ce qui était une chance. Autrement, si la femme regardait vers le couloir pour une raison ou pour une autre, elle se rendrait compte qu'il approchait.

Une fois à la porte de l'atelier, il s'immobilisa.

Debout, le dos appuyé contre le mur, il apercevait le vestibule en dessous de lui, entre les balustres de la rampe d'escalier. Pour autant qu'il pouvait en juger, il n'y avait aucune lumière au rez-de-chaussée.

Il se demanda où le mari avait bien pu aller. La chambre du couple était ouverte, mais aucune lampe n'y était allumée non plus. Il entendait des petits bruits venant de l'atelier de la femme ; il pensa qu'elle devait être en train de travailler. Depuis tout ce temps qu'il était là, aux aguets, dans le couloir, il les aurait certainement entendu échanger quelques mots, tous les deux, si le mari avait été avec elle. Il espéra que l'homme était parti faire un tour. Il n'avait pas vraiment besoin de le tuer. Et toute confrontation avec lui aurait été dangereuse.

Il sortit de la poche de sa veste la petite matraque — un sac de cuir souple, rempli de grenaille de plomb — qu'il avait prise à Morton Redlow, le détective, la semaine précédente. Cette arme semblait très efficace. Il l'avait bien en main. Il avait dissimulé un revolver sous le siège du conducteur, dans la Honda, garée à deux pâtés de maisons d'ici, et il regretta presque de ne pas l'avoir amené avec lui. Il avait récupéré cette arme la nuit précédente, deux heures avant l'aube, chez Robert Loffman, l'antiquaire de Laguna Beach.

Mais il ne voulait tirer ni sur la fillette, ni sur la femme. Même s'il ne faisait que les blesser, elles risquaient de se vider de leur sang et de mourir avant d'arriver à son musée — cet autel où il disposait ses offrandes. Et s'il utilisait un revolver pour éliminer le mari, il ne pourrait faire feu qu'une fois, peut-être deux, mais pas davantage, car les voisins entendraient certainement les détonations et repéreraient sans mal leur origine. Et dans une communauté tranquille comme celle-là, les flics allaient grouiller à la minute où l'on reconnaîtrait le bruit d'une arme.

La matraque, c'était mieux. Il la soupesa dans sa main droite, pour bien la sentir.

Avec d'infinies précautions, il se pencha dans l'ouverture. Inclina la tête. Jeta un coup d'œil dans l'atelier.

Elle était assise sur son tabouret, le dos tourné à la porte. Il la reconnut, même de derrière. Son cœur se mit à galoper presque aussi vite que lorsque la fillette s'était débattue dans ses bras. Elle était installée à sa planche à dessin, un fusain à la main. Occupée. Occupée. Occupée. Son crayon émettait un petit sifflement de serpent en glissant sur le papier.

Lindsey était décidée à concentrer toute son attention sur la feuille blanche de son bloc à dessin, mais elle ne cessait de lever la tête et de regarder la fenêtre. Son fusain ne commença à se déplacer sur sa feuille que lorsqu'elle s'avoua vaincue et se mit à *dessiner* la fenêtre. Le cadre sans rideaux. Les ténèbres au-delà de la vitre. Son propre visage qui lui faisait penser à celui d'un fantôme hantant les lieux. Quand elle ajouta la toile d'araignée, dans le coin supérieur droit, l'idée prit tournure et, soudain, la fièvre créatrice fut là, de nouveau. Elle pensa qu'elle pourrait intituler cette œuvre *Le Fil de la Vie et de la Mort,* et utiliser une série surréaliste d'objets symboliques dans les quatre coins de la toile, pour unifier le thème. Non, pas de la toile. De l'agglo. En fait, tout juste un bout de papier, pour l'instant. Une simple esquisse, mais qui valait le coup d'être développée.

Elle remonta légèrement la tablette à dessin sur sa planche. De cette façon, elle n'avait plus qu'à lever les yeux de sa page pour voir la fenêtre par-dessus le rebord de la planche, sans être obligée de dresser et de baisser la tête sans arrêt.

Il faudrait d'autres éléments, en plus de son visage, de la fenêtre et de la toile d'araignée, pour donner à cette œuvre de la profondeur et de l'intérêt. Tout en travaillant, elle se mit à réfléchir à un certain nombre d'illustrations additionnelles, et les rejeta.

Et puis une nouvelle image apparut comme par enchante-ment sur la vitre, au-dessus de son propre reflet : le visage que

Hatch lui avait décrit, le visage de ses cauchemars. Pâle. Une tignasse noire. Les lunettes de soleil.

L'espace d'un instant, elle pensa qu'elle était témoin d'un événement surnaturel, d'une apparition dans la vitre. L'idée lui coupa le souffle — et puis elle comprit qu'elle voyait là un simple reflet, comme le sien, et que le tueur des rêves de Hatch avait pénétré dans la maison et l'observait depuis la porte, derrière elle. Elle réprima son envie de hurler. Dès qu'il saurait qu'elle l'avait vu, elle perdrait le petit avantage qu'elle avait encore, et il se précipiterait sur elle, il la frapperait, il l'assommerait et il l'achèverait avant que Hatch n'eût le temps de remonter du rez-de-chaussée. Au lieu de quoi, elle soupira bruyamment et secoua la tête comme si elle n'aimait pas ce qu'elle était en train de dessiner.

Hatch était peut-être déjà mort.

Elle posa lentement son fusain, laissa ses doigts dessus, comme si elle pouvait décider de le reprendre et de se remettre à travailler.

Si Hatch était vivant, comment ce salopard avait-il réussi à venir jusqu'ici ? Non, elle ne pouvait pas accepter l'idée que Hatch fût mort, parce que cela signifiait qu'elle allait mourir elle aussi, et puis Regina. Mon Dieu, Regina !

Elle tendit la main vers le tiroir du haut de son meuble de rangement, à côté d'elle, et un frisson la traversa lorsqu'elle toucha le chrome froid de la poignée.

Dans le reflet de la vitre, elle découvrit que maintenant le tueur se tenait sans crainte dans l'encadrement de la porte. Immobile, il la contemplait avec une espèce d'arrogance ; à l'évidence, il savourait cet instant. Il était si silencieux que c'en était irréel. Si elle n'avait pas aperçu son reflet, elle n'aurait absolument pas eu conscience de sa présence.

Elle ouvrit le tiroir, sentit le revolver sous ses doigts.

Derrière elle, il fit un pas dans l'atelier.

Elle attrapa le revolver et pivota avec son tabouret en un seul mouvement — elle souleva l'arme et la braqua sur lui en la tenant à deux mains. Elle n'aurait pas été absolument étonnée de ne retrouver personne devant elle et de constater que sa première impression était la bonne — qu'il n'était qu'une vision sur la vitre. Mais il était là, en face d'elle, et il s'était déjà avancé dans la pièce, quand elle le mit en joue avec le Browning.

Elle cria :

— Ne bouge pas, fils de pute !

Il pensa qu'elle n'oserait pas tirer, ou alors il s'en moquait — toujours est-il qu'il recula et disparut dans le couloir au moment exact où elle lui ordonnait de ne plus bouger.

— Stop, bon sang !

Il n'était déjà plus là. Lindsey l'aurait abattu sans la moindre hésitation, sans aucun scrupule, mais il se déplaçait si incroyablement vite, comme un chat qui aurait bondi pour se mettre à l'abri, que sa balle se serait plantée dans le bois du chambranle.

Hurlant pour prévenir Hatch, elle bondit vers la porte, alors que tout ce qui restait du tueur devant elle — une chaussure noire, celle de son pied gauche — s'évanouissait. Mais elle s'immobilisa soudain, à l'idée qu'il pouvait très bien s'être plaqué contre le mur, à côté de la porte, attendant qu'elle sortît sans réfléchir, en proie à la panique, pour se précipiter sur elle par-derrière et l'assommer d'un coup sur la nuque, ou la pousser contre la rambarde de l'escalier et la faire basculer dans le vide... Regina... Elle ne pouvait plus attendre. Il risquait de s'en prendre à Regina. Elle n'hésita qu'une seconde et, oubliant la peur, elle fonça droit devant elle sans cesser de hurler le nom de Hatch.

Elle regarda à sa droite dès qu'elle fut dans le couloir, et vit que l'assassin se dirigeait vers la porte — ouverte — de la chambre de Regina. La pièce était sombre, alors qu'il aurait dû y avoir de la lumière puisque Regina était en train d'étudier. Lindsey n'avait pas le temps de s'arrêter pour viser. Le doigt sur la détente, elle voulait tirer, dans l'espoir que l'une de ses balles descendrait ce salopard. Mais la chambre de Regina était si noire, et la fillette pouvait être n'importe où... Elle craignait de rater le monstre et de tuer Regina si une balle ricochait. Alors elle ne fit pas feu et continua à courir vers l'homme, hurlant maintenant le nom de Regina et non plus celui de Hatch.

Le tueur disparut dans la chambre et claqua la porte derrière lui, si violemment que le choc sembla secouer toute la maison. Emportée par son élan, Lindsey vint s'y écraser une seconde plus tard. C'était fermé à clé. Et puis elle entendit Hatch qui l'appelait — Dieu merci, il était vivant, il était vivant ! —, mais elle ne prit pas le temps de regarder où il était. Elle se recula et donna un violent coup de pied dans la porte, puis un deuxième.

C'était un petit loquet, pas très solide, pour assurer un peu d'intimité si nécessaire. Il aurait donc dû sauter facilement, mais ce ne fut pas le cas.

Au moment où elle allait s'attaquer de nouveau à la porte, le tueur lui parla, de l'autre côté du battant.

C'était une voix puissante, mais qui ne hurlait pas, une voix menaçante mais calme, d'où la peur était absente, une voix assez sonore, affreusement douce et tranquille :

— Éloigne-toi de la porte, ou bien je tue la petite pute.

Juste avant d'entendre Lindsey l'appeler au secours, Hatch était assis dans le bureau du rez-de-chaussée, dans l'obscurité, et il tenait *Arts American* des deux mains. Et brusquement, une vision le frappa, avec un bruit très particulier — le crépitement du courant passant dans un arc électrique, comme si le magazine était une ligne à haute tension qu'il venait d'attraper à mains nues.

Il vit Lindsey, de dos, assise sur son haut tabouret dans son atelier, qui travaillait à sa planche à dessin. Et soudain, ce n'était plus Lindsey. Soudain, c'était une autre femme, plus grande, de dos elle aussi, mais elle n'était plus sur un tabouret, elle était dans un fauteuil, dans une pièce qu'il ne reconnaissait pas. Elle tricotait. Un écheveau de fil brillant se déroulait lentement d'une pelote posée sur une petite table à côté d'elle. Hatch pensa à elle comme à une « mère », même si elle ne ressemblait pas du tout à sa propre mère. Baissant les yeux, il s'aperçut qu'il avait un couteau à la main, un couteau énorme, déjà rouge de sang. Il s'approcha d'elle. Elle ne l'avait pas vu. Hatch voulait crier pour la prévenir. Mais celui qui utilisait ce couteau, celui par les yeux duquel il voyait toute la scène, n'avait qu'un désir — se jeter sur elle, lui ôter la vie et terminer ainsi la mission qui le libérerait. Il arriva derrière son fauteuil. Elle ne l'avait toujours pas entendu. Il leva le couteau. Il frappa. Elle hurla. Il frappa. Elle essaya de se lever. Il tourna autour d'elle, et c'était comme un plan en piqué, au cinéma, qui donnait une impression de vol — le vol plané, sans à-coups, d'un oiseau ou d'une chauve-souris. Il la repoussa dans le fauteuil, frappa. Elle leva les mains devant elle pour se protéger. Il frappa. Il frappa. Et comme dans un film en circuit bouclé, voilà qu'il se retrouvait encore une fois derrière elle, sur le seuil de la porte, sauf que ce n'était plus une « mère », mais que c'était Lindsey, de nouveau, assise devant sa planche à dessin, dans son atelier du premier, tendant la main et ouvrant le tiroir du haut de son meuble à rangement. Il regarda la fenêtre. Il aperçut son reflet — visage d'une grande pâleur, cheveux noirs, lunettes de soleil — et il sut qu'elle l'avait vu, elle aussi. Elle pivota sur son tabouret, braqua un pistolet, la gueule de l'arme dirigée vers sa poitrine...

— Hatch !

Son nom, retentissant à travers la maison, rompit le lien. Pris de frissons, il se leva comme un fou de son fauteuil, et le magazine lui échappa.

— Hatch !

Il trouva immédiatement la crosse du Browning dans l'obscurité, et se précipita hors du bureau. Comme il traversait le vestibule et grimpait l'escalier quatre à quatre, essayant de voir ce qui se passait à l'étage, il entendit Lindsey qui se mettait à crier *Regina !* Il pensa : *Pas elle, Jésus, je Vous en supplie, pas elle !* En arrivant au premier, il crut d'abord entendre un coup de feu quand la porte claqua. Mais c'était un son trop reconnaissable pour se tromper. Au bout du couloir, Lindsey s'écrasait contre la porte de la chambre de Regina, dans un craquement. Au moment où il la rejoignait, elle donna un coup de pied dans la porte, et un autre, et puis s'écarta en chancelant.

— Laisse-moi essayer, dit-il en la repoussant.

— Non ! Non ! Il a dit qu'il ne fallait pas s'approcher, sinon il la tuerait !

Hatch considéra un instant la porte, en tremblant littérale-ment de frustration. Puis il posa la main sur le bouton et essaya de tourner lentement. Fermé. Alors il plaça la gueule de son revolver sous la plaque de la serrure.

— Hatch..., dit Lindsey d'un ton plaintif. Il va la tuer.

Il pensa à la jeune blonde qui avait reçu deux balles dans la poitrine et qui était tombée de la voiture et s'était écrasée sur l'autoroute, roulant et roulant encore sur la chaussée, dans le brouillard... Et il pensa à la mère transpercée par la grosse lame du couteau de boucher, qui lâchait son tricot et luttait désespérément pour sa vie...

Il dit :

— Il la tuera de toute façon. Tourne la tête.

Et il appuya sur la détente.

Le bois de la porte et le métal de la serrure explosèrent. Hatch empoigna le bouton en cuivre, qui lui resta dans la main ; il le jeta dans le couloir. Quand il voulut enfoncer la porte, elle craqua et s'ouvrit de trois centimètres, mais pas davantage. Le loquet avait été désintégré, mais la tige sur laquelle le bouton avait été fixé était toujours en place dans le bois ; quelque chose devait être calé sous l'autre bouton, à l'intérieur. Hatch poussa sur la tige avec la paume de la main, mais ce n'était pas suffisant pour la faire bouger. Ce qui bloquait, de l'autre côté — sans doute le fauteuil du bureau de Regina — exerçait une pression vers le haut, et maintenait donc la tige en place.

Saisissant son Browning par le canon, il utilisa sa crosse comme un marteau. Il tapa sur la tige, en jurant, pour l'enfoncer centimètre par centimètre.

Juste au moment où elle se débloquait enfin et tombait sur le sol à l'intérieur de la chambre, une succession d'images très nettes s'emparèrent de l'esprit de Hatch, tandis qu'autour de lui le couloir du premier étage disparaissait provisoirement. Il voyait de nouveau par les yeux du tueur : ... un angle bizarre, par lequel il aperçoit le côté d'une maison, *cette* maison, le mur extérieur de la chambre de Regina. La fenêtre ouverte. Sous le rebord de la fenêtre, l'enchevêtrement des stolons du jasmin. Une fleur comme une corne contre son visage. Du treillis sous ses doigts. Des échardes piquant ses paumes. Une main accrochée au treillis, tandis que la seconde cherche un autre endroit à attraper, une jambe pendant dans le vide, un poids pesant sur ses épaules. Et puis un craquement, le bruit de quelque chose qui se déchire. La brusque sensation d'un relâchement dangereux de l'armature géométrique à laquelle il se tient...

Hatch fut rappelé à la réalité par des sons brefs et puissants venus de derrière la porte : du bois qui craquait et se brisait, des clous qui se détachaient en grinçant, et puis un raclement, un brusque fracas.

Et une nouvelle série d'images et de sensations psychiques le submergea. Une chute. En arrière, dans la nuit. Pas très longue. Il touche le sol, un éclair de douleur. Il roule une fois dans l'herbe. A côté de lui, une petite forme recroquevillée, immobile. Il se précipite sur elle. Examine son visage. Regina. Les yeux fermés. Une écharpe attachée autour de la bouche...

— Regina ! cria Lindsey.

Lorsque la réalité se remit de nouveau en place avec une espèce de déclic, Lindsey était déjà 'en train d'écraser son épaule contre la porte de la chambre de Regina. Ce qui la bloquait céda enfin, et le battant s'ouvrit avec une secousse. Il entra, donna de grandes claques contre le mur pour trouver l'interrupteur. La lumière revenue, il sauta par-dessus la chaise du bureau renversée et pointa son Browning à droite, puis à gauche. La chambre était déserte, ce qu'il savait déjà grâce à sa vision.

Par la fenêtre ouverte, il vit sur la pelouse le treillis affaissé et le jasmin emmêlé. Mais aucune trace de l'homme aux lunettes noires, aucun signe de Regina.

— Merde !

Il revint précipitamment vers la porte, attrapa Lindsey, la fit se retourner, la poussa jusqu'au couloir, jusqu'aux escaliers.

— Lindsey, tu prends le devant de la maison, moi je prends l'arrière, il l'a emmenée, faut l'arrêter, allez, allez !

Elle ne protesta pas, comprit immédiatement ce qu'il voulait et descendit l'escalier à toute vitesse, Hatch sur les talons.

— Tire-lui dessus, cria-t-il. Abats-le, vise les jambes, tant pis si on blesse Regina, il va réussir à s'échapper !

Lindsey atteignit la porte principale au moment où Hatch sautait la dernière marche et filait vers le petit couloir. Il traversa en trombe la salle du séjour, puis la cuisine, en regardant sans s'arrêter par les fenêtres des pièces éteintes. La pelouse et le patio étaient bien visibles, grâce à l'éclairage extérieur, mais il n'aperçut personne.

Il ouvrit la porte donnant sur le garage, où il pénétra et alluma la lumière. Il passa en courant derrière les deux voitures et arriva à la porte principale, à l'autre bout, alors que la lumière du dernier tube au néon tremblotait encore.

Il ouvrit le loquet, émergea dans la petite cour, regarda à sa droite. Pas de tueur. Pas de Regina. Le devant de la maison était par là-bas. La rue. D'autres maisons, en face. C'était une partie que Lindsey couvrait déjà.

Son cœur battait si violemment qu'il semblait chasser l'air de ses poumons avant même qu'il eût fini de l'aspirer.

Elle n'a que dix ans, que dix ans !

Il prit à sa gauche et courut le long de la maison, tourna au coin du garage, arriva dans la cour arrière, où le treillis et le jasmin étaient entassés sur la pelouse.

Si petite, une si petite chose. Mon Dieu, je vous en supplie !

Pour éviter de se blesser en marchant sur un clou, il contourna les débris et se mit à fouiller comme un fou tout le jardin, plongea dans les buissons, se faufila derrière les grands eugénias.

Il n'y avait plus personne, ici.

Il arriva sur le côté de la propriété le plus éloigné du garage et tourna si vite le coin qu'il glissa et faillit tomber, mais il conserva son équilibre de justesse. Il braqua le Browning devant lui, le tenant des deux mains, bras tendus, couvrant ainsi le passage entre la clôture et le mur de la maison. Personne ici non plus.

Il n'entendait aucun bruit du côté de Lindsey, pas un seul coup de feu : elle n'avait pas dû avoir plus de chance que lui. Et s'ils étaient bredouilles, tous les deux, cela signifiait que le tueur avait franchi la clôture quelque part et s'était échappé à travers une propriété voisine — il n'avait eu aucune autre possibilité.

Le dos tourné à la maison, Hatch examina la clôture de deux mètres qui encerclait la cour et la séparait des cours adjacentes, sur trois côtés. Les agents immobiliers appelaient cela une « clôture », dans le sud de la Californie, alors que c'était en réalité un véritable mur, en blocs de ciment armé, avec un crépi en stuc et des briques sur le dessus, le tout peint de la même couleur que les maisons. Beaucoup de voisins en avaient construit, car cela garantissait l'intimité de leur piscine et de leur barbecue. Les bonnes clôtures font les bons voisins... font que les voisins sont des étrangers... et que c'est foutrement facile pour un intrus de grimper par-dessus et de passer d'un endroit à l'autre du labyrinthe pour disparaître...

Hatch marchait sur un fil émotionnel au-dessus d'un gouffre de désespoir, et s'il conservait son équilibre, c'était parce qu'il croyait que l'assassin ne pouvait pas se déplacer très facilement en transportant Regina. Il regarda autour de lui, paralysé par l'indécision.

Finalement, il partit en courant vers le mur du fond, qui était sur le côté sud de leur maison. Lorsque fut brusquement rétabli le lien mystérieux avec l'homme aux lunettes noires, il s'immobilisa, le souffle coupé, et se plia en deux.

Il voyait de nouveau par les yeux de l'assassin, et en dépit des lunettes, la nuit était aussi lumineuse que l'aube. Il était au volant d'une voiture et se penchait au-dessus du levier de vitesses pour installer la fillette inconsciente sur le siège du passager, un peu comme s'il s'agissait d'un mannequin. Ses poignets attachés reposaient sur ses genoux, et elle était maintenue sur son siège grâce à sa ceinture de sécurité. Après avoir arrangé ses cheveux auburn de façon à dissimuler le foulard qui retenait son bâillon, il la poussa contre la portière, si bien qu'elle s'affaissa la tête tournée vers l'intérieur du véhicule. Les éventuels automobilistes qu'ils croiseraient ne remarqueraient pas le bâillon et penseraient qu'elle dormait. En fait, elle était si pâle et si immobile qu'il se demanda tout à coup si elle n'était pas morte. Aucun intérêt de l'amener jusqu'à sa cachette si elle était déjà morte. Autant ouvrir la portière et la balancer dans la rue, autant se débarrasser de la petite pute tout de suite. Il posa sa main sur sa poitrine. Sa peau était d'une merveilleuse douceur, mais elle paraissait froide. Il appuya alors le bout de ses doigts sur sa gorge et sentit ses battements cardiaques, dans sa carotide, puissants, oh si puissants ! Elle était si *vivante !* Elle avait encore plus de vitalité que ce qu'il lui avait semblé dans cette vision où le papillon voletait au-dessus de sa tête... Il n'avait encore jamais fait une acquisition d'une telle valeur, et il était reconnaissant à toutes les puissances de l'Enfer de la lui offrir. Il frissonnait de plaisir à la perspective de plonger ses mains à l'intérieur d'elle et de serrer très fort ce jeune cœur au moment où il se contracterait pour son dernier battement avant l'immobilité définitive... tandis qu'il observerait ses beaux yeux gris pour voir la vie sortir d'elle et la mort y pénétrer et...

Le cri de rage et de terreur que poussa Hatch brisa le lien psychique. Il se trouvait dans sa cour, de nouveau, il tenait sa main droite devant lui à la hauteur de son visage et la regardait avec horreur, comme si le sang de Regina souillait déjà ses doigts tremblants.

Abandonnant la clôture du fond du jardin, il se mit à courir le long du flanc est de la maison, vers l'entrée principale.

A part le bruit de sa respiration essoufflée, tout était calme. Visiblement, certains de leurs voisins n'étaient pas là, et d'autres n'avaient rien entendu, ou pas assez pour que le bruit les fît sortir de chez eux.

La tranquillité de leur communauté lui donnait envie de hurler. Et tandis que son univers tombait peu à peu en pièces, il se rendit compte que l'apparence de normalité ce n'était que cela, au sens propre du terme : une simple *apparence,* pas la réalité. Dieu seul savait ce qui pouvait bien se passer derrière les murs de certaines de ces maisons, des horreurs semblables à celle qui les avait submergés, lui et Lindsey et Regina, perpétrées non par un étranger, mais par un membre de la famille sur un autre. L'espèce humaine possédait un vrai talent pour créer des monstres qui, souvent, avaient le don de se dissimuler derrière le masque convaincant de la santé mentale.

Quand il atteignit la pelouse de devant, Lindsey était invisible. Il rentra en courant dans la maison — et la découvrit dans le bureau, en train de composer un numéro de téléphone.

— Tu l'a repéré ? demanda-t-elle.

— Non. Qu'est-ce que tu fais ?

— J'appelle la police.

Il lui prit le combiné des mains et raccrocha en disant :

— Le temps qu'ils arrivent, qu'ils écoutent notre histoire, et qu'ils décident de faire quelque chose, il sera parti, il aura emmené Regina si loin qu'ils ne la retrouveront jamais — jusqu'à ce que l'un d'eux trébuche un jour sur son cadavre...

— Mais on a besoin d'aide...

Il attrapa le fusil sur le bureau et le lui tendit :

— On va suivre ce salopard. Il l'a chargée dans une voiture. Une Honda, je crois.

— Tu as le numéro d'immatriculation ?

— Non.

— Est-ce que tu vois si...

— Je n'ai pas vraiment *vu* quelque chose, fit-il en ouvrant le tiroir du bureau. (Il en sortit la boîte de munitions de calibre 12 et la lui donna aussi, désespérément conscient des secondes qui s'écoulaient.) Je suis relié à lui, ça va et ça vient, mais je crois que la connexion est assez bonne, assez forte. (Il récupéra son trousseau de clés, qui pendait toujours à la serrure du tiroir du bureau où il l'avait laissée quand il avait sorti le magazine.) Et on peut lui coller aux fesses si on ne le laisse pas prendre trop d'avance. (Se dirigeant vers le vestibule, il lança encore :) Mais il faut qu'on *se bouge !*

— Hatch, attends !

Il se retourna pour la regarder. Elle dit, tout en sortant du bureau :

— Toi tu y vas, tu le suis si tu crois que tu en es capable, et moi je reste ici pour tout raconter aux flics et les convaincre de partir à votre recherche.

Il secoua la tête :

— Non. J'ai besoin que tu conduises. Ces... ces visions, c'est comme si je recevais un coup de poing, comme si je tournais de l'œil; je perds les pédales quand ça se produit. Je vais forcément balancer la voiture dans le décor. Mets le fusil et les cartouches dans la Mitsubishi. (Tandis qu'il s'élançait dans l'escalier, il lui cria encore :) Et prends des lampes électriques.

— Pourquoi ?

— Je sais pas, mais on en aura besoin.

C'était un mensonge. Il s'était un peu étonné lui-même de s'entendre lui demander cela, mais il savait que c'était son inconscient qui le dirigeait, en ce moment, et il avait une idée de ce qu'ils allaient faire avec ces torches. Dans ses cauche-mars, ces deux derniers mois, il s'était souvent déplacé dans des pièces sombres comme des cavernes et dans un labyrinthe de couloirs aux murs de béton, où il réussissait à voir alors qu'il n'y avait ni fenêtre, ni lumière artificielle. Un certain tunnel descendant vers des ténèbres absolues, vers l'inconnu, l'emplis-sait d'une telle épouvante que son cœur se dilatait et battait comme s'il allait exploser. C'était pour cela qu'ils avaient besoin de lampes — parce qu'ils se rendaient là où il n'était jamais venu qu'en rêve ou pendant ses visions. Ils allaient se retrouver au centre même du cauchemar.

Il était à l'étage, et il entrait dans la chambre de Regina quand il se rendit compte tout à coup qu'il ne savait pas pourquoi il était là. Il s'immobilisa et regarda la serrure brisée, la chaise du bureau renversée, le placard où les vêtements tombés des cintres faisaient un tas par terre, la fenêtre ouverte dont la brise nocturne agitait les rideaux.

Quelque chose... Quelque chose d'important. Ici, tout de suite, dans cette pièce, quelque chose dont il avait besoin...

Mais quoi ?

Il fit passer le Browning dans sa main gauche et essuya sa paume moite contre son jean. A présent, le salopard aux lunettes noires devait avoir démarré et il s'éloignait avec Regina, probablement par Crown Valley Parkway. Chaque seconde comptait.

Il commençait à se demander s'il n'était pas monté ici à la suite d'un mouvement de panique et non parce qu'il avait vraiment besoin de prendre quelque chose dans la chambre ; pourtant, il décida de se laisser aller encore un peu à cette force qui le guidait. Il s'approcha du coin du bureau et fit courir son regard sur les livres, les stylos, un carnet de notes... La bibliothèque, près du bureau. Une toile de Lindsey, sur le mur, à côté.

Allez. Allez. Quelque chose qu'il lui fallait... Qui lui était aussi nécessaire que les lampes électriques, le fusil et la boîte de cartouches... Quelque chose...

Il se retourna, aperçut le crucifix et se précipita vers lui. Il monta sur le lit de Regina et l'arracha du mur où il était accroché.

Il ressortit de la chambre en courant, fila dans le couloir vers les escaliers, la croix serrée dans sa main droite.

Il avait conscience qu'il la tenait non pas comme un objet de vénération et de symbolisme religieux, mais comme une arme — comme une hachette ou un couperet.

Lorsqu'il arriva dans le garage, la porte était ouverte, et Lindsey avait déjà démarré.

Quand il monta à l'avant, sur le siège du passager, Lindsey regarda le crucifix.

— C'est pour quoi faire ?

— On en aura besoin.

En sortant en marche arrière du garage, elle demanda de nouveau :

— Besoin pour quoi ?

— Je ne sais pas.

Comme ils s'éloignaient dans la rue, Lindsey considéra Hatch avec curiosité :

— Un crucifix ?

— Je ne sais pas, mais il sera peut-être utile. Quand j'ai été en contact avec ce monstre, la dernière fois, il était... Il remerciait toutes les puissances de l'Enfer, c'est exactement ce qu'il a pensé, il était reconnaissant à toutes les puissances de l'Enfer de lui avoir offert Regina. (De la main, il indiqua la gauche.) Par là.

Au cours des dix minutes qui venaient de s'écouler, la peur avait fait vieillir Lindsey de dix ans. Et les rides de son visage semblèrent se creuser encore, tandis qu'elle changeait de vitesse et tournait à gauche.

— Hatch, à quoi on a affaire, là ? Une de ces satanistes, ces espèces de dingues, ces types avec leurs cultes dont on parle dans les journaux ? Ces gars-là, quand les flics en chopent un, ils trouvent des têtes humaines dans le frigo et des os enterrés sous le porche. Ce genre-là ?

— Ouais, peut-être, quelque chose comme ça. (Au croisement suivant, il dit :) A gauche. Peut-être quelque chose comme ça, oui... Mais encore pire, je crois.

— On peut pas affronter ça, Hatch.

— Tu vas voir si on peut pas ! répliqua-t-il sèchement. On n'a pas le temps de trouver quelqu'un d'autre pour le faire à notre place. Si c'est pas nous, Regina est morte.

Ils arrivèrent à une intersection du Crown Valley Parkway, un boulevard de quatre à six voies avec, au milieu, un jardin et des arbres. Il était encore tôt, et pourtant il y avait déjà un peu de circulation.

— Quelle direction ? demanda Lindsey.

Hatch posa le Browning sur le plancher, mais ne lâcha pas le crucifix. Il le tint à deux mains. Il regarda à gauche et à droite, puis encore à gauche et à droite, dans l'attente d'une sensation, d'un signe, de quelque chose. Les phares des voitures qui passaient les balayaient, mais ne lui apportaient aucune révélation.

— Hatch ? interrogea Lindsey d'une voix inquiète.

A gauche et à droite. A gauche et à droite. Rien. Jésus !

Hatch pensa à Regina. Cheveux auburn. Yeux gris. La main droite recroquevillée et tordue comme une serre, un cadeau de Dieu. Non, pas de Dieu. Pas ce coup-ci. On ne pouvait pas tout mettre sur le dos de Dieu. Elle devait avoir raison, l'autre fois : c'était un cadeau de ses parents, consommateurs de drogues dures.

Une voiture s'arrêta derrière eux, attendant de pouvoir s'engager sur le boulevard, une fois qu'ils auraient tourné.

La façon dont Regina marchait en essayant de minimiser sa claudication. La façon dont elle refusait de dissimuler sa main déformée — elle n'en avait pas honte, elle n'en tirait aucune fierté non plus, elle se contentait d'accepter la chose. Son désir de devenir écrivain. Les cochons intelligents venus de l'espace.

Derrière eux, le conducteur klaxonna.

— Hatch ? répéta Lindsey.

Regina, si petite par rapport au poids du monde, gardant pourtant le corps toujours bien droit, n'inclinant jamais la tête... Elle avait fait un marché avec Dieu. En échange de quelque chose qui lui était précieux, elle avait promis de manger des haricots. Et Hatch savait ce qu'était cette chose précieuse, même si elle ne l'avait jamais dite, il savait que c'était une famille, une chance d'échapper à l'orphelinat.

L'autre conducteur klaxonna de nouveau.

Lindsey tremblait. Elle fondit en larmes.

Une chance. Juste une chance. C'était tout ce que voulait la fillette. Ne plus être seule. Une chance de dormir dans un lit décoré de fleurs peintes. Une chance d'aimer, d'être aimée, de grandir... La petite main recroquevillée. Le petit sourire si doux. *Bonne nuit... Papa.*

Maintenant, derrière eux, le klaxon n'arrêtait plus.

— A droite, dit Hatch tout à coup. Prends à droite.

Avec un soupir de soulagement, Lindsey s'engagea sur le boulevard, à droite. Elle conduisait plus vite que d'habitude, changeait de file quand le trafic l'y obligeait, fonçait dans la plaine vers l'est, vers les collines qu'ils apercevaient devant eux dans le lointain et, au-delà, les montagnes encore plongées dans la nuit.

Au début, Hatch pensa qu'il avait simplement deviné, rien d'autre, la direction à prendre. Mais bientôt, il fut certain d'avoir eu raison. Le boulevard filait vers l'est, parmi les lotissements sans fin qui piquetaient les collines de lumières, comme des milliers de flammes du souvenir sur les divers niveaux d'immenses meubles à chandelles votives, et à chaque nouveau kilomètre, il avait de plus en plus fortement l'impression que Lindsey et lui se trouvaient bien dans le sillage de la bête.

Parce qu'il avait accepté qu'il n'y eût plus jamais de secrets entre eux, parce qu'il pensait qu'elle devait avoir une pleine connaissance de la situation désespérée de Regina — et qu'elle était capable de supporter la chose —, il murmura :

— Ce qu'il veut, c'est lui arracher le cœur et le tenir dans ses mains, pour sentir ces derniers battements, sentir la vie qui l'abandonne...

— Oh, mon Dieu !

— Elle est toujours vivante. Il lui reste une chance. Il y a de l'espoir.

Il croyait dire vrai, il devait le croire s'il ne voulait pas devenir fou. Mais il était inquiet parce qu'il se souvenait aussi d'avoir prononcé très souvent ce genre de phrases dans les semaines précédant la mort de Jimmy.

Troisième partie

PARMI
LES MORTS

La mort n'est pas un mystère effroyable.
Toi et moi nous la connaissons bien.
Aucun de ses secrets
ne troublerait le sommeil d'un homme bon.

▲

Ne détourne pas ton visage de la Mort.
Ne crains pas qu'elle prenne notre dernier souffle.
N'aie pas peur d'elle, ce n'est pas ton maître,
se ruant sur toi, plus vite, toujours plus vite.
Pas ton maître, non, mais le serviteur
de celui qui t'a fait, celui ou ce qui
a créé la Mort, et t'a créé toi
— et c'est cela, le seul mystère.

LE LIVRE DES DOULEURS DÉNOMBRÉES

CHAPITRE 7

1

Installés dans des fauteuils devant les grandes fenêtres du living obscur, à Spyglass Hill, Jonas Nyebern et Kari Dovell contemplaient les millions de lumières des comtés d'Orange et de Los Angeles. La nuit était assez claire et ils voyaient jusqu'à Long Beach Harbor, vers le nord. La civilisation s'étendait comme un champignon luminescent dévorant tout.

Il y avait une bouteille de chenin blanc Robert Mondavi dans un seau à glace, posé par terre entre leurs fauteuils. C'était leur seconde bouteille. Ils n'avaient pas encore dîné. Jonas parlait trop.

Ils s'étaient rencontrés en société une fois ou deux par semaine depuis plus d'un mois. Ils n'avaient jamais couché ensemble, et ils ne le feraient sans doute jamais. Elle était toujours désirable, avec cet étrange mélange de grâce et de maladresse qui rappelait parfois à Jonas un oiseau exotique aux longues pattes, même si son côté médecin sérieux et dévoué l'emportait toujours sur la femme. Il ne croyait pas qu'elle avait envie d'une intimité physique. Et de toute façon il ne pensait pas en être capable. Car c'était un homme hanté. Trop de fantômes attendaient de le tourmenter encore si le bonheur revenait à sa portée. L'un comme l'autre, ils ne cherchaient dans leur relation qu'une oreille amicale, de la patience, et une véritable sympathie sans excès larmoyants.

Ce soir-là, il parlait de Jeremy et, la possibilité en aurait-elle existé, ce n'était pas un sujet propice à l'amour. Il s'inquiétait surtout des signes de la folie congénitale de

Jeremy qu'il n'avait pas vu comme tels — ou avait refusé de voir.

Dans son enfance, Jeremy avait été d'un calme inhabituel ; il avait toujours préféré la solitude à la compagnie des autres. On avait simplement évoqué sa timidité pour expliquer la chose. Dès son plus jeune âge, il n'avait trouvé aucun intérêt aux jouets, et cela avait été mis sur le compte de sa haute intelligence et de son caractère trop sérieux. Mais aujourd'hui, le fait qu'il n'eût pas touché à ses jouets, ses modèles réduits, ses ballons, et ses Erector compliqués, prouvait que sa vie imaginaire avait été plus riche que tous les divertissements que lui avaient offerts Tonka, Mattel ou Lonel.

— Chaque fois qu'on le serrait dans nos bras, il ne pouvait s'empêcher de se raidir, se souvint Jonas. Et lorsqu'il nous rendait un baiser, il embrassait le vide, pas notre joue.

— Beaucoup d'enfants ont du mal à être expansifs, insista Kari. (Elle sortit la bouteille du seau à glace et lui remplit son verre.) Peut-être que c'était juste un autre aspect de sa timidité. La timidité et la discrétion ne sont pas des fautes, et on ne peut pas te demander de les juger ainsi.

— Mais ce n'était pas de la discrétion, dit-il d'un air pitoyable, c'était une incapacité à ressentir quelque chose, à s'intéresser à quelque chose.

— Tu ne peux pas continuer à te torturer comme ça, Jonas.

— Et si Marion et Stephanie n'étaient pas les premières victimes ?

— Elles l'ont certainement été.

— Mais dans le cas contraire ?

— Un gamin peut être un assassin, mais il n'a pas encore un esprit suffisamment complexe pour réussir à ne pas se faire prendre.

— Et s'il a tué quelqu'un depuis qu'il s'est échappé de l'hôpital ?

— C'est lui qui a probablement été victime de quelqu'un, Jonas.

— Non. Il n'a jamais été du genre victime.

— Il est sans doute mort.

— Il est là, dehors, quelque part. A cause de moi.

Jonas contemplait le vaste panorama de lumières. La civilisation s'étendait devant eux dans tout son miracle miroitant, sa brillante gloire, son étincelante terreur.

Ils approchaient de l'accès à la San Diego Freeway, l'auto-route inter-États 405. Hatch dit :

— Au sud. Il a pris vers le sud.

Lindsey mit le clignotant et s'engagea sur la bretelle au dernier moment.

Au début, elle avait observé Hatch chaque fois qu'elle pouvait quitter la route des yeux, attendant qu'il voulût bien lui expliquer ce qu'il « voyait » ou ce qu'il « recevait » de l'homme qu'ils poursuivaient. Mais au bout d'un moment, constatant qu'il ne partageait rien avec elle, elle se concentra sur la route. Son silence signifiait simplement qu'il « voyait » très peu de chose, pensa-t-elle, que le lien entre le tueur et lui était très faible, ou intermittent. Elle n'avait aucune envie de le forcer à partager son expérience parce que si elle le distrayait le lien risquait d'être interrompu — et Regina perdue.

Hatch n'avait pas lâché le crucifix. Du coin de l'œil, Lindsey voyait les doigts de sa main gauche se promener sans interruption sur la silhouette en métal moulé souffrant sur sa croix de faux cornouiller. Il semblait regarder à l'intérieur de lui-même, comme s'il n'avait pratiquement plus conscience de la nuit qui l'entourait ni de la voiture qui l'emportait.

Lindsey se dit soudain que sa vie était devenue aussi irréelle que les toiles qu'elle peignait. Le surnaturel et le monde rationnel et familier étaient juxtaposés. Des éléments disparates emplissaient la composition : des crucifix et des revolvers, des visions psychiques et des phares d'automobiles.

Dans ses peintures, elle se servait du surréalisme pour élucider tel ou tel thème, pour donner à réfléchir. Dans la vie normale, chaque intrusion de l'irréel ne faisait qu'augmenter sa confusion et sa perplexité.

Tout à coup, Hatch frissonna et se pencha en avant aussi loin que le lui permettait sa ceinture de sécurité, comme s'il venait de voir quelque chose de fantastique et d'effrayant traverser l'autoroute — même si Lindsey savait qu'en fait ce n'était pas la chaussée qu'il regardait. Il retomba en arrière, contre son siège.

— Il a pris la sortie d'Ortega Highway. La sortie est. C'est la prochaine, devant nous, à deux ou trois kilomètres. A l'est, sur Ortega Highway.

Parfois, les phares des voitures qui arrivaient en face l'obligeaient à plisser les yeux, malgré ses lunettes aux verres très teintés.

Tout en conduisant, Vassago jetait de temps en temps un regard à la fillette toujours inconsciente à côté de lui. Elle avait la tête baissée et ses cheveux auburn dissimulaient un côté de son visage, mais il apercevait ses lèvres tirées vers l'arrière par le foulard qui retenait son bâillon, son petit nez de lutin, une paupière fermée, un morceau de l'autre — quels longs cils ! —, et une partie de son front à la peau si douce. Il joua en imagination avec les différentes façons dont il pourrait la défigurer pour que son offrande portât vraiment ses fruits.

Elle était parfaite pour ce qu'il voulait faire. Avec sa beauté gâchée par sa jambe et sa main déformée, elle symbolisait déjà la faillibilité de Dieu. Quel trophée pour sa collection, vraiment !

Il était déçu de ne pas avoir réussi à s'emparer de la mère, mais n'avait pas perdu l'espoir d'y parvenir. Et s'il ne tuait pas l'enfant cette nuit ? S'il la gardait vivante quelques jours ? Il y avait peut-être encore une chance de capturer Lindsey... Il pourrait alors travailler sur les deux cadavres à la fois et parodier la *Pietà* de Michel-Ange, ou les démembrer et les remodeler en un collage obscène plein d'imagination.

Il attendait un conseil, une autre vision, avant de décider quoi faire.

Comme il prenait la bretelle de sortie de l'Ortega Highway et tournait vers l'est, il se souvint comment Lindsey, assise devant sa planche à dessin dans son atelier, lui avait rappelé sa propre mère en train de tricoter, l'après-midi où il l'avait tuée. S'étant débarrassé de sa sœur et de sa mère avec le même couteau en l'espace d'une heure, il avait su dans son cœur qu'il s'était ouvert la porte de l'Enfer. Il en avait été si certain qu'il avait fait l'ultime pas en s'empalant lui-même.

Un livre publié à compte d'auteur lui avait fait connaître ce chemin vers la damnation. Intitulé *The Hidden,* il avait été écrit par un meurtrier condamné, du nom de Thomas Nicene, qui avait tué sa mère et l'un de ses frères, puis s'était suicidé. Sa descente aux Enfers, soigneusement préparée, avait été contrariée par une équipe d'ambulanciers trop dévoués et qui avaient eu de la chance, aussi. Nicene avait été réanimé, soigné, emprisonné, jugé, reconnu coupable de meurtre et condamné à mort. La société, gardienne des règles, avait prouvé que le pouvoir de mort tout autant que le droit de choisir sa propre mort n'étaient pas accordés aux individus.

En attendant son exécution, Thomas Nicene avait couché par écrit les visions de l'Enfer qu'il avait eues pendant le temps où il était resté à la frontière de cette vie, avant de se voir refuser l'éternité par les ambulanciers. Son œuvre avait été sortie clandestinement de prison, et des amis qui partageaient ses croyances l'avait imprimée et distribuée. Le livre de Nicene était plein d'images puissantes et convaincantes de ténèbres et de froid — rien à voir avec les flammes de l'Enfer classique —, plein de visions de vastes espaces, de vide glacé. Regardant par la porte de la Mort, et plus loin par celle de l'Enfer, Thomas avait aperçu des machines titanesques qui travaillaient sur de mystérieuses constructions. Des démons d'une taille et d'une force colossales arpentaient pour d'incompréhensibles missions les brouillards de la nuit baignant des continents sans lumière. Tous, ils étaient vêtus de noir avec une cape flottant dans le dos, et coiffés d'un casque d'un noir brillant au bord évasé. Il avait vu des mers ténébreuses se fracasser contre des rivages d'ébène, sous des cieux sans lune et sans étoiles qui donnait une impression de monde souterrain. D'énormes et étranges vaisseaux, sans le moindre hublot, franchissaient les flots noirs grâce à de puissants moteurs, dont le bruit ressemblait aux cris d'angoisse d'une multitude.

Lorsqu'il avait lu le texte de Nicene, Jeremy avait su qu'il était plus vrai que tout ce qui avait jamais été écrit, et il avait décidé de suivre l'exemple du grand homme. Marion et Stephanie avaient servi de ticket d'entrée pour le monde des profondeurs, exotique et formidablement attirant, auquel il savait appartenir. Il avait poinçonné ces tickets avec un couteau de boucher, et il était parti lui aussi pour cet obscur royaume, où il avait trouvé exactement ce que Nicene promettait. Mais il n'avait jamais imaginé que son évasion du monde détesté des vivants serait mise en échec, non par des ambulanciers cette fois, mais par son propre père.

Il mériterait bientôt son rapatriement chez les damnés.

Jetant un nouveau coup d'œil à la fillette, il se souvint de sa chair, sous ses doigts, lorsque sa petite victime avait tremblé et s'était écroulée mollement entre ses bras puissants. Un frisson d'une délicieuse jouissance anticipée le parcourut.

Un moment, il avait pensé tuer son père pour savoir si cet acte lui vaudrait de nouveau la citoyenneté du royaume d'Hadès. Mais il se méfiait de son vieux. Jonas Nyebern était quelqu'un qui donnait la vie ; il paraissait briller d'une lumière intérieure que Jeremy trouvait menaçante. Les premiers souvenirs qu'il avait de son père étaient mêlés d'images du Christ, d'anges, de la Sainte Mère, de miracles — des scènes des peintures collectionnées par Jonas qui avaient toujours décoré la maison. Et deux ans plus tôt, voilà que son père l'avait ressuscité comme Jésus avec Lazare ! Si bien qu'il ne pensait pas à lui simplement comme à un ennemi, mais comme à un personnage de pouvoir, l'incarnation de ces forces lumineuses qui s'opposaient aux volontés de l'Enfer. Son père était certainement protégé, intouchable, il existait dans la grâce détestable de cette *autre* divinité.

Ses espoirs reposaient donc sur la fille et la femme. La première de ces acquisitions était faite et l'autre en suspens.

Vers l'est, il longea les alignements sans fin des pavillons qui avaient poussé là depuis six ans, depuis l'abandon de Fantasy World ; il était heureux que les multitudes fertiles des hypocrites adorant la vie ne fussent pas venues se presser jusque dans les environs de sa cachette, qui s'élevait à encore plusieurs kilomètres de la plus proche de ces communautés. Alors qu'il laissait derrière lui les collines peuplées et que la région devenait progressivement moins hospitalière, quoique toujours habitée, Vassago se mit à conduire plus lentement qu'il ne le faisait les autres nuits.

Il attendait la vision qui lui dirait s'il devait tuer l'enfant en arrivant au parc, ou patienter jusqu'à ce que sa mère fût elle aussi en son pouvoir.

Comme il tournait de nouveau la tête pour jeter un coup d'œil à Regina, il découvrit qu'elle l'observait. Les lumières du tableau de bord se reflétaient dans ses yeux. Il voyait combien elle avait peur.

— Mon pauvre bébé, lui murmura-t-il, ne crains rien. Okay ? Ne crains rien. On va juste dans un parc de loisirs, c'est tout. Tu sais, comme Disneyland, comme Magic Mountain ?

S'il ne parvenait pas à acquérir la mère, peut-être qu'il

chercherait un autre gosse de la taille de Regina, un gosse particulièrement mignon, avec quatre beaux membres normaux. Il pourrait alors refaire la fillette avec le bras, la main et la jambe de l'autre, comme pour prouver que lui, un simple garçon de vingt ans chassé de l'Enfer, pouvait réussir un meilleur boulot que le Créateur. Ce serait une belle addition à sa collection, une œuvre d'art singulière.

Il écoutait le doux ronronnement de son moteur. Le ronflement des pneus sur la chaussée. Le léger sifflement du vent aux fenêtres.

Attendant une épiphanie. Attendant un conseil. Attendant qu'on lui expliquât ce qu'il devait faire. Attendant, attendant, une vision.

Avant même d'atteindre la bretelle de sortie d'Ortega Highway, Hatch reçut une explosion d'images plus étranges que tout ce qu'il avait vu jusqu'alors. Aucune ne dura plus que quelques secondes, comme un film sans la moindre structure narrative. Des mers de ténèbres se fracassaient sur des rivages d'ébène, sous des cieux sans lune et sans étoiles. D'étranges vaisseaux énormes franchissaient les flots noirs grâce à de puissants moteurs, dont le bruit ressemblait aux cris d'angoisse d'une multitude. Des démons colossaux, haut de trente mètres, arpentaient des paysages étrangers, avec des capes flottant derrière eux et coiffés de casque d'un noir brillant comme du verre. De titanesques machines travaillaient sur des constructions monumentales aux formes si bizarres qu'il était impossible de deviner leur destination.

Hatch voyait parfois ce paysage monstrueux dans tous ses détails affreusement convaincants, et parfois il en lisait seulement la description dans les pages d'un livre. S'il existait, il ne se trouvait pas sur cette terre, mais sur quelque lointaine planète. Hatch ne savait pas s'il recevait des images d'un endroit réel ou d'un lieu imaginaire. A certains moments, il lui semblait aussi vrai que n'importe quelle rue de Laguna, mais à d'autres il paraissait avoir la transparence du papier de soie.

Jonas revint dans le living avec une boîte pleine d'affaires, récupérées dans l'ancienne chambre de Jeremy, et il la posa par terre à côté de son fauteuil. Il en sortit un petit volume mal imprimé, intitulé *The Hidden,* et il le tendit à Kari, qui l'examina comme s'il lui avait confié un objet couvert de crasse.

— Tu as raison de plisser le nez, dit-il en reprenant son verre de vin et en s'approchant de la large fenêtre. C'est une idiotie. Malsain et tordu, mais surtout complètement idiot. Ça a été écrit en prison par un assassin qui prétend être allé en Enfer. Sa description n'a rien à voir avec celle de Dante, je te préviens. Oh, elle possède un certain romantisme, une indéniable puissance. En fait, quand tu es un jeune homme psychotique, avec des illusions de grandeur, une tendance à la violence, et, en plus, le taux de testostérone anormalement élevé qui accompagne toujours un tel état mental, alors l'Enfer qu'il décrit déclenche tes plus belles pollutions nocturnes. Tu te pâmes. Tu n'es même plus capable de penser à autre chose. Tu en meurs d'envie, tu ferais n'importe quoi pour y accéder, pour être damné.

Kari reposa le livre et s'essuya les doigts sur la manche de son chemisier en murmurant :

— Cet auteur, Thomas Nicene — tu as dit qu'il a tué sa mère...

— Oui. Sa mère et son frère. A donné l'exemple. (Jonas était conscient d'avoir déjà trop bu. Cela ne l'empêcha pas d'avaler une autre longue gorgée de vin. Se détournant du panorama nocturne, il poursuivit :) Et tu sais ce qui rend tout ça si absurde, si pitoyable et absurde ? Si tu lis ce foutu livre, ce que j'ai fait ensuite pour essayer de comprendre, et si tu n'es pas psychotique — c'est-à-dire tout disposé à le prendre pour argent comptant —, tu vois bien que Nicene ne décrit pas ce qu'il a vu en Enfer : il tire son inspiration d'une source aussi bêtement évidente que bêtement ridicule. Kari, son Enfer n'est rien d'autre que l'Empire du Mal de la trilogie de *La Guerre des Étoiles,* un peu modifié, agrandi, vu sous l'angle du mythe religieux, mais ça reste *La Guerre des Étoiles !* (Il laissa échapper un rire amer, qu'il chassa d'une nouvelle gorgée de vin.) Ses démons ne sont rien d'autres que des versions de trente mètres de haut de Darth Vader, bon Dieu ! Lis sa description de Satan et jette un coup d'œil aux passages des films où apparaît Jabba the Hut. Le vieux Jabba the Hut, c'est le sosie de Satan, si on en croit ce dingue. (Un autre verre de chenin blanc, un autre verre...) Marion et Stephanie sont mortes... (Une gorgée. Une gorgée trop longue. La moitié du verre.) ... sont mortes pour que Jeremy puisse se retrouver en Enfer et vivre de grandes et ténébreuses aventures d'anti-héros déguisé en Darth Vader !

Il comprit qu'il venait de la choquer ou de la gêner, probablement les deux. Cela n'avait pas été son intention et il le regretta. En fait, il ne savait pas exactement ce qu'était son intention. Juste s'épancher sur l'épaule de quelqu'un, peut-être. Il ne l'avait encore jamais fait, et il ne comprenait pas pourquoi il avait choisi ce soir pour s'y mettre — sauf peut-être que, de tout ce qu'il avait vécu depuis le jour où il avait trouvé les cadavres de sa femme et de sa fille, la disparition de Morton Redlow était la chose qui l'effrayait le plus.

Au lieu de se resservir du vin, Kari se leva.

— Je crois qu'on devrait manger un morceau.

— Pas faim, répondit-il. (Mais entendant sa difficulté à articuler à cause de l'alcool, il s'empressa d'ajouter :) Ouais, peut-être qu'on devrait avaler quelque chose, tu as raison.

— Allons dîner quelque part, proposa-t-elle. Ou commandons une pizza.

Elle lui prit le verre de vin qu'il avait à la main et le posa sur la table basse la plus proche. Jonas pensa qu'elle avait vraiment un beau visage, dans la lumière qui entrait par les fenêtres panoramiques, ce rayonnement doré du vaste tissu urbain, loin au-dessous d'eux.

— Pourquoi pas des steaks ? J'ai des filets dans le congélateur.

— Ça prendra trop longtemps.

— Mais non ! Y' a qu'à les décongeler au micro-ondes et on les jette sur le gril. Y' a un gril dans la cuisine.

— Bon, si c'est ça que tu veux...

Il croisa son regard. C'était un regard clair, pénétrant, et franc comme toujours, mais Jonas y lut une plus grande tendresse que d'habitude. Il supposa qu'elle montrait le même souci pour ses jeunes patients, que c'était une part de ce qui faisait d'elle une pédiatre exceptionnelle. Ou peut-être que cette tendresse avait toujours été là pour lui, et qu'il ne s'en était jamais rendu compte. Ou alors, c'était la première fois qu'elle voyait à quel point il avait désespérément besoin d'être protégé.

— Merci, Kari.

— De quoi ?

— D'être ce que tu es.

Tandis qu'ils allaient ensemble vers la cuisine, il passa son bras sur ses épaules.

En même temps que les visions de machines gigantesques et de mers ténébreuses et de démons colossaux, Hatch recevait quantité d'autres images sans le moindre rapport. Des chœurs d'anges. La Sainte Mère en prière. Le Christ et les apôtres à la Sainte Cène. Le Christ à Gethsémani. Le Christ agonisant sur la croix. L'Ascension du Christ...

Il pensa que c'était le genre de tableaux que Jonas Nyebern aurait pu collectionner à une époque ou à une autre. Elles étaient de période et de style différents de celles qu'il avait aperçues dans le cabinet du médecin, mais du même esprit. Une connexion venait de s'établir dans son subconscient, comme lorsque l'on guipait des fils électriques, mais il n'en comprenait toujours pas la signification.

Et d'autres visions encore : l'Ortega Highway. Des aperçus de paysages nocturnes défilant des deux côtés d'une voiture filant vers l'est. Les instruments d'un tableau de bord. Des phares qui arrivaient en sens inverse et lui faisaient parfois plisser les yeux. Et soudain — Regina. Regina dans les reflets jaunâtres de ce même tableau de bord. Les paupières closes. La tête penchée en avant. Quelque chose enfoncé dans sa bouche et tenu en place par un foulard.

Elle ouvre les yeux.

Lorsqu'il vit le regard terrifié de Regina, Hatch émergea de sa vision comme un plongeur sous-marin remonte à la surface pour respirer.

— Elle est vivante !

Il se tourna vers Lindsey, qui oublia un instant la route pour l'observer.

— Tu n'as jamais dit qu'elle ne l'était pas, murmura-t-elle.

Jusqu'à présent, il ne s'était pas vraiment rendu compte à quel point il doutait de la survie de la fillette.

Mais il n'eut pas le temps de reprendre courage au souve-

nir des yeux gris de Regina. De nouvelles visions médiumniques le frappèrent avec la violence d'un coup de poing...

... Des silhouettes contorsionnées entrevues dans l'ombre
épaisse. Des formes humaines dans des positions bizarres. Une
femme ratatinée, aussi desséchée que des boules de buisson
chassées par le vent dans le désert, une autre dans un état de
putréfaction répugnant, un visage momifié de sexe indéterminé,
une main boursouflée et vert foncé, dressée dans une horrible
supplication. *La collection*. Sa collection. Et puis il revit le visage
de Regina, les yeux ouverts, dans la lueur du tableau de bord.
Tant de façons de défigurer, de mutiler, tant de façons de
ridiculiser l'œuvre de Dieu... Regina. *Mon pauvre bébé. Ne crains
rien. Okay ? Ne crains rien. On va juste dans un parc de loisirs, c'est tout.
Tu sais, comme Disneyland, comme Magic Mountain ?* Qu'elle fera
bien dans ma collection ! Des performances artistiques avec des
cadavres tenus par des fils, des tiges de fer, des morceaux de
bois... Il vit des lèvres figées sur des hurlements, silencieuses à
jamais. Des mâchoires de squelettes ouvertes sur des supplica-
tions éternelles. La précieuse collection. Regina, mon bébé,
mon petit bébé. Une si belle acquisition.

Hatch sortit de sa transe en essayant d'arracher violemment
sa ceinture de sécurité, qui, soudain, lui faisait penser à des fils
électriques, à des câbles, à des cordes. Il s'attaqua à sa sangle
comme un enterré vivant, pris de panique, aurait essayé de se
débarrasser du linceul qui l'enveloppait. Il se rendit compte
qu'il hurlait, qu'il retenait sa respiration comme s'il avait peur
d'étouffer, et qu'il relâchait tout l'air de ses poumons d'un seul
coup. Il entendit Lindsey crier son nom, il comprit qu'il lui
faisait peur, mais il ne put s'empêcher de se débattre et de
pousser de longs cris jusqu'à ce qu'il eût enfin trouvé le bouton
qui lui permit d'ouvrir sa ceinture.

Dès lors, il fut pleinement de retour dans la Mitsubishi,
son contact avec le meurtrier fut rompu, l'horreur absolue
qu'il avait éprouvée à la découverte de sa collection diminua
— même s'il était incapable de l'oublier complètement, oh oui !
incapable. Il se tourna vers Lindsey, se souvint de son courage
dans les eaux glacées de ce torrent, la nuit où elle lui avait sauvé
la vie. Elle allait de nouveau avoir besoin de toute cette force, ce
soir, et plus encore.

— Fantasy World ! dit-il immédiatement. Où il y a eu cet
incendie, il y a des années. Il est abandonné, aujourd'hui. C'est

là qu'il va. Jésus-Christ, conduis comme tu n'as jamais conduit de ta vie, Lindsey, pied au plancher, parce que ce fils de pute, cette espèce de fou pourri de fils de pute, il va l'emmener avec lui chez les morts !

Immédiatement, elle fonça. Elle n'avait aucune idée de ce qu'il voulait dire, mais elle fonça sur cette autoroute, vers l'est, à une vitesse dangereuse, à travers les dernières grappes de lumières, vers l'est, de plus en plus loin de la civilisation, vers des royaumes encore plus sombres.

Tandis que Kari cherchait dans le réfrigérateur de la cuisine de quoi faire une salade, Jonas alla prendre deux steaks dans le congélateur du garage. L'air de la nuit pénétrait dans la pièce par les aérations, et il le trouva plutôt froid. Il resta un moment contre la porte, et respira profondément pour se remettre un peu les idées en place.

Il n'avait aucune envie d'avaler quelque chose, à part du vin peut-être, mais il ne voulait pas être vraiment soûl en présence de Kari. En outre, s'il n'avait pas d'opération prévue pour le lendemain, les talents de l'équipe de réanimation pouvaient être mobilisés à n'importe quel moment, et il se sentait une responsabilité vis-à-vis de ces patients potentiels.

Dans les périodes les plus difficiles qu'il avait vécues, il avait quelquefois pensé abandonner la médecine de réanimation et se consacrer exclusivement à la chirurgie cardio-vasculaire. Lorsqu'un patient réanimé par ses soins reprenait une vie familiale et professionnelle normales et utiles, c'était la plus merveilleuse des récompenses. Mais au moment critique, lorsque le candidat à la réanimation gisait sur sa table d'opération, Jonas ne savait rien sur lui, ce qui signifiait qu'il pouvait très bien ramener le mal dans le monde alors que celui-ci en était débarrassé. Et cela, c'était plus qu'un dilemme moral : c'était un poids écrasant sur sa conscience. Jusque-là, comme il était un homme religieux — bien qu'avec sa part de doutes —, il avait fait confiance à Dieu pour le guider. Il avait décidé que Dieu lui avait donné son cerveau et ses dons pour s'en servir, et qu'il n'avait pas à se montrer plus malin que Lui en refusant ses services à un seul patient.

Jeremy, bien sûr, était un facteur supplémentaire qui venait perturber l'équation. S'il avait réanimé Jeremy, et si Jeremy avait tué des innocents... Il n'avait pas le courage d'y penser.

L'air froid du garage ne le rafraîchissait plus. Il s'infiltrait dans sa moelle épinière.

Okay. Le dîner. Deux steaks. Des filets mignons. Pas trop grillés, avec un peu de Worcestershire sauce. De la salade sans assaisonnement, mais avec quelques gouttes de citron et du poivre. Peut-être qu'il pourrait avaler ça ? Il ne mangeait pas beaucoup de viande rouge. C'était un plaisir rare. Il était chirurgien du cœur, après tout, et il se trouvait aux premières loges pour constater les effets épouvantables des régimes trop gras.

Il souleva le couvercle du congélateur, dans le coin du garage.

A l'intérieur, il y avait Morton Redlow, le regretté Redlow de l'Agence de détective Redlow, pâle et gris comme une sculpture de marbre, mais pas encore recouvert de givre. Une traînée de sang avait gelé sur son visage et formait une petite croûte fragile, et l'on voyait un terrible vide à l'endroit où le nez aurait dû se trouver. Ses yeux étaient ouverts. Pour toujours.

Jonas n'eut aucun mouvement de recul. En tant que chirurgien, il était tout aussi habitué aux horreurs qu'aux merveilles de la biologie, et il n'éprouvait pas facilement de dégoût. Mais quelque chose, en lui, se dessécha lorsqu'il reconnut Redlow. Quelque chose, en lui, mourut. Son cœur devint aussi froid que celui du détective qui gisait sous ses yeux. Fondamentalement, il savait qu'il était un homme fini. Il ne croyait plus en Dieu. Terminé. Quel Dieu ? Mais il n'avait pas la nausée, non. Il ne se sentait pas obligé de détourner la tête.

Puis il découvrit le petit mot plié dans la main droite raidie par la mort. Il s'en empara sans difficulté, car les doigts du cadavre s'étaient contractés quand ils avaient gelé et ils avaient lâché le papier autour duquel l'assassin les avait serrés.

Comme engourdi, il déplia la lettre et il reconnut immédiatement la belle calligraphie de son fils.

L'aphasie post-comateuse était simulée. Son arriération mentale était une ruse d'une malignité immense.

Le petit mot disait : *Cher papa : pour un enterrement convenable, il faut qu'ils sachent où retrouver son nez. Regarde dans son derrière. Il a fourré son nez dans mes affaires, alors moi j'ai fourré son nez dans les siennes. S'il avait eu la moindre correction, je l'aurais mieux traité. Je suis désolé, monsieur, si ce comportement vous afflige.*

Lindsey conduisait le plus vite possible, poussant la Mitsubishi jusqu'à ses ultimes limites sur une nationale pas toujours faite pour la vitesse. Tandis qu'ils filaient vers l'est, ils croisaient peu de trafic, ce qui augmenta leurs chances de s'en tirer lorsqu'elle mordit largement la ligne centrale dans un virage trop serré.

Hatch utilisa le téléphone de la voiture pour demander aux renseignements le numéro du bureau de Jonas Nyebern, puis pour appeler ledit bureau, une standardiste du cabinet du médecin répondit aussitôt. Elle eut l'air surprise par son message, mais elle le nota. Sa promesse de le transmettre à Jonas semblait sincère, mais Hatch n'était pas sûr que leur définition du terme « immédiatement » était bien la même.

Maintenant, toutes les connexions étaients claires dans son esprit, mais il n'aurait pas pu les voir plus tôt, il le savait. La question de Jonas, le lundi précédent, prenait une nouvelle signification : il lui avait demandé s'il croyait que le mal était seulement le résultat des actes des hommes ou « une véritable puissance, une présence qui arpentáit le monde ». Le récit que Jonas lui avait fait de l'assassinat de sa femme et de sa fille par son fils psychopathe qui s'était ensuite suicidé éclairait l'épisode de la « mère » en train de tricoter. Les collections du père. Et celles du fils. Le satanisme des visions était ce que l'on pouvait attendre de la rébellion stupide d'un mauvais fils contre un père dont l'un des piliers de l'existence était la religion. Et, puis Jeremy Nyebern et lui-même avaient un lien évident — une réanimation miraculeuse entre les mains du même homme.

— Mais est-ce que ça explique quoi que ce soit ? lui demanda Lindsey, lorsqu'il lui donna quelques détails de plus qu'à la standardiste du cabinet du médecin.

— Je ne sais pas.

Il ne pensait plus qu'à ce qu'il avait découvert dans sa dernière vision. Ce qu'il avait compris de la nature de la collection de Jeremy l'emplissait de crainte pour Regina.

Lindsey, qui n'avait pas vu ces horreurs réfléchissait plutôt au mystère de ce lien qui, d'une certaine façon, était expliqué — mais pas totalement — par la découverte de l'identité du tueur aux lunettes de soleil.

— Et les visions ? Comment se situent-elles dans tout ça ? insista-t-elle, en essayant de donner un sens au surnaturel, un peu comme elle cherchait à interpréter le monde en le réduisant à des images ordonnées sur ses toiles.

— Je ne sais pas, répéta-t-il.

— Le lien qui te permet de le suivre, en ce moment...

— Je ne sais pas.

Elle prit un virage trop large. La voiture quitta la chaussée, roula sur le bas-côté, l'arrière dérapa, les pneus projetèrent du gravier sous le châssis. La barrière de sécurité fut là, tout près, en un éclair... Trop près, et la Mitsubischi fut secouée par le violent bang-bang-bang de la carrosserie qui recevait une bonne raclée. Lindsey sembla en reprendre le contrôle par un pur effort de volonté, mordant violemment sa lèvre inférieure comme pour la faire saigner.

Hatch était conscient de Lindsey, et de la voiture, et du voyage mouvementé qu'ils faisaient sur cette nationale aux virages parfois dangereux, mais il ne pouvait s'empêcher de revoir les atrocités de ses visions. Plus il pensait que Regina allait s'ajouter à cette effroyable collection, et plus son angoisse se teintait de colère. C'était la même colère puissante et incontrôlable qu'il avait vue si souvent chez son père, mais elle était dirigée à présent contre quelque chose qui méritait d'être haï, contre un objectif digne d'une telle fureur.

En approchant de la route d'accès au parc de loisirs, Vassago cessa un instant de regarder devant lui la nationale maintenant déserte et considéra la fillette attachée et bâillonnée à côté de lui. Elle avait tiré sur ses liens. Ses poignets irrités commençaient à saigner. La petite Regina devait savoir que sa situation était désespérée, et pourtant elle avait conservé l'espoir de se libérer, de se battre ou de s'échapper. Une telle vitalité ! Cette gamine l'électrisait.

Elle était si spéciale ! Il n'aurait peut-être pas besoin de la mère, s'il réussissait à trouver un moyen d'en faire une œuvre d'art pour sa collection, une œuvre qui aurait toute la puissance des divers groupes mère-enfant auxquels il avait déjà pensé.

Il n'avait pas roulé vite, depuis Laguna Niguel. Mais maintenant qu'il avait quitté la nationale pour prendre la longue route qui se dirigeait vers le parc, il accéléra, pressé de retrouver son musée des morts, dans l'espoir que l'atmosphère des lieux l'inspirerait.

Des années auparavant, l'entrée à quatre voies était bordée par des parterres de fleurs, des plantations d'arbustes luxuriants et des groupes de palmiers. Les arbres et les arbustes les plus importants avaient été déterrés, mis en pots et emportés depuis longtemps par les agents des créanciers. Les fleurs étaient mortes et tombées en poussière lorsque les systèmes d'arrosage automatique avaient été coupés.

La Californie du Sud était un désert transformé par la main de l'homme, et, quand la main de l'homme s'éloignait, le désert reprenait possession d'un territoire qui lui revenait de droit. Voilà ce que valaient les génies de l'humanité, les imparfaites créatures de Dieu! La chaussée, qui n'était plus entretenue depuis des années, s'était craquelée et soulevée, et à certains endroits elle commençait à disparaître sous des coulées de sol sablonneux. Les phares révélaient des boules de buissons et les restes d'une végétation déjà jaunie à peine six semaines après la fin de la saison des pluies, poussés vers l'ouest par un vent nocturne descendu des collines arides.

Il ralentit à la hauteur des postes de péage qui s'étendaient en travers des quatre voies. Laissés en place pour empêcher les curieux d'explorer le parc abandonné, ils avaient été reliés et fermés par de grosses chaînes que l'on n'aurait même pas pu trancher avec des coupe-boulons. Les voies d'accès, autrefois surveillées par les employés, étaient jonchées de buissons apportés par le vent et d'ordures abandonnées par les vandales. Il contourna les cabines, grimpa sur une bordure pas très élevée et roula sur le sol grillé par le soleil, où les espèces tropicales des anciennes plates-bandes bloquaient jadis le passage, puis il redescendit sur la chaussée une fois l'obstacle franchi.

Au bout de la route d'entrée, il coupa ses phares. Il n'en avait pas besoin et il ne risquait plus désormais d'être repéré par une patrouille de police qui l'aurait obligé à s'arrêter parce qu'il conduisait tous feux éteints. Immédiatement, il eut moins mal aux yeux, et si on le traquait jusqu'ici, on ne pourrait pas le suivre à la trace grâce à ses lumières.

Il traversa en diagonale, l'immense et sinistre parking désert, puis se dirigea vers une route de service, qui partait de l'autre côté de la clôture entourant le terrain du parc proprement dit.

Alors que la Honda cahotait sur les nids-de-poule du macadam, Vassago faisait travailler son imagination, cette espèce d'abattoir psychotique qui grouillait toujours d'activité, pour trouver des solutions aux problèmes artistiques posés par sa prisonnière. Il concevait et rejetait une idée après l'autre. L'image devait le troubler. L'exciter. Si c'était de l'art véritable, il le saurait ; il serait ému.

Tandis qu'il inventait amoureusement diverses tortures pour Regina, il prit soudain conscience de cette autre mystérieuse présence, dans la nuit, et de sa rage singulière. Et il fut aussitôt emporté par une nouvelle vision psychique, avec beaucoup d'éléments familiers et certaines additions essentielles : Lindsey au volant d'une voiture... Un combiné téléphonique dans la main tremblante d'un homme... Et un objet qui lui permit de résoudre instantanément ses problèmes artistiques... Un crucifix. Le corps cloué et torturé du Christ dans la célèbre position de sa noble abnégation.

Il cligna des yeux pour chasser cette image, regarda la fillette pétrifiée dans le siège à côté de lui, chassa cette image-là aussi, et vit en imagination la combinaison des deux — la fille et la croix. Il allait utiliser Regina pour parodier la crucifixion. Oui, joli, parfait. Mais pas sur une croix de cornouiller. Non, elle serait plutôt mise à mort sur le ventre de serpent du Lucifer de neuf mètres de haut, elle serait crucifiée et son cœur sacré dévoilé dans sa poitrine ouverte ; elle servirait ainsi de toile de fond au reste de sa collection. Grâce à cette utilisation si cruelle et si stupéfiante, il n'aurait pas besoin de la mère ; dans cette position, Regina assurerait seule la réussite suprême de l'artiste.

Hatch tentait désespérément de contacter le bureau du shérif du comté d'Orange, son téléphone avait des problèmes de transmission — lorsqu'il sentit de nouveau l'intrusion d'un autre esprit dans le sien. Il « vit » des images de Regina défigurée de multiples façons, et il se mit à trembler de rage. Et puis une vision de crucifixion le frappa ; elle était si puissante, si vraie, si monstrueuse, qu'il eut l'impression d'être assommé par un coup de marteau.

Il supplia Lindsey d'accélérer encore, mais il ne lui décrivit pas ce qu'il venait de voir ; il n'avait pas la force d'en parler.

Sa terreur était amplifiée par la parfaite compréhension de la thèse que Jeremy voulait développer en perpétrant cette atrocité : Dieu s'était-il trompé d'avoir fait un homme de Son Enfant unique engendré par le Père ? Le Christ n'aurait-il pas pu être une femme ? Est-ce que ce n'étaient pas les femmes qui avaient le plus souffert, et, qui, en conséquence, étaient le meilleur symbole d'abnégation, de grâce et de transcendance ? Dieu avait donné aux femmes une sensibilité particulière, un véritable talent pour la bienveillance et la tendresse, et la capacité d'aimer et de nourrir — et puis il les avait abandonnées dans un monde de violences où leurs qualités singulières en faisaient des cibles faciles pour le cruel et le dépravé.

Cette réalité était affreuse, mais pour Hatch, que quelqu'un d'aussi fou que Jeremy Nyebern fût capable d'une réflexion si complexe était encore plus horrible. Si un assassin psychopathe pouvait saisir une telle vérité et en développer les implications théologiques, alors la création elle-même devait être un asile d'aliénés. Car, pour sûr, si l'univers était un endroit rationnel, aucun dingue n'aurait été capable d'en comprendre la moindre part.

Lindsey atteignit l'embranchement de la route qui menait à Fantasy World, et elle s'y engagea en virant si brusquement que la Mitsubishu dérapa et donna un instant l'impression qu'elle allait se renverser. Mais Lindsey, agrippée au volant, réussit à éviter l'accident en tournant et en accélérant au bon moment.

Non, pas Regina ! On ne pouvait laisser Jeremy mettre en œuvre sa vision décadente avec cet agneau innocent. Hatch était prêt à mourir pour l'en empêcher.

Il était à la fois effrayé et furieux. Le combiné en plastique de son téléphone craquait dans sa main comme si la pression de ses doigts pouvait le briser aussi facilement qu'une coquille d'œuf.

Les cabines du poste de péage apparurent devant eux. Lindsey freina sans trop savoir quoi faire, et puis elle repéra les traces de pneus sur la terre sableuse. Elle grimpa par-dessus la bordure de béton de ce qui était jadis un parterre de fleurs.

Hatch savait qu'il devait contenir sa rage, ne pas s'y abandonner comme son père l'avait toujours fait, car s'il ne réussissait pas à garder le contrôle de lui-même, Regina était morte. Il essaya une nouvelle fois de joindre le 911 [1]. Il lui fallait conserver toute sa raison. Il ne pouvait pas s'abaisser au niveau cette obscénité ambulante par les yeux de qui il avait vu les poignets attachés et le regard terrorisé de son enfant.

La rage qui le submergea par le lien télépathique excita Vassago, fit monter sa propre haine et le persuada qu'il devait agir sans attendre de s'emparer de la femme. La perspective d'une seule crucifixion lui apportait, à travers cette mystérieuse connexion, une telle vague de répugnance et d'écœurement qu'il sut que son idée artistique était d'une puissance suffisante. Une fois mise en œuvre dans la chair de la fille aux yeux gris, son art lui ouvrirait de nouveau les portes de l'Enfer.

Il stoppa à l'entrée de la route de service, fermée par une grille. Il avait cassé le gros cadenas depuis longtemps, mais il l'avait laissé en place pour faire croire qu'il fonctionnait encore. Il descendit de la voiture, ouvrit la grille, fit avancer la Honda, ressortit, referma.

Lorsqu'il fut de nouveau au volant, il décida qu'il ne pouvait pas laisser la Honda dans le garage souterrain et rejoindre son musée des morts par les catacombes. Il n'avait plus le temps. Car les paladins de Dieu, lents mais obstinés, se rapprochaient. Il avait tant de choses à faire, tant de choses, en si peu de temps ! Ce n'était pas juste. Il avait besoin d'un délai supplémentaire. N'importe quel artiste avait besoin de temps. Il gagnerait quelques minutes en empruntant les voies pour piétons entre les pavillons des attractions en ruine et en se garant directement devait le Palais des Merveilles ; de là, il traverserait avec la fille la lagune asséchée, franchirait la porte des gondoles et suivrait le tunnel ; c'était un itinéraire plus direct pour descendre dans son Enfer.

Tandis que Hatch était en communication avec le bureau du shérif, Lindsey entrait dans le parking. Les lampadaires étaient éteints et l'endroit absolument vide. Devant eux, à quelques

1. Le numéro d'appel de la police (*N.d.T.*)

centaines de mètres, s'élevait le château ; autrefois, il était illuminé, mais aujourd'hui ce n'était plus qu'une sombre ruine. C'était par là que les clients pénétraient jadis dans Fantasy World. Elle ne vit nulle part la voiture de Jeremy Nyebern et il n'y avait pas assez de poussière sur le macadam balayé par le vent pour le suivre grâce aux traces de ses pneus.

Elle s'approcha le plus possible du château, et dut finalement s'arrêter devant une longue rangée de cabines de contrôle des tickets et de piliers de béton prévus pour canaliser la foule. On aurait dit d'énormes barricades érigées sur une plage fortifiée pour empêcher le débarquement de tanks ennemis.

Lorsque Hatch raccrocha, Lindsey ne connaissait pas les résultats de la conversation, où son mari avait essayé tour à tour les prières et l'insistance coléreuse. Elle ne savait pas si les flics venaient ou non, mais elle avait un tel sentiment d'urgence qu'elle ne perdit pas de temps à lui poser la question. Elle voulait seulement avancer, avancer. Elle arrêta la voiture, mais ne coupa ni les phares, ni le moteur. Elle appréciait les phares — c'était au moins une petite défense contre la nuit écœurante qui les entourait. Elle ouvrit la porte violemment, décidée à continuer à pied. Et puis, secouant la tête, elle ramassa le Browning sur le plancher de la voiture.

— Alors ? demanda-t-elle.

— Il est toujours dans sa voiture. Je crois qu'on le trouvera plus rapidement si on se déplace comme lui, et si je reste ouvert à notre connexion psychique. En plus, l'endroit est si foutrement immense qu'on ira plus vite en voiture.

Elle se remit au volant, passa la première, demanda :

— Où ?

Il n'hésita qu'une seconde, peut-être même qu'une fraction de seconde, mais il lui sembla que quand il répondit enfin, un certain nombre de petites filles sans défense avaient eu le temps d'être assassinées :

— A gauche, prends à gauche, le long de la clôture.

2

Vassago se gara devant la lagune, coupa le moteur, jaillit de la voiture et courut jusqu'à la portière de la fillette. Il l'ouvrit, en disant :

— On est arrivés, mon ange... Un parc de loisirs, exactement ce que je t'avais promis. Est-ce que c'est pas marrant ? Est-ce que ça ne t'amuse pas ?

Il la fit pivoter sur son siège pour sortir ses jambes de la voiture. Il prit son cran d'arrêt de la poche de sa veste, en fit jaillir la lame tranchante et la lui montra.

Le croissant de la lune était très fin, et les yeux de Regina n'étaient pas aussi sensibles que ceux de l'homme — pourtant elle vit la lame. La terreur grandissante dans ses yeux et sur son visage enivra davantage Vassago.

— Je vais détacher tes jambes pour que tu puisses marcher, lui dit-il, en faisant tourner la lame lentement, lentement, si bien qu'une faible lueur de mercure coula le long de sa tranche effilée. Si t'es assez bête pour essayer de me donner des coups de pied, si tu crois que tu peux atteindre ma tête, peut-être, et m'assommer pour t'enfuir, alors t'es vraiment une idiote, mon ange. Ça réussira pas, et je serai obligé de t'entailler pour te donner une leçon. Tu m'entends, mon trésor ? Est-ce que tu comprends ?

Elle émit un son étouffé à travers le foulard enfoncé dans sa bouche qui indiquait qu'elle reconnaissait le pouvoir de l'homme.

— Bien, dit-il. Tu es une gentille fille. Si sage. Tu feras un beau Jésus, hein ? Vraiment un beau petit Jésus.

Il coupa les cordes retenant ses chevilles, puis il l'aida à sortir de la voiture. Elle chancelait, sans doute parce que ses muscles s'étaient engourdis au cours du voyage, mais il n'avait pas l'intention de lui permettre de traîner. Il l'attrapa par un bras, sans détacher ses poignets ni ôter son bâillon, il lui fit contourner la voiture et la tira jusqu'au mur de soutènement de la lagune du Palais des Merveilles.

Le mur mesurait soixante centimètres à l'extérieur, et le double à l'intérieur, là où jadis s'étendait l'eau. Vassago fit passer Regina par-dessus et la déposa sur le fond en béton de la vaste lagune à sec. Regina détestait le contact de cet homme, même à travers les gants qu'il portait, parce qu'elle sentait — ou du moins le pensait-elle — sa peau froide et moite, et que cela lui donnait envie de hurler. Mais elle savait qu'elle ne pouvait pas crier, avec le bâillon. Si elle essayait, elle s'étranglerait et ne pourrait plus respirer — alors, elle fut bien obligée de se laisser porter pour franchir le mur. Il ne la toucha pas à mains nues, puisqu'il portait des gants et qu'elle avait un pull, et pourtant ce contact lui retourna l'estomac et elle pensa qu'elle allait vomir. Mais elle résista, car avec son bâillon, elle risquait de mourir étouffée.

En dix ans d'adversité, Regina avait mis au point un certain nombre de stratagèmes pour affronter le malheur. Il y avait le truc du « pensons-à-quelque-chose-de-pire ». Elle se disait, par exemple, qu'elle pourrait être obligée de manger une souris morte enrobée de chocolat quand on lui servait de la Jell-O parfumée au citron vert avec des pêches. Ou qu'elle aurait pu être aveugle, en plus de ses autres infirmités. Après le choc horrible de son rejet par les Dotterfield, elle avait souvent passé des heures les yeux fermés pour avoir une idée de ce qu'elle aurait dû supporter si sa vue avait été aussi défectueuse que son bras droit. Mais à présent, le truc du « pensons-à-quelque-chose-de-pire » ne marchait plus, parce qu'elle n'était pas capable de penser à quelque chose de pire que d'être là où elle se trouvait, au pouvoir de cet inconnu habillé tout en noir qui portait des lunettes de soleil au milieu de la nuit et l'appelait « bébé » et « mon trésor ». Ses autres combines ne donnaient plus rien non plus. Aucune d'elles.

Tandis qu'il l'entraînait sans ménagement à travers la lagune, elle fit traîner sa jambe droite comme si elle ne pouvait pas avancer plus vite. Elle avait besoin de le retarder pour réfléchir, pour trouver une nouvelle astuce.

Mais elle n'était encore qu'une enfant et les astuces ne lui venaient pas si facilement que ça, même pour quelqu'un d'aussi malin qu'elle, même pour quelqu'un qui avait passé dix ans de sa vie à mettre au point des stratagèmes intelligents pour faire croire à tout le monde qu'elle était capable de se débrouiller seule, qu'elle était solide, qu'elle ne pleurerait jamais. Finalement, son sac à malices était vide et elle n'avait jamais été aussi effrayée.

Ils longèrent de gros bateaux ressemblant aux gondoles de Venise qu'elle avait vues en photo, mais avec des proues en forme de dragons, comme les drakkars des Vikings. L'étranger la tirait impatiemment par le bras, et elle passa en boitant devant l'affreuse gueule ouverte d'un serpent plus grand qu'elle.

Des feuilles mortes et des papiers moisis jonchaient le fond de la lagune. Dans la brise nocturne qui, parfois, soufflait en violentes rafales, ces saletés tourbillonnaient autour d'eux avec les clapotements d'une mer fantôme.

— Viens, mon trésor, dit-il de sa voix douce comme le miel, et pourtant si cruelle. Je veux que tu marches jusqu'à ton Golgotha exactement comme Lui. Tu ne crois pas que c'est approprié ? Est-ce que c'est trop demander ? Hummm ? Je n'ai pas insisté pour que tu transportes ta croix, n'est-ce pas ? Qu'est-ce que tu dirais, mon trésor, de *remuer ton cul ?*

Elle était terrorisée, elle n'avait aucun truc pour le dissimuler, aucun truc non plus pour retenir ses larmes. Elle commença à trembler et à pleurer, et sa jambe droite traîna pour de bon, si bien qu'elle tenait à peine debout à présent, et qu'elle était incapable d'avancer aussi vite qu'il le voulait.

Jadis, dans une situation comme celle-ci, elle se serait tournée vers Dieu et elle Lui aurait parlé, parlé et parlé encore, parce que personne n'avait parlé à Dieu plus souvent et plus franchement qu'elle depuis son plus jeune âge. Mais elle s'était adressée à Dieu, dans la voiture, et il ne l'avait pas entendue. Durant toutes ces années, leurs conversations avaient été à sens unique, d'accord, mais elle avait toujours été sûre qu'Il l'entendait, enfin elle avait au moins perçu un soupçon de Son grand souffle. Mais là, maintenant, elle savait qu'Il ne l'écoutait pas, parce que s'Il avait vu à quel point elle était désespérée, Il n'aurait pas manqué de lui répondre, cette fois. Il était parti, et elle ne savait pas où, et elle ne s'était jamais sentie aussi seule...

Lorsque les larmes et l'impuissance l'accablèrent au point qu'elle fut incapable de marcher, l'étranger la prit dans ses bras. Il était très fort. Elle ne pouvait pas lui résister, bien sûr, mais elle ne se cramponna pas à lui, malgré tout. Elle replia juste ses bras contre sa propre poitrine, serra les poings et se retira en elle-même.

— Laisse-moi te porter, mon petit Jésus, murmura-t-il. Oui, mon petit agneau si doux, ce sera mon privilège de te porter.

Il n'y avait aucune chaleur dans sa voix, malgré ce qu'il disait. Il n'y avait que de la haine et du mépris. On s'était déjà adressé à elle avec ce ton-là. Vous aviez beau vous efforcer d'être comme tout le monde, d'être l'amie de tout le monde, certains enfants vous haïssaient si vous étiez trop différent, et dans leur voix vous entendiez la même chose qu'aujourd'hui et vous vous enfuyiez.

Ils franchirent des portes brisées et pourrissantes, et il la transporta au cœur de ténèbres qui la firent se sentir minuscule.

Lindsey ne prit même pas la peine de descendre de voiture pour vérifier si l'on pouvait ouvrir la grille. Lorsque Hatch lui indiqua le chemin d'un signe de la main, elle appuya à fond sur l'accélérateur. La Mitsubishi se cabra et fila comme une flèche. Ils pénétrèrent brutalement dans l'enceinte du parc, en démolissant la grille et en ajoutant ainsi quelques autres ennuis de carrosserie — dont un phare brisé — à leur véhicule déjà abîmé.

Guidée par Hatch, elle suivit un moment une route de service. A leur gauche s'élevait la haute clôture avec les restes noueux et desséchés d'une vigne vierge qui devait jadis dissimuler entièrement ses mailles en losanges, mais qui était morte lorsqu'on avait coupé le système d'irrigation. Sur leur droite, s'alignaient les bâtiments des attractions, trop solidement construits pour être démontés, et l'arrière des façades fantastiques de certains immeubles, soutenues par des supports en angle.

Ils quittèrent la route, passèrent entre deux édifices et empruntèrent ce qui, des années auparavant, était une promenade sinueuse que la foule des visiteurs utilisait pour traverser le parc. La plus haute grande roue que Lindsey avait jamais vue, abîmée par le vent, le soleil et des années d'abandon, se dressait dans la nuit comme la carcasse d'un léviathan nettoyée par des charognards inconnus.

Une voiture était garée à côté de ce qui semblait être une piscine vide, devant une immense construction.

— Le Palais des Merveilles, dit Hatch.

Il le reconnaissait. Il l'avait déjà vu, auparavant... par d'autres yeux.

Sur son toit étaient piqués de multiples mâts comme dans une tente de cirque à trois pistes ; ses murs de stuc se désintégraient peu à peu. Lindsey l'apercevait par morceaux, au fur et à mesure que le faisceau de leur seul phare fonctionnant encore le balayait, mais elle n'aimait rien de ce qu'elle voyait. Elle n'était pas d'une nature superstitieuse — même si depuis ses récentes expériences elle le devenait rapidement —, mais elle sentait une aura de mort autour de cet endroit, aussi sûrement qu'elle aurait senti du froid monter d'un bloc de glace.

Elle se gara à côté de l'autre voiture. Une Honda. Ses occupants l'avaient abandonnée si vite que les deux portières avant étaient ouvertes, et les lumières intérieures allumées.

Ramassant vivement son Browning et une lampe électrique, elle sortit de la Mitsubishi, courut vers la Honda et l'examina.

Aucune trace de Regina.

Elle venait de découvrir qu'à un certain point la peur n'augmentait plus. Tous les nerfs étaient à vif. Comme le cerveau ne pouvait pas traiter davantage de données, il se contentait de maintenir le pic de terreur une fois qu'il était atteint. Chaque nouveau choc, chaque nouvelle horreur n'ajoutait rien à l'angoisse parce que le cerveau effaçait simplement des données plus anciennes pour faire de la place aux nouvelles. Ainsi, elle se souvenait à peine de ce qui était arrivé chez eux ou pendant leur invraisemblable trajet jusqu'à ce parc ; la plupart de ces souvenirs-là avaient disparu, il n'en restait que des bribes, et elle pouvait se concentrer sur ses frayeurs présentes.

Par terre, à ses pieds, d'abord visible dans la faible lumière de l'intérieur de la voiture, puis dans le faisceau de sa lampe, il y avait une grosse corde d'environ un mètre de long. Elle la ramassa et remarqua le nœud coupé au couteau.

Hatch la lui prit des mains.

— Elle était autour des chevilles de Regina, dit-il. Il l'a ôtée pour qu'elle puisse marcher.

— Où sont-ils, maintenant ?

Il dirigea sa lampe au-dessus de la lagune asséchée, au-dessus des trois gondoles grises inclinées sur un côté, avec leurs proues extraordinaires, et indiqua une double porte de bois à la base du Palais des Merveilles. L'une pendait sur ses gonds brisés, l'autre était grande ouverte. La lampe était un modèle à quatre piles, juste suffisante pour jeter une faible lumière sur ces portes éloignées, mais incapable de percer les terribles ténèbres qui s'étendaient au-delà.

Contournant la voiture, Lindsey grimpa par-dessus le petit mur de la lagune. Hatch cria :

— Lindsey, attends !

Mais elle ne pouvait pas tarder davantage — et d'ailleurs comment le pouvait-il, lui ? — à la pensée que Regina était entre les mains du fils réanimé, du fils psychotique de Jonas Nyebern.

Tandis qu'elle traversait la lagune, son angoisse pour Regina annihilait la peur qu'elle aurait pu éprouver pour sa propre sécurité. Comprenant pourtant qu'elle devait survivre pour que la fillette eût une chance de s'en tirer, elle balayait l'espace devant elle avec sa lampe, méthodiquement, pour éviter d'être attaquée par surprise de derrière l'une de ces énormes gondoles.

Des feuilles mortes et de vieux papiers dansaient dans le vent au fond de la lagune, montant parfois en colonnes et tournoyant avec violence. Rien d'autre ne bougeait.

Hatch la rattrapa au moment où elle atteignait l'entrée du Palais des Merveilles. Il était resté un instant en arrière, le temps d'attacher la lampe électrique au dos du crucifix en se servant de la corde ramassée par Lindsey. Maintenant, il pouvait tenir les deux d'une seule main et pointer la tête du Christ sur tout ce qu'il éclairait. Et sa main droite était libre pour son Browning. Il avait laissé le Mossberg dans la voiture. En fixant la lampe sur le calibre 12, il aurait pu porter à la fois le fusil et le revolver. Mais quelque chose lui disait que le crucifix serait une meilleure arme que le Mossberg.

Lindsey ne savait pas pourquoi il avait pris cet objet dans la chambre de Regina. Et sans doute n'en avait-il aucune idée, lui non plus, pensait-elle. Ils pataugeaient jusqu'au cou dans le grand fleuve boueux de l'inconnu et, outre la croix, elle aurait bien aimé avoir amené avec elle un collier de gousses d'ail, une fiole d'eau bénite, quelques balles d'argent, et toute autre chose du même genre qui aurait pu les aider.

En tant qu'artiste, elle avait toujours su que le monde des cinq sens, solide et sûr, ne représentait pas la *totalité* de la réalité, et elle avait incorporé ce savoir dans son œuvre. A présent, elle l'intégrait tout simplement dans le reste de sa vie, surprise de ne pas l'avoir fait beaucoup plus tôt.

Ils pénétrèrent dans le Palais des Merveilles. Les faisceaux de leurs lampes découpaient les ténèbres devant eux.

Les stratagèmes de Regina pour s'en tirer n'étaient pas tous épuisés, en fin de compte.

Elle en avait inventé un autre.

Elle avait découvert une petite pièce, loin au cœur de son esprit, où elle pouvait pénétrer et refermer la porte derrière elle, et s'y trouver en sécurité, une cachette qu'elle seule connaissait, où personne ne réussirait jamais à mettre la main sur elle. C'était une jolie pièce, aux murs couleur pêche, avec un lit décoré de fleurs peintes. Une fois qu'elle y était entrée, la porte ne pouvait s'ouvrir que d'un côté — le sien. Il n'y avait aucune fenêtre. Quand elle était là, dans la plus secrète de toutes les retraites, ce que l'on faisait à l'autre elle-même, à la Regina physique qui était encore dans le monde extérieur haï, n'avait plus la moindre importance. La *vraie* Regina était en sécurité dans sa cachette, au-delà de la peur et de la douleur, au-delà des larmes, du doute et de la tristesse. Elle n'entendait rien de ce qui se passait au dehors, et surtout plus la voix mielleuse et mauvaise de l'homme en noir. Et elle ne voyait que les murs couleur pêche, et son lit peint, et une douce lumière — jamais plus d'obscurité. Rien, à l'extérieur, ne pouvait vraiment l'atteindre, désormais, et certainement pas ces mains nerveuses et blanches qui venaient de se débarrasser de leurs gants.

Mieux encore, la seule odeur de son sanctuaire était une odeur de roses, ces roses peintes sur le lit, une fragrance douce et familière. Plus jamais la fétidité des choses mortes. Plus jamais la puanteur bouleversante des chairs en décomposition qui vous faisait monter dans la gorge une bile aigre capable de vous étouffer quand vous aviez dans la bouche une écharpe roulée en boule et inondée de salive. Plus jamais rien de ce genre, non jamais, pas dans sa chambre secrète, sa chambre bénie, son paradis lointain et sacré, sûr et solitaire.

Quelque chose était arrivé à la fille. La singulière vitalité qui la rendait si attirante avait brusquement disparu.

Quand il la posa sur le sol de son Enfer, le dos appuyé contre la base du gigantesque Lucifer, il crut d'abord qu'elle était évanouie. Mais non. Lorsqu'il s'accroupit devant elle et posa sa main sur sa poitrine, il sentit son cœur qui bondissait comme celui d'un lapin dans la gueule du renard. Personne n'aurait pu être inconscient avec un cœur qui battait de cette façon.

Et puis, elle avait les yeux ouverts. Mais c'était un regard aveugle, comme incapable tout à coup de se fixer sur quelque chose. Bien sûr, elle ne le voyait pas dans l'obscurité comme lui-même il la voyait, elle ne pouvait rien voir, mais ce n'était pas pour cette raison qu'elle regardait à travers lui. Lorsqu'il donna une pichenette aux cils de son œil droit, elle ne tressaillit pas, ne battit même pas des paupières. Des larmes mouillaient ses joues, mais aucune ne coulait plus de ses yeux, maintenant.

État catatonique. La petite pute s'était coupée de lui, lui avait fermé son esprit. Elle était devenue un légume. Cela ne convenait pas du tout à ses desseins. La valeur de l'offrande résidait dans la vitalité du sujet. L'art avait un rapport avec l'énergie, la qualité des vibrations, la douleur et la terreur. Que pourrait-il transmettre avec son Christ aux yeux gris si elle n'avait pas conscience de son agonie, si elle était incapable de l'exprimer ?

Il était si en colère contre elle, si foutrement en colère, qu'il n'avait plus du tout envie de jouer avec elle. Laissant sa main sur sa poitrine, au-dessus de son cœur de lapin, il sortit son cran d'arrêt de sa poche et fit jaillir la lame.

Contrôle.

Il l'aurait volontiers ouverte en deux et il aurait eu l'intense plaisir de sentir son cœur s'arrêter de battre entre ses mains — sauf qu'il était un Maître du Jeu et qu'il connaissait la signification et la valeur du contrôle de soi. Il était capable de se refuser des sensations passagères pour des récompenses plus constructives et plus durables. Il n'hésita qu'un instant avant de ranger son couteau.

Il valait mieux que ça.

Mais cette brève défaillance le surprit.

Peut-être qu'elle serait sortie de sa transe au moment où il serait prêt à l'incorporer à sa collection. Dans le cas contraire, eh bien il était sûr que le premier clou la ramènerait à la réalité et ferait d'elle cette œuvre d'art lumineuse qu'elle pouvait être, il le savait.

Il l'abandonna et alla jusqu'à l'endroit où étaient empilés ses outils, là où se terminait pour l'instant l'arc de cercle de sa collection. Il avait des marteaux et des tournevis, des pinces et des tenailles, des scies et une boîte à onglets, une perceuse à piles, et une bonne quantité de mèches, de vis et de clous, et des cordes et du fil électrique, des tasseaux en tous genres, et tout ce dont un bricoleur pouvait avoir besoin ; il avait tout acheté chez Sears [1], lorsqu'il avait compris que pour arranger et installer correctement chaque pièce de sa collection il serait obligé de construire un certain nombre de supports astucieux et même, dans deux cas, des toiles de fond. La matière qu'il avait choisie n'était pas aussi facile à travailler que les peintures à l'huile, ou la gouache, ou la terre glaise ou le granit du sculpteur, car la gravité avait tendance à altérer rapidement les effets auxquels il parvenait.

Il savait qu'il n'avait pas beaucoup de temps, car sur ses talons venaient ceux qui ne comprenaient pas son art. Il savait qu'à cause d'eux il devrait quitter définitivement le parc de loisirs avant le lever du jour. Mais cela n'avait pas d'importance s'il complétait maintenant sa collection et y gagnait l'approbation qu'il cherchait.

Il fallait agir vite.

La première chose à faire, avant de mettre la fillette debout et de l'attacher dans cette position, c'était de vérifier s'il pouvait planter des clous dans le matériau composant les segments reptiliens du ventre et de la poitrine de Lucifer. Ils semblaient être en caoutchouc dur, peut-être en plastique. En fonction de l'épaisseur, de la friabilité et de l'élasticité du matériau, un clou y entrerait aussi facilement que dans du bois, ou bien il rebondirait, ou il se plierait. Si la peau du démon se révélait trop résistante, il devrait utiliser la perceuse au lieu du marteau, et des vis de six plutôt que des clous, mais conférer une touche moderne à la reconstitution de cet ancien rituel ne porterait pas atteinte à l'intégrité artistique de l'œuvre.

Il souleva le marteau. Plaça le clou. Le premier coup l'enfonça d'un quart de sa longueur dans l'abdomen de Lucifer. Le second de la moitié.

Donc les clous seraient parfaits.

Il regarda la fille assise par terre, immobile, le dos appuyé contre la base de la statue. Elle n'avait pas réagi au bruit du marteau.

Il était déçu, mais pas désespéré.

Avant de la relever pour la mettre en place, il s'empressa de

---

1. Une chaîne américaine de grands magasins (*N.d.T.*).

rassembler tout ce dont il allait avoir besoin. Deux pièces de bois de cinq sur dix pour servir de support jusqu'au moment où l'acquisition serait solidement fixée. Deux clous. Et aussi un modèle plus long et plus méchamment effilé qu'il aurait été plus juste de nommer « pointe ». Le marteau, bien sûr. Vite ! Des clous plus petits, à peine plus gros que des semences, dont il planterait bien régulièrement une douzaine dans son front pour représenter la couronne d'épines. Le cran d'arrêt, avec lequel il reproduirait le coup de lance attribué au centurion. Quoi d'autre ? Réfléchis. Vite, maintenant. Il n'avait ni vinaigre, ni éponge à y plonger, si bien qu'il ne pourrait pas offrir cette boisson traditionnelle à ses lèvres desséchées, mais il ne pensait pas que l'absence de ce détail diminuerait sa composition.

Il était prêt.

Hatch et Lindsey étaient déjà bien avancés dans le tunnel des gondoles, progressant aussi vite qu'ils l'osaient, mais ils perdaient du temps parce qu'ils devaient vérifier avec leurs torches les niches et les plates-formes d'exposition qui s'ouvraient dans les murs du tunnel. La lumière faisait voler et danser les ombres sur les stalactites, les stalagmites et les rochers de béton ; mais tous les endroits qui pouvaient receler du danger étaient vides.

Deux coups puissants, comme des coups de marteau, leur parvinrent des profondeurs du Palais des Merveilles. Et puis ce fut le silence, de nouveau.

— Il est là, en bas, quelque part, chuchota Lindsey. Pas vraiment tout près. On peut aller plus vite.

Hatch acquiesça.

Ils reprirent donc leur progression dans le tunnel, en ne vérifiant plus les renfoncements profonds qui, jadis, abritaient des monstres mécaniques. Pendant que Hatch avançait, sa connexion avec Jeremy Nyebern fut tout à coup rétablie. Il sentit l'excitation du fou, son besoin obscène et palpitant. Il reçut aussi des images sans suite : des clous, une pointe, deux pièces de bois de cinq sur dix, une poignée de semences, la fine lame d'acier d'un couteau à cran d'arrêt jaillissant de son manche à ressort...

Sa colère grandissait en même temps que son angoisse ;

déterminé à ne pas laisser ces visions déstabilisantes gêner sa progression, il atteignit la fin de la partie horizontale du tunnel et fit quelques pas sur la rampe inclinée avant de se rendre compte que l'angle du sol avait radicalement changé.

Ce fut alors que l'odeur le frappa.

Elle montait jusqu'à lui dans un courant d'air. Il eut un haut-le-cœur. Entendit que Lindsey réagissait comme lui. Sa gorge se serra.

Il savait ce qu'il y avait, là, en dessous. Au moins en partie. Il avait eu des aperçus de la collection grâce à ses visions dans la voiture, sur la nationale. S'il ne se reprenait pas, s'il ne vainquait pas sa répulsion immédiatement, il n'aurait jamais le courage de descendre dans les profondeurs de cet abîme infernal — où il devait se rendre s'il voulait sauver Regina.

Apparemment, Lindsey le savait aussi, car elle trouva la volonté de réprimer ses haut-le-cœur, et elle le suivit dans le tunnel qui, maintenant, filait en pente raide.

La lueur, en haut, à l'une des extrémités de la caverne, dans le tunnel donnant sur le déversoir, attira l'attention de Vassago. La vitesse avec laquelle cette lumière augmentait d'intensité lui fit comprendre qu'il n'aurait pas le temps d'ajouter la fille à sa collection avant l'arrivée des intrus.

Il savait qui ils étaient. Il les avait vus dans ses visions exactement comme eux, manifestement, l'avaient vu dans les leurs. La femme et son mari l'avaient suivi depuis Laguna Niguel. Il commençait juste à se rendre compte qu'il y avait davantage de forces en jeu dans cette affaire que ce qui semblait être le cas au début.

Il pensa un instant les laisser descendre dans le déversoir, jusqu'à l'Enfer, et se glisser derrière eux, tuer l'homme, mettre la femme hors de combat, et puis organiser une *double* crucifixion. Mais il y avait quelque chose chez le mari qui le gênait. Il ne savait pas exactement quoi.

Il était forcé de s'avouer à présent qu'en dépit de sa bravade il avait évité une confrontation avec lui. Chez eux, plus tôt dans la soirée, quand l'élément de surprise jouait encore en sa faveur, il aurait pu attaquer l'homme au moment où il ne s'y attendait pas et se débarrasser de lui d'abord, avant de s'emparer de Regina ou de Lindsey. Dans ce cas, il aurait peut-être même réussi à acquérir à la fois la femme et l'enfant. Et en ce moment, il serait plongé joyeusement dans leur mutilation.

Loin au-dessus de lui, le vague halo nacré s'était transformé en deux rayons distincts de lampe électrique qui semblèrent hésiter un bref instant et puis se mirent à descendre. Parce que ses lunettes noires étaient dans la poche de sa veste, Vassago fut forcé de plisser les yeux à la vue de ces épées de lumière découpant la nuit.

Comme les autres fois, il décida de ne pas se battre contre cet homme, mais plutôt de s'enfuir avec l'enfant. Sa prudence l'étonna.

Un Maître du Jeu, pensa-t-il, devait faire preuve d'un contrôle de soi à toute épreuve, et choisir les bons moments pour montrer son pouvoir et sa supériorité.

Vrai. Mais ce coup-ci l'idée le frappa comme une justification pleine de lâcheté pour échapper à la confrontation.

C'était idiot. Rien de ce monde ne pouvait l'effrayer.

Les torches étaient toujours très loin, braquées sur le sol du déversoir, pas même à mi-pente. Mais il entendait le bruit des pas de ses poursuivants qui augmentait et se répercutait dans l'immense caverne au fur et à mesure de leur avance.

Il attrapa la fillette toujours catatonique, la souleva comme une plume, la jeta sur son épaule et s'éloigna silencieusement à travers l'Enfer, en direction des faux rochers où une porte de service était dissimulée.

— Oh, mon Dieu, Hatch !

— Ne regarde pas, souffla-t-il à Lindsey, tandis que le rayon de sa lampe balayait la macabre collection. Mon Dieu, ne regarde pas, couvre nos arrières, assure-toi qu'il ne va pas nous contourner.

Avec gratitude, elle fit ce qu'il lui demandait, cessant de contempler l'étalage de cadavres à différents stades de décomposition, auxquels il avait fait prendre diverses poses. Elle savait que même si elle vivait jusqu'à cent ans son sommeil serait désormais hanté chaque nuit par ces formes et ces visages. Mais de qui se moquait-elle ? Elle ne deviendrait jamais centenaire. Elle se demandait même si elle vivrait jusqu'au petit matin.

Penser qu'elle respirait par la bouche *cet* air puant et contaminé était suffisant pour la rendre vraiment malade. Mais au moins cela diminuait-il l'odeur.

L'obscurité était si profonde! La lumière de sa lampe semblait presque incapable de la percer. On aurait dit du sirop, qui comblait rapidement le canal que le rayon lumineux y creusait.

Elle entendait Hatch se déplacer le long des cadavres, et elle savait ce qu'il était obligé de faire — jeter un rapide coup d'œil à chacun d'eux, juste pour s'assurer que Jeremy Nyebern ne s'était pas dissimulé parmi eux pour leur sauter dessus au moment où ils passeraient, monstruosité vivante au milieu des monstruosités dévorées par la pourriture.

Où était Regina?

Lindsey balayait l'obscurité avec sa lampe, d'avant en arrière, d'avant en arrière, en un large arc de cercle, pour ne pas donner à ce salopard de meurtrier la moindre chance de s'approcher d'elle subrepticement dans le noir. Mais, oh, il était rapide! Oh oui! elle avait vu à quel point il l'était. Il s'était précipité dans le couloir jusqu'à la chambre de Regina, et il avait claqué la porte derrière lui aussi vite que s'il avait eu des ailes, des ailes de chauve-souris. Et il était agile, aussi! Il était descendu par le treillis du jasmin, avec la fillette sur ses épaules, et la chute ne lui avait rien fait, il s'était relevé et avait filé dans la nuit avec elle...

Où était Regina?

Elle entendait Hatch qui continuait à avancer, et elle devinait où il allait maintenant : il contournait l'énorme statue de Satan, pour s'assurer que Jeremy Nyebern n'était pas dissimulé de l'autre côté. Il faisait ce qu'il avait à faire. Elle le savait, mais elle n'aimait pas ça du tout, parce qu'à présent elle était seule avec tous ces gens morts derrière elle. Certains, tout desséchés, produiraient des bruits de papier froissé si, d'une façon ou d'une autre, ils s'animaient soudain et venaient vers elle, alors que d'autres, dans des états de décomposition plus horribles, révéleraient leur approche par des bruits gras et humides... Mais qu'est-ce qu'elle racontait? Tous ces gens-là étaient *morts*. Rien à craindre d'eux. Les morts restaient morts. Sauf que ce n'était pas toujours le cas, n'est-ce pas? Oui, si elle en croyait son expérience personnelle, ce n'était pas toujours le cas, en effet. Elle continua pourtant à balayer devant elle l'obscurité avec sa lampe, résistant à la terrible envie de se retourner et d'éclairer les cadavres suppurants. Elle savait qu'elle aurait dû les pleurer plutôt que les craindre, et considérer avec colère les mauvais traitements et l'atteinte à leur dignité qu'ils avaient subis, mais pour l'instant elle n'était accessible qu'à la peur. Et voilà que Hatch revenait, après avoir tourné autour de la statue, Dieu merci. Mais à sa respiration suivante, qui lui sembla horriblement métallique lorsqu'elle franchit ses lèvres, elle se demanda si c'était Hatch, ou l'un des cadavres qui s'était relevé... Ou Jeremy...

Elle pivota vivement, regarda *au-dessus* des morts, et sa lampe lui prouva que c'était bien Hatch qui s'approchait.

Où était Regina ?

Comme en réponse à cette question, un grincement distinct fendit l'air épais de la caverne. Les portes du monde de la surface faisaient le même bruit, lorsque leurs gonds étaient rouillés.

Ils pointèrent tous les deux leur lampe dans la même direction. Les deux extrémités de leurs faisceaux se chevauchant partiellement montrèrent qu'ils avaient estimé l'un comme l'autre que ce son venait des rochers de béton, sur le rivage le plus éloigné de ce qui avait dû être un vaste lac.

Lindsey s'était élancée avant même de se rendre compte qu'elle bougeait. Hatch murmura son nom avec une urgence qui signifiait : *Avance à côté de moi, et laisse-moi passer le premier.* Mais elle ne pouvait pas rester en arrière, pas plus qu'elle n'aurait pu succomber à la peur, maintenant, et repartir par où ils étaient arrivés. Sa Regina s'était retrouvée au milieu des morts, peut-être sans les voir, à cause de l'étrange aversion de son kidnappeur pour la lumière, mais tout de même au milieu d'eux et certainement consciente de leur existence...

Elle était incapable de supporter l'idée que cette enfant innocente fût prisonnière de cet abattoir une minute de plus. Sa propre sécurité n'avait plus d'importance — seule comptait celle de Regina.

Comme elle atteignait les faux rochers et s'y engageait, découpant l'obscurité avec sa lampe ici, puis là, puis plus loin, au milieu des ombres qui bondissaient autour d'elle, elle entendit le gémissement de lointaines sirènes. Les hommes du shérif. L'appel de Hatch avait donc été pris au sérieux. Mais Regina était toujours aux mains de la Mort. Si la fillette était encore vivante, elle ne le resterait pas jusqu'à ce que la police eût le temps de trouver le Palais des Merveilles et de descendre dans la tanière de Lucifer. Alors Lindsey s'enfonça au milieu des rochers aussi vite que possible, le Browning dans une main, la lampe dans l'autre, elle avança en prenant des risques, Hatch sur ses talons.

Elle découvrit la porte brusquement. Du métal, rouillé Mue par une barre et non par un bouton. Entrouverte.

Elle la poussa et la franchit, oubliant la prudence qu'une vie entière de films policiers et de séries télévisées aurait dû lui inculquer. Elle s'y engouffra comme l'aurait fait une lionne lancée à la poursuite du prédateur qui aurait osé lui voler son petit. Stupide, elle savait que c'était stupide, qu'elle pouvait se faire tuer, mais les lionnes agressées dans leur maternité n'étaient pas particulièrement des créatures de raison. Elle agissait à l'instinct, maintenant, et son instinct lui disait que ce salopard était en fuite, et qu'ils devaient continuer à le faire fuir pour l'empêcher de réaliser ses desseins avec la fillette, et qu'ils devaient le serrer de près, de plus en plus près, jusqu'au moment où ils l'acculeraient dans un coin.

La porte des rochers ouvrait, de l'autre côté des murs de l'Enfer, sur une pièce de six mètres de large, occupée autrefois par diverses machines. Les boulons et les plaques d'acier avec lesquels celles-ci avaient été fixées jonchaient le sol. Des échafaudages compliqués, mangés par les toiles d'araignées, s'élevaient jusqu'à un mètre cinquante et permettaient d'accéder à d'autres portes, à des vides sanitaires et à des panneaux de contrôle grâce auxquels fonctionnaient les éclairages et les effets spéciaux compliqués du Palais des Merveilles, ainsi que le système d'air conditionné et les lasers. Il ne restait rien de ce matériel, désormais ; on l'avait démonté et emporté.

Combien de temps faudrait-il au monstre pour ouvrir la cage thoracique de la fillette, lui arracher son cœur qui battait encore, et prendre plaisir à sa mort ? Une minute ? Deux ? Peut-être pas davantage. Pour la sauver, ils devaient le harceler, ce foutu connard.

Lindsey balaya de sa lampe électrique cet amas de tuyaux

d'acier, de joints coudés et de plaques de roulements infesté de toiles d'araignée. Elle décida aussitôt que leur gibier n'était pas monté jusque là-haut pour s'y cacher.

Hatch était à côté d'elle, légèrement en retrait, tout près. Ils haletaient, tous les deux, non parce qu'ils étaient fatigués, mais parce que la peur leur serrait la poitrine, compressait leurs poumons.

Lindsey tourna à gauche et se dirigea à l'autre bout de cette pièce d'environ six mètres de large, vers une ouverture dans le mur de béton qui avait été bloquée par des planches, pas très solidement, juste pour empêcher quelqu'un d'y pénétrer sans effort. Un certain nombre de clous étaient toujours plantés dans les murs des deux côtés, mais les planches avaient été arrachées et balancées par terre dans un coin.

Hatch murmura son nom, l'invita à ne pas avancer davantage, mais elle se précipita jusqu'à ce passage, y braqua sa lampe et découvrit que ce n'était pas une autre pièce de l'autre côté, mais une cage d'ascenseur. Les portes, la cabine, les câbles, et tous les mécanismes avaient été récupérés, et ce n'était plus qu'un trou à l'intérieur de l'immeuble comme le trou d'une dent arrachée.

Elle examina, au-dessus d'elle, ce puits qui s'élevait sur au moins trois étages. Elle balaya lentement avec sa lampe les murs de béton, repéra les barreaux de métal de l'échelle de service.

Hatch arriva près d'elle au moment où sa lampe éclairait la base du puits, révélait des détritus, une glacière en polystyrène, plusieurs boîtes vides de *root beer,* et une poubelle en plastique presque pleine, tout cela autour d'un matelas taché et bosselé.

Jeremy Nyebern était pelotonné sur le matelas, dans un coin du puits, avec Regina sur ses genoux, serrée contre sa poitrine, si bien qu'il pouvait s'en servir de bouclier contre les coups de feu.

Il avait un revolver et il tira dans leur direction deux fois à l'instant même où Lindsey le repérait.

Le premier coup la manqua, mais le second lui traversa l'épaule et le choc la plaqua contre le mur. Elle rebondit, perdit l'équilibre et tomba dans le puits la tête la première, juste après sa lampe qu'elle avait déjà lâchée dans le vide.

Elle ne se rendit pas compte qu'elle tombait. Et même lorsqu'elle s'écrasa au fond, sur le flanc, tout cela lui sembla irréel, peut-être parce qu'elle était encore trop engourdie par l'impact de la balle pour ressentir les dommages que celle-ci avait faits, ou peut-être parce qu'elle atterrit sur le matelas — le souffle coupé par le coup de feu mais sans rien de cassé —, à l'extrémité opposée à celle où Nyebern était tapi.

Sa lampe électrique avait fini sa course sur le matelas, elle aussi, et elle ne s'était pas brisée. Elle éclairait un mur gris.

Comme dans un rêve, incapable encore de respirer correctement, Lindsey avança lentement la main pour pointer son revolver sur Nyebern. Mais elle n'avait plus de revolver. Elle avait perdu le Browning dans sa chute.

Jeremy, lui, avait dû la suivre avec son arme pendant qu'elle tombait, car maintenant elle se retrouvait en face du canon, un canon incroyablement long qui mesurait exactement une éternité entre sa chambre et sa gueule.

Et derrière le revolver, elle vit le visage de Regina, aussi terreux que ses yeux étaient vides, et derrière ce visage aimé, il y avait celui qu'elle haïssait, d'une blancheur de lait. Ses yeux, qui n'étaient pas, cette fois, dissimulés derrière ses lunettes de soleil, étaient sauvages et étranges. Elle les voyait, maintenant, même s'ils étaient presque fermés à cause de la lueur de la torche. Et lorsqu'elle croisa ce regard, elle pensa qu'elle était en présence de quelque chose d'étranger qui faisait semblant d'être humain sans y réussir vraiment.

Oh, super, c'est surréaliste ! se dit-elle, et elle savait qu'elle n'allait pas tarder à s'évanouir.

Elle espéra qu'elle aurait déjà perdu connaissance quand il appuierait sur la détente. Encore que cela n'eût pas vraiment d'importance. Elle était si près du revolver qu'elle n'entendrait même pas le coup qui lui emporterait le visage.

Si Hatch fut horrifié lorsque Lindsey disparut dans la cage d'ascenseur, il fut encore plus surpris par ce qu'il fit ensuite.

A la vue de Jeremy qui la suivait avec son revolver jusqu'au moment où elle vint s'écraser sur le matelas, la gueule de l'arme à moins d'un mètre de son visage, il jeta son Browning sur la pile de planches qui, jadis, condamnaient le puits. Il savait qu'il ne pouvait pas atteindre Jeremy avec Regina dans sa ligne de tir. Mais il savait surtout qu'aucune arme à feu ne pourrait abattre la chose que Jeremy était devenu. Il n'eut pas le temps de réfléchir à cette curieuse idée, car dès qu'il eut abandonné son Browning, il fit passer sa lampe-crucifix de sa main gauche à sa main droite, et il sauta dans la cage de l'ascenseur sans la moindre idée de ce qu'il faisait.

Ensuite, tout sembla vraiment bizarre.

Il eut l'impression qu'il n'atterrissait pas au fond du puits comme il l'aurait dû, mais qu'il planait lentement comme s'il était à peine plus lourd que l'air, et qu'il lui fallut au moins une demi-minute pour atteindre le fond.

Peut-être son sens du temps était-il, tout simplement, altéré par la terreur.

Jeremy le vit arriver; oubliant Lindsey, il tourna son arme vers lui et tira les huit balles qui lui restaient. Hatch aurait juré qu'il était touché trois ou quatre fois, et pourtant il n'avait aucune blessure. Il était impossible que le tueur l'eût raté dans un espace aussi étroit.

Peut-être sa panique et les mouvements de sa cible expliquaient-elles ce manque d'adresse?

Alors qu'il flottait toujours comme une aigrette de pissenlit, le lien particulier qui le connectait à Nyebern se rétablit, et pendant un instant, il se vit en train de descendre par les yeux du jeune assassin. Mais ce qu'il vit, pourtant, ce n'était pas simplement lui : l'image de quelqu'un était superposée à lui, comme s'il partageait son corps avec une autre entité. Il eut l'impression de voir des ailes blanches repliées contre ses flancs. Et sous son propre visage, il y avait celui d'un étranger — le visage d'un guerrier, la quintessence du guerrier, qui, pourtant, ne l'effrayait pas.

Peut-être Nyebern était-il en train d'halluciner — dans ce cas, Hatch ne recevait pas réellement ce que voyait le tueur, mais ce qu'il imaginait qu'il voyait. *Peut-être*.

Et puis, tout en continuant à glisser lentement, Hatch recommença à voir par ses propres yeux, et cette fois il fut certain que quelque chose était superposé à Jeremy Nyebern, une forme et un visage mi-reptiles, mi-insectes.

Peut-être que la lumière lui jouait un tour, peut-être qu'il ne s'agissait que d'un mélange complexe entre les ombres et les rayons des lampes. *Peut-être*.

Il ne réussit pas à s'expliquer non plus leur échange

final — et il dut réfléchir longuement à la chose, dans les jours qui suivirent :

— Qui es-tu ? demanda Nyebern, tandis qu'Hatch retombait sur ses pieds, comme un chat, après une chute de neuf mètres de hauteur.

— Uriel, répondit Hatch, bien qu'il n'eût jamais entendu ce nom auparavant.

— Je suis Vassago, dit Nyebern.

— Je sais, dit Hatch, alors que là encore c'était la première fois qu'il entendait ce nom.

— Toi seul tu peux me renvoyer.

— Et quand tu seras renvoyé par quelqu'un tel que moi, dit Hatch, se demandant d'où ces mots pouvaient bien venir, tu ne retourneras pas là-bas comme un prince. Tu seras un esclave, tout comme l'adolescent stupide et sans cœur avec lequel tu es revenu.

Jeremy Nyebern eut peur. C'était la première fois qu'il se révélait capable de peur.

— Et je croyais que j'étais l'araignée !

Avec puissance, agilité, économie de mouvement — autant de qualités qu'il ne savait pas posséder —, Hatch attrapa Regina par sa ceinture, l'écarta de Nyebern, et abattit le crucifix sur le crâne du fou comme une matraque. Les lentilles de la lampe qui y était attachée se brisèrent et les piles s'échappèrent. Il écrasa violemment le crucifix une seconde fois, et le troisième coup envoya Nyebern dans une tombe deux fois méritée.

La colère qu'éprouvait Hatch était une juste colère. Lorsqu'il lâcha le crucifix, lorsque tout fut fini, il n'éprouva aucune honte, aucune culpabilité. Il ne ressemblait pas du tout à son père.

Il eut l'étrange impression, alors, qu'une puissance sortait de lui, une présence qu'il n'avait pas devinée. Et il eut l'impression aussi d'une mission accomplie, d'un équilibre restauré. Toutes choses étaient désormais à leur place.

Regina ne lui répondit pas quand il lui parla. Elle ne semblait pas blessée. Mais Hatch n'avait pas d'inquiétude à son sujet, car d'une façon ou d'une autre il savait qu'aucun d'entre eux ne souffrirait vraiment d'avoir été pris dans... dans ce dans quoi ils avaient été pris, même s'il ne savait pas ce que c'était.

Lindsey était évanouie et elle saignait. Il examina sa blessure, et vit que ce n'était pas très grave.

Dex voix s'élevèrent, deux étages plus haut. Elles criaient son nom. Les autorités arrivaient. En retard, comme toujours. Enfin, pas toujours. Parfois... l'une d'elles était là juste au moment où on en avait besoin.

3

L'histoire apocryphe des trois aveugles examinant un éléphant est bien connue. Le premier ne sent que la trompe et décrit donc en toute confiance la bête sous l'aspect d'une grande créature semblable à un serpent, un python par exemple. Le second ne touche que les oreilles de l'éléphant et annonce qu'il s'agit d'un oiseau capable de monter très haut dans le ciel. Le troisième n'examine que la queue au bout frangé faite pour chasser les mouches, et parle d'un animal ressemblant curieusement à un écouvillon.

Il en est ainsi de toutes les expériences partagées par les êtres humains. Chacun la perçoit d'une façon différente et en tire une leçon qui ne ressemble pas à celle de ses compagnons, hommes ou femmes.

Au cours des années qui suivirent les événements du parc de loisirs, Jonas Nyebern perdit tout intérêt pour la médecine de réanimation. D'autres le remplacèrent dans son travail et s'en tirèrent tout aussi bien.

Il vendit aux enchères l'ensemble des pièces d'art religieux des deux collections qu'il n'avait pas encore terminées et il plaça l'argent à des taux d'intérêt élevés.

Il pratiqua encore un moment la chirurgie cardio-vasculaire, puis il n'y trouva plus la moindre satisfaction. Finalement, il abandonna cette profession alors qu'il était encore jeune, et chercha une nouvelle carrière pour les années qui lui restaient.

Il cessa d'aller à la messe. Il ne croyait plus que le diable était une puissance en tant que telle, une entité qui parcourait le monde. Il avait appris que l'être humain était une source de mal suffisante pour expliquer tout ce qui n'allait pas dans ce monde. Et, à l'opposé, il décida que l'humanité était sa propre source de salut — et la seule.

Il devint vétérinaire. Chaque patient semblait mériter que l'on s'occupât de lui.

Il ne se remaria jamais.

Il n'était ni heureux, ni malheureux, et cela lui convenait parfaitement.

Regina resta deux jours dans sa chambre intérieure et une fois qu'elle en fut ressortie, elle ne fut plus jamais la même. Mais personne n'est complètement identique à soi-même au bout d'un certain laps de temps. Le changement est la seule constante. Cela s'appelle devenir adulte.

Elle leur dit « papa » et « maman » parce qu'elle en avait envie, et parce qu'elle le pensait vraiment. Jour après jour, elle leur donna autant de bonheur qu'eux, de leur côté, lui en donnèrent.

Elle ne déclencha jamais la destruction en chaîne de leurs antiquités. Elle ne les gêna jamais en se montrant sentimentale et en fondant en larmes au mauvais moment, et donc en mettant en route le bon vieux robinet à morve ; elle produisit sans se tromper des larmes et de la morve seulement lorsque c'était nécessaire. Elle ne les humilia jamais dans un restaurant en renversant une assiette pleine sur la tête du président des États-Unis installé à la table à côté. Elle ne mit jamais accidentellement le feu à la maison, ne péta pas une seule fois en société, et jamais non plus elle n'effraya les petits enfants du voisinage avec l'appareil orthopédique de sa jambe et sa drôle de main droite. Mieux encore, elle cessa de s'inquiéter pour toutes ces choses (et d'autres encore), et finit même par oublier l'incroyable énergie qu'elle avait gaspillée en inquiétudes si invraisemblables.

Elle continua à écrire. Et s'améliora. A quatorze ans, elle fut lauréate d'un concours national d'écrivains adolescents. Comme prix, elle reçut une montre plutôt jolie, et un chèque de cinq cents dollars. Elle utilisa une partie de cet argent pour s'abonner à *Publishers Weekly* et acheter tous les romans de William Makepeace Thackeray. Elle n'avait plus envie d'écrire sur des cochons intelligents venus d'outre-espace, surtout parce qu'elle s'était rendu compte qu'elle pouvait rencontrer des personnages beaucoup plus curieux autour d'elle, et principalement des Californiens de naissance.

Elle ne parlait plus avec Dieu. Cela lui semblait enfantin de bavarder avec lui. Et elle n'avait plus besoin de Son attention constante. Pendant un moment, elle pensa qu'Il était parti, ou qu'Il n'avait jamais existé, puis elle décida que c'était idiot. Elle avait conscience de Sa présence tout le temps ; Il se servait des fleurs pour lui faire des clins d'œil, des trilles d'un oiseau pour lui chanter la sérénade, de la gueule poilue d'un petit chat pour lui sourire, et de la douce brise estivale pour la caresser. Elle trouva une phrase, dans un livre de Dave Tyson Gentry, qui lui parut parfaitement adaptée à la chose : « La véritable amitié, c'est quand le silence entre deux personnes n'est plus gênant. » Bon, qui est votre meilleur ami, sinon Dieu, et qu'est-ce que vous avez vraiment besoin de Lui dire, et qu'est-ce qu'Il a vraiment besoin de vous dire à vous, quand tous les deux vous savez déjà la chose la plus importante — et la seule qui compte : que vous serez toujours là l'un pour l'autre ?

Les événements de cette période changèrent moins Lindsey qu'elle n'aurait cru. Sa peinture s'améliora un peu, mais pas énormément : elle était déjà satisfaite de son travail, avant cette aventure. Son amour pour Hatch ne diminua pas, et elle n'aurait, de toute façon, pas pu l'aimer davantage.

Mais il y avait tout de même une chose qui la faisait tressaillir, désormais. Et cela, quand elle entendait quelqu'un dire : « Le pire est derrière nous, maintenant. » Elle savait que le pire n'était jamais derrière. Le pire venait à la fin. Le pire, c'était la fin, le fait même de la fin. Rien ne pouvait être pire que cela. Mais elle avait appris à vivre avec la connaissance que le pire n'était jamais derrière elle — et elle trouva son bonheur dans chaque jour qu'elle vivait.

Quant à Dieu, elle ne s'appesantissait pas sur la question. Elle élevait Regina dans la foi catholique, allait à la messe avec elle chaque semaine, car cela faisait partie de la promesse qu'elle avait faite aux responsables de Saint-Thomas, au moment de l'adoption définitive. Mais elle n'agissait pas ainsi seulement par devoir. Elle estimait que l'église était utile pour

Regina — et que Regina pouvait être bonne pour l'église, aussi. Toute institution comptant Regina parmi ses membres serait changée par elle, et à son bénéfice éternel, au moins autant que Regina serait changée par cette institution. Un jour, elle avait dit que l'on ne répondait jamais aux prières, que les vivants vivaient seulement pour mourir, mais elle avait fait certains progrès par rapport à cette attitude : elle attendrait pour voir.

Hatch continua avec succès dans les antiquités. Son existence correspondit peu à peu à ce qu'il souhaitait. Il était toujours aussi facile à vivre qu'avant. Il ne se mettait jamais en colère. La différence, c'était que cette fois il n'avait plus de colère en lui à réprimer. Cette fois, son calme était véritable.

De temps en temps, lorsqu'un moment de l'existence semblait avoir une grande signification qui lui échappait, et qu'il se sentait donc d'humeur philosophe, il se réfugiait dans son bureau et sortait deux objets de son tiroir fermé à clé.

L'un de ces objets était le numéro d'*Arts American* roussi par la chaleur.

L'autre, une simple feuille de papier ramenée un jour de la bibliothèque, où il avait fait quelques rapides recherches. Deux noms y figuraient, avec une définition d'une ligne pour chacun. « Vassago — selon la mythologie, l'un des neuf princes couronnés de l'Enfer. » Et en dessous, le nom qu'il avait un jour donné pour sien : « Uriel — selon la mythologie, l'un des archanges faisant office de serviteur personnel de Dieu. »

Il regardait ces deux choses, y réfléchissait avec soin, et ne parvenait jamais à une conclusion définitive. Si vous devez être mort quatre-vingts minutes et revenir sans vous souvenir de l'Autre Côté, c'est peut-être parce que quatre-vingts minutes de cette connaissance, c'est bien plus qu'un simple aperçu d'un tunnel avec une lumière au bout, et donc, peut-être davantage que ce que l'on attend que vous assumiez.

Et si vous devez ramener quelque chose avec vous de l'Au-Delà et l'avoir en vous jusqu'à ce qu'il eût rempli sa mission de ce côté-ci du monde, un archange ce n'était pas de trop.

La composition de cet ouvrage
a été réalisée par l'Imprimerie BUSSIÈRE,
l'impression et le brochage ont été effectués
sur presse CAMERON dans les ateliers de B.C.A.,
à Saint-Amand-Montrond (Cher),
pour le compte des Éditions Albin Michel.

Achevé d'imprimer en mars 1994.
N° d'édition : 13600. N° d'impression : 379-94/073.
Dépôt légal : mars 1994.